LE ROI DES OMBRES

EVE DE CASTRO

LE ROI DES OMBRES

roman

ROBERT LAFFONT

À mes parents

De dos, l'homme n'a pas grande allure. D'une taille très au-dessous du médiocre, il est à peine plus épais qu'une fillette. L'habit est gris souris, de bonne coupe, de drap lourd mais usé, et les bas gris ardoise, rapiécés en plusieurs endroits. Les pieds sont calés dans des souliers hors d'âge, beaucoup trop larges et bourrés de paille fraîche.

Cet homme qui regarde dans la cour depuis la fenêtre de sa chambre se fait appeler Ange Lacarpe. Personne ne sait si c'est là son vrai nom, mais les gens du village s'accordent à lui trouver une patience angélique et guère plus de conversation qu'un poisson. Il soigne les enfants, les tout petits, les plus grands, et aussi, à l'occasion, parce que les temps sont rudes et que nécessité fait loi, leurs parents. Gars et matrones, jeunes et vieux, même les pauvres, ceux qui n'ont rien du tout que leur détresse et des larmes qui ne servent à personne.

Ange Lacarpe ne guérit pas toujours, mais au moins, il soulage.

Le seul qu'il ne soit pas parvenu à soulager, c'est le maître, celui qui vivait au château.

Celui qui vient de trépasser.

Les cloches de l'abbaye sonnent depuis l'aube, et les villageois découpent du drap noir pour accrocher aux fenêtres. Ils porteront le deuil non par respect dû au mort, car ce mort-là n'avait rien de respectable, mais pour son fils, qui hier comme aujourd'hui ne méritait pas le sort que la vie lui a fait.

Le nouveau maître.

Celui qui se fait nommer Ange Lacarpe connaît bien le nouveau maître. Il le connaît assez pour l'appeler : «Enfant» ou encore «Charles», ce que personne, même pas la femme Fermat, sa nourrice, ne se permet. Entre celui qui soigne les petits et cet enfant-là qui est maintenant un homme, il y a un lien que les gens du village admirent et envient.

De ce lien-là, le maître qui est mort la nuit dernière était férocement jaloux. Surtout vers la fin.

L'homme en gris ouvre sa fenêtre. La croisée résiste, l'humidité a fait gonfler le bois. Il faudrait raboter et repeindre le pourtour. Ange Lacarpe n'aura pas le temps.

L'air est tiède, presque rose. Un soir qui ressemble à une aube.

L'homme ôte sa perruque, grise également, et ébouriffe ses cheveux courts et drus. Il respire en fermant les yeux.

Voilà treize années qu'il attend cette aube.

Sous la fenêtre se trouve un coffre. Pas très large, en bois de chêne avec des ferrures compliquées. Ange Lacarpe plie les genoux, et tirant de sa poche une clef, il défait les serrures et soulève le couvercle.

Ce qui est dans le coffre n'a pas souffert, ou très peu. Il remue les sachets placés entre les épaisseurs de soie, époussette ici et là, et pour que les dentelles prennent l'air, il laisse le coffre ouvert.

Il a verrouillé la porte après le départ du jeune maître et taillé deux plumes neuves. Personne ne viendra le surprendre. La nuit qui tombe est à lui.

Il passe les mains sur son visage, puis il verse de l'esprit de vin sur un linge et se débarbouille avec soin. Pour ce qu'il va faire maintenant, il doit avoir l'âme et le visage nus.

Le moment est venu.

À l'attention de Monsieur le comte de Cholay,
À lire au coucher, avant de prendre ses gouttes.

Monsieur,

Depuis treize ans vous me voyez chaque jour, et pourtant vous ne m'avez jamais vu. L'habitude vous fait me réclamer, vous dites m'estimer, vous pensez me connaître et m'aimer. Moi, je vous regarde et puisque je me suis défendu de pleurer, je souris.

Vous êtes bien sûr de vous, d'être ainsi sûr de moi.

Sachez qu'il est autant de façons de travestir la vérité qu'il en est de la vivre. Sous le masque d'une sincérité que je ne renie pas, je vous ai menti à chacune de nos rencontres et ce matin encore, en vous promettant de revenir demain, je mentais. J'ai failli me trahir quand vous vous êtes retourné sur le seuil de ma chambre et que vous m'avez dit : «Je ne sais ce que je deviendrais si vous m'abandonniez.» J'ai tremblé de ne pouvoir vous demander pardon. Je me suis tu pour que vous puissiez me quitter le premier. C'est ainsi, je me l'étais juré, que les choses devaient se passer. Maintenant je n'ai d'autre choix que d'aller jusqu'au bout.

Il va falloir apprendre à vous passer de moi, Charles. Je pars, oui. Je pars longtemps, et loin. Comme je ne peux vous emmener, je dois espérer que vous voudrez me rejoindre. Le monde et la raison vous dissuaderont de le faire, mais je garde confiance. Les germes que j'ai plantés en vous finiront par éclore, et les liens qui se sont tissés entre nous ne sont pas de ceux que l'absence dénoue. Vous allez me maudire, mais vous me reviendrez. Un jour. Le temps, le manque, le chagrin s'apprivoisent, je sais cela mieux que personne, et les mots que je vous laisse vous guideront jusqu'à moi.

Suivez ma voix.

Où je veux vous mener, vous n'irez pas en une heure, et le chemin qui m'a tant malmené ne vous laissera pas indemne. Ne lâchez pas ma main, ne criez que si personne ne vous entend, ne brûlez ces feuillets qu'après avoir lu le dernier. De ce que j'ai subi et accompli, je n'ai honte ni regret. Vous livrer mon étrange vérité donne enfin sens au destin auquel le roi de France m'a acculé.

Demandez une provision de bûches, renvoyez votre valet, installez-vous confortablement. Vous dormirez peu cette nuit et les suivantes pas davantage. Les ombres qui sont sur le point d'entrer dans votre vie, vous ne les avez jamais côtoyées, c'est à peine si vous concevez leur existence. Pourtant elles vont devenir vos intimes, et lorsque vous aurez fini de me lire, elles feront partie de vous.

Vos jambes sont allongées sur le tabouret vert?

C'est bien.

Approchez la bougie et ouvrez grand vos yeux.

Le premier être que vous devez regarder n'est pas un humain, c'est un furet. Oui, un furet. Celui dont je vous parle est grassouillet, pas très long, plutôt roux que gris, et présentement il couine et glapit de terreur au milieu d'une fumée qui à chaque seconde s'épaissit.

Le voyez-vous?

Il a une tache claire en forme de croix sur la tête, agrippé au rebord d'une fenêtre il casse ses griffes sur les joints du vitrail, sous lui la boiserie embrasée crache des nuages couleur de suie, dehors la nuit est noire et le vent chuinte, dedans l'incendie siffle et gronde, rôti par la chaleur le furet va lâcher... Une main repousse le ventail, l'attrape au ventre, l'arrache au brasier que l'appel d'air déchaîne et le fourre au fond d'une poche qu'il connaît. Il entend murmurer : «Tout va bien, Jésus. Tout va bien.» Le sac que son maître porte à l'épaule l'écrase, mais le feu ne l'a pas pris, le feu ne le prendra pas. L'animal gémit de quiétude et s'endort.

Le sauveteur du furet se nomme Batiste. N'ayant pas eu le bonheur de vous être présenté, il ne peut vous saluer. Je vous promets que sinon il le ferait avec une fougue dont vous seriez surpris. Batiste aime surprendre, il ne fait jamais ce qu'on attend de lui.

Suivez-le.

Tout de suite, oui, mais d'un peu loin et sans vous montrer, un homme qui marche en pleine nuit d'un pas aussi vif avec un aussi gros sac sur l'épaule se méfie des rencontres. En traversant la Bièvre par le pont de la Croix-Clamart et la Seine par le Pont-Neuf, Batiste a compté deux heures à travers les marais pour aller du faubourg Saint-Marceau jusqu'à la place de Grève. Le marché du Saint-Esprit ouvre au point du jour, s'il veut terminer son affaire sans être vu des fripières, il doit se hâter. Les marchandes à la toilette sont une engeance dangereuse. À force de déshabiller et de rhabiller les inconnus qu'elles alpaguent du haut au bas du pavé, elles en savent long sur la nature humaine, et Batiste ne veut pas qu'elles devinent. Elles le connaissent, souvent il a décrotté pour elles des dessous ou dépecé des habits afin qu'elles puissent les revendre pièce à pièce. Certaines ont eu pour lui des complaisances, plusieurs lui ont proposé couche et pain à demeure, mais les femmes craignent Dieu plus qu'elles n'aiment le plaisir, et si elles savaient ce qu'il vient de faire, elles le dénonceraient. Le quartier de l'Hôtel de Ville est désert, néanmoins par prudence Batiste rase les murs. Sur le flanc de l'hôpital du Saint-Esprit, la rue Tirechape, étroite et longue, compte trente-huit maisons ventrues, de hauteurs variées, avec des portes basses et des surplombs qui leur font des verrues au milieu de la figure. Batiste se glisse sous l'enseigne du Panier Fleuri qui sert de passage à l'impasse de la Bourdonnais par l'allée d'un marchand de vin. L'homme qu'il cherche est lové au fond d'un tonneau fendu, et sous l'amas des guenilles qui le couvrent, il ronfle et siffle aussi fort que l'incendie dans l'église. Pourtant dès que Batiste se penche au-dessus de lui, il ouvre des yeux vifs et hoche la tête d'un air civil.

— Le Ciel te protège, garçon, tu as la mine d'un qui vient de déterrer un trésor.

Batiste cale sa lourde besace sur le bord du tonneau.

— Tu veux voir?

— Bien mal acquis ne profite jamais...

Batiste hausse les épaules.

— C'est un défroqué qui me fait la leçon?

L'homme s'étire, se déplie, rajuste nonchalamment ce qui a dû être une soutane, débouche la gourde qui pend sur sa poitrine et boit une franche rasade. Le corps long, pas plus épais qu'une cuisse de matrone, la tête rasée sous un bonnet de laine brune, la bouche sinueuse et dépourvue de lèvres, il ressemble tout à fait à une anguille. Batiste dénoue la cordelette du sac et en sort une chasuble sacerdotale galonnée d'argent sur le col et les manches. L'homme tâte le tissu d'une main étonnamment fine et blanche. À l'index, il porte une bague d'évêque. Pardessus l'épaule de Batiste, il inspecte la ruelle qu'une aube laiteuse commence d'éclairer.

— Ça vient d'où?

— Avance sur héritage.

L'homme sourit. Il a toutes ses dents, ce qui passé trente ans relève du miracle. Il plonge sa main de demoiselle dans le sac et en tire une chape de satin rebrodée d'une grande croix en fil d'or, une autre de velours de soie rouge, un voile de calice avec l'agneau pascal en fil d'argent, deux étoles en tissu d'or, deux manipules, une bourse à godrons et trois lourdes bannières, l'une de velours violet avec la Vierge en majesté surmontée d'un phylactère, la seconde figurant saint Marcel avec sous ses pieds les toits de son abbaye, et la troisième montrant le martyre de saint Barthélemy et de saint Crépin, respectivement patron des bouchers et protecteur des cordonniers. Il grimace.

— Pas facile à écouler...

Batiste replie les ornements.

— L'orgueil et l'avarice fleurissent en province mieux encore qu'à Paris. Au-delà des faubourgs, pas un abbé ne regardera à la provenance si tu lui proposes de décorer sa collégiale à la mode de la capitale et à prix... amical.

L'homme anguille se gratte les côtes, puis le cou. Les puces. La gale. Ses nippes sont si crasseuses qu'elles tiendraient debout sans lui, mais son visage est presque propre, et son port comme le ton de sa voix sont celui d'un homme éduqué, non d'un vagabond.

— Les temps changent, mon jeune ami. Nouveau règne, nouvelle police. Avec une marchandise pareille, je risque les galères.

— Fais-moi une offre, ou je m'adresse ailleurs.

L'homme ôte son bonnet et d'un geste doux lisse son absence de cheveux. Il sourit à nouveau. En d'autres temps on lui faisait sans doute compliment de sa dentition, il garde du plaisir à l'exhiber.

— Il n'y a pas d'ailleurs, sinon tu ne traiterais pas avec moi.

— Je traite avec toi parce que je sais que, malgré tes crimes, tu as conservé des relations dans tous les couvents de France. Je sais aussi que le jour se lève et que si tu ne te hâtes pas, tu vas manquer une excellente affaire.

L'homme tend le cou et renifle.

— La souillon du vinassier vient d'allumer son feu. Si son patron te coince avec ce butin-là, c'est toi qui iras aux galères. J'en serai peiné, tu as du bagou, donc de l'avenir... Cinq louis.

— Cinq louis ? En ne revendant que les broderies, tu tireras du lot vingt louis !

— Cinq louis, qui font cinquante livres. Et tu plies le genou pour que je te bénisse.

Batiste lui fait un doigt d'honneur.

— Dix. Et le jour où un homme d'Église me bénira, c'est que je serai mort.

L'anguille hoche la tête d'un air navré.

— À ta guise. Mais si je crie, le concierge va boucler l'impasse. Tu seras pris comme un rat.

Batiste balance en vrac le contenu du sac dans le tonneau et saisit le bonhomme à la gorge. Pas plus que tout à l'heure, quand il a mis le feu à la sacristie, il n'est en colère, haineux, ou apeuré. Il fait ce qu'il doit faire, c'est tout. Il se penche vers l'homme, et avec la voix qu'il prend pour persuader une fille de retrousser sa jupe, il lui dit à l'oreille :

— C'est moi qui vais crier. Je vais crier : « Au voleur ! Les ornements de l'église Saint-Marcel sont ici, et la vermine que je tiens par le cou est un mitré sodomite condamné à mort pour avoir mangé ses novices en ragoût ! » Je sais très bien crier, Monseigneur, je vous assure, et encore mieux convaincre. Trente louis. Tout de suite.

L'homme hoquette et de ses deux mains jointes indique que le marché est conclu. Baptise le lâche. Il farfouille dans les replis de la ceinture qui l'emmaillote de l'aine jusqu'au sternum et en tire une bourse râpée et replète. Tout en comptant les pièces d'argent, il guigne Batiste du coin de l'œil. Ni grand ni petit, maigre mais vigoureux, le garçon a le torse large, les jambes droites, un grand front, un nez court, une masse de boucles brunes jamais démêlées et encore moins pommadées, un menton têtu, la bouche tendre et un drôle de regard de vieille âme dans une figure à peine sortie de l'enfance.

— Quel âge as-tu, depuis le temps que je te vois pendu aux jupes des fripières ?

— Trop vieux pour toi.

— Tu sais lire ?

— Personne ne sait lire.

— Je pourrais t'apprendre. À lire, à écrire, et même un peu de latin.

— Ce dont j'ai besoin, je me l'apprends moi-même.

— En échange tu rendrais d'autres... services à l'Église de ce royaume.

— Je ne suis pas un voleur.

— Pas plus que je ne suis un assassin, cela va de soi.

L'homme lève un doigt sentencieux.

— Dieu est omniscient, mais... certains détails lui échappent. Nos raisons nous appartiennent, n'est-ce pas ?

Batiste empoche les pièces sans les recompter. En lui dégringolant sur la tête, elles réveillent le furet qui d'un bond se juche sur l'épaule de son maître. Dans la pénombre, ses prunelles luisent comme des escarboucles. L'homme a un mouvement de recul.

— Tu as toujours cette saloperie ?

— Sois poli, quand on manque de respect à Jésus, il est comme moi, il mord.

L'homme se signe prestement.

— Il a les yeux d'un diable.

Tranquille, Batiste roule son sac vide et le noue autour de son ventre.

— C'en est un.

Craignez-vous le diable, Monsieur ? J'ai souvent entendu votre aumônier vous conter les méfaits de Lucifer et les masques innombrables que l'ange déchu prend pour nous tenter. N'en déplaise à l'Église qui prétend gouverner notre jugement autant que régir nos actions, il me semble que le Mal ne loge ni aux Enfers, ni chez les protestants, ni entre les cuisses des femmes, mais en chacun de nous. Son visage est notre face d'ombre, celle que nous cachons aux autres et surtout à nous-mêmes. Contrairement à ce que l'on vous a enseigné, le Dieu qu'il prie ou ne prie pas ne rend pas l'homme entièrement bon ou entièrement mauvais, l'homme est bon et mauvais en proportion variable et cela quelle que soit sa confession. Depuis que je vis sur vos terres, il m'a été donné d'observer quantité d'enfants, et je puis vous assurer que tous ne naissent pas avec une égale perméabilité au Bon, au Beau, au Bien. Quant à ceux qu'un tempérament doux et le goût de la pureté prédisposeraient à faire le bonheur d'autrui, il n'est aucun besoin de Satan pour les pervertir, il leur suffit de fréquenter leurs semblables. Le cœur des hommes est un chaudron de sorcière, Monsieur, le siècle où nous vivons cache la crasse sous les dentelles et la sanie de l'âme sous la poudre, les courbettes et les faux repentirs. Je sais des prêtres vautrés dans le crime, des manants qui battent à mort leur femme, des bourgeois qui vendent leur fille à des monstres, des seigneurs qui torturent les enfants, des princes qui tirent au fusil les gens comme des lapins, et des rois qui au lieu de donner l'exemple de la vertu, violent, mentent et trahissent.

Comment les ai-je connus, et qui suis-je pour parler d'eux ainsi ?

Je suis une victime. Je suis un témoin.

Vous pensez que je noircis le tableau, que je force le trait ?

Faites-vous conduire rue de Montpensier, sous les arcades du Palais-Royal, c'est là que l'évêque mangeur de novices réside aujourd'hui. À force de trafics, le maudit s'est tiré de son tonneau, il tient maintenant à l'entresol du numéro 16 une échoppe où les marchandises ne sont pas exposées mais où les affaires vont bon train. Vous le reconnaîtrez à ses dents et à sa bague. Parlez-lui de Batiste Le Jongleur, dites-lui que vous venez de sa part. Si le bonhomme ne pâlit pas, s'il ne cherche pas des yeux une porte par où s'enfuir, vous pourrez douter de moi.

En attendant, revenons à Jésus. Ce furet-là n'est pas un animal ordinaire. Son maître l'a habitué à se nourrir de lait et de sang, il tète le sein des femmes et raffole des sangsues. Chaque fois que la mère de Batiste rentre du marais avec son panier dégouttant d'un jus noir, il lui renifle les chevilles en couinant jusqu'à ce qu'elle lui donne une limace. Madeleine Le Jongleur est l'une des meilleures loueuses de sangsues du faubourg Saint-Marceau. Du printemps jusqu'à la fin de l'été, surtout s'il a fait chaud de bonne heure et que la belle saison s'attarde, elle peut nourrir sa famille avec du pain de seigle ou d'orge, du gruau, des fèves, du lard gras ou des harengs secs, et en plus elle arrive à sauver quelques pièces pour la dot de Blanche, sa dernière, qui a neuf ans et qu'elle espère faire admettre dans un couvent. Pas une maison de honte et de larmes comme celle des Gobelins où sur décret royal on enferme les racoleuses, les orphelines, les mendiantes et les filles mères, non, un saint monastère pour jeunes filles honnêtes. Madeleine Le Jongleur en rêve, de ce couvent. Quand elle ôte ses savates sur la berge, quand elle dénoue les bandes qui empêchent les mouches de butiner les plaies de ses mollets, quand elle descend dans l'eau verte en prenant garde à ne pas glisser sur les herbes coupantes, quand elle patauge au milieu de la vase et des roseaux en récitant son chapelet pour mesurer le temps, c'est au couvent qu'elle pense. Une grande maison de pierre avec des arcades, des bassins, des jardins et une chapelle où la petite priera pour racheter les péchés de sa famille. D'abord ses péchés à elle, Madeleine, qui n'ose plus se confesser parce qu'il y a trop à raconter.

Ensuite les péchés des hommes qui ont fait d'elle ce qu'elle est aujourd'hui, en commençant par les trois pères de ses enfants, y compris celui de Blanche dont elle n'a jamais connu le nom et dont elle a oublié les traits. Les péchés de Batiste enfin, Batiste qu'elle a dressé aussi rudement que Pierre, son aîné, mais qui pourtant pousse de guingois, Batiste qui ne respecte rien ni personne, Batiste qui bonimente, qui triche au jeu, qui ensorcelle les filles, Batiste qui refuse de l'accompagner à la messe, Batiste qui a appelé son satané furet comme le Christ. Jésus, pour une sorte de fouine, quel blasphème. Entre ses *Je vous salue Marie*, Madeleine esquisse une génuflexion qui la mouille jusqu'aux cuisses, «Pardonnez à mon garçon, Seigneur, il ne sait pas ce qu'il fait». Elle ne reste jamais dans l'eau plus d'une demi-neuvaine. Moins, les sangsues n'ont pas le temps de s'ancrer. Davantage, les bestioles la tètent plus qu'elle ne peut le soutenir, et elle s'évanouit. La subtilité du métier est dans la juste appréciation des limites. Il s'agit de hameçonner, ferrer et sortir la proie avec pour appât sa propre chair, sans oublier qu'en quelques secondes, on peut soi-même devenir proie. La grosse Mathilde, femme de Jeannot le Potager, s'est noyée en plein mois d'août, la rivière était au plus bas mais la pauvrette est tombée face contre le fond et quand on l'a relevée, les goulues l'avaient sucée à blanc. Paix à son âme. Il y a deux races de sangsues. Les grosses, noires et brillantes, se vendent chez l'apothicaire deux fois le prix des petites brunes. Madeleine connaît les coins et les habitudes de son gibier, mais elle ne maîtrise pas les caprices du ciel. Quand il pleut, quand le temps est à l'orage, quand la chaleur fane les roses du jour, les noiraudes boudent. Madeleine peut patauger des heures entières, elle en sort deux ou trois. Les sangsues brunes valent moins cher parce que les grandes dames n'en veulent pas. Les grandes dames, celles qui habitent des hôtels avec porche sculpté et carrosse dans cour pavée, ont des idées très arrêtées. Elles pensent que les sangsues noires sucent plus vaillamment que les autres, c'est ce qui les rend plus grandes et plus lourdes. Cette vérité-là est fausse. Les petites limaces sont les plus gourmandes, et aussi celles qui vivent le plus longtemps. Il n'empêche que les belles dames trouvent qu'il faut les réserver aux bourgeoises et aux femmes du peuple, pourtant chacun sait que les bourgeoises prétendent imiter les façons de la noblesse et que les crieuses de chapeaux ou les vendeuses d'oublies n'ont pas de quoi louer des sangsues. Une bonne sangsue produit le même effet qu'une saignée, avec cet avantage que le traitement peut se fractionner. La quantité de sang prélevée à chaque opération étant moindre par le biais de l'animal que par celui de la lancette, le malade s'en trouve rafraîchi, mais jamais fatigué. Quand les sangsues noires viennent à manquer, les apothicaires qui ont pignon sur rue ne peuvent plus satisfaire les docteurs à la mode qui ne peuvent plus soigner leurs capricieuses patientes. Si Madeleine ne trouve plus à vendre ses sangsues, il lui faudra se vendre elle-même. Elle l'a fait autrefois contre une place, c'est comme ça qu'elle a récolté ses deux garçons, puis contre une promesse de place, c'est comme ça que lui est poussé sa fille. Mais jamais contre du pain ou de l'argent. Madeleine est une pécheresse, pas une putain. Quand elle sort de l'eau avec sous ses jupes dix sangsues brunes et pas une seule noire, elle fourre sa prise dans sa panière, elle frictionne ses jambes boursouflées à l'esprit de vin et elle file à l'abattoir. On trouve des abattoirs des deux côtés de la Seine, mais elle préfère celui qui jouxte la Salpêtrière, près du quartier des Gobelins, parce que le fouillis d'animaux sur pied y est considérable et qu'elle peut y perpétrer son forfait aisément. Qu'on ne se méprenne pas, son intention n'est jamais de voler de la viande, ni de la tripaille, ni même des bas morceaux. Dérober ce qui se mange, c'est ôter le pain de la bouche d'autrui, et dans la hiérarchie des péchés, un tel larcin semble à Madeleine beaucoup plus capital que la colère ou la luxure. Ce qu'elle vient chercher, c'est du sang, et encore, pas pour elle : pour ses goulues. Posée sur le garrot d'une vache, une sangsue double de volume en moins de temps qu'il n'en faut pour réciter le *Confiteor*. Il suffit ensuite de la plonger dans de la teinture, et la farce est jouée : au lieu de dix petites brunes, on a dix grosses noires que l'apothicaire paie leur plein prix. Madeleine risque sa réputation avec ce tour qui, s'il était éventé, la mettrait au ban du métier. Aussi ne le risque-t-elle jamais plus d'une fois par saison, et jamais avec le même marchand. Or depuis la Saint-Jean 1665, elle est déjà allée deux fois à l'abattoir, et en passant la moitié de ses journées dans la Seine puis l'autre dans les marais de la Bièvre, elle n'a pas rapporté plus d'une once de noires. Une once de bonnes sangsues se monnaie douze sous l'été, entre quatorze et vingt sous l'hiver, et pour survivre une famille de quatre personnes a besoin de cinquante sous par jour, soit presque trois livres quotidiennes. Pierre est un bon fils, costaud, honnête, dur à l'ouvrage et respectueux, mais le maçon qui lui enseigne son art ne lui donne pas de salaire. Batiste pourrait rapporter de l'argent, il est aussi malin que son furet, mais touche-à-tout n'est pas un métier, et Madeleine se moque qu'on trouve à son gars du génie si ce génie-là ne les tire pas d'embarras. Elle vient de céder son chaudron à Jeannot le Potager, le veuf, pour quarante sous qui se sont envolés sitôt qu'elle les a touchés, et la mort dans l'âme elle se résout maintenant à puiser dans le pécule de Blanche. La dot. Le couvent. Le rachat. D'un sol à l'autre, il lui semble que le Paradis s'éloigne un peu plus, mais elle ne conçoit pas que Dieu l'abandonne. À chacune des difficultés qu'il lui a fallu affronter, et quand elle se retourne sur sa vie, il lui semble avoir enfilé les épreuves comme des graines à chapelet, chaque fois qu'elle s'est sentie perdue, donc, Dieu lui est venu en aide. Comme tout le monde, du moins dans le seul monde qu'elle connaisse, elle a travaillé dès qu'elle a su attacher son tablier et son bonnet. À cinq ans, elle ramassait des feuilles. À dix, elle sarclait des plates-bandes et curait des fossés. Ensuite, elle a vendu des herbes médicinales. Un sien client, qu'elle fournissait régulièrement en sauge et en fenouil, a offert de la prendre chez lui à l'essai pour soulager sa femme qu'une maladie de langueur tenait alitée. Concrètement il s'agissait surtout de le soulager lui, et en fait d'essai, le bonhomme l'a si bien prise qu'elle s'est retrouvée enceinte avant d'avoir réussi à protester. Il a promis de la garder à demeure et d'assurer son entretien et celui de son enfant. Néanmoins, quand il n'a plus été possible de cacher son gros ventre à l'épouse, elle s'est retrouvée sur le pavé. Elle a accouché dans une écurie, d'un garçon qu'elle a prénommé Pierre parce que le géniteur était maître maçon. C'est là que, la voyant démunie de tout, Dieu lui a parlé pour la première fois. Dieu lui a dit : ton poupon tète avec appétit, mais vois, il te reste du lait; Il lui a dit : tu as faim, mais regarde, tu es robuste et blanche; Il lui a dit : tu pues le crottin, mais observe, ta peau est fine et quand tu te coupes, ton sang coule d'un beau vermillon. Madeleine était naïve mais point sotte : elle s'est décrassée dans l'abreuvoir et elle s'est présentée à l'hôpital général en offrant ses services comme nourrice. Elle a passé quelques années épuisantes mais tranquilles, à allaiter, en plus de son fils, tous les orphelins que les bénédictines lui mettaient dans les bras. Voyant qu'elle donnait satisfaction au moral aussi bien qu'au physique, le curé de la paroisse l'a recommandée à une famille très pieuse, menant une existence très réglée. Elle a sevré petit Pierre et nourri sans faiblir les jumeaux de sa maîtresse. Elle mangeait à la table des domestiques, dormait dans un vrai lit et n'avait pas même besoin de sortir pour se rendre à confesse car le prêtre, qui était un parent de ses maîtres, venait souper à la maison chaque semaine. Ce bon pasteur portait un ardent intérêt au salut de son âme. À ses seins spectaculaires également, et tout autant aux grains de beauté posés en triangle à l'intérieur de sa cuisse droite. De sa manière très personnelle de lui donner l'absolution est résulté Batiste, né un mois avant terme sur le sol de la sacristie où la nourrice venait d'informer monsieur le curé que l'amour christique s'était par son truchement si réalistement incarné qu'il allait bientôt lui donner un héritier. Agonie d'insultes et abrutie de gifles par le saint homme qui ne souhaitait être père que pour ses ouailles, Madeleine a nettoyé les salissures, roulé le nourrisson dans un surplis et filé en cachant ses larmes à petit Pierre. N'osant rentrer chez ses patrons, elle s'est placée ici et là, offrant son lait et si possible pas davantage, contre une part de fricot et une place au coin de l'âtre pour elle et ses marmots. On la surnommait «la Mamelle». Le nom lui seyait, elle le portait gaillardement, mais la naissance de Blanche lui a séché les tétins et comme ni le maçon ni le prêtre ne se souciaient de subvenir à ses besoins, elle s'est tournée une seconde fois vers Dieu. C'est Lui qui, par le truchement d'un apothicaire, a envoyé l'idée des sangsues. Elle ne connaissait rien à ce métier-là, mais point n'était besoin d'un long apprentissage, il s'agissait également de se faire téter puis de soigner ses crevasses à la graisse d'oie et, une fois le labeur achevé, on avait tout pareillement la sensation d'être une outre vidée. Elle a béni le Ciel d'avoir doté son corps de plusieurs fluides monnayables et, soucieuse de ne pas rendre ses enfants orphelins, avant de s'initier aux ficelles du métier, elle a appris à nager. Elle ne s'est jamais plainte, elle n'a jamais tendu la main, même aujourd'hui où elle se trouve à bout d'expédients, elle n'attend rien que d'elle-même. Quand Pierre a offert d'emprunter quelques louis au maçon qui l'emploie, elle a dit non tout net, et si Batiste avait suggéré d'aller trouver son père qui est maintenant curé d'une fort belle abbaye, elle aurait refusé de même. Batiste n'a rien proposé de tel. Il ne pense qu'à ses boucles, ses rendez-vous galants, sa liberté d'aller et venir à sa guise. Ce garçon-là a du vent dans la tête et un hérisson à la place du cœur. Dieu ait miséricorde et le prenne en pitié...

À genoux sur le sol de sa chaumière délabrée, Madeleine entame sa quatrième neuvaine quand son cadet pousse la porte qui n'est pas à proprement parler une porte mais plutôt une claie qu'on déplace chaque fois qu'on doit entrer ou sortir. Sans un mot, il pose sur la jupe de sa mère un tas de pièces d'argent.

— Deux cents livres. Avec ça, tu peux rembourser nos dettes, acheter une charrette à bras et voir venir.

Madeleine le regarde comme s'il était une charogne sur un tas de fumier.

— Une charrette à bras. Qu'est-ce que je ferais d'une charrette à bras?

— Tu y mettrais nos effets. D'ici à Versailles, il faut compter trente-cinq lieues, nous n'allons pas porter le coffre et les paillasses sur notre dos.

— Versailles? Quoi, Versailles?

— Monsieur Colbert recrute pour le compte du Roi. Ils ont besoin de bras, là-bas, de toutes sortes de bras. Pierre et moi trouverons à nous employer sur le chantier, le logement est fourni dans le parc du château, ou sur le bord du parc, je n'ai pas tout compris. Blanche et toi...

— D'où t'est venue cette idée?

— J'ai vu des placards et j'ai entendu un crieur.

Batiste s'accroupit devant sa mère.

— Je veux que tu arrêtes les sangsues. Tu vas y laisser ta peau et ces saletés ne nous empêchent même pas de crever de faim.

Madeleine hausse les épaules.

— Tu n'as pas à vouloir. Les décisions que je ne prends pas seule, je les prends avec ton frère.

Batiste sourit.

— Pierre est d'accord. Son maître va lui faire une lettre de recommandation auprès du sieur Antoine Bergeron, qui est maître maçon des Bâtiments du Roi.

Madeleine le regarde droit dans les yeux.

— Comment as-tu eu cet argent?

Batiste lui rend son regard. Dans le pan de soleil matinal, ses iris ont l'exacte couleur d'un ciel d'orage.

— Ce que j'ai fait pour l'avoir, j'aurais dû le faire depuis longtemps.

Madeleine lui empoigne les épaules.

— Qu'as-tu encore inventé, mauvaise graine?

Batiste se dégage et se lève. Tranquille, il rajuste sa chemise.

— J'ai fait très exactement comme tu nous l'as appris, ma bonne mère : j'ai prié le Seigneur de nous venir en aide.

C'est ainsi que le dimanche suivant, par la grâce d'un Dieu dont les voies lui demeurent impénétrables, Madeleine Le Jongleur dépose dans la paume du sieur Boniface la somme exorbitante censée lui assurer la jouissance temporaire mais exclusive d'un logement réservé aux ouvriers du château de Versailles. Le logement est une cabane en planches mal équarries, et Anselme Boniface un grand, épais, noiraud et rustique gaillard à la bouche grasse et à l'œil chafouin, qui se targue du titre de contremaître de Monsieur Colbert et considère le petit tas de pièces avec une moue narquoise.

— C'est tout? Tu as de l'aplomb, la mère! Un toit de ce côté-ci du marais, c'est deux livres la semaine, payables par quinzaine et le premier mois d'avance.

— Huit livres pour une hutte à cochons!

— De l'autre côté, c'est moins cher mais tout le monde y crève, les enfants en premier. À toi de voir.

— Dans les faubourgs de Paris, les porcs sont mieux logés !

— Alors retournes-y. On ne manque pas de main-d'œuvre, ici, le plus grand chantier de France, ça attire les foules, il en vient de la Normandie, de la Bretagne, même du pays d'Oc. Si la cabane te déplaît, ton mari n'a qu'à l'arranger. Où il est, ton mari ?

— Je suis veuve.

— Pas de chance.

Boniface tend sa patte ouverte comme une énorme écuelle.

— Le tarif, c'est le tarif, les bons comptes font pousser les châteaux, si tu veux t'installer avec tes orphelins, tu paies. Huit livres.

— Et avec quoi j'achète du pain ?

— Avec quoi ? Je vais te montrer !

Boniface retourne Madeleine, la plaque contre la palissade et de sa main libre lui pétrit le fessier. Le rustre est aussi massif qu'un bœuf, il serait simple de le satisfaire, il suffirait de cambrer la croupe et ensuite de remuer en cadence. Madeleine n'a aimé qu'un seul homme, le père de Pierre, mais elle en a subi beaucoup d'autres et elle sait comment hâter leur plaisir. Celui-ci ne veut d'elle que ce que veulent tous les mâles, il grogne sa faim et salive dans sa nuque, ce serait simple, oui, et rapide, sans doute... Seulement non. Non, elle ne veut pas, elle ne veut plus. Elle a décidé que l'aventure de Versailles marquait un nouveau départ, et pour ce départ, elle doit être vierge. Du moins aussi vierge que possible. Elle se raidit et se débat.

— Laisse-moi !

Boniface lui écarte les jambes d'un coup de genou et lui serre le tétin à le faire éclater. Elle hurle. Boniface l'écrase de tout son poids, il la trousse et s'apprête à s'emmancher quand une poigne vigoureuse l'agrippe par la ceinture et le tire en arrière. Furieux, il se retourne d'un bloc. L'homme qui lui fait face a vingt ans tout au plus, le poil et les yeux roux, une carrure de galérien et un nez cassé dans un visage franc aux traits réguliers. À côté de lui se tient un bouclé à gueule d'ange avec un regard de plomb fondu et une espèce de fourrure d'écureuil autour du cou. Tous deux fixent la virilité rubiconde que Boniface s'efforce de renfourner. Le bouclé dit d'un ton neutre :

— Impressionnant. Merci pour l'accueil.

Boniface brandit ses pognes, on croirait des battoirs à frapper les draps. Il n'a pas le temps de les abattre que le voilà à genoux, se secouant comme un possédé pour se débarrasser de la bestiole qui vient de lui sauter à la gorge.

— Jésus !

Avide de tuer, des griffes et des dents le furet cherche l'artère.

— Jésus !

Batiste l'arrache à sa proie et, le tenant par la queue, le promène sous le nez de Boniface qui gémit en se tenant le cou.

— On ne convoite ni la femme d'autrui ni la mère d'autrui. Tu ne savais pas ? Je te l'apprends.

Madeleine s'éclipse et revient avec un pot de son onguent à sangsues. Sans laisser à Boniface le temps de protester, elle recouvre ses plaies d'une couche de graisse qui colmate le suintement, après quoi elle dénoue les bandes qui entourent ses mollets et les enroule autour des blessures en serrant juste assez pour comprimer le sang sans l'étouffer. Hagard, le contremaître se laisse pommader et panser comme un nourrisson. Madeleine ramasse les pièces qu'il a laissées tomber dans la poussière et l'aide à se relever. Reculant d'un pas, elle montre les deux garçons.

— Pierre. Batiste. Mes fils.

Boniface crache par terre.

— Prie pour eux.

Madeleine sort la bourse cachée dans son giron, la vide entièrement et tend le tout au contremaître.

— Pour le mois. Et le docteur s'il faut changer votre pansement.

Ravalant sa fierté, elle ajoute :

— S'il vous plaît, laissez-nous rester.

Boniface empoche l'argent et tend un index couleur de brou de noix vers Batiste.

— Ta bête.

Batiste sourit.

— Venez la chercher.

Boniface hésite. Les frères le regardent. Madeleine le regarde. Accroché à la veste de son maître, Jésus le regarde aussi.

Boniface crache à nouveau, cette fois juste devant les pieds de Batiste.

— À ta guise, morveux. C'est toi que j'écorcherai.

Sitôt qu'il a tourné le coin de la cabane, Madeleine balance une énorme gifle à son cadet.

— Tu aurais pu nous faire pendre avec ton rat! Pendre! Tous les trois! Et Blanche, tu sais ce que serait devenue Blanche?

Surgissant comme un lutin d'un tas de feuilles mortes, une petite fille court vers Batiste et lui enlace la taille.

— Je serais devenue comme Batiste même s'il était mort! La honte de la famille!

Batiste éclate de rire et tire les tresses brunes échappées au bonnet. Madeleine attrape l'oreille de la future carmélite qui se tortille comme un gardon.

— Chante pardon!

— Maman...

— Chante!

— Pas dans un bois..

— Dieu est fâché partout et moi aussi! Chante!

D'une voix étonnamment grave et puissante, la petite entonne un *Lacrimosa* que Madeleine et Pierre écoutent avec recueillement tandis que Batiste gratouille l'échine de Jésus en songeant à sa récente, unique, définitive entrevue avec le curé de Saint-Marcel au fond de la sacristie où, voilà dix-huit ans, sa mère a accouché dans les coups et les cris. Le prêtre l'a reçu sans s'enquérir de son identité ni des raisons de sa visite. Il venait de dire la messe du soir, les servants avaient regagné le logis abbatial, il se changeait. Au premier coup d'œil, Batiste l'a trouvé beau. Au second, il a lu sur ses traits la fatuité, la sécheresse de cœur et la lâcheté. Ensuite il a dit ce qu'il était venu dire, quatre ou cinq phrases, pas plus. Le curé Philipeaux a répondu d'un seul mot. Batiste s'est approché, assez près pour noter que l'homme sentait l'encens et le suint, et il a répété sa question. Sans lever les yeux, l'abbé l'a sommé de déguerpir sans quoi il le faisait dévorer par ses chiens. Batiste a salué, il est sorti, il s'est tapi sous les branches basses du vieux figuier qui s'appuie au chevet de l'église et il a attendu. Paisiblement. Il a même dormi, et rêvé d'une femme à trois seins. Quand il s'est réveillé, toutes les fenêtres de l'abbaye étaient éteintes, le vent soufflait en rafales et d'épais nuages cachaient la lune. Il a descellé un des vitraux de la sacristie, hissé et basculé deux bottes de foin prélevées dans l'écurie, calé la première contre la porte menant à la nef, éparpillé la seconde le long des cimaises, choisi dans le grand coffre en chêne les étoles les plus riches, fourré chapes et ornements dans sa besace, enflammé l'herbe sèche avec le cierge du tabernacle, le tout avec une précision d'automate et la tête si vide qu'en se sauvant une fois sa tâche achevée, il a failli oublier Jésus. Ce que malgré l'entier succès de sa mission, il ne se serait jamais pardonné. Les mots de l'évêque mangeur de chair humaine lui reviennent en mémoire : «Nos raisons nous appartiennent, n'est-ce pas?» Il murmure : «Amen» et s'en va décharger la charrette.

— Si vous n'avez pas d'eau, je veux bien vous en donner.

Debout à côté de la carriole, les pieds nus et les yeux timides, une jeune femme lui tend une cruche. Des silhouettes comme celle-ci, Monsieur, vous en avez croisé quand vous étiez enfant et que sur ordre de votre père on vous menait à travers les cuisines jusque dans les caves pour soigner votre peur des rats. Affairées et discrètes, les bras encombrés de paniers et de bassines, elles se retournaient sur votre passage et vous envoyaient des baisers en rêvant que leur homme leur mette au ventre un petit aussi joli que vous. La fille qui offre à boire est replète, à la façon dont le tissu colle à ses cuisses vous devineriez que sous sa jupe elle ne porte ni pantalon ni jupon, son tablier est maculé de traînées brunes, elle a les mains rouges, la peau tachée de son et elle porte une coiffe de paysanne. Batiste s'approche. L'eau est tiède, avec un vague goût de champignon. Quand il s'essuie la bouche, la jeune femme lui sourit.

— Moi aussi, j'ai eu des démêlés avec le Boniface. Et j'ai failli perdre mon mari. Deux fois. Des flux de ventre. Il ne faut jamais boire l'eau du marais, nous ne savions pas. Maintenant Benoît en tire à la fontaine du château, la nuit. Il n'a pas le droit, on n'a le droit de rien ici, le bois mort est au roi, les écureuils et les merles sont au roi, il n'y a que la pluie qui appartienne à tout le monde. Nous avons la cabane avec le toit plat, juste là. Quand vous aurez soif...

Elle baisse la tête.

— D'ordinaire, ici, c'est chacun pour soi, mais moi, j'aime bien aider.

Batiste se tient à un pas d'elle. Il la regarde. Elle ne sait pas encore, mais lui, il sait. Elle relève les yeux, elle a d'épais cils blonds dans un visage poupin dont chaque trait semble avoir été dessiné par une main d'enfant.

— Je m'appelle Mathilde.

Mathilde plume les volailles de la reine Marie-Thérèse, la femme du roi, qu'on surnomme l'Espagnole parce qu'elle a des suivantes et des chiens pareillement nains, qu'elle prononce « *cétté poute* » en parlant de Mademoiselle de La Vallière, la maîtresse de son mari, et qu'elle se barbouille à toute heure de chocolat chaud. Lorsque le roi est au château avec sa famille, ce qui n'est guère plus de deux fois le mois parce qu'il réside principalement au Louvre ou à Saint-Germain, Mathilde plume en moyenne quinze poulets, faisans, oies, canards, pintades par repas, plus les cailles, les ortolans, les grives et les palombes lorsque c'est la saison. À Blanche qui veut tout savoir sur tout, elle explique que Versailles n'est pas un palais, mais une cour des Miracles et un bordel. Blanche connaît la cour des Miracles, le parrain de Batiste y loge, et une fois elle est allée jouer avec les enfants qu'il dresse à mendier. Par contre, elle ignore ce qu'est un bordel. Au coin d'un feu de tourbe et de feuilles sèches, après un premier souper où elle a partagé avec les arrivants une soupe de lentilles d'eau au fort parfum de vase, Mathilde raconte.

La reine Marie-Thérèse est blonde, grasse et bête. Elle aime passionnément le roi son mari qui est également son cousin germain. Ce mari l'a épousée par raison d'État, il travaille assidûment à l'engrosser et la trompe tout aussi assidûment. Depuis trois ans et malgré les hauts cris poussés par la reine mère, il s'affiche avec Louise de La Vallière, qui est blonde, maigre et naïve, pour cacher qu'il lutine Henriette d'Angleterre, la femme de son frère, qui est maigre, brune et spirituelle. Philippe d'Orléans, le frère, lutine de son côté le chevalier de Lorraine, un démon dans une peau de séraphin qui à vingt ans a déjà couché avec la moitié des dames et des gentilshommes de la Cour. Le frère est fou de son chevalier, mais il l'est également de son épouse. Fou jaloux. Molière fait dire dans ses comédies qu'un partage avec Jupiter n'a rien qui déshonore, mais Monsieur se plaint si haut que personne n'ignore son infortune et que les gens bien informés comparent la famille royale à une portée de chiens en rut...

Blanche tire Mathilde par la manche.

— Tu l'aimes, le roi?

Les joues de Mathilde rosissent.

— Bien sûr, je l'aime. Il est jeune, il est le plus beau des hommes et c'est mon roi.

— Jeune et beau comment? Comme Batiste? Comme Pierre?

— Oh non! Il a les cheveux qui brillent et quand il regarde au loin, on dirait une statue.

— Tu l'as vu? Il te connaît?

Mathilde sourit :

— Bien sûr, je l'ai vu, tout le monde peut le voir, il suffit de se poster dans la première cour, sur le passage de son carrosse, ou de le guetter par ici, quand il visite le chantier ou qu'il rentre de chasser. Je l'ai vu des dizaines de fois, mais lui ne m'a jamais remarquée. Quand il vient dans le bâtiment des cuisines, c'est seulement pour étudier la meilleure façon de remédier au pourrissement des viandes ou comment faire en sorte que les bouillis qui doivent traverser la cour d'honneur puis quantité de salons arrivent chauds sur sa table. Si je construisais une machine à arracher les plumes, il demanderait peut-être mon nom, car il aime les inventions et se fait parfois présenter les inventeurs. Mais là, je ne suis pas une personne, je me mettrais nue sur son passage qu'il ne s'en apercevrait pas.

Batiste ricane :

— Être roi n'empêche pas d'être homme. Il te laisserait à ton néant, oui. Mais après t'avoir culbutée.

Madeleine lui allonge une taloche.

— On ne parle pas ainsi du roi! Un roi n'est pas un homme ordinaire!

— Ah bon? Tu l'as déshabillé? Qu'a-t-il de plus que nous?

— Il a qu'il est né pour faire le roi et qu'il le fait! Il a qu'il est l'oint du saint chrême, le représentant du Seigneur pour gouverner cette terre!

— Et c'est faire le roi pour le compte de Dieu que de prendre une maîtresse qu'on engrosse en même temps que son épouse pour cacher qu'on trousse sa belle-sœur?

D'une bourrade, Madeleine envoie Batiste rouler contre les braises.

— À force de blasphémer, tu iras brûler en enfer!

Batiste s'époussette et se relève :

— Ne t'inquiète pas, je m'y prépare.

— Va-t'en coucher dans le bois, ça t'apprendra à respecter ce qui doit l'être!

Batiste siffle Jésus, et d'une flexion des genoux esquisse une révérence.

— Merci, ma douce mère. À toi aussi je souhaite la nuit paisible.

Deux ou trois heures plus tard, alors que la lune touche au faîte des arbres, il pousse et referme sans bruit la porte de la cabane voisine. Un ronflement tonitruant roule sous le toit de branchages, la touffeur de la tanière pique la gorge, les rais blanchâtres coulés par les interstices des murs éclairent deux formes couchées sur l'herbe rance qui tapisse le sol. Batiste se penche vers la plus petite et touche le linge qui la recouvre. Mathilde se redresse. Il pose la main sur sa bouche. Sous les doigts qui pressent ses lèvres, elle sourit. Elle s'écarte doucement de son mari qui, après un hoquet, se retourne et continue de ronfler comme s'il voulait convoquer un sabbat. Batiste dénoue sa ceinture. Mathilde respire vite, elle tremble un peu mais elle lui fait signe d'approcher. Elle a ôté sa chemise, sa chair blonde est moelleuse, constellée de taches rousses qui lui font des archipels de minuscules îlots sur les jambes et le dos. Batiste a soif et elle est douce à boire. Il la goûte sans se presser. Elle roucoule et rabat sur eux le grand drap.

Non, Monsieur, je ne vous conterai pas le détail de la conversation que ce garçon et cette rouquine blottis l'un contre l'autre se tinrent. Je vous connais, vous vous échaufferiez et alors que vous devez songer maintenant à ranger ces feuillets, vous trouveriez cent prétextes pour rester près du feu. À l'âge qui est le vôtre, ces émois-là engendrent des fièvres qui épuisent un homme aussi radicalement qu'un lot de sangsues affamées. Il vous faudra les maîtriser, pour cheminer en ma compagnie vous devez avoir l'esprit clair et le jugement droit.

Est-ce que moi, qui vous écris pour ne pas vous quitter tout en vous quittant, j'ai l'esprit clair et le jugement droit? Est-ce qu'à l'âge qui est le mien, je suis parvenu à dompter mes émois, mes élans?

Quand je pense à ce que j'ai vécu, il me semble que oui. Quand je pense à ce que je vais vivre, je suis sûr du contraire.

Prenez votre potion, Charles. La fiole brune, dans le tiroir de votre chevet. Je vous ai fait jurer de n'accorder confiance à personne, et dans le grand chambardement qui vous attend, je vous répète de ne compter que sur vous-même. Dix gouttes. Rajoutez un peu de sucre, vous ne sentirez pas l'amertume.

Demain soir, quand nous nous retrouverons, je vous parlerai de l'amertume.

De la confiance.

Et des vies qui s'envolent.

Savez-vous, Monsieur, que la femme n'est pas un être à part entière, mais un homme mal cuit ? Que l'embryon femelle se solidifie et s'articule après l'embryon mâle parce que la semence qui produit une fille est plus faible et plus humide que celle qui donne un garçon ? Que l'âme humaine, c'est-à-dire la part rationnelle qui s'ajoute à l'âme végétative et animale, vient aux filles au bout de quatre-vingts jours de gestation et non de quarante, comme pour les garçons ? Que lors de la reproduction, le mâle fournit la forme, qui est par essence supérieure, et la femelle la matière, le champ, le nutriment, qui sont par essence inférieurs ? Qu'à l'image des animaux domestiques, créatures inférieures, dont la survie est mieux assurée s'ils sont sous l'autorité des êtres humains, créatures supérieures, la relation entre l'homme et la femme est par nature telle que l'homme est supérieur et la femme inférieure, que l'homme doit diriger et la femme se laisser diriger ?

Non, vous ne le saviez pas ? Votre père qui a passé sa vie à illustrer en pensées, en paroles, par action et par omission son mépris des femmes, ne vous a jamais parlé d'Aristote ?

Il est vrai que le comte vous parlait peu. Et qu'en terre normande, on cultive plus volontiers la pomme à cidre que la pensée grecque. Je crains qu'à Paris, où il sied de savoir disserter sur toute chose et son contraire, on ne vous trouve l'esprit aéré mais en friche, et que l'on ne vous impose dès votre arrivée un maître à philosopher. Ne vous effrayez pas, le titre est aussi pompeux que la fonction est floue et ces professeurs-là ont toujours plus de prétention que de mérite. Si vous voulez vous figurer à quoi ressemble un maître de philosophie, imaginez un homme à la mine suffisante, le teint d'autant plus pâle qu'il est fardé au blanc d'Espagne, portant un petit collet pas très propre sur une soutane pourvue de manches assez amples pour cacher un gigot. Cet homme pérore, c'est là son métier, qu'il exerce de préférence en chaire devant une bonne vingtaine de jeunes gens fort bien mis. C'est peut-être un Jésuite. Par la sinuosité du raisonnement, le talent rhétorique et l'extrême prétention qui se dégage de sa personne, il s'en approche. Les Jésuites sont des sirènes, sûres de leur talent, qui est incontestable, et avides de pouvoir. La Vérité est leur fonds de commerce, ils la détiennent, la dispensent, l'assènent. La vie de campagne vous a jusqu'à présent préservé de leur chant, mais à la Cour, vous ne pourrez vous y soustraire. Chaque fois que vous lèverez les yeux vers la voûte céleste en vous demandant si Dieu y loge vraiment ou comment se forment les nuages, il se trouvera un membre de la Compagnie pour s'interroger avec vous et vous persuader que la réponse qu'il ne manquera pas de vous fournir n'est pas seulement la meilleure, mais l'unique, l'universelle. Écoutez avec attention. Acquiescez avec prudence. Remerciez avec pondération. Ensuite observez qui vous conseille et tâchez d'arrêter votre propre opinion. Les Jésuites en général et les maîtres de philosophie en particulier ne vous apprendront jamais à penser, ils se contenteront de vous enseigner comment on a pensé avant vous.

Les prestigieuses figures qu'ils évoqueront vous inspireront tant de respect que vous ne vous risquerez pas à mettre en doute leurs idées ?

Vous pouvez contester Platon sans que Zeus vous foudroie et réfuter l'apôtre Paul sans que les Enfers vous engloutissent.

Vous n'osez ?

Je connais quelqu'un qui à votre âge l'a fait.

Un gentilhomme ? De haute naissance ?

Pas du tout. Une de ces femelles qui, selon Aristote, sont telles en vertu d'une incapacité particulière alors que le mâle est mâle en vertu d'une capacité particulière. Une simple fille, d'honnête mais modeste extraction, née le 22 juin 1653 à Paris, du sieur François Quentin dit La Vienne et de son épouse Louise de Courtin. Nine Philippa Louise. Les gens qui l'aiment l'appellent Ninon, mais ils sont peu nombreux car elle ne cherche pas à être aimée, prise la solitude et se lie difficilement. Au premier regard, cette Nine La Vienne n'a rien de remarquable. Elle est petite, maigrichonne, agenouillée dans une chapelle latérale de l'église Saint-Roch elle semble prier avec ferveur et vous vous demandez pourquoi j'attire sur elle votre attention. Parce que sous son capuchon, ses yeux brillent d'un feu qu'on voit rarement aux filles de douze ans confites en oraisons. Et que dans les marges de son bréviaire, d'une écriture étonnamment ferme pour son sexe et sa condition, elle ne note pas les fruits de sa pieuse méditation mais les propos qu'un maître de philosophie tout semblable à celui que je vous ai décrit tient dans la chapelle voisine. Le bonhomme parle de ce que j'évoquais à l'instant, la perfection des hommes et la déficience des femmes. Il cite Thomas d'Aquin, un dominicain qui a vécu au temps du roi Louis IX et qui a consacré plusieurs années à commenter Aristote. Avec lui, il soutient que la conception d'une femelle ne peut venir que d'une faiblesse de la semence, d'un défaut de la matrice accueillant cette semence ou d'un facteur externe, comme le vent du sud qui rend l'atmosphère trop humide. *Stricto sensu,* la naissance d'une fille est un accident au même titre que la naissance des autres monstres, comme le veau à cinq pattes ou le poulet à bec de canard. Si cette aberration de la nature a une âme? Tout dépend ce que l'on appelle une âme, car l'âme n'est pas une mais plusieurs. La toute première est rationnelle, elle ne meurt pas avec le corps, son siège se trouve dans la tête et l'homme seul la possède. La seconde est double. Sa moitié supérieure est celle du courage militaire, on l'appelle l'âme irascible, elle loge dans la poitrine et anime les guerriers. La moitié inférieure, la moins noble, est celle du désir concupiscent. Ce désir-là habite le ventre, il est commun aux deux sexes mais seules les femmes ne peuvent le contrôler parce que leur raison est soumise aux caprices de leur matrice où réside un animal glouton et avide qui, si on lui refuse aliment en sa saison, souffle sa rage dans tout le corps, empêche les conduits, arrête la respiration et cause toutes sortes de maux. C'est un châtiment divin. Au commencement de l'espèce humaine il a frappé ceux d'entre les mâles qui se révélaient couards, à leur deuxième naissance ils se sont transformés en femelles. La femme n'est donc pas seulement un mâle manqué, elle est un mâle puni. Pour l'éternité.

Nine La Vienne refuse d'en entendre davantage. Le feu aux joues, elle rabat son capuchon jusqu'au milieu de son front et se glisse derrière les colonnes pour gagner discrètement la sortie de l'église. Selon les lois du siècle, les seules leçons qui peuvent lui faire usage sont le catéchisme, la couture, l'art d'accommoder les rôts et de tenir un ménage, et elle ne devrait pas être là. Tout en remontant le quai dans la direction du Pont-Neuf, elle regarde

41

les lavandières accroupies sur la berge, les tresseuses de paniers abritées sous une bâche, les vendeuses d'épingles occupées à trier leur marchandise, les épouilleuses penchées sur des têtes hirsutes. Elle croise ces femmes chaque jour, mais à la lumière de ce qu'elle vient d'entendre, il lui semble les voir pour la première fois. Des mâles punis. Des aberrations de la nature. Réduites à leur matrice. Chair honteuse, destin de sujétion. Nine mord l'intérieur de sa bouche, elle a envie de pleurer, en cet instant elle vendrait son âme pour n'avoir rien de commun avec ces femelles. Il fait une chaleur de four, les eaux de la Seine ont encore baissé, les bacs qui font la navette d'une rive à l'autre déchargent leurs passagers dans une vase nauséabonde, la petite doit se frayer un chemin au milieu des mariniers qui transportent des planches pour rallonger les passerelles. Quand elle arrive rue Neuve-Montmartre, elle a un teint de homard bouilli et elle rêve d'un bain froid. La boutique de son père est peinte en bleu, fermée de châssis à grands carreaux de verre avec une enseigne métallique où figurent trois bassins blancs. Peu désireuse de croiser les habitués qui viennent se faire raser et curer les oreilles, elle passe par la porte des fournisseurs, traverse la cour nouvellement pavée de grès et se faufile dans le hangar qui tient lieu de réserve. De tous les endroits au monde, c'est celui qu'elle préfère. À cause des rais de lumière poudreuse qui tombent des lucarnes. À cause du silence, qu'on dirait poudré lui aussi. Et à cause des odeurs. Du sol en terre battue jusqu'à hauteur d'échelle à foin, les murs disparaissent sous des stères de bois, des étagères couvertes de cartons et de bocaux, d'épais sacs de chanvre remplis de diverses farines, de pétales, de racines, d'aromates et d'épices. Au milieu est une longue table de ferme où trône une balance d'un type entièrement nouveau, dont Nine a vu démontrer les mérites à la foire et qu'elle a persuadé son père d'importer d'Angleterre où cet instrument est fabriqué. À la différence des balances suspendues qu'on utilise partout en France, celle-ci comporte deux plateaux supportés et deux fléaux situés sous les plateaux, le premier apparent, le second caché dans le socle, l'un et l'autre associés par les tiges qui soutiennent les plateaux. On l'appelle balance de Roberval parce qu'elle a été conçue par un sire de Roberval qui se nomme en réalité Gilles Personne, est né dans l'obscur village de Roberval d'une famille encore plus obscure, a appris les mathématiques, le latin et le grec avec son curé, et sans autre aide que celle de son génie est devenu un savant reconnu. Dans le panthéon personnel de Nine, ce Roberval siège contre le flanc droit de Dieu le Créateur et juste à côté du grand Corneille qui fièrement peut dire : «Je ne dois qu'à moi seul toute ma renommée.» C'est parce que Gilles de Roberval enseigne la philosophie au collège Saint-Gervais, où elle n'a évidemment pas accès, que Nine assiste en cachette aux conférences données ici et là par des jaboteurs en petit collet. C'est parce qu'il s'est tiré du néant par la force de son esprit qu'elle veut étudier, collationner, comparer et encore plus explorer, expérimenter, inventer. Nine a des ambitions. De grandes, de considérables ambitions. À douze ans, ou à peine plus? Oui. Elle en a le talent, du moins c'est ce dont elle se persuade. Elle a surtout pour cela des raisons. De puissantes, d'impérieuses raisons. Ce sont ces raisons impérieuses et puissantes qui lui font pousser le paravent qui isole le fond du hangar, s'installer devant son pupitre en peuplier et ouvrir le cahier de comptes sur lequel elle est censée s'exercer aux opérations qui, dans un premier temps, lui permettront d'aider son père à gérer l'établissement La Vienne. Elle feuillette les pages couvertes de lignes serrées et s'arrête sur la liste qui suit :

Ail (gousse), vermifuge, combat les spasmes, fortifie le tempérament

Angélique (racine, graines), stimule la digestion, aide à pisser et à suer

Anis vert (fruit), fait tousser et lâcher les vents qui causent le ballonnement

Aristoloche (tige, racine), soigne l'inflammation des chairs

Armoise (tige, racine), se boit en infusion

Artichaut (fleur, fruit), soulage le foie, excite la bile

Bardane (racine), fait pisser, suer, cicatrise les plaies

Belladone (feuille, racine), contre la douleur et les spasmes

Bigaradier (fleur), stimule l'estomac

Bourdaine (écorce), laxatif

Busserole (feuille), soulage la vessie enflammée

Camomille (fleur), spasmes, douleurs, inflammations, plaies

Cassis (feuille), fait pisser

Centaurée (feuille), fait digérer

Chélidoine (racine), calme le tempérament et les douleurs

Chicorée (racine), réveille le foie

Chiendent (rhizome), fait pisser, désinfecte

Digitale pourpre (feuille), fortifie le cœur, fait pisser

Fenouil (fruit, racine), fait tousser, calme les spasmes

Fougère mâle (rhizome), tue les vers

Gentiane (racine), fortifie

Guimauve (fleur, racine), calme, soigne les inflammations

Hellébore noire (rhizome), régule le pouls

Laurier (feuille, fruit), fait pisser

Lavande (fleur), apaise

Mauve (feuille, fleur), fait tousser, soigne les inflammations

Mélilot (fleur), ramollit les chairs

Mélisse (feuille, fleur), calme le tempérament et les spasmes

Millepertuis (fleur), contracte les chairs, cicatrise les plaies

Passiflore (fleur), réduit les spasmes

Pavot (fleur), fait dormir

Raifort (racine), désinfecte

Rue (fleur), aide la menstruation

Sauge (fleur), contracte les chairs, soigne les inflammations

Thym (tige, fleur), bon pour le foie et contre les spasmes

Valériane (racine), contre la fièvre et les spasmes

Verveine (feuille), bon pour le foie, tempère l'excitation des nerfs

Rien de tout cela ne dit comment enrayer les menstrues. Pas seulement les retarder de quelques mois ou de quelques années, les empêcher radicalement et définitivement. Le raisonnement de Nine ne fait que pousser d'un cran la logique de l'enseignement dispensé dans l'église Saint-Roch. Si la matrice est la cause de tous les maux féminins, pour échapper au sort femelle, il suffit de rendre ce pernicieux organe inoffensif parce que inopérant. Les animaux les plus féroces se domptent ou s'apprivoisent, il doit bien exister une ruse pour museler celui dont le philosophe a parlé. Depuis plusieurs années déjà, Nine glane tous les remèdes dont les apothicaires veulent bien lui donner la composition. Ne connaissant aucun médecin disposé à partager sa science avec une fillette, elle s'est, au gré des foires et des marchés, constitué un réseau de guérisseurs qu'elle consulte régulièrement et dont elle note les recettes. Ces praticiens d'une médecine empirique que la Faculté conspue mais tolère sont légion, et le petit peuple qui ne peut s'offrir les services d'un docteur diplômé ne se fait soigner que par eux. Les renoueurs, rebouteurs, adoubeurs, toucheurs, rhabilleurs montrent à Nine comment redresser les os déplacés ou brisés. Les jugeurs d'eau lui enseignent à lire dans l'urine du malade la nature de son mal et la façon de le traiter. Elle n'a pu encore assister aux opérations que pratiquent les châtreurs, mais elle sait qu'ils soignent les hernies et le gonflement du foie par l'ablation d'un testicule, voire des deux, ce recours étant particulièrement conseillé aux religieux qui s'en trouvent délivrés à la fois d'une maladie douloureuse et du tourment que les organes de la reproduction ne manquent pas de leur donner. Sourcils froncés, Nine tourne les pages de son cahier. Le chocolat est un ingrédient qui sert à peu près à tout ; il se boit chaud et agrémenté d'épices, facilite la digestion, adoucit les âcretés de la poitrine, réveille les esprits et l'amour ; il fortifie les membres, nettoie le cuir en desséchant les humidités qui sont dessous et donne bonne odeur à tout le corps ; il guérit la gale et la corruption du sang, la migraine et l'hydropisie ; hélas il n'élimine pas les mois des femmes, il aurait plutôt tendance à les provoquer. Une préparation à base de poire serait plus indiquée. Pas la poire cultivée, qui est seulement bonne à fortifier l'estomac, mais le fruit du poirier sauvage, dont le nom vient du verbe grec qu'on traduit en latin par *strangulare*, étrangler. Ce fruit-là, quand on le mâche, resserre tellement par son astriction les fibres de la bouche et de la gorge qu'on se sent étouffer. Broyé, mélangé aux fleurs du trèfle à quatre feuilles qui sont détersives, vivifié par de l'onguent napolitain à base de mercure qu'on utilise pour extirper par sudation le mal vénérien, enfin inséré au fond de la matrice dont Nine ne sait au juste si elle a ou non un fond, il produirait peut-être, à force de resserrement et d'étranglement des chairs, l'effet escompté. Les poires ne coûtent pas cher, mais il est difficile de se procurer du mercure, très onéreux. Nine ne possédant rien en propre, elle doit demander à son père.

Le lundi à cette heure, François La Vienne fait des plans. De fours, chaque hiver plus sophistiqués. D'aménagement de ses salons qui doivent toujours surprendre le client. François La Vienne est barbier étuviste et son établissement est le plus fameux de la capitale. Ne vous y méprenez pas, Monsieur, un barbier à Paris est un tout autre personnage que le simplet qui vous frictionne les joues le dimanche matin. Il n'est pas licencié en chirurgie et la Faculté lui défend de porter un bonnet et une robe, mais sous la bannière de saint Luc il a pignon sur rue et il manie le rasoir aussi bien que le bistouri pour soigner clous, anthrax, bosses et charbons. S'il est habile, le barbier se constitue une clientèle. Son nom circule, il ouvre une boutique près du Louvre afin d'être à proximité du pouvoir, le marchand lui amène un banquier qui le recommande à un parlementaire qui vante ses mérites à un secrétaire d'Etat, et s'il sait à la fois se taire et se faire valoir, d'une joue à l'autre le bonhomme peut se retrouver dans les coulisses du trône. Ainsi ont fait les frères Quentin, dont l'ascension est proprement exemplaire. Leur famille est originaire de Bretagne, elle s'est implantée en Touraine voilà deux cents ans. Des gens sans histoire. Les garçons qui nous intéressent, François, le père de Nine, et Jean, son cadet, sont nés à La Celle-Saint-Avant, près de Loches. Leur père étant mort d'un ganglion à la gorge, ils sont venus loger avec Antoinette née Binet, leur mère, chez le grand-père Binet, maître perruquier au 23, rue Neuve-des-Petits-Champs, tout près du Palais-Royal que vous allez, Monsieur, découvrir très bientôt. L'atelier dudit Binet existe toujours, je vous conseille d'y passer un moment, c'est le meilleur endroit pour prendre le pouls des puissants. Ministres et magistrats, familiers du roi et favoris de son frère, grands artistes et grandes dames, faux amis et vrais ennemis s'y croisent en toute urbanité. On y boit du vin de Champagne, on y choisit des postiches et des masques, et surtout on y cause avec une liberté de ton que vous ne trouverez jamais à la Cour et rarement dans les salons. C'est de cet appartement au premier étage d'un immeuble de rapport dont le rez-de-chaussée est aujourd'hui occupé par un vendeur de chandelles que les frères Quentin ont pris leur envol. L'apprentissage de la barberie allait de soi, les ciseaux et le rasoir sont cousins, on n'imagine pas un perruquier incapable de barbifier ses clients. Jean, le cadet, avait peu d'imagination mais les doigts agiles et l'esprit courtisan. Il s'ingénia à plaire à qui pouvait servir sa carrière et il y réussit parfaitement. Ses clients devinrent des protecteurs, ces protecteurs chantèrent ses louanges, la famille royale y prêta une oreille puis les deux, et ainsi, de bouclette en courbette, la fortune du barbier perruquier Jean Quentin s'affermit. De trois ans son aîné, François aimait la liberté et la tranquillité. Vivre confortablement, sans faste mais sans rien demander à personne, lui paraissait un sort infiniment plus enviable que celui des perpétuels affamés qui rôdaient ou rampaient autour du trône en mendiant faveur après faveur. Quand son frère lui reprochait son manque d'ambition, il répondait qu'il lui importait moins de faire fortune que de faire quelque chose qui lui plût. De caractère bonhomme mais rugueux, grand, large, le poil et l'œil très noirs, avec un gros nez, un gros ventre, de grosses mains, il se décrivait volontiers comme un ours, mais un ours qui a des idées. Indifférent à ce qu'on le trouvât de commerce agréable, il parlait peu et observait beaucoup.

Frappé de ce que les clients de Binet se plaignissent qu'on ne pût trouver d'établissement de bains où se délasser en aussi bonne compagnie que chez le perruquier, il prit ses renseignements et se lança dans l'aventure.

C'en était une, et pas des moindres. D'abord il fallait avoir le courage d'aller contre la mode qui depuis près d'un siècle dénonçait l'usage du bain comme étant aussi dangereux pour le corps que pour l'âme. Au temps du roi François Ier, l'eau ne faisait pas peur, on l'appréciait et on la recherchait. Dames et seigneurs se faisaient donner le bain par leurs serviteurs, et aux beaux jours imitaient la populace qui cherchait le bien-être dans les rivières. Chez soi et au-dehors on se baignait nu, hommes, femmes et enfants se côtoyaient, et si des yeux ou des mains s'égaraient, Dieu en souriant détournait le regard. Et puis, jalouse de voir les humains se donner du bon temps dans l'innocence du Paradis avant la Faute, l'Église a décrété que l'eau véhiculait la peste. Il n'était pas nécessaire de la boire, quelques gouttes sur les mains suffisaient, le mal pénétrait par les pores de la peau et se communiquait au sang. La peur de la contagion ayant ouvert la voie, les gens se laissèrent persuader que le bain sous ses diverses formes prédisposait à contracter toutes sortes de maladies. Alors qu'une robuste couche de crasse protégeait des miasmes charriés par le vent, les bêtes et l'haleine des mourants, l'eau chaude, qui amollissait la peau, les membres et le tempérament, affaiblissait la vigueur sexuelle et rendait le corps perméable, donc vulnérable. En ajoutant à ces postulats la condamnation du clergé qui dénonçait l'immoralité des étuves où se mélangeaient dans des vapeurs suspectes des individus des deux sexes, la méfiance alla croissant et les bains publics fermèrent l'un après l'autre. Au moment où François Quentin décida de relever le défi, il n'en restait à Paris que trois dignes de ce nom. Le premier était un bordel maquillé en salon de massage, d'où l'on ressortait assurément lavé à toutes sortes de fluides mais tout aussi assurément syphilitique. Le deuxième, situé rue du cimetière Saint-Nicolas, ne possédait pas d'étuve, seulement des cuves en bois, l'eau n'y était jamais mieux que tiède, les décrassoirs passaient d'une couenne à l'autre sans avoir été récurés et pas un homme bien né n'y aurait risqué un orteil. Le troisième, vaste mais très mal agencé, se trouvait rue Neuve-Montmartre, à quelques enjambées du quai. C'est celui-ci que le père de Nine décida de racheter. Là résidait le second pari. Un établissement de bains doit se trouver assez proche d'une source d'eau courante pour alimenter et évacuer les étuves, mais s'il s'agit d'une rivière sujette aux crues, assez loin du bord pour n'être pas submergé à la montée des eaux. L'établissement élu par François Quentin était séparé de la rive par une portion de terrain en permanence inondée. En été, le sol gorgé d'eau engraissait moustiques et grenouilles, en hiver on y patinait comme sur un étang. Le père de Nine engagea auprès d'un prêteur ses recettes des cinq années à venir, acheta le fonds de commerce avec ses murs, meubles, outils, terres, dépendances, et il retroussa ses manches. Il déposa et reposa les conduits d'adduction et d'évacuation afin d'assécher son terrain tout en profitant des courants et flux de la Seine pour emplir, vider et nettoyer ses cuves. Il construisit trois fours chauffant trois séries de baignoires, plus un bassin carrelé dit « de fraîcheur ». Après quoi il fit enregistrer son établissement sous l'enseigne des Bains La Vienne parce qu'au bord de la Vienne il avait rencontré l'amour, et il courut demander sa main à Louise de Courtin, qui au moral et au physique était aussi différente de lui qu'une colombe l'est d'un sanglier et pourtant la seule personne au monde avec laquelle il souhaitât vivre.

De petite noblesse poitevine, Louise avait passé son enfance à attendre l'amour comme on attend le lever du jour : sans hâte et sans inquiétude. Antoine de Courtin, son frère jumeau, aussi blond et délicat qu'elle, craignait le soleil, préférait la compagnie des palefreniers à celle des demoiselles à marier, et, nonobstant ses fréquentations rustiques, travaillait à rédiger un *Nouveau traité de la civilité qui se pratique en France parmi les honnêtes gens.* Louise se promenait avec lui sur les berges de la Vienne en l'écoutant expliquer pourquoi la propreté représente une part essentielle de la bienséance et sert plus qu'à toute autre chose à faire connaître l'esprit et la vertu d'une personne. C'est là qu'un matin printanier Louise vit pour la première fois un homme nu. Sans se soucier du public il s'ébrouait dans l'eau en riant aux éclats, la tête renversée vers le ciel et les bras grands ouverts. Surprise, mais d'autant moins apeurée que son frère se redressait pour mieux envisager le baigneur, Louise admira ce rire franc, plein de soleil et de santé. L'homme se déplia et sortit de la rivière. Louise le regarda partout, posément, avec plaisir, et lorsqu'elle en vint au visage, elle était enchantée et conquise. Figé comme sous le coup d'un sort au milieu des roseaux, l'inconnu lui rendit son regard. Louise rentra au manoir et déclara à sa grand-mère qu'elle épouserait cet homme-là et aucun autre. Quelques années passèrent, Antoine de Courtin transmit lettres et billets en regrettant que la grande bête brune au rire superbe eût choisi sa sœur plutôt que lui, Louise refusa quatre partis avantageux et la grand-mère mourut. François Quentin se rendit au manoir pour présenter ses condoléances. On lui signifia qu'on n'aimerait jamais que lui mais qu'un mari se devait d'assurer à sa moitié un train de vie décent. Il jura d'œuvrer jour et nuit afin d'y parvenir, jour et nuit il œuvra, propriétaire d'un établissement de bains flambant neuf il revint, et pour le bonheur de la promise autant que le sien il fut récompensé. Les tourtereaux passèrent leur lune de miel dans la Touraine de leur enfance et remontèrent par petites étapes vers la capitale avec l'ambition de faire des bains La Vienne la coqueluche de Paris. L'ironie du sort voulut qu'ils atteignissent les portes de la ville dans les derniers jours d'août 1648, au moment exact où la Fronde s'embrasait comme une botte de foin sec.

Je ne crois pas, Monsieur, qu'on vous ait jamais raconté cette rude convulsion qu'a été la Fronde et encore moins expliqué que l'histoire de ce règne et votre propre histoire sont nées de ces quatre années de sang, de honte et de fausses réconciliations. L'ignorance dans laquelle on vous a tenu vient de ce qu'à cette époque, le bel Emmanuel de Cholay votre père n'a pas choisi le bon parti. Le roi lui a pardonné, mais il n'a pas oublié. Le roi n'oublie jamais rien, sachez-le. Deux jours, deux mois ou vingt ans après, il se souviendra d'un geste, d'un mot, même d'un regard. Il saura le timbre de votre voix, le nom de votre confesseur et celui de votre chien, si vous riez la bouche ouverte, quel service votre bisaïeul a rendu au trône et de quelle faveur on l'a récompensé. Si vous parvenez à éveiller sa curiosité, qui sous les dehors de l'impassibilité est toujours en alerte, si vous touchez la sensibilité artistique qui nourrit ses émotions les plus sincères, si par un acte courageux ou dévoué vous obtenez son estime, il gardera de vous une impression favorable et vous traitera avec l'amitié qu'il réserve à ses loyaux serviteurs. Mais s'il vous trouve l'œil trop vif, le front trop haut, le verbe trop mordant, si vous montez trop galamment à cheval, jouez trop plaisamment de la guitare, tournez trop brillamment les vers, gagnez trop aisément les cœurs, s'il vous sent l'esprit libre, et dans l'âme plus de fierté que de dévotion envers sa couronne et sa personne, il vous saluera deux ou trois fois par égard pour ceux qui vous auront recommandé, et ensuite il ne vous connaîtra plus. Quand vous lui serez présenté, songez-y.

La Fronde est une pièce de théâtre, une tragédie comique écrite avec de la poudre à canon et jouée sur des tréteaux de fortune par les plus importants personnages du royaume.

Vous n'avez jamais vu de pièce de théâtre?

Vous en verrez bientôt. Là où l'on vous attend, vous en verrez même tous les jours, et souvent elles ressembleront à celle que je vais vous conter. Vous êtes prêt?

Au moment où le rideau s'ouvre, le roi Louis XIV a dix ans et son frère Philippe d'Orléans huit. La reine Anne les voit tous les jours, elle les aime et les connaît mieux qu'il n'est coutume pour une mère de son rang. Le cardinal Mazarin, prince de l'intrigue et magicien politique uniformément détesté par la noblesse, la bourgeoisie et le peuple, est le parrain du jeune roi, son mentor et son Premier ministre. La guerre qui depuis trente ans fait rage entre la Maison de France et celle d'Autriche a vidé le Trésor. Pour le renflouer, Mazarin décrète que Paris paiera dorénavant l'impôt du Tarif sur les marchandises, l'impôt du Toisé sur le bâti, la taxe des Aisés sur le patrimoine des nantis, et que les rentes des offices parlementaires seront suspendues pendant quatre années. Hormis ceux qui les reçoivent par faveur royale, les conseillers au Parlement, à la Chambre des comptes, à la Cour des aides et à la Cour des monnaies achètent ces charges qui leur confèrent la noblesse au premier degré et leur rapportent des gages annuels. Furieux de voir rogner leur revenu, ces bons citoyens appellent massivement à la résistance. Le petit peuple n'y comprend rien, mais comme chaque fois qu'il fait chaud et qu'on craint pour l'avenir, les barricades fleurissent dans Paris.

C'est au milieu de ces barricades montées autour du Palais-Royal, que François et Louise La Vienne ont dû pour gagner leur nouveau logis se frayer un chemin. Louise n'avait jamais vu d'hommes en armes, et encore moins d'hommes en sang. Les hurlements des forcenés lancés aux basques du garde des Sceaux, l'infortuné chevalier Séguier, et l'incendie de l'hôtel de Luynes dans lequel il s'était réfugié lui donnèrent une frayeur affreuse. Son mari lui assura que les troubles seraient passagers et n'entraveraient pas le succès de leurs affaires. Il lui promit aussi que plus jamais elle n'aurait peur. Il se doutait qu'il lui mentait, mais il ne pouvait savoir à quel point.

Le rideau se relève sur un décor d'hiver. C'est janvier, la nuit de l'Épiphanie. Devant les Tuileries, les chevaux ont un bandeau autour des naseaux et les sabots emballés dans des chiffons. La reine Anne, les deux enfants royaux, le cardinal, les valets de chambre les médecins, les confesseurs, les dames d'honneur, les grands officiers de la Maison civile et de la Maison militaire, les officiers de la chambre, de la garde-robe, de la bouche, de la musique, les chiens et les oiseaux s'entassent dans les voitures, transis sous des couvertures humides. Pas de tambours, pas de flambeaux, c'est un cortège de fantômes qui traverse au trot muet les faubourgs pour gagner avant le jour le château de Saint-Germain. Le but de la manœuvre est un coup de massue. Les quatre chambres souveraines ont rédigé une charte consolidant leurs privilèges que Mazarin a fait mine d'accepter, mais la reine refuse de se laisser dicter sa loi par des robins. Louis II de Bourbon, Condé, qu'on nomme Monsieur le Prince, vingt-huit ans, maigre comme une écharde, regard brûlant et profil d'oiseau de proie, est un génie militaire et le cousin germain du roi. Il trouve l'insolence des parlementaires insupportable et le soutien que plusieurs grands seigneurs ont apporté à leur révolte inadmissible. Il vient de remporter les victoires de Rocroi et de Lens qui ont fait tourner en faveur de la France la roue de la guerre de Trente Ans. Son prestige est immense, son appétit en proportion. Il offre son épée au petit roi pour réduire à merci ceux qui le bravent. Matois, Mazarin promet de lui donner, une fois la révolte maîtrisée, la première place au Conseil. Sitôt le roi sorti de Paris, Condé prend le commandement des troupes, leur adjoint quatre mille mercenaires allemands qu'il encourage à se payer sur la bête, et, fort de presque dix mille hommes, il met le blocus devant la capitale. À l'intérieur des murailles, le Parlement vote le bannissement du cardinal, et la haute noblesse, voyant dans ces péripéties l'occasion de servir à la fois ses intérêts et sa gloire, prend le relais sous la bannière de la duchesse de Longueville, la propre sœur de Monsieur le Prince. Trente ans, blonde, les yeux violets, cette Anne Geneviève a autant d'esprit que d'ambition, et aussi peu de morale que de scrupules. Plier autrui sous ses lois est pour elle un exercice comparable à la chasse parce qu'il requiert de la ruse, de la ténacité et qu'il fouette pareillement le sang. Le prince de Condé et le prince de Conti, ses deux frères, l'idolâtrent. Elle couche avec le second, qu'elle domine entièrement, et se promet à l'aîné dans l'espoir de le dominer plus complètement encore. François Paul de Gondi, le coadjuteur de Paris, est fou d'elle. Il jure de mettre la capitale à ses pieds et lui ouvre les portes de l'Hôtel de Ville pour qu'elle y accouche de l'enfant de son amant le prince de Marcillac, futur duc de La Rochefoucauld et auteur de *Maximes* que je vous recommande, Charles, si vous ne les avez déjà lues.

Quand on fait la guerre, on se moque d'être couvert de vermine et de sentir le bouc. Cet hiver-là, La Vienne ne fit pas fonctionner ses étuves une seule fois. La Seine en crue inonda son terrain et quand vint le gel, les canalisations neuves se fendirent. La Vienne employa ses derniers fonds à acheter du plomb, dont le cours atteignit au nouvel an 1650 des sommets déconcertants, et il démonta les stalles de l'écurie pour chauffer la pièce où Louise et lui jouaient aux dés en attendant que le sort leur redevînt clément. Louise avait le teint et les cheveux couleur de lune, la taille si mince que François en faisait le tour en joignant ses deux mains, le caractère doux et rieur. Elle avait aussi un mal de poitrine qui dès les premiers frimas tourna en toux puis en étouffements. À grand renfort de fumigations camphrées, la toux et l'hiver passèrent. Au printemps la reine offrit une paix qui en échange de promesses réciproques fut acceptée par toutes les parties. Le jeune roi revint au Louvre, sa capitale prodigue le fêta, et les époux La Vienne reçurent enfin les patentes d'enregistrement de leur établissement. Ils clouèrent sur leur porche une plaque de fonte qui en dix mots résumait leur avenir :

ÉTUVES ET BAINS LA VIENNE, PAR LA GRÂCE DU ROI

Mazarin a promis monts et merveilles au prince de Condé du temps qu'il avait besoin de lui. Paris une fois rendu, il fait volte-face et tend la main à ses ennemis d'hier en leur promettant d'autres monts et d'autres merveilles. Condé aussitôt montre les crocs, et l'orgueil clanique ramenant à ses côtés son ardente sœur, son fol de frère et son sot de beau-frère, c'est toute la fratrie qui se hérisse contre le cardinal. Le rusé n'attend que cela. Le 18 janvier 1650, il fait arrêter Monsieur le Prince, le prince de Conti et le duc de Longueville. Cette fois, c'est la France entière qui se soulève. Monsieur le Prince est sous les verrous mais la duchesse de Longueville enflamme la Normandie, la princesse de Condé rallie Bordeaux et toute la Guyenne, et le duc d'Orléans, après avoir virevolté d'un camp à l'autre, se rallie à la révolte que l'on nomme désormais Fronde des princes. Gaston d'Orléans est le frère de feu Louis XIII. Ce splendide bourdon occupé avant tout à s'entendre bourdonner se moque d'être l'oncle d'un roi mineur dont il devrait protéger la couronne. Il se proclame lieutenant général du royaume et, avec l'appui du Parlement et le soutien de la haute noblesse, réclame la peau du Mazarin. Sous le prestigieux parrainage de ce mauvais génie, Paris retient la reine et les enfants royaux prisonniers en exigeant l'exil de l'Italien et la libération des princes. La reine cède et le parrain de Sa Majesté prend la route de l'exil. Réfugiée à Poitiers avec un petit roi que chacune de ces journées marque au fer du déshonneur et de la rage, Anne d'Autriche rallie le maréchal de Turenne et s'efforce de regagner une à une les provinces passées à la Fronde.

Le 5 septembre, Louis XIV a treize ans. L'âge de la majorité légale pour les rois. Imaginez-vous, Charles, ce que c'est que d'être déclaré majeur, mais de se sentir un fantoche parce que votre propre oncle a pris les armes contre vous et règne en maître dans votre capitale ?

Au printemps 1652, décidées à faire rendre gorge aux félons, les troupes royales marchèrent sur Paris. Nouveau siège, nouveaux ravages, nouvelle famine. Ayant épuisé leurs dernières ressources, les époux La Vienne ne savaient plus vers quel usurier se tourner. C'est alors qu'entra en caracolant dans leur cour la duchesse de Montpensier, fille unique du duc d'Orléans et princesse la plus riche d'Europe. Aussi tête brûlée que son père, elle soutenait à fonds et corps perdu son cousin Condé, qu'elle envisageait d'épouser, contre son cousin le roi, qu'elle envisageait également d'épouser. La Vienne s'inclina en témoignage du respect dû à son rang et la pria de s'en retourner. Les Bains La Vienne avaient reçu l'approbation du roi et de la reine mère, on n'y pouvait décemment recevoir leurs ennemis. La Grande Mademoiselle éclata d'un rire sincère et, se penchant, prédit à La Vienne ruine, désastre, tourments et mort prochaine. Sur quoi elle cabra son cheval espagnol, et s'en fut comme elle était venue. L'anecdote aurait pu n'avoir aucune suite si La Vienne n'en avait touché mot à son ami Bontemps. Alexandre Bontemps s'apprêtait à succéder à son père dans la fonction aussi contraignante que prestigieuse de premier valet de chambre du roi. La Vienne l'avait connu en Touraine où les Bontemps avaient une terre, et leur amitié d'enfance ne s'était malgré la différence de fortune jamais démentie. Les deux hommes avaient pareillement le cœur bon, le caractère sans détour, une probité à toute épreuve, un sens de la loyauté irréductible. Bontemps félicita La Vienne pour sa fidélité au trône, et ne manqua pas de rapporter sa belle action à qui pouvait l'admirer. Ce refus-là assura au baigneur l'estime de la reine mère, du jeune roi et du cardinal Mazarin qui lui fit porter un mot de sa main : « *Un bain de qualité est à Paris aussi rare qu'un homme loyal, vous me voyez ravi de gratifier l'un et l'autre.* » À ce mot étaient jointes les lettres patentes signées par Louis XIV conférant au sieur François Quentin dit La Vienne la charge de barbier-valet du roi.

Les combats continuent de ravager les faubourgs, et la Grande Mademoiselle, ivre d'aventures, fait tirer depuis les tours de la Bastille sur la cavalerie royale. Le 2 juillet 1652, elle apprend que le roi et le cardinal observent les combats depuis les hauteurs de Charonne. Elle fait aussitôt tourner les canons et ordonne la mise à feu. Le premier tir s'éparpille sur les flancs de la colline. Un jeune homme blond de fière mine, portant un brassard aux couleurs du duc d'Orléans, se penche pour corriger la mire. Au tir suivant, un boulet vient tomber sous les naseaux du cheval du roi. Louis XIV manque verser de sa selle, se rétablit et, blanc comme une craie, murmure :

— Ma cousine veut donc véritablement ma mort...

L'habile artificier a nom Marie Emmanuel de Cholay. Il est le fils unique de Marie Amédée, baron d'Almenêches, seigneur de Séez, comte de Cholay.

Vous avez reconnu votre père, Monsieur.

Les magistrats de l'Hôtel de Ville s'étant prononcés en faveur de négociations avec la régente, le prince de Condé incendia l'édifice et ses soldats ravagèrent le quartier.

C'est alors que Louise se découvrit enceinte.

Le 1ᵉʳ septembre 1652, votre père, Charles, fête ses vingt ans. La Grande Mademoiselle commence à se lasser de jouer les guerrières. Emmanuel de Cholay a les yeux couleur de pâturage et la cuisse avantageuse. Pour se distraire, elle badine avec lui. Mais il ne désire que les femmes vénales et elle ne convoite que les princes du sang, leur idylle fane donc avant d'avoir éclos. Les exactions des troupes de Condé et la perspective d'un nouvel hiver de privations retournent le Parlement qui se découvre à nouveau royaliste. Le duc d'Orléans comprend que son heure est en train de passer et rejoint sans tambour ni trompette son château de Blois. La Grande Mademoiselle traîne un peu, indécise, puis sous prétexte d'inventorier les comptes de ses intendants gagne ses terres de Saint-Fargeau. Trahi par Gondi, que Mazarin a fait cardinal de Retz, le prince de Condé abandonne Paris. Brûlant ses derniers vaisseaux, il offre son épée et son orgueil au roi d'Espagne. Le 21 octobre, le roi se réinstalle enfin au Louvre.

Votre père n'attend pas la sanction. Laissant dans les cendres de la Fronde ses rêves de gloire et de fortune, il s'en revient piteusement à Almenêches où le vieux comte de Cholay, que la honte de voir son héritier trahir la couronne a rendu sénile, ne le reconnaît pas.

Louis XIV a maintenant quatorze ans révolus. Ses années d'exil dans son propre royaume l'ont forgé comme

un acier qu'on passe à la braise puis à l'eau glacée. Il
a entendu crier «À mort!» dans la cour de son palais. Par
la fenêtre du premier étage, il a vu ses gardes massacrés
par des hordes armées de fourches, de faux et de gourdins.
On l'a mis au lit tout habillé et il a fait semblant de dormir
pendant que des manants puants défilaient devant ses
rideaux ouverts. Il les a entendus se moquer et gronder
entre les dents des menaces terrifiantes. Il a fui. Lui, le roi.
De château en château, sans savoir quand ce cauchemar fini-
rait. Il a dormi sur la paille dans des granges, et sur des matelas de fortune dans des chambres sans feu. Il s'est vu
miséreux à ne pouvoir faire l'aumône à un mendiant. Il s'est
senti traqué, bafoué, nié. Son frère Philippe s'amusait d'être
toujours sur les routes, et pourvu qu'on lui donnât une poupée pour jouer rien ne lui manquait, mais Louis avait honte,
peur, froid, faim. Il a été trahi. Par son oncle, par ses cousins, par sa cousine, par les plus grands noms du royaume. Il
en a retenu que n'existait en ce monde ni parent ni ami, ni
loyauté ni fidélité. Dorénavant, il se méfie des princes, des
parlementaires, du peuple, de Paris. Mazarin lui remet la
liste des gentilshommes qui l'ont combattu en lui conseillant
d'envoyer les petits méditer sur leurs terres le mot du Cid :
«Les affronts à l'honneur ne se réparent point», mais de
pardonner à la haute noblesse. Du théâtre, toujours. Sourire
aux lèvres et haine au cœur, le jeune roi ouvre les bras.
«Abaissez les Grands, sire, ou ils vous abaisseront», lui
souffle Mazarin en regardant le duc d'Orléans, la Grande
Mademoiselle, le prince de Conti pleurer de fausse contri-
tion. En serrant les traîtres contre son pourpoint, Louis commence de rêver à la façon dont, un jour, il les étouffera. Un
collier autour de chacun de ces cous, une laisse pour chacun
de ces colliers. Ensuite serrer, un cran après l'autre, et tirer
vers le sol, un pas après l'autre. Jusqu'à ce que ces hypocrites
superbes aient les deux genoux en terre devant leur souverain. Qui plus jamais ne les laissera se relever.

Vous pouvez applaudir, Monsieur. La scène se vide, on décroche les décors de la Fronde. Mais dans les coulisses, c'est la grande pièce du règne qui déjà se prépare. Le dessein secret du roi. Une mise à mort réglée comme un ballet, dont le château de Versailles sera à la fois le théâtre et l'outil.

Le château de Versailles où l'on doit vous conduire?

Il n'y a en ce royaume qu'un Versailles.

Et le mort? Qui doit mourir?

Lisez-moi.

Louise La Vienne perdit les eaux le 22 d'un mois de juin exceptionnellement chaud. François était parti avant le lever du soleil négocier un marché d'approvisionnement en bois de hêtre dans la forêt de Halatte, près de Senlis. Pris de panique, Antoine de Courtin fit prévenir Alexandre Bontemps qu'il connaissait pour être le seul ami de son beau-frère. Bontemps courut dans l'instant chez Seguin, médecin ordinaire de la reine mère, et le pria de secourir la jeune femme. Cet éminent personnage se fit conduire en chaise rue Neuve-Montmartre, et sans ôter ses gants diagnostiqua un accouchement par le siège compliqué d'un encombrement des bronches. Soucieux de traiter conjointement l'un et l'autre problème, il ordonna un lavement au séné, une saignée toutes les deux heures alternativement aux bras et aux chevilles, plus une demi-dose d'émétique. Le lavement dénouerait les entrailles et, libérant de l'espace, encouragerait l'enfant à se placer dans la bonne position. La saignée purifierait l'organisme et libérerait la poitrine. L'émétique parce qu'en vomissant la malade expulserait en même temps que sa bile les mucosités qui entravaient sa respiration. Antoine de Courtin tomba en faiblesse dès la seconde saignée. Louise aussi. Seguin commanda à la sage-femme qui le secondait de profiter de ce double évanouissement pour retourner l'enfant avec la grande pince. Déchirée, vidée par le haut et par le bas, saignée à blanc et les boyaux lui coulant entre les jambes, Louise se laissa torturer pendant six heures pleines en suppliant qu'on la laissât mourir mais qu'on sauvât son fruit. Comme sonnait l'Angélus, la matrone lui fit donner les sacrements par un moine récollet tiré du couvent voisin, puis plaça dans sa bouche un morceau de bois en lui recommandant de mordre le plus fort qu'elle pourrait. Sur quoi elle lui ouvrit le ventre des côtes au pubis et en sortit un nourrisson rachitique qu'elle frictionna à l'ail et au vinaigre sans parvenir à le faire crier. Louise tendit vers son enfant un bras marbré de mauve et dans un dernier hoquet rendit son âme pure. Antoine de Courtin sanglotait si fort que ses épaules tressautaient comme s'il avait pris le mal de saint Vit. En voulant déposer le nouveau-né dans le berceau, il le laissa échapper. Une grosseur bleutée enfla aussitôt sur la tempe du bébé. Antoine cacha la bosse en tirant sur les dentelles du bonnet et pria la nourrice de remplir sans tarder son office. Quand François rentra au logis, sa femme reposait tout de blanc vêtue entre deux grands cierges, son beau-frère se flagellait, le concierge lessivait le sang qui avait traversé les planchers, la sage-femme réclamait double salaire pour avoir recousu une mère déjà morte, le nouveau-né vomissait avec d'étranges contorsions sa première tétée et un barbier chirurgien du quartier s'apprêtait à lui insérer un clystère. La Vienne entra dans une colère si terrible que l'unique client au bain sortit tout dégoulinant de son cuveau en demandant qui tuait qui, et où. Le médicastre et la sage-femme s'enfuirent sans demander leur reste. Forte des douze nourrissons de familles honorables qu'elle avait allaités sans qu'aucun trépassât, la nourrice osa tenir tête à La Vienne. Elle avait nettoyé ses tétons comme feu la maman lui avait expliqué, son lait avait la consistance et l'odeur qui convient, le problème ne venait pas d'elle mais de l'enfant qui était sûrement poitrinaire lui aussi. L'enfant. La Vienne ne l'avait pas encore regardé. Il arracha les rubans et déroula les langes. Une fille. Minuscule. Malingre à pleurer, la peau si fine que dessous on voyait le dessin des veines. Et cette curieuse couleur d'encre sur une moitié de la tête. Et ces spasmes qui tordaient et comprimaient le petit corps comme une serviette qu'on essore. L'idée de la perdre après avoir perdu Louise transperça François avec une violence telle qu'il tomba à genoux au pied du berceau. Il sentit sa raison cogner contre les parois de son crâne et pressa ses paumes sur son front pour l'empêcher de s'échapper. Du temps passa, dont il n'eut pas conscience. Quand il retrouva ses esprits, le bleu avait gagné le visage du nouveau-né et Louise commençait de sentir. Le voyant incapable de quitter la chambre, Antoine de Courtin courut jusqu'au Louvre où il erra d'antichambre en galerie, attendant qu'Alexandre Bontemps pût se libérer de ses obligations et le suivre rue Neuve-Montmartre. Quand après avoir baisé le front glacé de Louise, Bontemps se pencha vers le nourrisson qui respirait à peine, son cœur se tordit de chagrin. À force de douceur, il persuada La Vienne qu'il ne pouvait garder plus longtemps la défunte près de lui et qu'il fallait la ramener chez les siens, dans le caveau poitevin où les Courtin depuis cinq générations reposaient. Mais sur la question de l'enfant, le veuf se montra intraitable. Il refusait catégoriquement de laisser sa fille à la garde de la nourrice, et plus fermement encore qu'aucun docteur s'approchât d'elle. En désespoir de cause, Bontemps proposa de prendre soin du bébé pendant le temps des funérailles. Il garderait la petite dans ses appartements, il ne la quitterait pas des yeux. Il suggéra également d'engager une autre nourrice, plus jeune et plus gironde. Il connaissait aussi un rebouteux qui imposait les mains. On ne perdrait rien à lui montrer le nouveau-né, la reine mère l'avait consulté plusieurs fois à son entière satisfaction. Maintenant que Louise l'avait quitté, Bontemps était le seul humain en qui La Vienne gardât confiance. Il enveloppa sa fille dans une couverture avec la dévotion qu'il aurait mis à emmailloter le Christ, et il la déposa dans les bras de Bontemps en lui faisant jurer de la lui rendre saine et sauve. Bontemps jura, embrassa son ami et s'en fut.

La Vienne tapissa le cercueil de Louise de sachets de lavande. Il demanda pardon à son aimée de n'avoir pas su veiller sur elle, et il la supplia d'être heureuse dans le vague de cette éternité en laquelle il acceptait de croire puisqu'elle l'y attendrait. Il ne pouvait la rejoindre tout de suite, il devait s'occuper de leur enfant. Il ne savait pas comment on élève une fille, mais il promettait d'apprendre. Il implorait Louise de rester vivante en lui. *Amen.* Après avoir descendu le cercueil dans le caveau familial, il laissa Antoine de Courtin recevoir les condoléances et alla marcher le long de la Vienne. Bien qu'il y eût des promeneurs sur la berge, il se dévêtit, entra nu dans les roseaux et chercha sur la rive le regard qui l'avait enchaîné et ravi. Il le trouva à l'endroit précis où il avait rencontré Louise, bleu de ciel au-dessus d'un sourire blanc comme la lumière d'été. Il sut alors que son aimée l'avait entendu et qu'elle ne le quitterait pas. Il rentra au manoir, fit promettre à son beau-frère de le rejoindre rue Neuve-Montmartre pour l'an neuf et sauta dans le premier coche à destination de Paris.

Le lendemain il frappait à la porte de Bontemps qu'il trouva assis dans sa cuisine, surveillant une nourrice aussi blonde que Louise, mais de robuste charpente et rayonnante de santé. Le cœur dans les talons, La Vienne s'approcha. Bontemps lui fit signe d'attendre et remplit deux verres de vin. Le poupon semblait apprécier sa nouvelle nourrice, il tétait avec application, sans rechigner. Lorsqu'au bout d'un moment la fille le changea de sein, il emboqua le second téton et se remit à sucer comme s'il n'avait encore rien pris. Levant son verre, Bontemps dit doucement :

— Saine et sauve. Comme promis.

La Vienne haussa les sourcils avec l'air d'un gars à qui l'on annonce que saint Nicolas vient de passer. Bontemps but une gorgée et précisa :

— J'ai pris la liberté de la faire ondoyer, par mesure de prudence. Mais tu n'as plus à t'inquiéter, cette petite fille-là a envie de vivre. Mon rebouteux lui a appliqué un onguent de sa façon, tu vas voir, les marques sur sa tête sont déjà parties.

L'enfant avait les sourcils si froncés qu'ils se touchaient et la bouche en cul de poulet, mais elle n'était ni blême ni bleue, sous le bonnet on ne sentait plus d'enflure et elle respirait normalement. Les yeux écarquillés, La Vienne demanda si les spasmes aussi s'étaient tout à fait calmés. Fière qu'on la consultât, la nourrice répondit que quand le bébé avait faim, il lui venait des colères à croire qu'elle allait trépasser, mais c'était là sans doute sa nature, certains petiots ont le caractère plus passionné que d'autres...

La Vienne n'écoutait plus. Le nez collé au front de sa fille, il la humait. Après le front, qu'il inspecta de part en part, il renifla les paupières sagement closes, les oreilles minuscules, le cou piqueté de rougeurs, et d'un doigt glissé sous le lange toucha la peau de soie à la hauteur du cœur. Quand il se redressa, il avait le sourire du ravi de la crèche. Avec la sensation qu'un poids immense lui tombait des épaules, Bontemps lui rendit son sourire. La Vienne vint à lui, prit sa main et la baisa avec ferveur.

— Vous me redonnez la vie, mon ami.

Bontemps hocha la tête.

— La consacrer à cette petite est le meilleur usage que vous puissiez en faire, François. Je serai toujours là. Pour elle, comme pour vous.

Délicatement il traça du pouce un signe de croix à l'endroit où les sourcils du bébé se touchaient. Puis, relevant les yeux sur le père bouleversé, il demanda :

— Comment la nommerons-nous ?

Suivant le vœu de Louise, François La Vienne choisit le prénom de Nine, auquel le parrain ajouta celui de Philippa Louise par affectueux respect pour les membres de la famille royale qu'il servait et que La Vienne, au titre de barbier-valet, allait servir aussi.

Cette Nine La Vienne a le caractère ombrageux, elle n'essaiera pas de s'attirer vos bonnes grâces, Monsieur. Si vous refusez de vous intéresser à elle, elle suivra son chemin et vous laissera au vôtre.

Vous ne voyez pas ce que vous avez à partager avec la fille d'un étuviste parisien qui, si elle vit encore, doit avoir aujourd'hui presque trois fois votre âge ?

Regardez mieux. Comme vous, Nine a perdu sa mère le jour de sa naissance. Comme vous, elle pense l'avoir tuée. Comme vous, elle a grandi en rêvant à une absente.

Vous niez ?

Allons, je vous ai veillé assez souvent pour savoir qui hante votre sommeil. Vous parlez en dormant, Charles. Oui, encore aujourd'hui. Dans votre âge tendre vous vous réveilliez en pleurant presque toutes les nuits, et entre vos sanglots vous me demandiez si je pouvais vous inventer un remède contre le chagrin de n'avoir point de maman. Je vous prenais sur mes genoux et je vous donnais mon vieux foulard à sucer. En vous berçant je vous disais que le sort vous avait ôté la maman qui vous avait donné le jour, mais qu'en remplacement il vous avait offert non pas une, mais quatre excellentes mamans. Vous aviez Bonne Fermat, votre nourrice, qui vous avait allaité avec son troisième fils. Vous aviez la jolie Gervaise de Sai qui tenait la maisonnée de votre père. Vous aviez Marraine de Cholay, votre tante, qui vous éduquait avec beaucoup de cœur. Vous aviez enfin Madame, princesse Palatine et épouse de Monsieur, frère du roi, qui était votre vraie marraine devant Dieu, et qui, si vous vous trouviez un jour seul au monde, avait juré de veiller sur vous. Vous répliquiez qu'aucune de ces mamans-là ne vous avait porté dans ses flancs comme Amie, votre braque, faisait avec ses petits. Que Madame s'était engagée sans vous connaître, ce qui n'est pas aimer, et qu'elle logeait à Paris qui était trop loin pour venir vous réchauffer si la nuit vous aviez froid. Que Gervaise ne vous aimait pas davantage, elle ne pensait qu'à se coucher dans le lit de Geoffroy de Serigny ou de Quentin Pichard, les écuyers de votre papa, quand Geoffroy et Quentin ne se couchaient pas dans le lit de votre papa. Marraine couchait avec vous, mais vous auriez préféré qu'elle allât dans le lit de Geoffroy, de Quentin ou de votre papa, parce qu'elle non plus ne vous aimait pas vraiment, elle préférait ses perruches et d'ailleurs caquetait et sentait comme ces stupides oiseaux. Bonne ressemblait plus à une maman, mais votre père disait qu'elle avait fait son temps, et vous aviez si peur qu'elle mourût avant que vous fussiez grand que d'ores et déjà vous ne vouliez plus la voir. Essuyant votre nez, vous me lanciez alors un de ces regards que je connais trop bien, et vous ajoutiez :

— Vous aussi, si vous deviez me quitter, je préférerais tout de suite ne plus jamais vous voir.

— Même si, avant de nous quitter, nous passions ensemble beaucoup de bons moments ?

Vous vous renfrogniez et me tourniez le dos.

Ne vous renfrognez pas, Charles, ne me tournez pas le dos. Continuez à me lire. S'il vous plaît. Je vous quitte parce que le moment en est venu, pour vous comme pour moi, parce que ce qui doit devenir votre vie vous appelle, et parce que là où l'on vous attend, je ne peux et ne pourrai jamais vous suivre. Nine La Vienne est un pont entre nous, ne la rejetez pas.

Si je l'ai connue?

Bien sûr, je l'ai connue. J'ai connu chacun de ceux dont je vous parle, et chacun à sa manière a infléchi mon destin.

Si je l'ai aimée?

Pas vraiment. Pas assez.

Si je veux que vous l'aimiez à ma place?

Peut-être.

Si je l'ai quittée, elle aussi?

Oui.

Si c'est pour elle que je pars, si c'est elle que je vais retrouver?

C'est pour vous que je pars. Mais c'est elle que je vais retrouver. Ne lui en veuillez pas. Quand nous serons au bout, vous et moi, vous saurez qu'elle l'a mérité. Pour le moment, elle est là, penchée sur son petit bureau, notant son idée d'emplâtre à la poire sauvage. Elle vous attend.

Nine referme son cahier et le cache sous un autre, rempli d'additions et de soustractions autant qu'un père attentif aux études de sa fille peut le souhaiter. Tirant derrière elle la porte de la remise, elle retraverse la cour et gagne le bâtiment principal en pierre grise, brique et bardeaux où sont installés les Bains. Elle trouve François La Vienne dans la longue salle qui ouvre par une série d'œil-de-bœuf sur les cabinets de toilette, en train de dessiner des baignoires tout en surveillant à intervalle régulier ses clients.

— Mon père, il me faut de l'argent.

Sans poser son fusain ni sa règle, La Vienne lève un œil tranquille.

— Bon. Et pourquoi, s'il te plaît?

— Pour mes expériences.

— Nine, je t'ai déjà dit...

— Que tu me laisses jouer avec des alambics et des cornues parce qu'il me faut toujours quelque chose de nouveau pour m'occuper, mais que tu ne veux pas d'une sorcière ici. Je ne suis pas une sorcière. Un petit, un tout petit sorcier, à la rigueur...

— Je ne plaisante pas. Tu seras bientôt femme...

— Justement. Les femmes sont des êtres incomplets, et ce n'est qu'à force de modestie, de patience et de soumission

qu'elles peuvent espérer regagner ce que leur sexe leur
ôte. C'est du moins ce que j'ai appris ce matin.

— Et?

— Et je ne serai jamais modeste, ni patiente, ni soumise. Je dois donc rapidement trouver un autre moyen
pour compenser ce dont ma nature va me priver.

Retenant son sourire, François La Vienne se remet à ses
dessins. Il a l'habitude des saillies de sa fille. Nine depuis
sa naissance ne fait pas, ne dit pas, ne pense pas comme
les autres enfants. Le sort ne l'a pas dotée d'un physique
remarquable, mais La Vienne a des yeux pour voir et il voit
bien que sa petite a quelque chose de particulier.
Répugnant à la vantardise, il n'oserait appeler ce quelque
chose un don, ni même parler d'intelligence. Il dirait : de
la curiosité. Une curiosité comme un feu de forêt attisé
par le vent, dévorante et sans répit. Il dirait aussi : le
besoin de raisonner sur toutes choses. Par toutes choses, il
entend l'influence de la lune sur le tempérament, la propagation des maladies, les commandements religieux, la
justice en ce royaume, la survie de l'âme, comment maintenir l'eau d'un bain à température constante, quel sens
donner à son existence, pourquoi tant de parturientes
meurent-elles en accouchant, et cent autres questions que
personne dans son entourage ne songe à se poser. La
Vienne dirait encore : de la volonté. Une volonté obstinée,
qu'aucune démonstration n'émousse et qu'aucune autorité ne plie. Enfin, très tôt et plus que tout : le goût
d'apprendre et de comprendre. À quatre ans, la petite
savait les nombres et les lettres que son père lui avait montrés sans y penser, en la tenant sur ses genoux pendant
qu'il feuilletait ses livres de comptes. Comme elle voulait à
toute force qu'il lui enseignât la façon de les assembler et
qu'il doutait de savoir s'y prendre, sans rien dire à personne il l'a confiée aux demoiselles Olivier. Ces deux
sœurs venaient d'ouvrir une école pour filles près de Saint-

Germain-l'Auxerrois, avec une pédagogie très nouvelle qui répartissait les élèves par âge et par niveau. Nine est entrée dans la classe des petites abécédaires, où elle n'a passé qu'un an, a poursuivi dans la classe de lecture des livres imprimés, un an également, et à l'âge où ses pareilles ânonnaient l'alphabet, elle trônait au premier rang de la classe des grandes, qui s'exerçaient à déchiffrer les lettres et les registres manuscrits. Elle y a appris à écrire clairement, puis rapidement, puis élégamment, ainsi qu'à poser des opérations et à jeter, c'est-à-dire calculer avec des jetons. Chaque jour deux heures et demie étaient consacrées à l'étude et le même temps à la religion et aux travaux manuels. Quand Nine donnait satisfaction, elle pouvait s'asseoir sur le banc de la victoire. Quand elle était indisciplinée, elle rejoignait les cancres sur le banc de la pénitence, appelé aussi banc de Mélanie parce qu'au-dessus était suspendu le portrait d'une fille noire comme une Égyptienne, larmoyant et tirant ses cheveux dans tous les sens du regret qu'elle avait de n'avoir point étudié. À neuf ans, Catherine et Élisabeth Olivier n'avaient plus rien à lui apporter, sa précocité suscitait la jalousie de ses compagnes et le dédain qu'elle affichait envers la broderie et la prière rendait sa présence néfaste à l'harmonie de la classe. Sourd aux voix qui lui déconseillaient de pousser plus loin l'éducation de cette curieuse enfant, François La Vienne s'est démené pour trouver une autre école. La chose était ardue, les collèges parisiens étaient réservés aux garçons, et si quelques couvents prétendaient apprendre aux filles autre chose qu'à prier, tous étaient des internats réservés aux futures religieuses. Tous sauf les Ursulines du faubourg Saint-Jacques. Installées à Paris depuis un demi-siècle, ces sœurs avaient la vocation de l'enseignement comme les moines franciscains ont celle de la charité. Soucieuses de permettre aux enfants pauvres d'accéder au savoir, elles sélectionnaient les élèves sur leur vivacité intellectuelle, faisaient la classe en français et ne demandaient de dédommagement financier qu'aux pensionnaires des familles aisées, qui payaient ainsi pour les plus démunies. Les dortoirs étaient chauffés, les filles qui ne faisaient pas leur noviciat n'étaient pas tenues de porter l'habit religieux et, rareté véritablement exotique, ces dames vérifiaient la fraîcheur des portions servies au réfectoire, obligeaient les élèves à changer de linge deux fois par semaine, à se rincer la bouche après chaque repas et à se laver fréquemment les mains. Chez ces Ursulines, Nine s'initie à l'économie domestique, elle apprend le latin, la poésie, l'histoire, la géographie, les arts majeurs et mineurs, la zoologie, la botanique, et la mère supérieure qui l'a prise sous son aile lui enseigne en sus la chimie et les mathématiques.

Nine attrape sur la table un plateau en argent.

— Sais-tu que les femmes doivent à leur tempérament humide d'avoir la chair molle et fluide, le visage étroit, les yeux petits, le nez droit, l'esprit craintif, coléreux et trompeur ?

Elle retourne le plateau et cherche son reflet sur le fond lisse.

— Le visage étroit et le nez droit, oui. Mais je n'ai pas les yeux petits. Et encore moins la chair molle.

La Vienne sourit.

— Tu l'aurais si tu mangeais davantage, et ce ne serait pas un mal. Tu n'as ni seins ni cuisses ni fesses, on voit tes côtes et je pourrais jouer aux osselets avec tes genoux. À ce compte, tu n'as pas à t'inquiéter d'être une fille, aucun homme ne te traitera comme telle.

Nine repose le plateau et plante un baiser sur la tempe de son père.

— Tant mieux ! Je n'en veux aucun !

— Les hommes te font peur ?

— Pas du tout. Je les trouve simplistes, rarement divertissants, toujours prévisibles et généralement laids.

— Laids? Regarde un peu ceux que nous avons ce matin...

De la main, La Vienne montre une des lucarnes percées dans le mur. Nine s'approche et fait pivoter le volet. L'œil-de-bœuf donne sur une pièce de taille modeste dont l'espace est occupé par deux grosses baignoires montées sur des pattes de lion et placées en vis-à-vis. Au milieu d'une vapeur bleutée, deux gaillards se font asperger et frotter par Renée, une robuste campagnarde engagée pour réjouir la vue des clients autant que pour les récurer. Nine plisse les yeux. Le plus grand des deux est vraiment très grand, et des mollets aux épaules on le croirait taillé par le ciseau d'un dieu. L'autre est plus jeune, plus fin, plus souple, il a les traits réguliers, les muscles longs, avec sur toute sa personne un air de sensualité nonchalante. Beaux, très beaux. Des clients pareils, même dans le meilleur établissement de bains de Paris, on n'en voit pas tous les jours.

— Alors?

Nine hausse les épaules.

— Alors je vois des hommes nus depuis que j'ai les yeux ouverts. Des costauds, des rabougris, des obèses, des velus, des cagneux, des chenus, mais tous cuits au même moule, quelle surprise veux-tu que j'en aie? Ceux-là sont des animaux un peu plus agréables à regarder que les autres, c'est tout. Tu les sors d'où?

— Le géant est le chevalier de Rohan, grand veneur de Sa Majesté. Le joli est le chevalier de Lorraine, grand ami de Monsieur, frère du roi.

— Ils viennent souvent?

— De temps à autre. Ils ont chez eux de quoi se baigner agréablement, mais ici, bien sûr, c'est autre chose.

— Et tu laisses cette oie de Renée s'occuper d'eux?

— Renée a du doigté. Et des appas.

Nine attrape un tablier amidonné.

— Je vais les poudrer. Avec une poudre de ma façon. Je te promets qu'ils en redemanderont.

D'un geste sec La Vienne referme son cahier à dessin.

— Tu ne t'approches pas de ces seigneurs.

Vexée, Nine se raidit.

— Tu crois que je n'ai pas assez de métier? J'en sais autant que toi et plus que n'importe laquelle de tes aides.

— La question n'est pas là. Tu ne t'occupes pas des clients, un point c'est tout.

— Je l'ai déjà fait sans te le dire, tu sais. Quantité de fois.

— Fait quoi?

— Ce que tu m'as appris. Ce que nous faisons ici.

La Vienne regarde sa fille ajuster sur sa tête un bonnet blanc qui cache complètement ses cheveux.

— Avec des hommes?

— Bien sûr. Et avec des femmes. D'ailleurs je préfère les femmes. Ce qu'elles demandent est moins compliqué et quand elles sont contentes, elles remercient.

La Vienne a l'habitude d'appeler un chat par son nom de chat et de casser les pots au lieu de tourner autour.

— Tu as eu des complaisances envers les hommes qui viennent chez nous?

Nine lui décoche un regard à pétrifier un lac.

— Des complaisances?

Quand elle fixe ainsi quelqu'un, ses yeux bleus deviennent si foncés qu'on les dirait noirs. Granit contre silex, La Vienne lui rend son regard.

— Des complaisances. Je te rappelle que tu n'as pas treize ans et que tu es ma fille.

Nine se dirige vers les rayonnages où sont rangés les aromates et les flacons de senteurs qui servent uniformément à parfumer les ragoûts, les bains chauds et l'air des salons de repos.

— Vous me connaissez mal, mon père.

Dans la poche de son tablier, elle enfourne une fiole d'huile de violette, du musc et un précieux morceau d'ambre. La Vienne lui prend le menton qu'il relève pour scruter son visage.

— Réponds-moi.

Elle se dégage, tire sur son front la pointe de son bonnet et ajoute calmement :

— Vous n'avez pas à vous inquiéter. Je ne serai jamais une femme.

Longeant le mur elle se penche sur la dernière lucarne dont le volet, contrairement aux habitudes de la maison, est relevé. De l'autre côté, la pièce est tapissée de mosaïques avec une voûte bombée comme une chapelle. Plantés de chaque côté des portes, des bras de lumière éclairent une unique baignoire encastrée dans le sol. Les dalles sont de pierre blanche, la cuve de marbre vert. Un homme y repose, les bras posés sur la margelle, la tête penchée en avant comme s'il guettait un poisson dans l'eau fumante. Nine ne voit pas son visage, seulement sa nuque et ses larges épaules.

— Et celui-là?

La Vienne s'approche et regarde avec elle.

— Tu ne le reconnais pas?

— Je le connais?

— Tout le monde le connaît.

Nine soupire.

— Je ne suis pas tout le monde. Et je reconnais rarement les gens à leur dos. Qui est-ce?

La Vienne hésite. Nine s'impatiente.

— Alors?

— Alors c'est le roi.

Nine lève les yeux au ciel.

— Ce n'est pas drôle. Le roi ne vient pas chez nous.

La Vienne rabat doucement le volet.

— Il faut croire que si.

La petite considère son père avec stupéfaction.

— Le roi vient chez nous ? Depuis quand ?

La Vienne a une grimace contrite.

— Quelques années. Trois. Quatre.

— Quatre ans !!!

— Il a commencé quand il s'est pris d'amitié particulière pour Louise de La Vallière, dix-sept ans, fille d'honneur de Madame, sa belle-sœur, et qu'il s'est agi de trouver un endroit où rencontrer commodément cette jeune personne sans que son épouse et sa mère s'en offusquent.

— Cette demoiselle vient donc aussi ?

— Plus maintenant. Le roi l'emmène à Versailles, il peut y jouir d'elle autant qu'il veut.

— Mais il a un goût si vif pour la façon dont nous lavons ici qu'il continue de nous visiter. Très flatteur...

— Mademoiselle de La Vallière a donné un bâtard mâle au roi, le petit est mort, je crois, mais ton parrain dit qu'elle attend à nouveau. Le roi a de l'amour pour cette Louise, sans quoi il ne l'aurait pas hissée au rang de favorite, mais il ne raffole pas des femmes enceintes. Donc quand elles deviennent grosses...

— ... Il prend des bains de vapeur.

La Vienne sourit.

— Voilà.

— Et tu ne me l'as jamais dit ?

— Personne ne le sait. Presque personne. Il vient masqué, généralement avec le chevalier de Rohan, qui est son âme lige, plus deux ou trois gardes suisses déguisés en cavaliers.

— Et c'est toi qui fournis... la compagnie ?

— Je ne tiens pas une maison de passe, Nine !

— Certes non. Mais tu veilles au... bien-être de tes clients, n'est-ce pas ? Tu crois que j'ignore ce qui se passe dans les salons de repos ? Les épices que tu me demandes d'ajouter au vin, les brûle-parfums que je garnis avec des senteurs faites pour vider la tête et exciter les sens, tu imagines que je ne sais pas à quoi ils servent? Et les confortatifs?

— Quels confortatifs?

— Les poudres que tu me fais préparer! Celles que je mêle aux pâtes de fruits et aux sirops que tu sers à tes «invités».

La Vienne se renfrogne.

— Pour relever le goût des friandises.

— Papa! Je les ai vus, tes «invités», je les vois tous les jours! Je te l'ai dit, pour moi ce sont des animaux, rien de mieux que des animaux, et je t'assure que la façon dont ils se mignotent, s'échauffent et forniquent me laisse aussi tranquille que si je regardais des chiens ou des lapins s'accoupler. Ce n'est pas ça qui m'intéresse...

Inquiet, La Vienne relève le nez.

— Qui t'intéresse?

— Pourquoi penses-tu que je les observe?

— Parce que tu les observes?

— Bien sûr!

Consterné, La Vienne se laisse tomber sur un coffre. Nine s'accroupit devant lui.

— Ce n'est pas par vice, papa. Je me moque de leurs contorsions, et je me soucie peu de deviner par quelles caresses ils vont commencer et par quel biais ils vont se satisfaire. Ce que je veux, c'est tester l'effet des ingrédients dont j'assaisonne leurs ébats. Selon ce que je leur fais respirer ou avaler, ils se comportent différemment. Pas toujours, mais souvent. Quand je remarque un vrai changement, je renouvelle l'expérience, je perfectionne ma préparation... Et je note tout dans mon cahier.

Elle se redresse.

— Un jour je serai un vrai savant. J'inventerai des façons de changer l'humeur des gens, de fortifier leur tempérament, de prévenir leurs maladies, et je donnerai des leçons, comme M. de Roberval. On viendra me consulter.

Les particuliers, mais aussi les médecins. Ceux de la Faculté, qui sont si entêtés à retourner les entrailles des malades et à les vider de leur sang. Ils me font penser au professeur de philosophie que j'ai entendu ce matin à Saint-Roch, ils ne raisonnent pas par eux-mêmes mais d'après des penseurs morts depuis cent ans, ou même mille ans ! Appuyés sur le jugement de ces fantômes, ils décrètent ce qui est bien ou mal pour l'âme et pour le corps, toutes les femmes deviennent des aberrations de la nature et tous les malades se laissent découper vivants sans protester. Tu voudrais que j'accepte cela ?

— Nine...

— Je les déteste, papa ! Et tu devrais les détester aussi. Sans eux tu aurais encore une femme, et moi j'aurais connu ma mère.

La Vienne secoue la tête.

— Ta maman souffrait de la poitrine bien avant d'être enceinte...

— Ne te donne pas la peine de me mentir. Mon oncle Jean de Courtin m'a raconté comment les choses s'étaient passées. Précisément.

— Tu en sais plus que moi, alors.

— C'est que tu ne veux pas savoir ! Tu ne veux pas imaginer ta femme éventrée sur une table, et tu ne veux pas penser à ta fille comme à une excroissance mortelle qu'il fallait lui retirer ! Tu préfères garder Louise telle que tu l'as connue, et me regarder comme tu me connais. Tu as raison, c'est plus confortable !

La Vienne se lève.

— Tais-toi, Nine.

— Et tu ne veux pas non plus t'avouer que si tu n'étais pas parti acheter du bois ce jour-là, on ne l'aurait pas ouverte d'une hanche à l'autre pour m'en sortir !

Du plat de la main, La Vienne donne une énorme claque sur la table.

— Tais-toi, je te dis !

Nine est toute blanche. Elle le fixe sans ciller.

— Je ne peux pas la faire revenir, mais je vais me racheter. J'en soignerai d'autres, j'en sauverai d'autres. Je suis
forte. J'y arriverai.

La Vienne regarde sa brunette, avec son minois pointu
et ses yeux trop grands qui changent de couleur comme
les nuages sous le vent. Son merveilleux cadeau de deuil.
Son énigmatique trésor. Sa très aimée ardente et têtue.
C'est vrai, sous son ossature d'oiseau, elle est forte. Il
écarte ses grandes mains en signe de reddition.

— Tu as raison.

Nine attend que les battements de son cœur se calment.

— Tu seras fier de moi. Et ma mère, là où elle est, sera
contente. Je vous le dois à tous les deux.

— Tu ne nous dois rien, Nine. Et tu me donnes déjà
assez de fierté pour cette vie et les autres.

— Peut-être même qu'un jour on m'appellera pour
m'occuper du roi...

Elle s'approche du dernier œil-de-bœuf et pose la main
sur le volet.

— Je peux ?

La Vienne grimace.

— Au point où nous en sommes...

On a beau à douze ans avoir contemplé plus d'anato-
mies masculines qu'une femme ordinaire au cours de
toute sa vie, le corps nu d'un roi, tout de même, c'est une
curiosité.

— Il a quel âge ?

La Vienne la rejoint.

— Il a eu vingt-sept ans le 5 du mois de septembre.

Le front contre le carreau, Nine chuchote.

— Qu'est-ce qu'il fait ?

La Vienne se penche et sourit.

— Il dort.

Le roi. Lorsque j'ai commencé de vous écrire, je me demandais comment et quand j'en viendrais à lui. J'aurais voulu vous parler davantage de ses jeunes années, mais je ne le connaissais pas alors, ce que j'en sais m'a été confié pour que je puisse vous le raconter à mon tour.

Vous haussez les sourcils, vous ne comprenez plus du tout.

Patience, Charles. Patience...

Le roi ressemble aux carpes dorées qu'il élève dans ses bassins de Versailles. Il est masse et maîtrise, ombre et reflet, raideur et fluidité, silence et scintillement, naturel et majesté. Difficile à cerner, impossible à saisir. Le secret pour le déchiffrer est de l'imiter : observer, ravaler ses larmes, sa colère, sa rancune, et aborder hommes, femmes, plaisirs et adversité en disant : «Je verrai.» Ensuite, faire attendre. Attendre, c'est désirer, c'est craindre, c'est anticiper, c'est s'agiter, c'est s'épuiser. Celui qui court se fatigue toujours plus vite que celui qui le regarde. Louis XIV est un guetteur. Infiniment patient, dissimulé, attentif, retors, puissant. Il a été la cause de tous mes maux, je l'ai fui, je le maudis encore, mais si forte est l'emprise qu'il a exercée sur moi que je ne parviens pas à m'en guérir. À la lumière de ma vie j'ai tant réfléchi à la sienne qu'il me semble le connaître comme s'il était part de moi, ou que j'étais part de lui. Certains jours je le déteste au point de vouloir lui arracher le cœur pour le jeter à ses poissons fétiches. Pourtant, malgré ma haine, je ne peux m'empêcher de l'admirer. Je ne sais si je pourrai un jour lui pardonner.

Quand il dort, le roi grince des dents. Et quand il rêve, il serre les poings. François La Vienne est retourné à ses croquis et la petite Nine s'est glissée en tapinois dans la chambre de bains. Accroupie au pied de la cuve en marbre, elle regarde le torse qui se soulève par à-coups, la bouche crispée, les mains refermées comme des serres. Ce rêve-là ne doit pas être plaisant. Au réveil Sa Majesté aura la marque de ses ongles au creux de ses paumes. Un roi qui dort ressemble juste à un homme, et cet homme-là ne doit pas avoir l'âme sereine. Est-ce parce qu'il est roi? Ou parce que l'homme, avec ses cheveux châtains clairsemés, ses paupières un peu plus sombres que le reste du visage, son nez fort, ses joues plates, ses sourcils bruns arqués, cache des fantômes dans les replis de son sommeil? Par son parrain, Nine sait qu'il a les yeux couleur de feuille morte, mais elle se demande quel regard il aurait si elle le tirait là, maintenant, de son rêve. Elle est bien placée pour savoir qu'on peut souffrir en dormant. On peut ressentir le manque, l'angoisse, la peur, le sentiment d'injustice ou d'abandon. Est-ce qu'un roi qui souffre se laisse aller à pleurer? Louis Dieudonné. Le cœur battant, elle se hausse pour mieux le regarder. Il est harmonieusement musclé mais elle l'imaginait plus puissant. Les traces de petite vérole sur son visage et son cou sont profondes, si son père lui faisait davantage confiance elle fabriquerait une pâte qui les cacherait. Le morceau de chair entre ses cuisses est brun comme ses paupières et pas du tout impressionnant. Il a des mains lisses et des doigts de pied crochus...

Un bruit de voix dans le cabinet voisin fait frissonner le dormeur. Nine sursaute. Si son père la découvre ici il se fâchera tout rouge, et cette fois elle ne pourra lui donner tort. Elle n'a pas le temps de rejoindre la garde-robe. Le cœur affolé, elle se cache dans le coffre où l'on range le linge frais et se recroqueville au milieu des éponges et des sachets de romarin.

La porte s'ouvre. Elle entend son père chuchoter :

— Il dort depuis bientôt une heure.

La porte se referme. Cette fois c'est la voix de son parrain, Alexandre Bontemps, qui appelle :

— Sire ! Sire !

Voilà, le roi a ouvert les yeux. Bontemps d'un ton plus doux ajoute :

— Sire, la reine mère vous demande.

Louis grommelle que la reine attendra, les épouses et les mères ont ceci en commun qu'elles ont toujours plus le désir de vous voir que vous de les voir.

— Non, Sire, elle ne peut pas attendre.

— Et pourquoi ne pourrait-elle pas ? Elle a ma femme pour lui tenir compagnie, que lui faut-il de plus ?

— Sire, je vous demande pardon, mais les docteurs se préparent à statuer sur le cas de son sein.

Au grand silence ponctué de clapotis qui suit, Nine imagine Louis sortant de l'eau, pâle comme si on lui avait tiré une pinte de sang, tendant les bras pour que Bontemps lui passe la chemise. Nouveaux bruits de porte. Ils gagnent la salle attenante, là où le roi a été dévêtu. Murmures indistincts. On doit le rhabiller. Enfiler ses bas et ses souliers, boucler son baudrier, boutonner ses gants. Poser et ajuster sa perruque brune bouclée par les soins de Jean Quentin. Lui tendre le miroir, et pour animer son teint lui proposer une touche de fard sur les pommettes. Nine l'entend refuser et demander à Bontemps s'il a prévenu Rohan. Sa voix est mate et virilement posée. Il est à nouveau Louis Quatorzième du nom.

Quelle couleur a le chagrin d'un roi quand la reine qui est sa mère tombe gravement malade ?

Selon l'avis de Monsieur Colbert, qui est celui des gens raisonnables en France, le Louvre est le plus beau palais du monde et le mieux digne d'un grand souverain. Depuis qu'il y a quatre ans un incendie a réduit en cendres la galerie au premier étage de l'aile ouest, les travaux n'ont quasi pas cessé. Monsieur Le Vau, qui les dirige, veut faire du noble et du commode tout ensemble, ce qui n'est pas simple, pas plus qu'il n'est aisé de satisfaire à la fois les exigences d'une reine mère vieillissante et celui d'un jeune roi quand l'un et l'autre entendent marquer leur grandeur et leur caprice dans le même bâtiment. L'ancien appartement de la reine Marie de Médicis, mère de Louis XIII, a été amélioré, la reine Anne y jouit maintenant d'une salle des Cariatides, d'un Tribunal, d'une antichambre des Gardes, d'un petit cabinet donnant sur une chambre de parade, d'un oratoire personnel et d'une chambre particulière ornée de peintures contant l'histoire de Junon, avec une salle d'eau attenante. Cet appartement est plus majestueux et plus agréable que celui de son fils, situé au premier étage du pavillon du roi, qui a des plafonds sculptés par Laurent Magnier mais une chambre très sombre et point de salle pour le bain. Cependant Anne d'Autriche n'y réside que l'hiver, au motif que l'été, quand le soleil chauffe à plein les croisées qui ouvrent au sud, on étouffe. Pour la belle saison, le zélé Le Vau lui a apprêté un appartement de fraîcheur, au rez-de-chaussée. La chambre à coucher y est de belle taille, avec des voûtes à l'italienne et quantité de stucs et de bas-reliefs. C'est là, sur un lit damassé de bleu et d'argent, que la reine mère repose. Elle a les yeux clos, les mains croisées sur l'estomac, la respiration lente, on la croirait profondément endormie. Elle ne dort pas, elle écoute. Si elle les questionne, les docteurs qui chuchotent à son chevet vont lui mentir, or elle veut connaître la vérité. Voilà plusieurs mois qu'elle a des accès d'épuisement, des suées acides, et que dans son sein droit, une grosseur qui sous les doigts était au début molle et fuyante se fige et durcit. *Seigneur, écartez de moi ce calice.* La reine songe au cardinal Mazarin qui aimait tant la vie, ses richesses, ses parfums, et que la mort est venue chercher voilà cinq ans et demi. De lui, elle était proche, très proche. La fréquentation du pouvoir et du danger, la passion des arts et de la gloire, l'obsession d'affirmer un trône éprouvé par la Fronde avaient entre eux tissé des liens aussi serrés, plus serrés même, qu'un mariage. Jamais elle n'aurait pensé qu'il pût la quitter. Et pourtant, peu après les noces de Louis avec l'Infante, comme s'il avait usé pour négocier l'alliance espagnole ses dernières forces, le précieux Glulio s'en est allé. Il n'était pas prêt, il voulait gouverner et jouir encore de tout ce qui, sur cette terre, est si beau. Agrippé à l'illusion à défaut de l'espoir, jusqu'au dernier instant il a repoussé l'inévitable. La reine Anne non plus n'est pas prête. Elle ne veut ni mourir ni souffrir, elle doit garder tête claire et forces vives, le roi a encore besoin de ses conseils, de son appui. Parce qu'il a ceint la couronne à cinq ans et qu'il a refusé de nommer un nouveau Premier ministre après la mort du cardinal, il se croit capable de régner seul. N'en déplaise à son orgueil qui depuis la prime enfance est vertigineux, il n'est qu'un chien fou. Un chien fou, le nez collé aux cordes d'une guitare, à la voie du cerf et aux jupes des femmes. Toutes les femmes, même celles que les lois du sang et de la morale chrétienne lui interdisent. Un chien fou qui court les marais et les bois pendant qu'un mal sournois menace d'emporter celle qui, en plus de lui offrir le jour, a sauvegardé son royaume. La grosseur a maintenant la taille et la consistance d'une mandarine, et il suffit à la reine Anne d'écouter la dispute des docteurs pour comprendre ce qui l'attend. Chancre, tumeur maligne, carcinome, chacun des mots qu'ils emploient se vrille au fond de ses entrailles. Le souffle lui manque. Un tremblement la prend, si violent que ses draps remuent des épaules jusques aux pieds. Cette fois son courage et sa volonté ne suffiront pas pour triompher de l'ennemi. *Mon Dieu, je me remets entre Vos mains.*

Le roi et le chevalier de Rohan remontent le large vestibule entre les figures sculptées de la Seine, la Loire, le Rhône, la Garonne, la France et la Navarre, et traversent le grand cabinet sans saluer personne, laissant dans leur sillage une senteur de jasmin qui tranche avec l'odeur sure des lieux. La petite foule des familiers, des dames, des capucins et des quêteurs s'écarte avec des airs transis. L'huissier qui garde la chambre de la reine se cambre et annonce à pleine voix :

— Le Roi !

Sur le seuil de la porte ouverte à deux battants, Louis XIV embrasse du regard les courtines qui cachent la malade, les cornettes des sœurs chargées de la toilette et les robes noires des deux docteurs et du chirurgien, courbées dans une même révérence navrée. Près des médicastres, un jeune homme de courte taille, replet, brun de poil, très pâle malgré le rouge espagnol dont ses joues sont fardées, le fixe avec une expression d'absolu désarroi. Le petit jeune homme s'avance et tend deux mains poudrées que le roi ne prend pas.

— Ces messieurs disent...

Louis XIV baisse un œil froid sur Philippe d'Orléans, son cadet de deux ans.

— Vous pouvez sortir, mon frère, je suis là.

Monsieur hésite, regarde le chevalier de Rohan, ouvre la bouche, se ravise, se retourne vers la couche royale, sort un mouchoir de batiste puissamment parfumé au muguet, essuie son nez et quitte la pièce en tortillant du croupion à la façon des canards qui regagnent leur mare.

Louis XIV va au lit de sa mère. La reine a toujours les paupières closes. Il a du mal à la regarder. Il se force, il effleure le bout des longs doigts dont les ongles d'un ovale parfait ont pris une curieuse teinte violacée. Anne d'Autriche soupire.

— Mes mains ont-elles changé, Sire ?

— Pas le moins du monde, Madame. Vous avez toujours les plus belles mains de la cour.

La reine mère rouvre les yeux qu'elle a très grands, d'un bleu-gris avec autour de la pupille de minuscules points jaunes.

— Ne me mentez pas, Louis.

— Non, ma mère.

— Ne trichez jamais avec moi.

— Jamais.

— Vous me le promettez ?

— Assurément.

Du menton, Anne d'Autriche montre les trois médecins.

— J'ai entendu ces messieurs débattre de mon cas. Ils disent que pour me soigner ils doivent me découper vive. C'est vous qui les avez nommés aux charges qu'ils occupent, vous êtes donc bien confiant dans leur science et leur fidélité.

— Je le suis, Madame. Sans quoi je ne leur accorderais pas l'honneur de vous soigner.

La reine se signe.

— Ainsi soit-il.

Et d'un mouvement de la tête, elle fait signe aux docteurs de venir à son chevet. Après s'être incliné respectueusement, le plus âgé dénoue le cordonnet de la chemise royale, l'échancre et soulève le linge posé sur le décolleté. À soixante et six ans, la reine mère reste grasse, aussi blanche qu'une jouvencelle, et l'ampleur de ses seins ferait l'envie d'une nourrice. Du geste le médecin invite le roi à se pencher.

— Voyez, Sire, il y a là beaucoup de chair dont la tumeur a eu loisir de se repaître. Avec la chaleur de l'été, il semble qu'elle soit venue à maturité, tâtez, Sire, juste ici, tâtez, elle a aujourd'hui la taille d'un beau fruit.

Horrifié par ce qu'il sent sous sa paume, Louis XIV tousse jusqu'à ce que sa voix lui obéisse.

— Comment procède-t-on avec un fruit pareil ?

— Il faut le détailler par tranches fines en sorte d'atteindre le noyau sans le blesser. Quand nous aurons ce noyau, nous l'extrairons, nous cautériserons la plaie à la chaux vive et la Reine sera guérie.

Le sang se retire du visage du roi.

— La chaux vive est-elle indispensable ?

— Elle l'est, Sire, elle l'est sans aucun doute. Si je puis oser une comparaison, la chaux vive est au chancre de la mamelle ce que la braise est au pourrissement d'une dent, une douleur vive mais temporaire, prélude à une sérénité définitive...

La reine interrompt la démonstration d'un geste las.

— Je vous remercie, Messieurs, du soin que vous voulez prendre de ma santé, mais pour l'heure auriez-vous la bonté de me laisser seule avec le roi ?

Les Hippocrates se retirent à reculons, courbés en ceps de vigne. Anne d'Autriche recouvre son sein, se cale sur ses oreillers et regarde son fils avec cette acuité qu'il déteste parce qu'il lui semble sous cet œil-là redevenir un tout petit garçon.

— Louis, aimez-vous votre frère ?

Le roi hausse un sourcil surpris.

— Quelle étrange question, Madame !

— Et moi, m'aimez-vous ?

— Si je vous aime !

— Vous ne cessez d'humilier Monsieur, qui a plus de jugement qu'il n'y paraît et vous chérit extrêmement.

Vous saignez le Trésor avec votre folie de Versailles, et l'on m'a rapporté récemment que vous cherchiez un moyen de déclarer la guerre à l'Espagne. La patrie de votre épouse, où règne le fils de mon frère Philippe IV, un enfant que vous devriez protéger au lieu de convoiter son héritage ! Est-ce cela, m'aimer ?

Le roi se raidit, ses traits redeviennent impassibles. Sa mère lui attrape le poignet.

— C'est à cause du souci que vous me donnez, Sire, que je suis malade !

Elle pose le poing qu'il a fermé sur sa poitrine et elle appuie en sorte qu'il sente à nouveau ce qui, il y a cinq minutes, lui a causé une visible émotion.

— Ce cancer qui m'est venu, ce n'est pas Dieu qui me l'envoie, Louis : c'est vous !

Le roi retire brusquement son bras.

— Taisez-vous, Madame.

Il ajoute en tempérant sa voix :

— Je vous en prie.

Anne d'Autriche le dévisage d'un œil courroucé.

— Vous ne voulez entendre que ce qui vous agrée, et pour ce vous vous entourez seulement de personnes qui flattent vos inclinations. Certaines travaillent au bien du royaume, Monsieur Colbert est du nombre, Monsieur Le Vau aussi, d'autres ne regardent que leur plaisir au travers du vôtre, et vous qui prétendez tout connaître de ce qui vous entoure, vous ne le voyez même pas !

Louis XIV rougit. Haussant le ton plus qu'il ne sied, il demande :

— Et quelles sont ces personnes dont vous parlez, s'il vous plaît ?

— Le chevalier de Rohan ! A-t-on idée de choisir pour ami une tête brûlée pareille ? On vous voit toujours fourré avec lui, à croire que vous en êtes amoureux !

— Le feu cardinal et vous-même m'avez enseigné à n'avoir pas d'ami, je comprends mal votre inquiétude. Le chevalier s'occupe de mes chasses, j'aime chasser, je le vois donc souvent, à cela se résume l'affaire.

— Et votre belle-sœur! Me direz-vous ce que signifient les manières que la femme de votre frère a avec vous?

Le roi a un sourire dédaigneux.

— Madame est grosse et je vous promets que je n'y suis pour rien.

La reine s'empourpre.

— Ne prenez pas ce ton, Louis!

— Je prends le ton que vos propos suggèrent.

— Vous n'êtes qu'un fanfaron! Un joli cœur qui fait le jeu de sa maîtresse!

S'efforçant de maîtriser la colère qui bourdonne sous son crâne, Louis se penche vers l'oreille de la reine.

— Ma maîtresse? Laquelle?

Anne d'Autriche se dresse à la façon d'un aspic sur lequel on a marché.

— Sortez, Monsieur!

Louis s'empourpre jusqu'à la pointe des oreilles.

— Je suis le roi, Madame! On ne commande pas au roi de sortir!

— Et moi je suis votre mère, et une mère commande à son fils ce qu'elle veut! Ah! Que répondez-vous à cela?

Le corps roidi et le visage pareillement enflammé, ils se défient du regard. Mais Anne d'Autriche est vieille, malade, voilà plusieurs années déjà que le roi travaille à l'écarter du pouvoir et elle sait qu'en combat frontal, elle ne l'emportera pas. Elle hausse vers le ciel de lit un index tragique.

— Je prends Dieu à témoin des chagrins que vous me causez!

Les dents serrées à s'en briser l'os de la mâchoire, le roi se détourne et sort sans ajouter un mot. Il a oublié son chapeau gris dans la ruelle du lit.

De l'autre côté de la porte, il bute sur Monsieur qui conférait avec les médecins. Philippe d'Orléans a les yeux humides et sur sa longue figure un air d'extrême agitation.

— Sire, Monsieur Fagon préconise de commencer tout de suite le traitement afin d'empêcher le fruit de pousser ailleurs des bourgeons. N'y a-t-il pas moyen de faire à la reine ce que l'on doit lui faire... sans le faire ? On pourrait essayer avec de l'huile de petits chiens, qu'on dit excellente pour les furoncles. La recette est simple, il vous faut six petits chiens nouveau-nés...

Désorienté par les coups de boutoir que son sang donne à l'intérieur de sa tête, Louis XIV regarde son cadet comme s'il le découvrait. Ce personnage charbonneux qui se dandine d'un pied sur l'autre et couine avec une voix de fausset est le premier prince de son sang. L'aîné des enfants que Louis a eus de Marie-Thérèse – un fils, Dieu merci – aura cinq ans le 1er novembre prochain. Ce dauphin est gros et fort, mais s'il venait à passer comme les deux princesses nées après lui et mortes à moins d'un mois, Philippe succéderait au trône.

— ... Vous désossez les morceaux que vous venez de couper, vous les rassemblez dans une grande marmite, vous faites bouillir, puis réduire, vous rajoutez les os broyés...

La migraine qui déferle pousse dans les orbites du roi des piques acérées, l'effort qu'il fait pour l'endiguer enflamme la douleur, il titube et tend la main...

— Respirez, Sire, vous suez beaucoup.

Un linge mouillé passant et repassant sur son front ramène Louis à la conscience. Il reconnaît Bontemps à côté de Félix, son premier chirurgien, qui lui humecte maintenant le dessous des oreilles, et Monsieur qui lui tend un sachet de senteurs. Il les repousse.

— C'est assez. Donnez-moi seulement à boire.

On apporte un verre d'eau à la fleur d'oranger que le roi vide d'un trait avant d'en réclamer un second, puis un troisième.

Philippe d'Orléans soupire de soulagement.

— Vous nous avez fait peur ! Vous n'allez pas tomber malade, vous aussi !

Le roi pose sur son cadet un œil froid.

— On dirait que vous craignez la maladie plus que l'enfer.

Philippe d'Orléans répond avec sincérité :

— La maladie est une forme d'enfer. J'ai le cœur serré quand je pense à ce que va endurer notre mère.

— La reine a encore de la force et de l'autorité à revendre, croyez-moi.

Monsieur fronce le nez, qu'il n'a pas busqué et fort, comme Sa Majesté, mais mince, long et plutôt tombant.

— Vous pensez que le cancer se laisse impressionner par la force et l'autorité ?

— Je pense que la maladie se dompte, comme le reste. Il suffit d'y attacher son vouloir avec suffisamment de vigueur et d'opiniâtreté.

— Tout ne se dompte pas.

— Vous vous trompez, Monsieur. Je vous l'ai déjà prouvé, et vous le prouverai chaque fois qu'il le faudra.

Philippe a une grimace triste.

— Personne n'est si puissant.

Le roi se penche. Son frère a de grands yeux couleur de noisette qui s'éclaircissent quand il a du chagrin. Louis répond d'une voix qui vibre comme une enclume frappée par le marteau.

— Si : moi.

La vie a dressé Monsieur à s'incliner devant le premier-né à qui le sort a donné tous les droits. Il ravale la réponse qui lui brûle les lèvres et murmure :

— Certes.

Le roi se redresse.

— Venez, maintenant, la Faculté n'a pas besoin de nous.

Philippe d'Orléans fait un pas de côté.

— Je vais rester un peu. La reine souhaitera peut-être qu'on lui tienne la main.

— Ne vous rendez pas ridicule. Ce n'est pas la place d'une fillette.

Piqué au vif, Philippe redresse sa courte taille.

— Dois-je vous montrer que je suis homme tout autant que vous?

Le roi qui s'éloignait s'arrête net. Venue du fond de sa mémoire, une voix de jeune garçon prononce avec la même intonation des mots presque semblables :

— *Dois-je vous montrer que je suis homme moi aussi ?*

Louis se retourne lentement. Embué par la migraine, son regard ressemble à l'eau d'une mare hantée de couleuvres. Philippe le fixe avec un air de défi. La voix reprend :

— *Je le serai ce soir, et je vous promets que tout roi que vous êtes, on m'aimera plus que vous.*

Un voile rouge monte aux yeux de Louis.

Anne.

C'est le prénom de leur mère. Et de toutes les orphelines qui ont Anne d'Autriche pour marraine.

Anne Trouvé.

Dans une brume rouge, l'œil fixé sur la bouche de son frère, le roi remonte le temps...

Il se tient si parfaitement immobile qu'à chaque souffle son haleine autour de son menton dessine un petit halo. Dans la chambre il fait sombre encore, et très froid. Mais entre les courtines, Philippe et la fille ont chaud. Par la fente, Louis les voit. S'ils se redressaient, s'ils haussaient la bougie qui brûle dans la ruelle du lit, ils le verraient aussi. Ils n'y songent pas, non, ils sont trop occupés l'un de l'autre. Le corps de la fille est potelé, avec des fossettes sous les omoplates, au creux de la taille, en haut des cuisses, au bas du dos. C'est la première fois que Louis a le loisir de regarder posément, en détail, une femme nue. Le pied de celle-ci est court, crasseux, son mollet rebondi se contracte quand elle prend appui des orteils sur le drap pour aller et venir. Philippe lui agrippe les hanches, il la guide et il commente, oh, cette voix qu'il prend et ces mots qu'il trouve... La fille ne répond pas, elle soupire seulement, et quand elle plie la nuque en arrière, ses cheveux dénoués ondulent sur sa croupe blanche. Louis retient son souffle, il se fait statue, pilastre, torchère, il est curieux de voir comment la bête à deux dos se repaît. Il connaît le spasme court et brûlant, le monde qui s'éteint et les étoiles qui dansent, il connaît cela avec sa main et à deux reprises il a triomphé dans l'alcôve, mais l'initiatrice choisie par sa mère avait trente ans de plus que lui, ses seins ballaient et son haleine empestait le tabac à chiquer. Cette fille-ci a son âge. Sa chair est pleine, sa peau tendue, luisante. Elle gémit quelque chose. Louis tend l'oreille. Elle se cambre et elle répète. Foutredieu comment ose-t-elle...

Louis plante ses ongles dans ses paumes.

Dans un coin de la pièce, le chevalier de Rohan baguenaude avec deux dames d'honneur tout en surveillant le roi dont l'expression hagarde l'inquiète. Quand il le voit serrer les poings comme s'il se retenait de frapper Monsieur, il fait signe à Bontemps de s'occuper de son maître, et rejoignant Philippe d'Orléans, il l'entraîne à l'écart.

— Venez, Monsieur, la reine n'ira pas mieux de ce que vous irez mal.

Le duc d'Orléans passe ses doigts sur ses joues dont le fard accentue la pâleur. Il a des mains d'enfant. Il lève la tête vers Rohan qui a un pied et demi de plus que lui. Ses yeux brillent d'intelligence et de tristesse.

— Dieu seul peut dire comment tournera Sa Majesté quand la reine notre mère ne sera plus.

Rohan soupire.

— Voyons, Philippe, vous le savez.

Monsieur secoue la tête, il veut garder espoir. Rohan le reprend par le coude.

— Nous le savons tous les deux, c'est ce qui fait notre force.

Monsieur se dégage.

— Votre force, chevalier. Le roi voit en vous le frère que je ne serai jamais, c'est pourquoi il vous aime.

Rohan baisse la voix.

— Il m'aime comme un frère parce que je ne suis pas son frère.

Philippe a une grimace amère.

— Et moi il me jalouse parce que je le suis...

Louis XIV a recouvré ses esprits. Par la porte restée grande ouverte, il suit le ballet des médecins qui dans la chambre de la reine mère préparent leurs instruments. Félix à mi-voix lui demande s'il souhaite assister, la première incision fait toujours un peu de bruit... Sur le visage royal pas un muscle ne bouge. C'est d'une voix posée, extrêmement courtoise, que Sa Majesté répond :

— Vous me conterez la chose plus tard. Ce soir. Ou demain. Dieu soutienne la reine dans cette épreuve, vos confrères certainement feront le mieux possible.

Félix chuchote que certes, absolument, à l'évidence, demain sera parfait, la reine aura pu se reposer et son sein aussi...

— Demain, donc. Sauf, bien sûr, si quelque chose de nouveau d'ici là se déclare.

Seule une oreille extrêmement attentive décèlerait une fêlure, un tremblement ténu dans le timbre assuré. Mais Rohan sait que le roi fait pour paraître indifférent un effort considérable. Un croissant bistré borde ses paupières inférieures, sa migraine est en train de refluer mais la moindre contrariété peut la rendre à nouveau enragée. Alors que Félix plonge dans un salut si bas qu'on se demande comment il va s'en relever, les yeux de Louis passent d'un courtisan à l'autre. Il les regarde, du moins c'est ce dont chacun d'entre eux se persuade, mais il ne les voit pas. Retranché au-dedans de lui, il s'isole, il se rassemble, il se recentre. Rohan a l'habitude de ces replis tactiques. Enfant, Louis était effroyablement coléreux et d'une sensiblerie extrême. Le cardinal Mazarin trouvait excellent que Philippe d'Orléans dans ses actions et ses réflexions témoignât d'une nature vive et touchante, mais un roi ne peut se laisser guider par ses mouvements d'humeur. Rohan, fils de la très noble et magnifique princesse de Guéméné, intime de la reine Anne, a grandi avec les deux princes. Il a vu le cardinal apprendre à son pupille à tempérer l'expression de son naturel et, petit à petit, à le museler. Sur une surface lisse, le grappin n'accroche pas. Ne montrer à personne ses failles et ses abîmes, c'est n'offrir à personne de prise sur soi. Hormis Bontemps qui depuis vingt ans dort au pied du lit de son maître, Rohan est le seul, sans doute, à connaître ce que cache l'impassibilité du roi.

— La peur...

La voix de Louis est aussi neutre que dans l'antichambre de la reine, mais Rohan n'est pas dupe. Ils ont quitté le Louvre ensemble, et sans échanger un mot ils sont venus d'une traite jusqu'à Versailles. Le roi a commandé qu'on lui amenât son cheval de chasse préféré et le grand veneur a enfourché son nouvel étalon. En plein soleil au milieu de la terrasse donnant sur le chantier des jardins, Louis fixe l'horizon sans cligner des yeux.

— De quoi as-tu peur, Rohan ?

Le chevalier renverse la tête et respire une goulée de chaleur.

— De rien, Sire. Sauf de mourir avant d'avoir vécu. On ne vit jamais assez.

Louis écrase un taon sur l'encolure de son cheval.

— La seule façon de ne pas mourir est de trouver le moyen de se survivre.

De sa main gantée, il montre en contrebas les étendues herbeuses recouvertes d'une vapeur blanchâtre, les tranchées énormes, les troncs en travers des allées, les rigoles de boue, les parterres saccagés.

— Qu'est-ce que tu vois ici ?

Rohan se redresse.

— Si je regarde avec les yeux de Monsieur Colbert ou de la reine votre mère, je vois le plus dispendieux caprice que roi ait jamais imposé à ses ministres et à son peuple. Si je regarde avec mes yeux, je vois un défi à la nature et à vous-même. Si je regarde avec vos yeux...

La voix de Louis claque comme une gifle.

— Tu ne regardes pas avec mes yeux.

Un mince sourire se dessine sur les lèvres de Rohan.

— Si je regardais avec vos yeux, Sire, ce dont bien sûr je n'aurais pas l'idée, je verrais la réponse à la question que vous me posez ici en plein jour parce que vous vous la posez dans le secret de vos nuits. La peur.

Le silence qui suit dure assez longtemps pour que l'on entende, au pied de la terrasse, le contremaître appeler un par un les manœuvres recrutés pour l'assèchement de l'étang sud. Louis se tourne vers Rohan.

— Rappelle-toi que personne ne regarde avec mes yeux.

Rohan rassemble ses rênes.

— Rassurez-vous. Mes propres extravagances me suffisent amplement.

Il pointe son doigt sur les futaies dont les frondaisons
commencent à roussir.

— Un défi, disions-nous?

Le roi lève son fouet de chasse.

— Montre-moi cela!

Piquant des deux, ils dévalent la pente en direction du
bois.

Oui, Charles, bientôt vous irez à Versailles.

C'est là où je ne peux vous accompagner ?

C'est en effet là.

Parce que, comme le comte de Cholay, j'ai combattu le roi pendant la Fronde ?

Je vous parais sans doute centenaire, mais pendant la Fronde j'étais trop jeune pour combattre.

Alors j'ai fait quelque chose de très grave, et le roi qui n'oublie rien m'a condamné à l'exil ?

De très grave, oui. Mais c'est moi qui ai choisi l'exil.

Très grave comme quoi ?

Lisez-moi, Monsieur, lisez-moi. C'est ce que j'essaie de vous raconter.

Versailles, donc. Je vous imagine penché à la portière du carrosse d'une grande dame que j'ai bien connue, le rang qui est le sien vous permet de passer la première grille puis la seconde, vous sautez sur les pavés de la cour royale sans attendre qu'on déplie le marchepied, vous tournez sur vous-même en essayant d'embrasser dans un seul regard la perfection de la façade et la majesté des communs, vous ouvrez la bouche en rond comme je vous ai répété si souvent de ne pas le faire, vous avez envie de rire et de remercier Dieu.

Certes, Versailles est un prodige. Mais ne vous y trompez pas. Versailles est aussi un monstre.

Si, je vous assure.

Comme les badauds qui pour visiter les grands appartements louent un costume dans l'une des baraques accolées à l'aile des ministres, vous vous extasiez sur le rose des colonnes, l'or des grilles, la féerie des bassins?

Ce que vous admirez est un leurre, un piège. Ici la pierre, les eaux, les bosquets sont vivants et affamés, sous leur beauté ils cachent cœur, poumons, entrailles, et surtout une volonté démesurée au service d'un appétit insatiable. Obsédé par sa grandeur, soucieux seulement de croître et de fasciner, Versailles se nourrit de chair humaine, réduit les âmes en esclavage, dévore ce qui lui résiste. Ne souriez pas, ce que je vous dis est vrai. Ce palais n'est pas un palais. Il est le reflet immuable de son créateur.

Ce que j'en sais, moi, modeste herboriste reclus dans un presbytère vermoulu au fond de la Normandie?

Il vous est difficile de le concevoir, mais j'ai vécu avant de vous connaître. Ces galeries, ces antichambres, ces salons, ces cabinets où vous allez entrer, j'y ai passé les heures les plus lumineuses et les plus noires de mon existence. Ces gens qui vont vous saluer, vous questionner, s'apitoyer sur votre deuil avec les marques de la plus sincère compassion pour ensuite vous jurer amitié et soutien éternels, je les ai tous fréquentés. Oui, tous. Et ils m'ont tous abandonné. Tous sauf la très grande dame qui vous a mené jusqu'à Versailles dans son carrosse. Cette très grande dame avec un drôle d'accent qui jure comme un cocher. Cette princesse unique en son genre qui est votre marraine.

Madame Palatine?

On dit Madame, juste Madame.

À cette dame-là, donc, vous pouvez faire confiance ?

À celle-là plus qu'aux autres. Mais jamais complètement. Je connais mieux que personne l'enthousiasme de votre nature. C'est lui qui vous porte à croire en la bonté humaine et vous pousse à chercher en chacun et partout le bon et le beau. L'optimisme est noble, je ne peux que vous louer de cette inclination. Mais la naïveté est dangereuse. Elle peut même être mortelle. N'oubliez pas la promesse que vous m'avez faite : jamais complètement.

Je dois vous parler du monstre et des vies qu'il a broyées.

Le Versailles où je vais vous emmener n'est pas celui qui vous attend et que vous attendez, mais son ébauche d'il y a vingt-trois ans. Le rêve d'un jeune roi avide de plaisirs et de gloire dont la mère agonise et dont le frère se déguise en gitane pour se faire donner dans le cul par ses mignons. Celui de l'humble Mathilde et du contremaître Boniface. Celui de Madeleine Le Jongleur et de ses fils. Celui de la petite Nine La Vienne, filleule du premier valet du roi. Le mien, Monsieur.

Le mien.

Figurez-vous une butte battue par les vents, dressée au milieu d'une longue et étroite cuvette. Sur cette colline se trouve un petit château en pierre et brique, conçu par le roi Louis XIII pour servir de relais de chasse. Un corps central à cinq fenêtres flanqué de deux ailes terminées chacune par un pavillon carré, le tout formant cour fermée. À l'est, par où l'on arrive, une cour plus large, également fermée par une grille mais non pavée, où s'arrêtent carrosses et cavaliers. À l'ouest, une esplanade en terrasse donnant sur des jardins prolongés par un marécage putride et bordés par des collines couvertes de forêts giboyeuses. Maintenant imaginez le plus énorme chantier qui soit humainement concevable. Vous savez ce qu'est le chantier d'une abbatiale, la voûte de l'église d'Almenêches s'est fendue peu après votre communion, et chaque fois qu'on la reconstruit, elle se fend à nouveau. Multipliez ce que vous savez par mille et transportez le produit de cette multiplication sur le petit château et ses environs. Vous avez l'impression qu'une bombarde a pilonné les lieux pendant des semaines et que le râteau d'un géant a éventré le sol pour en faire jaillir les entrailles? C'est cela, vous y êtes. Bienvenue dans le Versailles de l'été 1665.

Immergé jusqu'à mi-cuisses dans une vase puante, une corde autour de la taille et une hotte sur le dos, Batiste Le Jongleur est aussi surpris que vous. Réveillé avant le jour par la rousse Mathilde qui l'a tenu sur son sein toute la nuit, il s'est glissé hors de la cabane sans attendre le réveil du mari ronfleur. Pierre était déjà levé, il préparait le feu pour réchauffer la bouillie d'orge censée rassasier la famille jusqu'au soir. Il a regardé son frère, torse et pieds nus, mèches en bataille, sourire polisson, et il a soupiré :
— Tu ne peux vraiment pas t'en empêcher?
Batiste lui a lancé un coup d'œil réjoui.
— Je devrais?
— Elle est mariée, elle te l'a dit.
— Tant mieux. Si elle devient grosse, le petit sera du mari.
— Il faut que tu arrêtes, Batiste.
— Pourquoi?
— C'est mal.
Nu comme un ver, Batiste se frictionnait avec une poignée d'herbes pour décoller les plaques de crasse sur ses jambes et ses bras.
— Elle a aimé. Moi aussi. Où est le mal?
— Rien n'est sacré pour toi?
— Au sens où tu l'entends? Non.

Pierre a déplié sa haute taille. Debout il dominait son frère d'une tête.

— Tu mériterais une raclée.

Batiste lui a tendu la cruche donnée par Mathilde.

— Mais tu as soif.

Pierre a hésité. Puis bu. Goguenard, Batiste lampait la bouillie grumeleuse dans le creux de sa paume.

— Nous ne sommes pas si différents, Pierre. Quand tu as besoin ou envie, tu ne t'embarrasses pas de scrupules, tu prends.

— Je prends ce qui m'est offert, je ne vole pas le bien d'autrui.

— Mathilde n'appartient pas à son mari. Personne n'appartient à personne.

Une claque sur la nuque lui a plongé le nez dans son gruau. L'œil sévère, Madeleine Le Jongleur montrait les baraquements dont on apercevait les murs en rondins de l'autre côté de la clairière.

— Oh si ! Toi, tu appartiens à Satan ! Ils sonnent l'embauche, cette fois tâche de servir à quelque chose !

Pour ne pas faillir à sa réputation, Batiste a traîné jusqu'au moment où Madeleine a empoigné un bâton en menaçant de le lui casser sur le dos. Mais dès qu'il a été hors de sa vue, il s'est mis à courir. Le plus grand chantier de France. Le cœur lui battait vite. Sa mère et son frère avaient quitté Paris parce qu'il leur avait fait miroiter une vie meilleure. Il allait leur prouver qu'il n'était pas seulement un bonimenteur. Les premiers temps seraient rudes, mais il trouverait des raccourcis pour grimper rapidement. Il trouvait toujours des raccourcis, c'était même sa spécialité. Menuisier ? Stucateur ? Serrurier ? Couvreur ? Miroitier ? Fondeur ? Ferronnier ? On verrait. Il n'avait jamais travaillé sur un chantier. Il n'avait jamais travaillé tout court. De-ci, de-là des coups de main, des remplacements, des tricheries aux cartes ou aux dés, des petites arnaques. Quelques rapines. Beaucoup de femmes. Il avait rarement besoin d'employer la force. Les gens se laissaient séduire et en venaient docilement là où il voulait les mener. À qui lui demandait comment il gagnait son pain, il répondait : magicien.

— Tu crois qu'on a besoin de ça ici ? On fait du terrassement, pas des spectacles de foire !

— Vous avez besoin de bras et j'ai des bras. J'ai aussi une tête. À vous de voir si ça peut servir.

— C'est tout vu.

— Au moins, regardez-les, mes bras.

Le recruteur se nommait Jean Sanson et il portait un lorgnon, un habit de drap gris, un chapeau mou à bord retroussé, des guêtres brunes et des souliers de curé, du moins le genre de souliers que portent d'ordinaire les curés. Le jour se levait à peine et il paraissait déjà fatigué, très fatigué. Dans la foule qui se pressait devant son baraquement, il lui fallait choisir cent soixante-sept manœuvres, goujats et porteurs pour travailler à la fouille et au transport des terres du jardin bas. En choisir cent soixante-sept et renvoyer les autres. Si possible sans se faire insulter. Et sans se laisser soudoyer. Un recruteur ne gagne que deux fois le salaire d'un journalier, la tentation est forte d'accepter en échange d'un bon d'embauche un petit dédommagement. Combien étaient-ils ? Deux cents ? Deux cent cinquante ? Le petit magicien ne mentait pas, il avait des bras. Bien découplé, les muscles secs, du coffre, du jarret et l'œil nettement plus vif que la moyenne. Un peu jeune pour l'enfer qui l'attendait, mais les nerveux ont plus de résistance que les placides, il tiendrait sans doute mieux la distance que les paysans à nuque épaisse montés de leur province avec l'espoir d'amasser en quelques mois le pécule d'une année. Ceux-là pleurnichaient dès le premier soir, au bout de trois jours ils juraient en patois contre Dieu et le roi, et ils s'écroulaient en moins d'une semaine.

— Tu as un nom ?

— Le Jongleur.

— Tu es prêt à travailler dur ?

— Je suis prêt à tout ce qu'il faudra.

— Le dis pas trop, mon gars, le dis pas trop. J'en connais qui en profiteraient pour te manger cru.

— Ils se casseraient les dents.

Le recruteur a souri.

— Tu n'as pas de maladie ?

— Pas que je sache.

— De la famille sur le chantier ?

— Mon frère va chercher à s'employer chez les maçons. Ma mère aussi va chercher, mais elle ne sait pas où. Et ma petite sœur a neuf ans.

— On essaie aujourd'hui. Si tu tiens, on verra pour la suite.

— Je tiendrai. On peut voir maintenant.

— Oh non, mon garçon ! Quand tu seras dedans, tu comprendras.

Depuis que l'horloge au fronton du château a sonné cinq heures, ce qui en été marque le début du travail, Batiste est dedans jusqu'au cou. Il a compris. Vu depuis la terrasse du château, le futur jardin du bas ressemble à une charmante prairie. Sur six hectares d'herbe étonnamment verte sous cette canicule, on y voit des coquelicots, des mares bordées de roseaux, des moutons plus quelques vaches que les paysans de Versailles font paître par privilège hautement revendiqué. De près, c'est un immense marécage. L'eau stagne par larges nappes, à certains endroits elle affleure au point de rendre le sol spongieux et mouvant, et si l'on n'y prête pas attention, on s'enfonce d'un coup jusqu'aux mollets. Cette terre noire et grasse est une infection, elle sent la pourriture. Dix hommes par équipe, deux pour creuser la portion de terrain délimitée par l'arpenteur, deux pour puiser la bave boueuse avec des hottes étanchéifiées par une fine couche de glaise, deux pour vider les hottes dans des cuveaux en bois, deux pour charger les cuveaux remplis de vase dans une charrette à bras, deux pour tirer ladite charrette jusqu'à une grosse gouttière qui évacue la sanie. À neuf heures, une pause d'une heure. Des soldats viennent distribuer de l'eau. Ils mesurent près de six pieds de haut et portent un habit de drap bleu avec doublure et revers rouges, nœud de rubans cramoisis sur l'épaule droite, culotte et bas bleus, souliers à boucle et chapeau bordé d'or piqué d'un plumet bleu, blanc et rouge. Batiste les trouve très grands, très beaux, très dignes et parfaitement incongrus au milieu de ce bourbier. Il apprend qu'on les appelle gardes suisses parce qu'ils viennent de la Suisse qui est un pays de cantons montagneux. Ils sont censés former la garde rapprochée du roi, mais pour faire avancer plus vite le chantier et économiser de l'argent, Monsieur Colbert les a affectés au terrassement. Batiste en compte une bonne soixantaine sur le chantier du jardin bas, reconnaissables à leur stature colossale et à leur accent traînant. Ceux qui creusent sont des hommes du rang, ceux qui encadrent sont des caporaux, tous dévoués corps et âme au roi qu'ils servent de génération en génération. Batiste hésite à boire, mais comme les suisses le font, il boit. Dès qu'il a bu, il s'allonge sous un buisson et s'endort. À dix heures le chef de son équipe le réveille. La corde. La hotte. La vase. À deux heures après midi, les officiers suisses reviennent, plus nombreux, escortant une carriole tirée par un percheron. Nouvelle pause d'une heure. Distribution de bouillon, de riz, de pain blanc et de vin clairet tirés de la carriole. Batiste n'a ni gobelet ni couteau. Il imite ses compagnons et boit dans la louche en bois qui passe de main en main. Sur la soupe flottent des débris de viande, le pain est frais et le riz épais. Batiste depuis plusieurs semaines se nourrit de seigle rance, il trouve ce repas-là enthousiasmant et se remet à la tâche en pensant que tout ministre qu'il est, Monsieur Colbert connaît assez les travailleurs pour savoir qu'un journalier au ventre plein abat davantage d'ouvrage qu'un guenilleux affamé. Les quatre heures qui suivent sont harassantes, la chaleur plaque une main de plomb sur la nuque, les trous d'eau exhalent des vapeurs putrides, la boue sur le visage et le torse forme une seconde peau qui sous le soleil se craquelle et démange atrocement, les moustiques attaquent par légions et la soif devient plus pénible que le travail lui-même. Plusieurs hommes filtrent l'eau du marais avec un pan de leur chemise. Le résultat a la couleur du pissat et sent la mousse décomposée. Ils boivent avidement. Batiste se souvient de la mise en garde de Mathilde. Il pourrait dire à ces imprudents que la soif leur fera moins de mal que ce breuvage verdâtre. Il se tait. S'il y a des malades demain, il aura une chance d'être réembauché.

Le règlement prévoit onze heures de travail en été. À sept heures, le chef d'équipe sonne la relève. Les hommes n'ont rien pour se décrotter ni se rincer les yeux, ils essorent leurs guêtres et se sèchent avec de la paille. Il est interdit d'allumer une pipe. Ceux qui possèdent un peu de tabac se le fourrent dans les narines ou sur les gencives. Personne n'en propose à Batiste. Il rassemble les pioches, les râteaux, les pelles, les hottes et les cuveaux. Il les abrite sous des bâches. Il arrime les bâches avec des pieux, des anneaux et des chaînes. Ses paumes écorchées saignent. Ses lèvres fendillées aussi. Les gardes suisses sonnent le rassemblement. Les équipes se regroupent. Encadrées par les soldats chamarrés qui les escortent en cambrant fièrement les reins, on croirait un convoi de galériens rentrant à la caserne. En contrebas d'un grand bassin en demi-lune, la troupe crottée croise un groupe de dames et de messieurs qui profitent du soleil déclinant pour se donner un peu de mouvement. Gênés d'être si sales, les ouvriers baissent les yeux. Batiste n'a honte de rien. Malgré la fatigue qui lui casse le dos, il redresse taille et nuque, il repousse en arrière ses cheveux englués et il regarde.

Le spectacle vaut le détour. Batiste a roulé sa bosse dans nombre d'alcôves, sans compter les tavernes, les granges et les soupentes, mais des femmes comme celles-ci, même aux abords du Louvre, même sous les arcades du Palais-Royal où professionnelles et coquines cherchent la bonne fortune, il n'en a jamais vu. On ne dirait pas de vraies femmes mais ces figurines peintes qu'un mécanisme caché fait tourner sur elles-mêmes, agiter les bras, esquisser un pas de danse et saluer. Leur visage et leur décolleté sont tellement fardés qu'elles ont toutes le même teint, elles ont aussi la même coiffure frisottée qui les fait ressembler à des brebis poudrées, les mêmes attitudes théâtrales, la même façon de rire en dodelinant des épaules pour agiter leur poitrine, et la même voix pointue. Par une chaleur à décourager un lézard, elles portent corset cousu de passementerie, trois jupes de taffetas superposées ornées de pretintailles, et manteau formant traîne d'au moins trois aunes. Dans cet appareil encombrant, sans se soucier de déchirer leur robe et leurs souliers de satin, elles jouent à la glissoire. Ce divertissement est accessible à tous, Batiste le connaît bien. Il consiste à installer un joueur dans un baquet pourvu de roulettes, à remorquer le véhicule improvisé jusqu'en haut d'une butte, puis à le pousser vigoureusement dans la pente. Quand le baquet est lancé, les autres joueurs le prennent en chasse. Si l'un d'entre eux le rattrape et le renverse, il gagne et donne le gage de son choix au perdant. Batiste n'arrive pas à deviner l'âge des joueuses. Sous le plâtre qui fige leurs traits, elles peuvent avoir quinze ans ou le double, et elles s'amusent

avec un entrain de gamines. Les galants qui les poursuivent sont des hommes faits, mais leur comportement est
tout aussi gamin et leur accoutrement encore plus effa-
rant. Pour courir dans l'herbe, ces hommes-là ont des souliers à talons hauts ornés d'un nœud plus large que la
main, un petit pourpoint ouvert sur une chemise ample
avec jabot bouillonnant et rabat en dentelles, une jupe en
forme de tonnelet et un haut-de-chausses bouffant fermé
aux genoux par des canons de dentelles si volumineux
qu'ils forcent à écarter les jambes. Sans compter le baudrier garni de franges, les rubans de soie accrochés des
épaules aux reins, la canne, les gants à poignets évasés. Et
l'épée. Et le grand feutre avec ses ornements. Et des cheveux bouclés pendant exactement comme les oreilles des
chiens de Saint-Hubert que la police utilise pour retrouver
les prisonniers évadés. Batiste est fasciné. Quel attrait ces
dames et demoiselles peuvent-elles trouver à des cavaliers
déguisés en dindons de parade? Aucune d'entre elles ne
lui plaît au sens où les femmes lui plaisent d'ordinaire,
mais il n'arrive pas à les quitter des yeux. Celle qui semble
entraîner les autres est brune, avec un visage ovale, des
bras maigres, des clavicules saillantes, un long cou et un
sourire enjôleur qui semble aimanter les messieurs. Elle
tire par la main un seigneur au teint olivâtre et au nez fort
que ses compagnes l'aident à sangler dans la glissoire. Le
seigneur se débat joyeusement. Au passage, il vole à la brunette un baiser. Les autres joueuses se récrient, et avant de
pousser leur victime dans la pente, elles se penchent pour
l'embrasser à pleine bouche. Batiste sourit. En dentelles
ou en haillons, l'enjeu est toujours le même. Il pense à
Mathilde, à son corps tendre, à ses taches de rousseur, à
ses lèvres timides, à sa docilité. À son plaisir silencieux. À
ses caresses reconnaissantes. Il parierait sa chemise que la
perruche brune qui aguiche avec la même grâce hommes
et femmes ne s'est jamais vraiment abandonnée dans les

bras d'un amant. S'il l'approchait, lui, maintenant, est-ce qu'elle appellerait au secours? S'il la fixait à sa façon, avec les yeux comme des aimants, est-ce qu'elle se troublerait? Elle est trop maigre et il préfère les blondes, mais il serait amusant d'essayer...

— Assez reluqué, Jongleur! Tu crois quoi? Qu'elles vont venir te donner un bécot? Si tu continues, elles t'enverront leurs valets pour te casser les reins, c'est ça qui va arriver, oui!

Batiste se retourne vers son chef d'équipe.

— La grande brune, c'est qui?

Le bonhomme hausse les épaules.

— Une princesse. Ou une duchesse. Henriette. Quelque chose comme ça. Traîne pas, la paie va pas t'attendre. Après, si tu veux de la marquise, je t'indiquerai où en trouver. Je garantis pas de la noblesse sur parchemin, mais dans le noir et après un pichet, personne fait la différence!

Batiste n'est jamais allé au bordeau. Il ne lui viendrait pas à l'esprit de payer pour qu'une fille écarte les cuisses. C'est à lui que les femmes offrent de l'argent, des vêtements, de la nourriture. Elles ont commencé quand il avait treize ou quatorze ans, sans qu'il ait besoin de demander. Elles lavent ses hardes, elles le peignent, elles l'épouillent, elles le pommadent. Celles qui n'ont rien dans leur garde-manger et qui dorment à même le sol volent de quoi lui préparer un repas et empruntent au voisin une paillasse. Toutes espèrent le retenir, l'attacher. Il prend d'elles ce qu'elles ont à offrir. Dès qu'il a son content, il les quitte. Sans regret, sans remords. Certaines le poursuivent. Par passion, par vice, par amertume. Elles le supplient, elles le menacent, parfois elles le frappent. Il ne rend jamais les coups, il se mépriserait de frapper une femme autant que de l'acheter. Il revient un soir ou deux, il est d'autant moins avare que ce qu'il leur donne ne lui coûte rien, et il s'en va derechef. Quand elles ont compris qu'il ressemblait aux chats errants et qu'aucune ruse femelle ne l'enchaînerait au coin d'un feu, elles se lassent et le laissent.

— Alors, le magicien, tu as asséché d'un coup tout le marais, j'espère !

— Vous m'avez embauché pour mes bras, je m'en voudrais de faire usage de mon art. Mais si vous m'engagez ferme, je vous promets de vous surprendre.

Le recruteur sourit. Ce petit gars à l'œil malin le change des bœufs humains dont il doit écouter les doléances et gérer les écarts. Ils sont des dizaines, tous crottés et puants, à attendre devant la porte, des dizaines à qui il réglera leur dû en tâchant d'écourter l'entretien, mais avec celui-là il a envie de prendre son temps. Il ouvre la grande boîte recouverte de maroquin rouge dans laquelle sont rangées par piles les monnaies et les jetons de compte. Il en sort un quart d'écu d'argent, qui vaut quinze sols, puis vingt-cinq liards, qui font cinq sols.

— Jongleur, c'est ça ?

— Le Jongleur. Batiste Le Jongleur.

— Tu portes bien ton nom. On te donnerait l'hostie sur parole, mais tu dois avoir quantité de tours pendables dans ton sac. Je me trompe ?

— Si vous le dites...

Le recruteur pousse le tas de pièces vers Batiste.

— Une journée : vingt sols.

Le profil gravé au dos des pièces ressemble étrangement au seigneur que toutes les dames essayaient d'embrasser. N'osant y croire, Batiste le montre au contremaître :

— C'est Louis XIV, ça ?

Le bonhomme le regarde comme s'il descendait de la lune.

— Non, c'est moi.

Batiste n'en revient pas.

— Je crois que j'ai vu le roi de France jouer à la glissoire !

Le recruteur hoche la tête.

— Sa Majesté aime s'ébattre en plein air. C'est pour cela qu'elle veut des jardins.

Batiste empoche l'argent.

— C'est comme si c'était fait. À condition que vous m'embauchiez ferme, bien sûr.

Le recruteur montre le rôle où sont notés le nom, le rang et le salaire des travailleurs confiés à son autorité.

— Donne-moi une bonne raison de t'inscrire là-dessus.

— Je vous amuse. Dans le cadre de vos fonctions, ça vous arrive rarement.

— Une bonne raison pour le roi. Pour Monsieur Colbert. Pour le chantier.

Batiste réfléchit rapidement.

— Un petit miracle pour assécher le quart nord-ouest de votre satané marais, ça vous irait ?

— Ce n'est pas mon marais, mais je t'écoute.

— Les rigoles ne sont pas étanches. Là où vous m'avez envoyé, il faut creuser vraiment profond avant d'atteindre la couche d'argile imperméable, et au-dessus c'est une éponge. À mesure qu'on l'évacue, l'eau retourne imbiber le terrain. Empierrer les drains de surface prendrait des semaines. Mais en les calfeutrant avec des peaux huilées, on viderait les parcelles deux fois plus vite. Au moins.

Le recruteur pousse un petit sifflement admiratif.

— Tu as trouvé ça tout seul ?

— Je vous ai dit, ce matin, qu'une tête pouvait servir. Je suis embauché ?

Le bonhomme hoche la tête.

— Ma foi. Si tu y tiens vraiment.

Il trempe une plume dans un encrier portatif, griffonne sur son registre, tourne le cahier et tend la plume à Batiste.

— Signe sous ton nom.

Batiste rougit.

— C'est lequel?

Le recruteur montre la dernière ligne de la colonne de droite.

— Là. Le Jongleur, Batiste. Comme tu m'as dit.

Batiste prend la plume et écrit lentement, en majuscules hésitantes.

— Tu sais écrire ton nom, mais pas le lire?

Batiste hésite.

— C'est la première fois que je le vois sur une page.

Le recruteur referme le registre et prend un épais carnet rempli de chiffres.

— Ici on engage à la tâche ou à la journée. Pour toi ce sera à la tâche. Les peaux seront livrées demain. Cinquante douzaines.

— J'ai compté plutôt quatre-vingts douzaines.

Le recruteur relève un œil étonné.

— Parce que tu fais des multiplications en pataugeant avec des paniers de boue sur le dos, toi. Où as-tu appris?

Les yeux de Batiste pétillent.

— Nulle part. Les distances, je les mesure avec mes jambes. Le nombre de peaux, je le compte avec mes doigts.

Perplexe, le recruteur le dévisage un moment en silence. Puis il attrape une poignée de jetons de cuivre jaune et rouge dans sa boîte à monnaie et les glisse dans une bourse en tissu.

— Prends ça, tu gagneras du temps pour les calculs. Sers-t'en à bon escient, je ne voudrais pas regretter de t'avoir donné ta chance. Tu as quinze jours pour le faire, ton miracle.

Batiste ôte un feutre imaginaire et salue galamment.

— Grand merci, messire. Dieu a fabriqué le monde en sept jours. Le double, c'est trop de générosité...

Le recruteur éclate de rire. Décidément ce garçon lui plaît.

— Ne chante pas victoire avant d'avoir livré bataille. Cinq heures du matin, sept heures du soir. Du lundi au samedi. Le dimanche, tu vas à la messe et tu t'occupes de ta famille, les jours de fête aussi. Si tu dois commencer plus tôt ou rester plus tard pour avancer l'ouvrage, tu me préviens.

— Et je suis payé davantage ?

— Non. Mais si ton équipe travaille de nuit, elle aura une gratification.

— Vous me nommez chef d'équipe ?

— Tu es trop jeune et tu viens d'arriver. C'est très hiérarchisé, ici. Les anciens te feraient la peau.

— Je prends le risque.

— Pas moi. J'ai assez d'accidents et de maladies sans me rajouter des bagarres.

— Il n'y aura pas de bagarre. Je rendrai vos ouvriers doux comme des agneaux, je vous le garantis.

— Garde ta magie pour les badauds, petit.

— Je leur expliquerai où est leur intérêt. Qui est le même que le mien. Si c'est moi qui dirige les opérations, je vous parie qu'en dix jours votre terrain se videra comme une gentille baignoire.

— Chef d'équipe, je ne peux pas. Je peux te nommer responsable sur cette tâche. Mais cette tâche-là seulement.

Batiste pose sur la table les vingt sols qu'il vient de gagner.

— Gardez-les. Si j'échoue, ils sont à vous.

— Et si tu réussis ?

— Si je réussis... Vous les gardez aussi. Et vous me passez officiellement chef d'équipe. On y gagne tous les deux.

— Tu te débrouilles pas mal, pour un jeunot.

— J'ai commencé de bonne heure.

— Ton père est vivant ? Il fait quoi ?

Une flamme froide s'allume dans les prunelles de Batiste.

— Il s'occupe de brebis.

— Il est berger?

— On peut dire ça.

Un poing frappe rudement à la porte. Le recruteur se lève.

— Si je te garde davantage, ce sera difficile de te faire respecter demain.

Batiste coince la bourse à jetons dans sa ceinture. Il regarde le recruteur droit dans les yeux.

— Merci.

— On en reparlera. Dix jours?

— Dix jours.

Je suis assis à ma table, devant ma fenêtre, j'écris en regardant le ciel changer de teinte. Je n'ai encore ni fatigue ni tristesse. Je pense à vous.

— J'ai beaucoup de chance de te connaître, me disiez-vous quand vous étiez petit. Tu te nommes Ange, tu habites une maison de curé et tu fais des miracles. Tu es une sorte de saint, n'est-ce pas?

Je répondais que non, pas du tout, que d'ailleurs je me mettais souvent en colère et que j'allais à la messe surtout pour écouter les chants.

— Moi, je trouve que tu es plus saint que mon papa.

Il m'était sur ce point difficile de vous donner tort.

— Tu sais que je ne l'aime pas?

Je le savais, mais comment vous avouer combien je m'en réjouissais?

— Et tu sais que lui non plus ne m'aime pas?

Je le savais aussi. Je savais surtout pourquoi. Mais pas plus de cela que du reste, bien sûr, je ne pouvais parler.

— Mon papa dit qu'il a payé cher pour m'avoir, bien plus cher qu'il n'avait prévu, et qu'il compte sur moi pour le faire rentrer dans ses frais.

Cette pensée-là vous donnait du souci, vous y reveniez souvent.

— J'ai coûté vraiment cher, tu crois ?

Vraiment cher, oui. Mais si cela peut vous rassurer, ce n'est pas à votre père que vous avez le plus coûté.

Jeudi, quand vous avez déboulé dans ma chambre, vous n'avez pas réussi à me dire que le comte de Cholay était mort. Je ne dormais pas, je me doutais que tout serait fini sous peu, je me demandais si j'aurais la force de mener à terme ce qu'en arrivant ici je m'étais juré d'accomplir, et je vous attendais. Vous êtes entré sans frapper et vous m'avez regardé avec une expression d'angoisse qui m'a tordu le cœur :

— Je ne pourrai jamais le rembourser... Maintenant il va me hanter...

J'aurais voulu vous prendre dans mes bras, mais on ne berce pas un garçon de votre âge. Vous grelottiez. J'ai ranimé le feu, je vous ai enveloppé dans mon grand châle d'indienne et je vous ai dit :

— Rassurez-vous, tout a été payé en votre nom. Jour après jour, intérêts et capital.

Vous avez froncé les sourcils, l'idée qu'on s'acquittât d'une dette à votre place vous mettait mal à l'aise.

— Par qui ?

— Peu importe.

— À moi, cela importe !

— Je vous le dirai quand vous serez prêt à l'entendre et à le comprendre.

Vous vous êtes mis en colère, vous m'avez reproché de faire toujours des mystères et d'éluder vos questions.

Vous aviez raison. J'ai toujours fait des mystères. C'est qu'il n'y avait pas moyen de faire autrement. Il y allait de ma survie. Et de la vôtre.

J'ai décidé de vous écrire ces pages quand recru d'émotions et de fatigue vous vous êtes endormi sur mon fauteuil. Je vous regardais en pensant : cette nuit puis quelques autres, ensuite tout sera dit et je ne le verrai plus.

Mais les mystères, tous les mystères auront été levés.

J'aurai répondu à vos questions, Charles. J'aurai même répondu à celles que vous n'avez jamais posées.

Dix jours. Batiste Le Jongleur ne savait pas que se fixer un but censément impossible à atteindre délie l'esprit, fouette le sang, fortifie les muscles et donne tant de cœur à l'ouvrage qu'il se trouve accompli avant que l'on ait le temps de douter de soi. Levé avant le coq, le premier sur le site, le plus rude dans l'effort, jamais à court d'idées, jamais à bout de courage, il a surpris tout le monde, à commencer par lui-même. Son calfeutrage est un pis-aller, les peaux n'amélioreront pas l'étanchéité des drains plus de quelques semaines, mais en attendant l'automne qui les décomposera, le système fonctionne. Il fonctionne même si bien que les terrassiers reçoivent les félicitations de Monsieur Colbert, venu en personne constater les progrès du drainage. Nouvellement promu chef d'équipe, Batiste est présenté au ministre qui pose sur lui un regard bref et net, précis comme un mètre d'arpenteur et aussi aiguisé que le bistouri dont le docteur Vallot entaille chaque matin, dit-on, le sein de la reine Anne. Le surintendant des Bâtiments a le teint d'un chou-rave, il est vêtu de noir comme un fonctionnaire de l'État qui ne prétend pas jouer au seigneur, il porte ses cheveux bruns à la hauteur de son rabat et frisés, un lorgnon au bout d'une chaîne, des gants qui ont l'air en peau de souris et un air soucieux. À côté de lui se tient un long personnage très calme à yeux, poil et teint beiges, dont les traits et l'air bonasse évoquent assez réalistement un mouton, qui semble plus intéressé par la course des nuages, les arbres déjà roux sur le pourtour de la prairie et la qualité des touffes d'herbe que par les inquiétudes du sourcilleux Colbert. Le ministre demande quand, et combien. Jusqu'où, et pour-quoi pas plus vite. Sans se départir de son calme, le grand monsieur mouton répond avec des chiffres et des données qui contrarient visiblement le surintendant mais dont la précision émerveille Batiste. Le château de Versailles est sis sur une butte de cent quarante-deux mètres de hauteur, formée de sables homogènes et de couches d'argile. Du côté des jardins la pente est forte, on compte trente-trois mètres de dénivelé entre la terrasse ouest et le futur jardin bas. Pour compenser cette pente, on achève le remblaiement de deux terrasses reliées par un bassin en fer à cheval dont la maçonnerie, cachée sous des charmilles, soutient les rampes. Sur les terres basses, pour capter et vidanger les eaux de ruissellement, les nappes souterraines, les mares secondaires reliées entre elles par des rus, et les étangs pourvus de bondes et d'auges où sous le règne précédent on élevait d'excellents poissons, on a prévu un réseau de trente kilomètres de pierrées, qui sont des aqueducs miniature enterrés à cinquante centimètres sous la surface. Une fois assainies, les parcelles qui resteront en eau seront régularisées par des rives maçonnées, avec un système de fenêtres creusées dans le mur des berges permettant d'évacuer le trop-plein des eaux vers le ru de Galie, qui lui-même le renverra dans la Seine via la Mauldre. Depuis quatre ans que le roi a lancé le chantier des jardins, il a été remué plus de terre à Versailles que dans l'ensemble du royaume pendant les vingt dernières années. Monsieur Colbert se plaint de ce que ces travaux-là prennent trop de temps et coûtent trop cher ? Sait-il seulement quels rudes ennemis les terrassiers doivent affronter quotidiennement ? Inquiet, le ministre arrondit ses yeux noirs. Non, il ne sait pas, personne ne lui en a parlé, il a pourtant des informateurs ici comme ailleurs. Des ennemis, vraiment ? Avec un sérieux papal, le mouton beige répond :

— Les taupes, monsieur le surintendant. Une famille de taupes peut défaire en une nuit l'ouvrage que dix hommes ont accompli dans la journée.

Colbert tord une moue de mépris qui lui donne l'air très antipathique. Le mouton ne se laisse pas impressionner.

— L'an passé, les Liard père et fils, qui sont les taupiers appointés de Sa Majesté, ont attrapé mille huit cent soixante taupes à Versailles. Et depuis le commencement de cette année...

Le ministre balaie les taupes d'un revers de main.

— Je sais, monsieur le contrôleur général. Je sais aussi que les ennemis s'achètent, c'est le principe de la guerre. Surtout en France. Je paierai vos taupes. Dans une maison quelqu'un doit forcément tenir les cordons de la bourse, mais quand cette maison est un royaume ruiné, c'est un honneur ingrat, croyez-moi. La reine mère me reproche de céder au caprice du roi, le roi me reproche de le brider, et vous me reprochez de ne pas partager vos visions. Tout le monde croit que je suis dépourvu d'imagination, de sens poétique, d'aspiration à la beauté et à la grandeur. Monsieur Colbert? Un comptable. Nécessaire. Mais d'un ennui... Montrez donc les nouveaux réservoirs au comptable ennuyeux, monsieur le jardinier, qu'il justifie sa réputation en vous disant que vous avez encore dépensé trop d'argent...

Le petit homme s'éloigne sans un regard pour les ouvriers dont il semble déjà avoir oublié l'existence. Le mouton donne deux tapes sur l'épaule de Batiste : « C'est bien, mon jeune ami » et, allongeant ses jambes maigres, rattrape le surintendant des Bâtiments qui remonte d'un pas vif vers le château. Être congratulé comme un toutou par l'éminent Monsieur Le Nôtre rendrait ivre de fierté n'importe laquelle des fourmis humaines qui au signal du contremaître replongent dans la boue, mais Batiste méprise ce genre de flatterie. Il voit plus loin. Plus haut.

Ce qu'il veut, c'est se tirer du marais avant d'y attraper une de ces fièvres qui déciment les terrassiers et passer à l'étape suivante.

Pierre s'est fait embaucher dans l'atelier d'un maître maçon qui travaille à l'Orangerie. Quand la cloche sonne la fin du travail, il emmène sa famille visiter l'ensemble du chantier. Ce que Batiste, Madeleine et Blanche découvrent les laisse sans voix. La rousse Mathilde affirme que Louis XIV aime passionnément son Versailles et entend forcer ses proches à chérir cette maison, mais comment le roi de France peut-il prendre plaisir à séjourner dans un endroit pareil? Outre la laideur objective d'un site dont l'aménagement doit causer beaucoup de souci à Monsieur Le Nôtre et l'exiguïté d'un palais qui ressemble à la maison d'un riche particulier, où que porte le regard ce ne sont que fouillis d'échafaudages fixes et sur roues, amoncellement de pierres semi-taillées, charrettes attelées à deux, à quatre ou six chevaux transportant des pièces de bois, des outils, des tuiles, des plaques de plomb, carrioles déplaçant un par un d'énormes blocs rectangulaires, morceaux de corniches empilés contre des murs hérissés de tiges métalliques, dalles de marbre en tas, citernes mobiles, plates-formes de scierie à demi démontées, échelles couchées ici et là, le tout dans une confusion et une poussière indescriptibles. Madeleine se signe et murmure :

— On dirait la fin du monde.

Pierre hoche la tête.

— Le roi a une âme de bâtisseur. Dès qu'un chantier s'entame, il en lance un autre, et bien sûr tout doit se mener de front en défaisant chaque fois que Sa Majesté change d'idée, ce qui arrive sans cesse. Il a commencé de venir à Versailles pour la chasse, comme son père. Il a trouvé le lieu propice à la jouissance de plaisirs divers loin de sa femme, qui est trop paresseuse pour courir le cerf et n'aime que les jeux de cartes. Il y a mené des seigneurs et des dames amateurs de grand air, il s'est plu à y passer une nuit, puis deux, puis davantage. Mademoiselle de La Vallière croyait sincèrement que les autruches ont des dents. Pour la déniaiser sur ce sujet comme sur les autres, le roi a fait construire une ménagerie où des dresseurs élèvent des volatiles et des fauves exotiques, plus un couple d'éléphants, une girafe tachetée, et même un animal sorti droit de l'Enfer qu'on nomme rhinocéros. Ensuite Sa Majesté a voulu une orangerie. On raconte qu'il s'est pris de passion pour les oranges à la fête que Monsieur Fouquet, qui était le surintendant de ses finances, a donnée en son honneur il y a quatre ans en son château de Vaux-le-Vicomte. Une féerie comme personne n'en avait jamais vu en France, d'où le roi est sorti ébloui et si férocement jaloux que le mois suivant Monsieur Fouquet s'est retrouvé sous les verrous, accusé de prévarication et tous ses biens confisqués. À côté des statues et des tableaux mis sous scellés figuraient une centaine d'orangers que le roi a fait transporter ici et pour lesquels on construit des remblais titanesques sur la pente sud de la butte. Dans le même temps, considérant que le servir consiste à rendre l'impossible possible, Sa Majesté a exigé un réservoir plus grand que tout ce qui existe à ce jour mais ne ressemblant ni de près ni de loin à un réservoir. Monsieur Le Vau lui a dessiné une grotte enfermée dans un bâtiment dont le toit est conçu pour emmagasiner cinq cent quatre-vingts mètres cubes d'eau pompée dans l'étang de Clagny et acheminée par des conduites souterraines jusqu'au pied du château. Placé sur la droite et un peu en retrait de l'avant-cour, le réservoir se trouve assez en hauteur par rapport aux jardins pour alimenter par gravitation les fontaines existantes plus, espère-t-on, celles des futurs bassins. La grotte est dédiée à Thétys, une déesse marine auprès de qui le Soleil vient se reposer de sa course dans le ciel et qui chaque matin lui donne la force de retourner éclairer le monde. Le roi a choisi Apollon plutôt que Zeus, le souverain de l'Olympe, parce qu'il préfère être associé au soleil qui apporte la lumière plutôt qu'à la foudre meurtrière. Il veut être perçu par ses sujets comme le dispensateur de tous les bienfaits, et par ses courtisans comme l'astre loin duquel l'existence n'est qu'une sinistre nuit.

Le roi de France peut se prendre pour un astre ou se déguiser en triton, Batiste s'en moque. Sans un regard pour les macarons à l'effigie solaire sculptés en haut des chapiteaux qui soutiennent le réservoir, il tourne autour des tronçons noirs qui béent au milieu de tranchées ouvertes.

— C'est du plomb?

— Oui. Les conduites d'adduction de la ville sont encore en bois, mais ici on ne pose plus que du plomb. Les parois de la grotte sont farcies de tuyaux, et sous le sol les hydrauliciens installent un réseau de galeries qui va ressembler à une termitière.

— Qui s'en occupe?

— Claude Denis et Denis Jolly sont maîtres fontainiers en chef et les frères Francine ingénieurs pour le mouvement des eaux. Ils travaillent main dans la main avec Monsieur Le Vau et Monsieur Le Nôtre, mais au final, ici comme ailleurs, c'est le roi qui décide de tout.

À la nuit tombée, au lieu de chercher dans les bras de Mathilde l'oubli que les femmes procurent, Batiste retourne à la grotte de Thétys. Les arcades de la façade sont fermées par des grilles et deux Suisses carrossés comme des arcs de triomphe montent la garde à chaque angle. Il contourne le bâtiment et rejoint l'endroit où les canalisations qui alimentent le nouveau réservoir sont apparentes. Il ne sait pas au juste ce qu'il vient chercher, mais la visite avec Pierre a piqué sa curiosité, il veut maintenant découvrir le dessous du décor. Souple et silencieux, il se coule dans une tranchée et, progressant à croupetons puis à plat ventre, il suit l'épais tuyau qui s'enfonce dans un boyau maçonné. Après une reptation patiente, il débouche sous une sorte de cloche en moellons grossièrement jointoyés d'où partent deux couloirs qui ont l'air d'avoir été conçus pour l'un des chiens courants du roi ou l'un des nains de la reine. Batiste se met à quatre pattes et au hasard emprunte celui de gauche. À mesure qu'il avance, il distingue une lueur au bout du passage et il entend des clapotis mêlés à un murmure de voix. Il hésite et puis, lentement, continue son approche jusqu'à l'endroit où le couloir rejoint l'arrière d'une fontaine dont les jets gracieux semblent des flots de perles. À travers le rideau liquide, Batiste voit les murs incurvés entièrement tapissés de coquillages, les torchères en forme de sirène, le sol où la marqueterie de marbre dessine des volutes et des vagues, le plafond peint de nuages et de personnages à demi nus. Une niche ornée d'une fontaine semblable à celle qui le cache occupe l'autre côté de la grotte, et au milieu s'ouvre une niche plus haute, décorée de conques et de corail, dont le fond est occupé par un large banc en pierre recouvert de tissus et de coussins. Assis sur ce banc, un homme fourrage sous les jupes d'une femme. Batiste a un mouvement de recul. Se pourrait-il... Il se penche en retenant son souffle. Oui, sans aucun doute, l'homme est celui de la glissoire et du profil gravé sur les pièces de monnaie. La femme est jeune, beaucoup plus jeune que lui, ses cheveux d'un blond très clair font sur son dos une longue coulée d'or pâle, elle porte un corset rose que l'homme délace avec une agilité qui atteste une pratique assidue, les épaules dénudées sont osseuses, la gorge menue, la peau d'un blanc nacré, parfaitement uni, qui fait à cette demoiselle comme un vêtement de neige. L'homme caresse ses petits seins et répète son nom :

— Louise, Louise...

D'une main douce, elle lui relève la tête.

— Vous m'aimez donc encore?

Il la prend par la taille et la retourne.

— Regarde.

Il lève le bras. Batiste se plaque contre la paroi, mais trop tard, le voilà aussi trempé que s'il avait plongé dans la Seine. Sortie de nulle part, une musique comme il n'en a jamais entendu a changé la cadence de la fontaine qui l'abrite, celle d'en face suit le même tempo, les bouches qui giclent dans la vasque centrale également, les eaux en pluie cadencée jouent la partition, chaque goutte est une note, chaque jet argenté la voix d'un violon, d'une harpe ou d'une flûte. Aussi éblouie que Batiste, la jeune personne blonde bat des mains.

— Comment faites-vous cela?

L'homme dégage sa nuque, plie son cou mince et le couvre de baisers qui roulent et coulent comme les notes et les gouttes.

— C'est un orgue hydraulique. Je l'ai rêvé et Monsieur Francine l'a inventé. Pour chanter votre grâce. Pour vous montrer quels sentiments vous m'inspirez. Je sais que votre situation vous pèse, je connais votre délicatesse et vos scrupules. Mais laissez dire, ma douce, les jalouses et les fâcheux se lasseront. Je fais Versailles pour vous, Louise, cette maison est la nôtre, ici vous êtes ma reine...

La jeune fille se blottit dans ses bras. Batiste la voit maintenant de profil, elle a un visage ovale aux traits assez fades, un beau front, peu de menton, de grands yeux bleus brillants de larmes. Elle pivote, pose la main de son amant sur sa joue et le regarde avec une tendresse passionnée.

— Moi je vous aime parce que vous êtes Louis. Juste Louis. Si vous étiez un simple particulier, je vous aimerais autant. Je vous aimerais même mieux parce que je vous aurais à moi. Et je serais plus heureuse.

Le roi retrousse ses jupes et la hisse à califourchon sur lui. Elle porte des bas si fins qu'on croirait une seconde peau, sa jarretière est cousue de pierreries, elle a les cuisses longues et les mollets très minces.

— Tu n'es pas heureuse ? Là ? Maintenant ?

Elle le regarde, candide, sincère :

— Je voudrais que vous ne fussiez pas roi.

Il se déboutonne d'une main rapide, et, la soulevant, d'un coup de bassin l'ancre sur lui.

— Je SUIS roi.

En rampant vers la sortie, Batiste songe que s'il voulait taquiner sa mère, il lui annoncerait que les rois forniquent comme les hommes du commun, avec davantage de mots peut-être, mais sans prêter plus d'attention au contentement de leur compagne qu'un paysan. Ignorent-ils ce qui plaît aux dames, ou parce qu'elles battent des cils et feignent la pâmoison croient-ils les satisfaire ? Tout fringant et couronné qu'il est, Louis XIV ne doit pas se sentir si bon amant ni si puissant souverain, sinon quel besoin aurait-il de souligner sa grandeur et sa vigueur en peignant des déités au-dessus de sa tête et en faisant gicler des eaux pendant qu'il besogne sa mie ?

Par prudence, Batiste garde ces pensées pour lui. Madeleine adule le roi, et sur sa personne, ses amours et sa façon de porter la couronne, elle ne souffre aucune critique. Depuis qu'elle a appris qui était Apollon, elle trouve que Sa Majesté lui ressemble trait pour trait, et elle bénit le soleil descendu chez les hommes avec un rayon tout spécialement destiné à améliorer le quotidien de la famille Le Jongleur. La vie depuis qu'ils habitent à sa porte n'a-t-elle pas pris une tournure encourageante ? En arguant de sa parfaite connaissance des sangsues, Madeleine a réussi à se faire embaucher à l'infirmerie royale que les sœurs de

Saint-Vincent-de-Paul ont installée sur la place du marché de Versailles. Elle aide à installer tête-bêche, à deux ou trois par couchette, les malades et les accidentés du chantier que les suisses amènent sur des claies, elle change la paille répandue sur le sol et vide les seaux d'aisance, elle pose et décolle les limaces, elle décrotte les draps et lave les morts. Grâce à sa voix séraphique, Blanche a obtenu le droit de servir avec elle. Passant d'une couche à l'autre, elle chante pour les malades. Des chants de messe, d'autres pour passer le temps à la veillée, et aussi des airs qu'elle a entendu jouer par les musiciens du roi, dans les jardins du château. Ce sont ces derniers qu'elle préfère, surtout quand elle y rajoute des mines comme sur un théâtre. Batiste l'encourage dans cette voie en lui certifiant que Dieu estime les chanteuses lyriques autant que les conventines. Madeleine fulmine quand elle l'entend, mais elle se retient de le gifler parce qu'à la stupéfaction générale, c'est lui qui rapporte la meilleure paie.

Pierre a été accepté comme aide limousin par un maître maçon avec l'espoir de remplacer son second apprenti dès que le premier passera compagnon, mais pour l'instant il gagne moins qu'un terrassier. La corporation des maçons est sévèrement réglementée, il est difficile de brûler les étapes. Au bas de l'échelle sont les limousins qui préparent le mortier et la terre pour lier entre eux les moellons. Au-dessus d'eux sont les maçons qui travaillent le plâtre, élèvent les murs, scellent les poutres, posent les conduits de cheminées. Encore au-dessus sont les tailleurs. Enfin tout en haut se trouvent les appareilleurs qui choisissent les blocs, dessinent les modèles à exécuter et, une fois la taille achevée, raccordent les pierres à l'édifice. Les piqueurs ne touchent ni au ciseau ni au marteau, ils contrôlent la livraison des matériaux, l'avancée des tâches, la qualité des tailles et les horaires des ouvriers. Leur nom vient de ce qu'ils « piquent » les absents et les mettent à l'amende. En plus de recevoir pendant cinq ans un salaire de misère, Pierre devra verser vingt livres à son maître au moment d'entrer en apprentissage, mais devenir maçon vaut à ses yeux tous les sacrifices. La nuit, tandis que les premières pluies d'automne martèlent le toit de la cabane, il confie à Batiste son rêve de frapper un jour à la porte de son géniteur et de lui dire : vois ce que le fils dont tu n'as pas voulu est devenu. Batiste soupire :

— Que t'importe ?

— Tu n'aurais pas envie, toi, que ton père t'admire ?

— Je le méprise trop pour ça.

— Le mien m'a fait porter des outils quand j'ai commencé dans le métier, mais il n'a jamais accepté de me rencontrer seul à seul, et je veux qu'il le regrette. Ici, en travaillant dur, je pourrai sortir du lot avant d'avoir quarante ans. Les maîtres d'œuvre et les architectes des Bâtiments du roi sont presque tous d'anciens maçons. Ils roulent leur pelote en sous-traitant des portions du chantier, en organisant la revente des surplus de matériaux et en achetant à bas prix des terrains qu'ils donnent à lotir. Ils font trésorerie commune pour garantir leurs marchés et ils s'associent par le mariage. Tout cela est légal, du moment qu'on ne le vole pas, le roi trouve excellent qu'on s'enrichisse grâce à lui.

— Tu comptes épouser la fille d'un maître d'œuvre ?

— D'ici une dizaine d'années, pourquoi pas ?

— Parce que tu crois que maître Bergeron, ou monsieur Mansart, ou monsieur Villedo donneraient leur fille au rejeton sans père d'une loueuse de sangsues ? Mon pauvre Pierrot !

— La vie est ce qu'on en fait, Batiste. Cela prendra du temps, mais je ferai de notre mère une femme respectée. Elle aura un toit décent, elle portera des souliers, les hommes lui céderont le haut du pavé et plus personne n'osera porter la main sur elle. Je veux lui donner l'argent pour le couvent de Blanche. Je veux qu'elle vieillisse au chaud, qu'elle dorme dans un lit, qu'elle mange à sa faim. Et quand je me marierai, je veux que ma femme n'ait pas besoin de travailler et que mes enfants apprennent à lire et à écrire.

— Commence par apprendre toi-même.

— Je le ferai quand je passerai apprenti. Si tu avais deux sous d'ambition, tu ne te moquerais pas, tu cherche-rais ta propre voie et tu la déblaierais.

— Rassure-toi, je n'ai pas l'intention de rester terrassier toute ma vie. Je vais être hydraulicien.

Pierre éclate de rire.

— Hydraulicien? Les gens qui travaillent aux fontaines sont une poignée, c'est l'un des secteurs les plus tech-niques et les plus difficiles d'accès! Tu ne connais rien au mouvement des eaux, tu ne sais pas tenir un crayon, tu n'as jamais travaillé ni le bois ni le plomb...

— J'ai des idées. Je l'ai prouvé. Monsieur Le Nôtre m'a félicité.

— Crois-tu qu'il ait retenu ton nom? De surcroît tous les ouvriers fontainiers sont recrutés personnellement par Claude Denis, Denis Jolly et François Francine.

— Je m'en débrouillerai.

— Tu connais ces messieurs?

— Non.

— Alors comment comptes-tu t'y prendre? Tu ne les rouleras pas dans la farine aussi facilement que ce Jean Sanson qui t'a nommé chef d'équipe, je t'assure!

— Monsieur Jolly est affreusement gros.

— Cela ne le gêne pas pour poser des tuyaux et des vannes.

— Il est marié, son épouse est brune, elle fait son mar-ché le mardi et le jeudi à côté de l'infirmerie où travaille maman. Avec une servante pour tenir son ombrelle et un valet pour porter les cageots.

— Et alors?

Batiste sourit. Son sourire d'ange canaille auquel aucune femme n'a jamais résisté.

Jeanne Jolly a trente ans, des courbes exubérantes et un appétit en proportion. Mère de jumeaux mâles qui ont survécu à la variole, aux oripeaux, à la coqueluche et au *morbus strangulatorius*, elle estime avoir amplement rempli son devoir conjugal et, craignant à chaque étreinte de succomber sous le poids de son mari, elle s'est inventé un érésipèle pour interdire à Jolly son alcôve tendue de soie bleue comme celle de Ninon de Lenclos, la célèbre courtisane. Jeanne Jolly se veut une digne épouse, mais elle aime le plaisir et plus encore le désir que les hommes lui manifestent. Elle a commencé de les aguicher avant d'avoir de la gorge, avec des moues, des regards coulés, des soupirs et des ondulations de la croupe qui laissaient les clients de la mercerie paternelle perplexes et affolés. En nature avisée, consciente que son pucelage valait plus que sa dot, elle s'est souvent donnée à tâter, mais à tâter seulement. Jusqu'au jour de ses vingt ans où, considérant qu'il était temps d'investir, elle a élu le maître fontainier Jolly comme on choisit un cheval pour tirer sa carriole. Trapu, épais de col, l'œil bleu, une force et un calme de percheron, pourvu d'un métier prestigieux et d'une impressionnante paire de couilles, il semblait offrir des garanties d'avenir largement supérieures à celles de ses autres prétendants. De surcroît, elle le dominait d'une tête et avait plus de caractère que lui, ce dont il convenait avec la bonne humeur d'un homme qui ne voit aucun inconvénient à ne pas être le maître en son logis. Denis Jolly ressemble à un bestiau mais il n'a rien d'un sot, il est même assez intelligent pour connaître ses limites. Il se sait fort, mais court de souffle. Ambitieux, mais insuffisamment patient. D'esprit méthodique, mais peu imaginatif. Tout le monde salue ses talents d'ingénieur, mais lui manquent les fulgurances qui caractérisent les vrais inventeurs. Il aime l'argent, élaborer des machineries complexes, dormir, manger et plaire au roi. Entretenir une écurie de lévriers et regarder courir ses chiens. Il aimait jouir de sa femme, aussi, du temps où elle acceptait d'écarter pour lui ses cuisses rondes. Il se doute que ses couches ne l'ont pas dégoûtée du déduit mais seulement de lui, et qu'elle satisfait ailleurs les ardeurs dont elle l'exclut. Il en souffre, et les filles d'auberge qu'il culbute n'apaisent que ses sens. Mais Jeanne a pris sur lui un ascendant tel qu'il supporte son infortune sans se plaindre. Quand elle lui parle de Batiste Le Jongleur en le pressant de prendre dans son équipe ce jeune terrassier passionné par les innovations techniques, il soupçonne aussitôt la nature de leurs relations. Il rechigne pour se donner l'illusion de garder un tant soit peu d'autorité, et puis il accepte de rencontrer le garçon. Batiste vient à lui sans une once d'embarras, avec dans les poches une vingtaine de croquis dessinés sur des morceaux de toile. Depuis sa découverte de la grotte de Thétys, il a examiné un par un les ouvrages hydrauliques achevés et en cours. La complaisante Mathilde a volé pour lui aux cuisines une craie, deux plaques d'ardoise et des torchons troués, il s'est fabriqué une règle et un compas rudimentaire, et il a utilisé ses heures libres pour reproduire ce qu'il a vu et compris. Il a beaucoup de questions sur la façon dont on pompe puis élève les eaux, et presque autant de suggestions sur la manière dont les installations existantes pourraient être améliorées. Jolly est impressionné par son agilité d'esprit et par cette confiance dans ses intuitions qui lui fait répondre aux objections : «Personne ne l'a jamais fait? Tant mieux. On essaie?» L'ingénieur est ferré. Beau joueur, il avoue à sa femme qu'il a trouvé le gamin prometteur et qu'il se jugerait mesquin s'il refusait de lui mettre le pied à l'étrier. Jeanne pour le remercier dégrafe son corsage et, se retroussant sans façons sur la table à manger, lui offre avec une belle humeur tout ce à quoi il n'osait plus rêver. Essoufflé et comblé, le mari promet à sa savoureuse moitié de faire, pour l'amour d'elle et le service du roi, la carrière du Jongleur. La semaine suivante Batiste annonce à Jean Sanson qu'il quitte le jardin bas pour entrer dans l'équipe des fontainiers du roi.

Vous souvenez-vous, Monsieur, de cette nuit où vous avez déclaré tout à trac au comte que violenter les petites filles et les jeunes garçons était indigne d'un Cholay, et que vous ne vouliez pas d'un père qui se comportât comme un soudard en rut? Vous n'aviez pas neuf ans, et le coup de poing qu'il vous a envoyé en réponse vous a fendu la bouche par le milieu. Vous avez serré les dents, et vous l'avez laissé vous cadenasser dans votre chambre sans lui donner le plaisir de vous voir pleurer. Ensuite vous avez tordu vos draps, vous les avez accrochés à l'huis, vous êtes descendu en araignée le long de la façade et, montant à cru votre jument sortie sans bruit de l'écurie, vous avez galopé jusque chez moi. Bonne Fermat s'est écriée en vous voyant barbouillé de sang que cette fois c'en était trop, qu'elle allait de ses mains expédier votre père en Enfer où sa férocité trouverait à qui parler. Je l'ai renvoyée à vos cinq frères de lait et je vous ai pansé. Je vous ai couché dans mon lit. Je me suis mis dans le vieux fauteuil rouge et je vous ai écouté. Vous m'avez demandé de vous prendre avec moi, de vous emmener loin d'Almenêches. Peu vous importait d'hériter les terres, les bois, le château et le titre que votre père déshonorait. Vous vouliez renaître dans un foyer modeste mais paisible, entrer en apprentissage quelque part, grandir loin de la violence et du vice. Je vous ai répondu qu'un jour vous seriez libre, que votre nom vous ouvrirait des portes auxquelles un artisan n'aurait jamais accès, et qu'il fallait accepter votre sort en songeant à l'avenir.

Vous avez oublié cet épisode?

C'est normal, pour vivre sous le toit de votre père sans devenir fou, désespéré ou inhumain, votre mémoire devait effacer au fur et à mesure ces moments-là.

Pourquoi je les ravive aujourd'hui?

Parce que votre vérité, Charles, est tissée de ces souvenirs. Parce que pour avancer dans l'histoire que je vous raconte, vous devez les laisser remonter en vous. Sinon, vous resterez enfermé votre vie durant dans le mensonge comme dans la chambre où vous êtes en train de me lire.

Je continue?

Un fontainier ne s'appartient pas, ses journées et ses nuits dépendent du caprice du roi. Décors éphémères montés pour une collation ou un souper, bal masqué au milieu des jardins, visite nocturne à la grotte, jeu de cache-cache ou de volant, visite avec les dames, Sa Majesté à tout moment peut demander à voir jouer ses eaux, et comme Denis Jolly est le garant de son plaisir, ses hommes sont astreints à résidence et corvéables à merci. Fidèle à sa nature, Batiste Le Jongleur se moque des consignes autant que des menaces. Le règlement le cantonne dans une pièce de six mètres carrés où les deux compagnons et les trois garçons fontainiers ronflent à étourdir un sourd ? Les soirs où le roi n'a pas annoncé sa venue, il s'échappe exactement comme vous l'avez fait, Charles, la nuit dont je viens de vous parler. Les ouvriers dorment sur des couchettes recouvertes de paille, Batiste n'a donc pas de drap à rouler, mais il noue ses chausses à sa chemise, il les fixe à un crochet et, au risque de se casser le cou, passe par la lucarne de son grenier avec une agilité qui n'a rien à envier à celle de vos huit ans. Prestement rhabillé avec ses nippes détachées du crochet, le grappin caché sous un buisson en prévision du retour, il longe le flanc nord du château, contourne les baraquements où se négocient sacs de blé et miches de pain, ragoûts et vin aigre, sel et confitures, volailles sur pied et saucissons fumés, briquettes et bûches, pelles et sabots, foin et paille, huile et chandelles, pièces de drap et ballots de laine, chaudrons et cordages, et gagne l'auberge du Cheval couronné, rue de l'Abreuvoir. Dans la maison qu'il possède en la paroisse Saint-Germain-l'Auxerrois, non loin des bains La Vienne, Denis Jolly se prépare à souper tranquillement en pensant que son épouse passe la soirée chez les pères récollets, pour ses charités. En fait d'aumône et de prière, ladite épouse attend, nue devant une flambée, l'instant où son jeune amant poussera la porte de la chambre qu'elle a louée sous un nom d'emprunt dans la meilleure des quatre auberges du bourg de Versailles. À un âge où les femmes raisonnables pensent à la dévotion plutôt qu'à la galanterie, Jeanne Jolly découvre la passion. Doux comme une fille et endurant comme un haleur, nourrissant son plaisir de celui qu'il prodigue, Batiste l'attise et la comble comme personne, jamais, ne l'a fait. Le désir de le prendre et d'être prise par lui la brûle aussi précisément que si elle rôtissait sur un bûcher, elle a l'impression d'oublier dans ses bras jusqu'à son nom, mais elle n'en perd pas pour autant son vigoureux sens pratique. Elle ne nourrit pas plus d'illusions sur le garçon que Jolly n'en nourrissait sur elle-même avant de l'épouser. Le bien nommé Jongleur ne voit pas en elle une maîtresse mais un tremplin, il ne l'a pas choisie pour ses appas mais pour son mari, et maintenant qu'il l'a hameçonnée, il n'aura aucun scrupule à l'utiliser corps et âme dans le but avoué de se tailler une place au soleil. Jeanne le comprend si bien qu'au lieu de s'en offusquer, elle cherche comment en tirer parti. Ses charmes ne suffiront pas à inféoder un homme capable de séduire n'importe quelle fille de seize ans, et son autorité glisse sur Batiste comme la pluie sur l'ardoise. Mais elle possède une monnaie d'échange assez désirable aux yeux d'un jeune ambitieux pour, si elle en fait un usage habile, le ramener dans son lit autant qu'il lui plaira. Denis Jolly range le détail des marchés passés et tous les plans de ses ouvrages au Pont-Neuf, au château de Saint-Germain et à Versailles dans des cartonniers alignés le long de la galerie de son logis parisien. Jeanne a le double des clefs, il lui suffit de choisir et de se servir. Depuis dix ans son mari partage avec elle les soucis de son métier, et elle a suivi d'assez près le déroulement de ses chantiers pour pouvoir en conter le détail à Batiste. Chaque fois qu'elle le rejoint à l'auberge, elle apporte dans un grand portefeuille une liasse de documents qu'une fois repue elle étale et commente. Ravi de joindre l'agréable et l'utile, Batiste joue le jeu avec une fougue dont la fraîcheur récompense amplement sa compagne et, de nuit câline en nuit studieuse, apprend sur l'oreiller les secrets des fontaines.

L'automne s'éternise, tiède et pluvieux. Les nappes souterraines gonflent, les familles installées près des terres basses se nourrissent de grenouilles et d'escargots bouillis. Rongé d'humidité, le toit de la cabane de Madeleine menace de s'effondrer et Anselme Boniface refuse avec malignité de fournir aux parents du gars au furet un logement plus salubre. Blanche souffre de la gorge et les sœurs de Saint-Vincent ne veulent plus d'elle près des malades. Malgré l'interdiction de braconner dans les forêts royales, elle ramasse des fagots, elle les lie avec de la ficelle fournie par la toujours serviable Mathilde et elle les vend aux étals qui réchauffent les restes des tables de la Maison du roi. Elle ne dit rien à personne de ce commerce, elle cache l'argent dans un arbre creux. Si elle apprenait son trafic, sa mère la battrait dru et ses sous péniblement gagnés iraient grossir la dot du couvent. Or Blanche ne veut plus entrer chez les Carmélites. Elle veut rejoindre la troupe des comédiens chanteurs de Monsieur Lully qui est italien, joue du violon, danse merveilleusement et embrasse son flûtiste avec la langue dans les buissons. Les anges qui n'ont pas de sexe louent sûrement Dieu avec la voix des castrats qui n'ont pas de sexe non plus. Blanche a précisément le timbre d'un castrat. Donc celui d'un ange. Elle achètera le paradis de sa mère avec sa voix. Dès que les pustules au fond de son gosier seront séchées, elle recommencera à travailler ses vocalises, et quand elle tiendra chaque note quinze secondes, elle suivra les conseils de Batiste et se plantera devant Monsieur Lully pour lui chanter au nez tout ce qu'elle sait. Il sera ébloui comme les sœurs de Saint-Vincent, comme les amputés du chantier, comme Benoît, le mari de Mathilde, qui pourtant n'a pas plus d'oreille qu'un goret. En attendant cet avenir baigné de lumière, Blanche embrasse l'heureux sort qui a mis Monsieur Lully sur sa route, et elle joint ses prières à celles de Madeleine pour que la sainte Vierge veille sur le roi, sa mère, sa femme, son fils, son frère, sa favorite, son royaume, ses églises, ses théâtres et ses musiciens.

Blanche et Madeleine ont beau se priver de pain frais pour allumer un cierge le dimanche, la reine Anne d'Autriche se meurt. Les docteurs ont raclé sa tumeur, ils ont désinfecté sa plaie au sel gris et l'ont cautérisée au fer rouge, ils l'ont purgée quotidiennement, saignée à toutes les veines, ils lui ont fait boire du lait de jeune femme et du sang de jeune homme, mais, bien que la malade ait montré une docilité exemplaire, le cancer a triomphé de leur science et ils ont dû avouer au roi qu'ils ne la sauveraient pas. Louis visite sa mère une ou deux fois la semaine, et de voir cette femme, en son temps si belle et si puissante, réduite à n'être plus qu'un corps rongé de gangrène, lui donne d'étranges émotions. Impuissant à étouffer la voix intérieure qui lui reproche d'avoir causé le cancer de sa mère, il a des migraines, des coliques, des insomnies, des cauchemars. Il voudrait secourir la reine dans cette épreuve, mais il n'arrive pas à rester une demi-heure près de son lit. Son frère supporte les suées sanglantes et les vomissements, il tient la main de la malade pendant qu'on change ses linges, il arrose son oreiller de muguet pour distraire ses narines de la puanteur qu'elle dégage, il arrange ses cheveux sous le bonnet et il embrasse son front. Louis ne sait même plus s'il l'aime. Il l'a chérie, oui, avec cette exigence d'absolue possession qu'il met dans ses attachements. Il l'a voulue pour lui, rien que pour lui. Tout au long de son enfance il a détesté Philippe qui la faisait rire, Philippe dont elle saluait la vivacité d'esprit, l'humour piquant, le joli visage, Philippe qu'elle caressait plus que lui. Il était le roi, mais Philippe était le mignon, le très chéri, le si charmant, la « petite fille » de sa maman. Aujourd'hui, Philippe s'attache à adoucir les derniers moments de la mourante, et Louis prépare la suite. Il la prépare depuis des mois, en silence, dans le secret. Comme Mazarin le lui a appris. Son frère est un fantoche, son épouse est une sotte incapable de tenir une cour. Quand la reine Anne aura rendu le dernier soupir, Louis restera seul en scène. En enterrant sa mère, il portera en terre ses reproches, ses sermons, ses menaces et la culpabilité qu'en prenant le Ciel à témoin elle sait si bien distiller. Il a du chagrin, bien sûr, à l'idée de la perdre. Il a peur, aussi, du pouvoir que tout entier il va lui falloir assumer. Mais il a hâte. Une hâte fiévreuse, qui le tient aux reins et lui assèche la bouche, une hâte angoissante qui le réveille avant l'aube, le cœur battant, les yeux écarquillés. Il trompe le mélange de terreur et d'impatience qui l'habite en forçant le cerf avec Rohan et en épuisant dans le cours d'une même nuit sa maîtresse et sa femme. Sous couvert de préparer un nouveau ballet où il figurera Apollon, il danse jusqu'à trois heures d'affilée avec Lully. Souffrant malaisément de rester au Louvre, il galope de Paris à Saint-Germain, et de Saint-Germain à Versailles. Versailles sous la neige, où le chantier patine dans la boue gelée, mais qui reste le seul endroit où l'air, le vin, la chair d'une femme et les rêves aient un goût d'avenir. Tout en s'appliquant à donner de lui une image d'insouciance, il travaille jusqu'à ce que la tête lui tourne avec le zélé Le Vau, le rechigné Colbert, l'impétueux Louvois qui est secrétaire d'État à la Guerre, et le subtil La Reynie qui va devenir le premier policier du royaume. Il veut un palais digne du Soleil sur le point de se lever. Il veut la plus puissante armée d'Europe. Il veut un réseau de policiers et d'espions pour contrôler Paris, les provinces, la Cour. Il passe en revue ses régiments, qu'il trouve dans un dénuement scandaleux, commande des uniformes, des harnachements, des armes, et dicte lui-même un règlement punissant avec une sévérité drastique tout manquement à la discipline militaire. Pour y puiser un prétexte à faire valoir ses droits sur les territoires appartenant à la couronne espagnole, il examine avec soin la question de la dot que Philippe IV d'Espagne, père de son épouse, a omis de payer avant de mourir. Il prévoit. Il prépare. Il ne veut rien laisser au hasard ni à la surprise.

Pourtant, lorsque dans l'après-midi du 6 janvier 1666 Bontemps vient le prévenir que la reine Anne a demandé les derniers sacrements, il est pris de faiblesse. Au lieu de courir chez sa mère, il se retire dans son oratoire et, le visage dans les mains, il prie Dieu de lui donner la force, la clairvoyance, la tempérance et l'endurance qui sont le sceau des grands rois. Il pleure, aussi, et ses larmes le soulagent. Quand il se relève, il est prêt.

Les portes de la chambre de la reine sont grandes ouvertes. Dès le seuil et malgré les cassolettes qui aux quatre coins de la pièce brûlent des aromates, l'odeur de pourriture prend à la gorge. Le premier écuyer d'Anne d'Autriche, ses dames et filles d'honneur, ses quatre docteurs, ses quatre chirurgiens, son apothicaire du corps et ses deux apothicaires distillateurs, ses deux oculistes, Louis de Lasseré qui est son porte-chaise d'affaires ordinaire, son premier valet de chambre et ses quatre valets en quartier, son capitaine des gardes du corps, ses officiers ecclésiastiques, son intendant Monsieur d'Argouges, plus une poignée de gens de métier fort attachés à la reine comme Edme Suppligeau qui fabrique des draps d'or et de soie, Catherine Martin qui est lingère en collets, Jacques Imbault qui est brodeur et Hélie Monnedière, tailleur, s'écartent pour laisser passer le roi. Anne d'Autriche est assise dans son lit, le buste soutenu par d'épais carreaux, les cheveux coiffés en bandeaux et huilés, le visage nu, d'un blanc tirant sur le gris, avec de larges cernes noirs. Elle a effroyablement maigri, ses paupières, ses joues, son menton, son cou pendent, on dirait une cire en train de fondre. Debout dans la ruelle, son confesseur le père Philippe lui parle à l'oreille des vanités de ce monde et de la miséricorde divine. Appuyé au mur, Monsieur récite un rosaire. La reine Marie-Thérèse sanglote dans son mouchoir.

Anne d'Autriche aperçoit le roi. Son visage s'éclaire. De la main elle repousse doucement le confesseur. Louis XIV vient tout contre son chevet. Elle lui sourit faiblement.

— Vous voilà enfin...

Elle lui tend la main, qu'il prend. Elle s'agrippe, le forçant à se pencher. Saisi par l'odeur qui émane de son buste, Louis blêmit. De l'autre côté du lit, croyant l'ultime moment arrivé, Monsieur laisse tomber son chapelet. La reine ne regarde que son aîné. Elle s'efforce d'affermir sa voix, mais sa respiration siffle comme le bois humide sur la braise.

— Je regrette, mon fils, de vous avoir parfois mésestimé.

Le roi veut protester, elle lui fait signe de se taire.

— Un jour, le Cardinal m'a dit en parlant de vous : vous ne le connaissez pas, il y a en lui assez d'étoffe pour faire quatre rois et un honnête homme.

Malgré l'effort qu'il fait pour maîtriser l'expression de son visage, les yeux de Louis se mouillent et ses lèvres se mettent à trembler. La reine peine à trouver son souffle, elle halète et poursuit :

— J'ai fait du mieux que j'ai pu pour fortifier votre trône. Le royaume...

Un spasme lui coupe la parole. Les larmes roulent sur les joues du roi.

— Je veux partir en paix...

Louis étouffe un sanglot.

— Jurez-moi...

Rassemblant ses dernières forces, Anne d'Autriche se hausse vers son fils.

— Jurez-moi d'aimer votre frère, et aussi de renoncer à la guerre, aux bâtiments et aux femmes.

Le roi s'est raidi, mais sa mère se cramponne à sa main.

— Jurez-moi, Sire.

Elle le fixe avec l'autorité souveraine de qui se prépare à tout abdiquer. Louis baisse les yeux.

— Oui.

— Louis !

Le roi relève le regard. Impossible de tricher.

— Je vous le jure.

La reine Anne soupire, se laisse aller sur ses oreillers et murmure :

— Merci, Sire.

Le confesseur et le chapelain s'approchent avec les Évangiles qu'ils glissent entre ses mains. Le roi se redresse et fait signe à son frère :

— Monsieur, il nous faut aller.

Philippe d'Orléans a les traits ravagés par la veille et le chagrin, mais il se tient très droit et il émane de sa petite personne une fermeté inhabituelle.

— Non, Sire, pardon de vous désobéir, mais je reste.

Le roi fronce les sourcils. Monsieur ajoute :

— Je vous promets que ce sera la seule et unique fois que je vous désobéirai.

Louis le fixe durement.

— La seule et unique ?

Dans ses yeux passe une ombre noire qui ressemble à la haine. Il baisse la voix.

— Vous avez si peu de mémoire ?

Philippe ne comprend pas. Il voit que le roi lui garde rancune pour quelque chose d'important, mais il ne sait pas quoi. Et puis son regard se pose sur une cicatrice en forme de faucille que son aîné a juste au-dessous du nez. Il pâlit. Dans ses yeux passe la même ombre noire. Il mord l'intérieur de sa bouche et se détourne. Il sent que Louis le guette, qu'il attend son faux pas. Comme chaque jour, depuis ce jour-là.

Cette nuit-là...

Louis a clairement entendu ce que la fille a dit, et ces mots l'ont mordu au cœur.

Les ongles enfoncés dans ses paumes, il se domine.

Il sait se dominer. Il sait empêcher ses membres, ses yeux, sa bouche d'avouer ce qu'il sent, qui il est.

Il n'est pas né ainsi, il a appris. Il a dû apprendre. Pour ne pas mourir. Pour qu'on ne le tue pas. Son cadet n'a jamais tremblé pour sa vie, ou si peu. Pas la grande peur, celle qui fige le sang et l'esprit comme le gel prend la Seine en janvier et dont l'écho glacé revient au creux des nuits. La peur est une prison. Dans le désordre des draps Philippe et la fille se croient libres. Ils se croient maîtres de ce qu'ils s'offrent. Ils se

141

trompent. Personne n'a le droit d'être libre quand lui ne le peut pas. Ils ne sont rien, ils ne possèdent rien. Même le frissonnement sur leur corps, et le hoquet, et le cri qu'ils poussent presque ensemble, et le rire, et le tendre mouvement qui les colle l'un à l'autre ne leur appartiennent pas.

Tout est à lui.

Louis se force à attendre. Les caresses du bonheur suivent celles du plaisir. Il entend les mots doux, et les promesses échangées le couvrent d'une sueur nauséabonde. La fille remet sa chemise et sa brassière. À genoux derrière elle, Philippe lace son corsage en futaine, il remonte ses cheveux et quand elle a passé ses bas bleus, il se penche par-dessus son épaule pour les lui attacher.

Les mains de Louis le brûlent, et dans son haut-de-chausses, sa guilleri gonflée lui fait mal. Il ne bouge pas.

La fille descend du lit. Ses jupons et sa jupe sont restés en tas sur le carreau. Elle plie les genoux et les ramasse, une langue de lumière lèche son chignon, elle se retourne en souriant vers la couche, son visage enfantin rayonne d'une joie simple et complète.

Louis sort de l'ombre et lui attrape le bras.

Un spasme tord la reine qui pousse un affreux gémissement et rejette ses draps, dévoilant le charnier de sa poitrine. Monsieur court à son lit.

Le roi titube. Bontemps et le docteur Vallot se précipitent. Ils l'emmènent.

Si ce que je vous raconte est vrai ?

Ce que je vous raconte, Monsieur, est la transcription fidèle du récit que ceux qui ont vécu les instants dont je vous parle, les derniers moments de la reine mère comme les amours du Jongleur, m'en ont fait. S'ils ont oublié des détails ou mal interprété des gestes, des mots, des regards, leur erreur est maintenant mienne et je vous en demande pardon. Pour ma part, je vous ai assez menti. À l'heure qu'il est, au point où nous en sommes, je voudrais seulement vous persuader qu'en vous mentant je n'ai pas agi par vice mais par nécessité, et sans jamais perdre de vue le but que je m'étais fixé. Le but où je touche aujourd'hui, tendu vers vous, ma plume à la main. Le but où vous toucherez à votre tour lorsque vous arriverez au terme de cette lettre.

Et après?

Je vous l'ai dit en commençant. Après ne dépendra que de vous.

Livide et parcouru de frissons, le roi est affalé sur un fauteuil dans le petit cabinet de la reine. Vallot lui prend le pouls et Bontemps lui masse les tempes avec du vinaigre en l'exhortant à regagner ses appartements pour se réchauffer auprès d'un grand feu. Le chevalier de Rohan s'approche, se penche et chuchote :

— Venez avec moi.

Louis lève vers lui un regard dont la fixité s'efforce de masquer le vertige. Le chevalier insiste :

— Venez. Nous prendrons mon carrosse. Je sais ce qu'il vous faut.

Trois heures et demie plus tard, ils sont à l'entrée du chenil de Versailles. La nuit sans lune ressemble à la mort, elle est couleur de suie, muette et glacée. Les gardes allument des torches et les valets de chiens ordinaires ouvrent les portes. Le roi entre, suivi de Rohan qui glisse un ordre au sous-lieutenant en service. Lueurs mouvantes sur les chiens courants qui bondissent des bancs sur lesquels ils dormaient. Il y a là, répartis par chambres selon les races, deux cents chiens d'ordre qui sont pour la grande vénerie, plus une cinquantaine de petits chiens blanc et orange d'origine franc-comtoise qu'on nomme porcelaine et qui sont pour le lièvre. Louis XIV sait le nom des limiers, des chiens de tête et de beaucoup de femelles. Quand il loge au château le roi les nourrit chaque jour, mais n'ayant pas l'habitude de le voir à cette heure, ils grondent et se hérissent comme s'ils ne le connaissaient pas. Deux valets apportent une bassine remplie de déchets et de tripaille. Rohan plonge la main et attrape une pleine poignée de viscères qu'il tend à Sa Majesté. Les ariégeois et les bleus de Gascogne, qui font quatre-vingts centimètres de haut et sont les meilleurs pour le sanglier, gueulent et se jettent contre les bat-flancs, affolés par l'odeur. Louis XIV prend la viande dont le jus dégoutte sur son habit et souille ses bas de soie. Rohan déverrouille le premier enclos et s'efface pour le laisser entrer. Le roi lève le bras :

— Sagement ! Valets ! Sagement !

Les chiens se pressent, le nez sur l'aire et le fouet bas. Suspendant à plaisir son geste, Louis respire leur fauverie. Il lance les abats. Les chiens se ruent dessus à crocs nus. Pliant les genoux, le roi les regarde se remplir avec voracité. Ses yeux brillent. Rohan fait signe qu'on approche la bassine pour qu'il puisse se servir commodément. Le roi y met les deux mains, et sans égard pour ses gants il y puise jusqu'à ce qu'on en voie le fond. Repus, les chiens se frottent à ses jambes et lui grimpent sur les reins. Oublieux de tout ce qui n'est pas cet instant, il les flatte et caresse en les appelant ses beaux, ses gentils valets, ses fidèles.

Adossé au mur extérieur, Rohan se farcit les narines avec du tabac qu'un officier lui râpe obligeamment. Quand le roi le rejoint, il lui tend une pipe en écume de mer bourrée de pétin blond. Louis XIV ôte ses gants, les jette et prend la pipe. Il n'aime pas fumer et il déplore que la mode du tabac fasse fureur auprès des dames, mais là, maintenant, il n'imaginerait rien de meilleur. Il tire avec

un soupir d'aise la première bouffée et regarde le chevalier.

— Comment devines-tu ce dont j'ai envie avant que
moi-même je le sache ?

Rohan sourit.

— Je vous connais un peu.

Le roi arrondit les lèvres pour former des anneaux de
fumée.

— Un peu est bien. Davantage serait trop.

On jurerait qu'il plaisante amicalement, mais Rohan sait
à quel point il pense ce qu'il vient de dire. Encadrés par
douze gardes éberlués que le roi et son grand veneur ne
gèlent pas sur pied par cette froidure, ils fument en
silence. Hors les gémissements des chiens qui tardent à se
rendormir, tout est absolument paisible. L'horloge sur le
fronton de la cour royale sonne le quart puis la demie de
cinq heures. Louis ferme les yeux, remonte le col du
grand manteau qui l'enveloppe et murmure :

— Puisse la reine ma mère trouver le repos éternel. Il
faudra nous souvenir d'elle comme de l'un de nos plus
grands rois.

Rohan a grandi dans l'appartement des princes, il a
côtoyé Anne d'Autriche plus que sa propre mère. La gorge
serrée, il dit doucement :

— La paix soit avec elle.

Le roi jette sa pipe, fait signe qu'on lui donne une autre
paire de gants et claque gaillardement ses mains pour les
réchauffer. À le voir, personne ne se douterait que sa mère
en ce moment rend son dernier soupir. Il se tourne vers
son petit château rose et blanc encore dans l'ombre. Les
feux du bouillon matinal s'allument aux quatre coins du
chantier, les fers des chevaux d'attelage sonnent sur la
terre durcie, les ouvriers commencent d'arriver, la tête
couverte d'épais foulards, une lanterne à l'épaule. Louis se

tourne vers Rohan et, comme la chose la plus naturelle du monde, lui dit :

— D'ici trois ans je veux avoir doublé le bâti de Versailles. Je te montrerai tout à l'heure le projet que j'ai commandé à Monsieur Le Vau.

Il marque un temps.

— Et dès que notre armée sera en état, nous marcherons sur les Pays-Bas espagnols.

Oui, vous m'avez bien lu, Monsieur. Anne d'Autriche n'était pas encore froide que déjà son fils se préparait à violer le serment fait sur son lit d'agonie.

Comme Madeleine Le Jongleur, vous pensez que Louis XIV avait ses raisons, des raisons que vous et moi, qui sommes gens ordinaires, mus par des préoccupations ordinaires, assujettis à un destin ordinaire, nous ne pourrons jamais comprendre ?

Je crois, moi, que les gens ordinaires, lorsqu'ils sont doués de finesse et de curiosité, peuvent comprendre beaucoup de choses. Il suffit souvent pour dessiller leur esprit de changer l'éclairage du paysage ou de la scène qui leur semblent familiers. Surpris d'envisager sous un jour neuf ce qu'ils pensaient connaître, ils ouvrent plus grand leurs yeux, ils fixent leur attention, ils regardent autrement. Et là, ils voient. Il leur arrive même de découvrir ce qu'on avait soigneusement essayé de leur cacher.

À Versailles, Madame vous logera sans doute dans son appartement. Je vous conterai plus tard comment j'ai connu Monsieur. Je vous dirai aussi pourquoi la princesse Palatine, que le duc d'Orléans a épousée après la mort tragique d'Henriette d'Angleterre, sa première femme, se trouve être votre marraine. Mais d'ores et déjà je veux que vous me promettiez de ne jamais, jamais, m'entendez-vous, prendre de bain avec Monsieur, ni avec son fils qui a votre âge et, paraît-il, le sang très vif, ni avec aucun de leurs familiers.

Vous vous baignez ici avec Quentin, et cette dernière année votre père vous a souvent pris avec lui dans son cuveau ?

Je sais. Chaque fois j'en ai eu la chair de poule.

Le comte Emmanuel n'a jamais porté la main sur vous, il se contentait de vous admirer pendant que Gervaise et Quentin vous récuraient, et ensuite il se faisait mignarder par l'une, l'autre, ou les deux à la fois ?

Cela ne m'étonne pas. Il attendait son heure.

Quelle heure ?

Celle à laquelle sa mort vous a providentiellement permis d'échapper. Encore quelques séances anodines, et puis, le poil vous venant au ventre conformément aux lois de la nature, il vous serait arrivé ce qui advint au cadet du roi par les soins de Philippe Mancini, neveu du cardinal Mazarin, suivi dans cette fonction par le beau comte de Guiche. Vers treize ou quatorze ans, oui. Et ne croyez pas que vous auriez su vous défendre, ni qu'en vous sauvant par la fenêtre vous auriez pu vous soustraire à ce sort-là. De gré ou de force, entre savonnage et rinçage, un attouchement en appelant un autre, la honte cédant au plaisir ou le déplaisir à la résignation, vous seriez devenu la poupée de votre père. Sa chose. Son jouet. Vous auriez été perdu pour moi, Charles. Et, bien plus important, pour vous-même.

Si ce sont ces soins qui ont fait de Monsieur ce que la rousse Mathilde décrivait à Batiste ? Un adepte du vice qu'on dit italien, mais que par référence aux pratiques de feu votre père, on pourrait réalistement appeler vice normand ? Un homme-femme ? Une femme-homme ?

Une cause peut produire plusieurs effets et un effet peut avoir plusieurs causes. L'histoire du frère de Louis XIV est un écheveau où les fils s'entrecroisent, il serait hasardeux de prétendre démêler ce qui provient de la nature et ce qui a été à dessein cultivé. Je puis seulement vous dire que le duc d'Orléans n'a pas toujours été le pantin grimé que vous découvrirez sous peu.

Je vous connais, vous haussez les épaules. Sur la question de la chair comme sur tant d'autres vous vous sentez entièrement sûr de vous, et vous ne voyez pas pourquoi je fais tant de bruit autour d'un simple bain.

L'Église prêche beaucoup de sottises, mais il arrive qu'elle touche juste. Tout profitable qu'il soit pour la santé du corps et le délassement de l'esprit, le bain n'est pas une activité entièrement innocente. Évidemment l'eau n'a rien de démoniaque, elle ne corrompt ni n'affaiblit en soi. Mais il faut admettre que sa molle caresse jointe au spectacle de la nudité émoustille l'organisme et le prédispose à toutes sortes d'exaltations, d'emportements, d'abandons. Et que partant de là...

Vous riez?

Tant mieux. Vous êtes encore assez naïf pour ne pas imaginer l'empire que les sens peuvent exercer sur un individu. Pas seulement sur les femelles à cause de leur insatiable matrice, de leur faiblesse intrinsèque, de leur congénital penchant pour le vice. Sur les hommes et les femmes à part égale, et cela quelles que soient leur naissance et leur condition. Le comte votre père. Le roi de France. Le duc d'Orléans. Batiste Le Jongleur. Anselme Boniface. Mathilde la plumeuse de dindons. Jeanne Jolly.

Moi?

Oui, moi aussi. Pour mon malheur.

Et Nine? La petite Nine La Vienne? Celle qui refuse d'être fille, qui contemple sans ciller les corps nus et ne voit dans l'accouplement des humains que la gymnastique par laquelle se satisfait l'instinct de rut?

Nine est un cas assez particulier. Si elle était auprès de vous, elle vous recommanderait de lire entre mes lignes et de surveiller avec vigilance ceux qui vous entourent, mais aussi les mouvements de votre propre nature.

Le ferez-vous?

Nous l'avons laissée cachée au fond d'un coffre, dans le salon de bain où Louis XIV s'était endormi. Vous la retrouverez dans la salle contiguë, celle où le roi s'est déshabillé et qui sert d'ordinaire pour les soins de santé. Lorsque vous avez eu la fièvre pourpre je vous ai donné plusieurs bains médicinaux, et vous pensez sans doute que ceux-ci se réduisent à mélanger des aromates à l'eau dans laquelle on marine. Sachez qu'il est presque autant de façons de préparer et de goûter un bain qu'il est d'individus. À cet égard les établissements La Vienne n'ont pas leur pareil, le cas par cas est leur marque de fabrique et le père de Nine s'enorgueillit de proposer un éventail de soins si large qu'une vie ne suffirait pas à les expérimenter. Il exagère, bien sûr, mais ses clients le croient et chaque visite leur fait désirer la suivante, ce qui est la garantie d'un fonds de commerce prospère. Dans l'imagination du public, le bain de santé est presque aussi inquiétant que la maladie elle-même, et lorsque le docteur le prescrit, le patient ne doute plus d'être gravement atteint. Il comprend des immersions successives dans des eaux brûlantes, tièdes ou glacées enrichies d'herbes, de sels et de minéraux, des bains «secs» dans du sablon ou du marc de raisin, des bains «blancs» dans du lait frais ou de l'eau teintée de farines émollientes, des bains de la tête, des jambes, des bras, du dos, des organes de la reproduction, avec si nécessaire pose de sangsues, élongation des membres, massage thérapeutique des parties dolentes et clystère rafraîchissant. Tous traitements et pratiques qui d'ordinaire effraient, mais qui chez La Vienne se transforment en troublante expérience sensorielle. L'astuce est de faire en sorte que le patient ne sache plus s'il est là par nécessité ou par plaisir. Aussi commence-t-on, même si le quidam semble propre, par le laver dans un bain chaud, soit assis au fond de la cuve, soit debout aux bains à suer, en frottant tout le corps avec le grattoir, la pierre ponce et l'estamine. Ensuite viennent les frictions, les lotions, les onguents, les aspersions parfumées, les pâtes et les immersions de senteurs. Nine depuis qu'elle est en âge de tenir une éponge s'est initiée à chacune de ces étapes, mais sa spécialité, parce que ce moment pour n'être pas douloureux demande beaucoup d'habileté, est la scarification. Celle-ci se pratique avant le passage du bain chaud au bain froid, quand la chair est gonflée par les vapeurs et les nerfs alanguis sous l'effet de la chaleur. Sans sortir le patient du cuveau, elle cale entre ses genoux une cassolette fumante d'un mélange dont elle a perfectionné la recette, et elle lui demande de respirer profondément tout en enserrant ses tibias afin d'arrondir son dos. Le client inhale les fumées opiacées, se détend, et sans qu'on l'en prie se met à raconter sa vie. Nine l'encourage, et tandis qu'il confie ses déboires amoureux ou ses ambitions, elle lui fend la peau avec une lancette et pose sur chaque entaille une ventouse afin de tirer le sang qui stagne entre chair et cuir. Tout à son récit, le client oublie de gémir, c'est à peine s'il remarque qu'après quelques minutes Nine lui ôte une à une les ventouses et l'essuie avec une éponge imbibée de camomille. Le plus rechigné sort du baquet le sourire aux lèvres, étonné de se sentir la tête allégée et le corps rafraîchi. Il remercie l'officiante, la félicite pour son doigté, s'étonne d'une compétence que sa jeunesse rend proprement ensorcelante, demande si elle viendrait à domicile rendre le même type de service, se désole de voir l'offre rejetée et laisse un généreux pourboire. Avec une rigueur que Monsieur Colbert admirerait, la petite donne une moitié du pourboire à son père et range l'autre dans sa cassette personnelle. Une très jolie cassette en argent repoussé, avec des incrustations de nacre. Cet objet précieux lui vient d'Alexandre Bontemps, son parrain, qui le lui a offert pour son baptême. Quand Nine le jour de ses sept ans a eu droit de l'ouvrir, elle y a découvert deux perles couleur de rose montées en pendants d'oreilles, ainsi qu'une miniature de la Vierge dans un cadre de vermeil serti de saphirs, pas plus grande qu'une main et si bien exécutée que la figure semblait prête à sortir de son cadre. Son parrain lui a enjoint de ne porter les perles qu'après son mariage, et il lui a permis d'accrocher le tableau au-dessus de son lit. Nine n'a pas la fibre mystique, elle attend de la science les réponses aux mystères de l'univers, mais chaque soir avant de s'endormir elle parle au petit portrait. N'ayant ni mère, ni sœur, ni cousine, ni amie de son âge, c'est à ces yeux bleus, à ce demi-sourire qu'elle confie ses rêves et ses résolutions. Son père accepte qu'elle étudie, mais son père est un homme, et sur le chapitre de leur progéniture, les hommes, si larges d'esprit soient-ils, rencontrent tôt ou tard leurs limites. Nine a beau ressembler à une arête, elle grandit. Le pansement à la poire sauvage n'a pas produit l'effet escompté et, peu après la mort de la reine Anne d'Autriche, ses menstrues sont arrivées. Elle a caché cette déconfiture avec autant de soin que si elle s'était découverte lépreuse, mais depuis sa naissance elle dort dans le cabinet qui jouxte la chambre paternelle et François La Vienne sait ce que signifient certaines taches sur les draps. Il sait aussi que Nine a beau bander ses seins, le regard que les clients portent sur elle commence à changer. Les habitués la traitent avec respect, mais les nouveaux venus la reluquent ostensiblement, et deux fois on lui a proposé de l'argent en échange d'une séance de soins très privés dans le salon turc réservé aux délassements en couple. Lorsque le chevalier de Lorraine lui offre de payer pour la fleur de sa fille le prix d'une jument de parade, La Vienne comprend qu'il ne pourra maîtriser la situation bien longtemps et convoque un conseil de famille.

Nine se réjouit de cette réunion. Elle a peu d'affinités avec Jean Quentin mais elle adore l'autre Jean, son oncle maternel, parce que tout comme elle, il est prisonnier d'une nature qui ne lui permet pas de vivre ce à quoi il aspire. Une femme est censée se soumettre et un homme soumettre, ainsi va la race depuis le commencement des temps, ceux qui prétendent contrer cette loi naturelle méritent châtiment. Or Jean de Courtin porte un corset sous sa chemise, il aime se faire brutaliser par des valets d'écurie, il n'a jamais embrassé une fille, ne sait pas précisément comment se font les enfants et ne se soucie aucunement de l'apprendre. À la Cour les chevaliers de la manchette prospèrent comme champignons sur du fumier, mais pour les gens du commun, le crime de sodomie est passible du bûcher. Voilà cinq ans, deux rabatteurs auprès de qui marquis et maréchaux se fournissaient en chair fraîche ont été brûlés vifs après qu'on leur eut coupé la langue. Un petit nobliau provincial ne peut pas plus afficher ses goûts italiens qu'une fille de baigneur ne peut exiger d'entrer à l'Université, aussi l'oncle Jean veille-t-il à ne pas se compromettre. Quand Nine lui demande comment il arrive à être ce qu'il est sans pouvoir l'être vraiment, il lui répond que l'existence est une farce tragique, et que sur le théâtre de la vie il a pris l'habitude de jouer sous le masque.

Jouer sous le masque. Assise en face de ses deux oncles et de son parrain, Nine a l'impression qu'on lui ouvre les veines des bras. En fait de plaisante réunion familiale, son père est en train d'expliquer pourquoi elle doit quitter la rue Neuve-Montmartre. Cesser de travailler aux Bains. Loger sous un autre toit. Alexandre Bontemps abonde dans ce sens :

— Une fille tout juste pubère est une proie, il faut la mettre à l'abri des convoitises en attendant de lui trouver un bon parti.

Les couleurs reviennent aux joues de Nine.

— Mais mon parrain, je ne veux pas me marier !

Bontemps sourit.

— Qui parle de te marier maintenant ? Ce sont les filles de roi qu'on marie dès qu'elles peuvent engendrer.

— Ce n'est pas une question d'âge. Je ne veux pas me marier du tout. Ni dans deux ans, ni dans dix ans.

Jean Quentin, le frère cadet de son père, crache la chique qui gonflait sa joue.

— Née d'un roi ou d'un baigneur, une fille fait ce qu'on lui dit de faire. Tous ici nous voulons ton bien. Tu feras ce que nous déciderons pour toi.

Cette fois, le rouge monte aux joues de Nine.

— Je vous demande pardon, mon oncle, mais je ne suis pas le genre de fille dont vous parlez.

Jean La Vienne se tourne vers son frère.

— Elle te répond souvent ainsi? Belle éducation, vraiment!

Puis, revenant à Nine avec un œil sévère :

— Il n'est pas trop tard pour le devenir, Mademoiselle, et vous le deviendrez, croyez-moi, car pour votre quiétude et celle de ceux qui ont charge de vous, il n'est pas d'autre issue.

Voyant Nine s'empourprer jusqu'au volant de son bonnet, Bontemps lui prend la main qu'il tapote gentiment.

— Pour avoir des enfants, il faudra bien convoler, Ninon. Tu veux avoir des enfants, tout de même?

— Non.

— Comment cela, non?

— Non. Je ne veux ni mari ni enfants. Je veux apprendre la chimie, la médecine et la chirurgie. Je veux...

Jean Quentin frappe du poing contre la boiserie.

— Il suffit! On ne demande pas à une femelle de penser mais de coucher et d'accoucher!

Le père de Nine lui fait signe de se calmer.

— La petite a un cerveau, tu ne peux lui reprocher d'en faire usage.

— Son cerveau ne lui servira à rien! C'est sur son ventre qu'elle doit compter, et nous aussi!

Nine n'en croit pas ses oreilles.

— Vous aussi? En quoi mon ventre vous concerne-t-il?

— En quoi? C'est lui que nous vendrons, pardi!

Éberluée, Nine regarde son père qui tord une moue gênée. Bride sur le cou, le perruquier poursuit :

— Ne savez-vous pas, jeune fille, qu'avant d'être profitable aux deux conjoints, un mariage doit l'être aux deux lignées?

Il se penche vers Nine et pose la main sur sa jupe.

— L'époux donne le rang, les enfants le statut. Ton père a fait du chemin, j'en ai fait moi aussi, mais on ne consolide jamais assez une situation et le propos d'un arbre familial est de pousser de plus en plus haut ses rameaux. Ton devoir, Nine, est de servir les tiens. Nous allons te chercher un comte assez vieux pour ne pas t'encombrer longtemps mais encore assez vert pour engendrer, ou un cadet de bonne maison ayant ses entrées à la Cour...

Alexandre Bontemps l'interrompt avec une fermeté inhabituelle chez un homme dont la position prestigieuse n'a pas changé le naturel discret et conciliant.

— La place de Nine n'est pas à la Cour.

Jean Quentin se renfrogne.

— Vous ne nous croyez pas capables, mon frère et moi, de lui trouver un mari qui l'y emmènera?

Bontemps sourit.

— Très capables, au contraire, surtout vous, maître Jean. Mais ce n'est pas du tout cette existence que je souhaite pour elle.

— C'est vous qui me dites cela? Quel sort pourrait être plus enviable que d'évoluer dans les parages du roi?

— Une condition plus retirée, plus paisible, faite de plus de sincérité et de moins de contraintes. Cette enfant-là n'a pas le goût du paraître...

— Elle le prendra!

— Je préférerais pour elle un robin, un fils de parlementaire ou de juge...

— Un fils? Quitte à ramasser dans la chicane, prenez au moins le père!

Ignorant la saillie, Bontemps continue:

— Une famille de serviteurs de l'État plutôt que de seigneurs, où l'on préférera les dossiers aux épées, où l'on ne s'offusquera pas que Nine aime réfléchir et raisonner...

— Vous montrez envers cette petite une faiblesse que je ne m'explique pas. Depuis quand choisit-on un parti pour permettre à la fiancée de jouer les femmes savantes ? Les femmes qui pensent sont des objets de collection qu'il faut enfermer dans une vitrine, on peut les admirer, oui, mais qui songe à s'en servir ? Même le roi s'en méfie, vous savez cela mieux que moi, Monsieur Bontemps !

— Le roi n'aime pas les femmes trop brillantes parce qu'il craint qu'elles ne le tournent en ridicule. Entre vous et moi, il est plus timide qu'il ne paraît, et feu la reine Anne lui ayant répété que Monsieur avait l'esprit plus agile que lui, il est sur ce chapitre extrêmement susceptible. Hors la musique et la danse pour lesquelles il a un talent naturel que Monsieur Lully cultive à merveille, il apprend lentement, et comme il s'est attelé aux matières sérieuses sur le tard, il craint toujours de manquer de connaissances, de justesse dans l'analyse et de hauteur de vues. Il apprécie que les dames et demoiselles le divertissent, c'est pourquoi il goûte la compagnie de Madame, sa belle-sœur, mais pas qu'elles lui en remontrent et lui donnent l'impression qu'elles en savent plus que lui.

François La Vienne hausse les épaules.

— Le propos n'est pas que Nine plaise au roi, mais qu'elle soit heureuse en ménage.

Nine le regarde avec stupéfaction.

— Toi aussi, tu penses à me marier ?

Jean Quentin fait claquer sa langue contre son palais.

— Allons ! Une demoiselle digne de ce nom voussoie son père !

Nine lui jette un coup d'œil venimeux et revient à La Vienne :

— Et votre succession, papa ? Ne devais-je pas devenir votre associée ? Qui reprendra les Bains La Vienne si vous me donnez à un homme qui me demandera de tenir son logis et de recevoir ses pairs ? Un homme qui disposera de mon temps, qui m'imposera ses volontés, qui me fera un enfant chaque printemps ?

Jean de Courtin n'a cessé de se tortiller sur sa chaise depuis le début de la discussion. Rassemblant son courage, il intervient :

— Enfanter est un passe-temps dangereux. Nine n'a pas les hanches qu'il faut, elle mourra en couches comme ma sœur...

Bontemps secoue la tête.

— Louise souffrait des poumons. Nine est en parfaite santé, et elle ressemble peu à sa mère.

Effrayé de contredire le premier valet de chambre du roi qui malgré sa bonhomie l'impressionne terriblement, Jean de Courtin murmure :

— Mais elle n'est pas très grasse...

Jean Quentin s'esclaffe.

— J'en vois de plus maigres qui mettent leurs petits au monde comme les poules pondent des œufs ! Regardez Madame ! Avant les noces, le roi a dit à son frère qu'il allait épouser tous les os du cimetière des Saints-Innocents et en quatre ans cette brindille a donné le jour à quatre marmots ! Et Mademoiselle de La Vallière ! Si peu de gorge qu'elle en est réduite à étoffer son décolleté avec des foulards, et Monsieur Bontemps peut attester que les assiduités du roi auprès d'elle portent fruit !

Nine enfonce ses ongles dans la paume de ses mains. Ses yeux ont pris une couleur d'encre si foncée qu'on ne distingue plus l'iris de la pupille. Elle se lève et s'approche de son père.

— Papa... Vous m'avez promis de me laisser choisir et diriger ma vie...

François La Vienne grimace un sourire.

— Je tiendrai cette parole autant qu'il se pourra, Ninon. Mais dans les années qui viennent, je ne peux te garder ici en garantissant qu'il ne t'arrivera rien de fâcheux.

— Vous m'envoyez au couvent?

— Tu vas entrer en apprentissage chez ton oncle.

Le regard de Nine s'éclaire comme si on venait d'y verser du soleil. Elle se tourne vers Jean de Courtin.

— Oh merci! Je sais bien le latin, je lis le grec, je vous aiderai pour vos travaux, sur les différentes façons de se tenir propre j'ai justement mené des recherches...

Son père l'interrompt.

— Ton autre oncle, Nine. Tu vas apprendre l'art des perruques. Tu as de l'imagination, les doigts agiles et le goût du maquillage, ce métier-là est fait pour toi.

Nine pâlit.

— Et l'école? Je n'irai plus chez les Ursulines?

Jean Quentin répond à la place de son frère :

— Eh non! Vous logerez rue des Petits-Champs, vous travaillerez à l'atelier du lundi au samedi, et le dimanche, vous verrez votre père.

Les yeux de Nine se remplissent de larmes.

— Je ne veux pas devenir perruquière. Je ne peux pas arrêter d'étudier...

Jean Quentin claque ses deux mains sur ses cuisses.

— «Je ne veux pas»! «Je ne peux pas»! C'est ce que vous répondrez au client qui vous coincera pendant que vous le pommaderez, que vous l'huilerez, que vous le masserez sous prétexte d'essayer sur son anatomie vos savantes mixtures?

Il se lève et prend sa nièce par les épaules.

— Ninon, il est certaines réalités contre lesquelles il est vain de lutter parce que ainsi va le monde et que nous n'avons pas le pouvoir de le changer. Un homme qui a perdu son honneur lave sa honte par de glorieuses actions, mais rien ne rachète une fille salie. Le latin et le grec ne protègent pas la vertu, et lorsque le premier venu vous aura forcée, Dieu seul voudra encore de vous pour épouse, ce qui n'arrangera ni vos affaires ni les nôtres. Votre père vous dit intelligente et raisonnable. Comprenez-vous ce que je vous explique là?

Nine serre les mâchoires. Elle a treize ans, elle a faim de vivre, elle veut croire que la domination des hommes et la sujétion des femmes ne sont pas une fatalité, qu'en combattant l'injustice il lui sera possible de donner des ailes à son avenir. Le soleil de mars irise les bulles d'air emprisonnées dans les vitres des fenêtres. Elle ne sera pas une bulle d'air. Elle ne renoncera pas à ses ambitions. Elle trouvera un moyen. Une porte dérobée.

Elle respire avec le ventre, lentement. Ferme quelques secondes les yeux. Les relève vers son oncle. Jean Quentin hoche la tête, soulagé de la sentir plus calme.

— Voilà qui est mieux. Je suis moins libéral que votre père, mais je ne suis pas un tyran. Auprès de moi vous ne vous ennuierez point, je vous le promets, vous apprendrez beaucoup, et pas seulement à coudre des cheveux sur des calots de toile...

À nouveau maîtresse d'elle-même, Nine esquisse une petite révérence :

— Je sais que vous êtes homme de bien, mon oncle, et je vous remercie de l'intérêt que vous me portez. Je suivrai vos conseils à la lettre, et pourvu que vous me laissiez chaque jour un peu de temps pour moi, vous n'aurez jamais à vous plaindre de ma conduite.

Jean Quentin lui tend une main impeccablement manucurée.

— L'affaire est conclue, demoiselle.

Nine caresse du bout des doigts la paume lisse.

— Vos mains sont douces, oncle Jean. Vous les graissez à l'huile de phoque enrichie de pépins de raisin?

Elle se penche et hume la main ouverte.

— Et ensuite vous ôtez l'odeur avec du benjoin?

Jean Quentin hausse les sourcils.

— Ma foi, oui. Qui te l'a dit?

— Personne. C'est juste qu'à force d'essais, je suis arrivée à la conclusion que ce mélange-là n'avait pas son pareil pour donner aux mains d'homme le toucher des mains de femme. On peut d'ailleurs graisser les cheveux avec la même huile, cela les rend brillants et forts. Et pour qu'ils sentent agréablement, mélanger le benjoin avec du jasmin, qui est le parfum préféré du roi, ou avec du muguet, qui est le parfum préféré de Monsieur.

Étonné, Jean Quentin se rassied et considère sa nièce de bas en haut.

— Vous en savez, des choses, jeune fille...

Nine bat des cils d'une manière tout à fait innocente et modeste.

— Quand dois-je commencer à l'atelier?

Le premier étage du 23, rue des Petits-Champs sent la poudre et la colle. Le crin et la teinture. La pattemouille et le fer à friser. Les fleurs des bouquets qui ornent les pièces de réception, le savon noir et la cire blonde. Le père Binet est né entre ces murs, il les quitte rarement, au-dehors rien ne l'attire, au-dedans tout le retient, il ne conçoit pas de meilleure façon de vivre qu'au coin de son établi, il y mourra le sourire aux lèvres, embrassant son dernier modèle de perruque. Le premier étonnement de Nine est de découvrir que les cheveux coupés ont une odeur. Pas le fumet des vivants ou des morts à qui ils ont appartenu, non, un parfum spécifique qui varie en fonction de leur texture, de leur teinte, de leur épaisseur et du temps écoulé depuis qu'ils ont été séparés du corps. Chargé par Jean Quentin d'installer la jeune recrue dans sa nouvelle vie, le vieux Binet lui montre la soupente qu'elle partagera avec Edmée et Zéphyrine, les deux tresseuses, et lui explique que chaque chevelure a sa personnalité, que pour la transformer sans lui ôter ses qualités intrinsèques il faut l'étudier, la comprendre et ensuite l'apprivoiser. Un lorgnon sur le nez, un ruban gradué autour du cou, un crayon entre les doigts et la mine d'une souris sur le point de soulever une cloche à fromage, maître Binet est un artiste. Il est sourd d'une oreille et demie, sans ses besicles il ne peut pas signer son nom, ses jambes le soutiennent malaisément et il parle d'une voix d'autant plus faible que généralement il ne se parle qu'à lui-même, mais dès qu'il s'agit de dessiner ou de donner forme à un modèle, il retrouve l'allant de ses débuts. Au temps de ses belles années il œuvrait au four et moulin, courant les marchés aux cheveux, tenant les registres de la boutique et présentant lui-même ses couvre-chefs aux riches commanditaires, et puis, son atelier gagnant en notoriété, il a sans regret abandonné la partie commerciale du métier à Jean, le cadet des enfants qu'Antoinette, sa fille, a élevés rue des Petits-Champs après le décès de son infortuné mari, et il s'est consacré tout entier à la création. Jean Quentin est un bon technicien, s'il faut à la dernière minute rectifier ou agrémenter une coiffure il donne satisfaction, mais il sait plaire plus que travailler, vendre plus que fabriquer, et jette avec plus de talent la poudre aux yeux de ses clients que sur les cheveux vrais ou faux dont il les pare. Le vieux Binet aime rêver et donner corps à ses rêves. Le projet le plus audacieux est pour lui le plus séduisant, il cherche sans relâche des fantaisies de forme, de couleur, de matière, et rien ne lui plaît tant que d'inventer des modèles auxquels, même dans ses délires les plus avinés, aucun perruquier n'oserait jamais penser. De fait sa manière est inimitable, et ses ouvrages ont un tour si particulier qu'il suffit de regarder une tête arrangée par ses soins pour s'écrier : « Regardez le marquis d'Effiat, il a une drôle de "binette" ce matin ! » Enchanté de l'avidité avec laquelle elle l'écoute, il raconte à Nine comment en un demi-siècle les barbiers perruquiers sont sortis des foires pour suivre la cour dans ses déplacements, et comment ils ont gagné un statut en tondant les pauvres afin de coiffer à neuf les puissants. Au commencement du règne de Louis XIII, cherchant comment améliorer leurs bricolages, ils inventèrent de lacer des cheveux dans un toilé de tisserand exactement comme on fait les tissus à franges avec le point de Milan, et de coudre ces bandelettes de toile chevelue par rangées serrées sur un canepin, qui est une calotte fine et souple découpée dans l'épiderme de la peau du mouton. La toison ainsi constituée offrait l'avantage de pouvoir se tailler et s'agencer en sorte de s'assortir au visage qu'elle entourait, ainsi qu'à la mode de l'année ou de la saison. Ils travaillèrent ainsi les perruques à tresses cousues sur rubans jusqu'à imiter de façon très réaliste une chevelure naturelle. Le roi Louis XIII, qui à trente ans était déjà chauve, trouva l'innovation si bonne et si secourable qu'il créa quarante-huit charges de barbiers perruquiers attachés à la cour, plus deux cents autres réservées au public. Depuis ce jour les perruquiers ont l'exclusivité du commerce des cheveux en gros et en détail, et il leur est permis de préparer et de vendre toutes poudres, pommades ou opiats qu'ils jugent utiles pour la propreté et l'entretien de la tête, du visage et des dents.

— Vous fabriquez vos onguents et vos poudres ici ? Vous avez un laboratoire ? Vous me le montrerez ?

Étonné par cette soudaine passion, le vieux Binet tousse, crache, son lorgnon glisse, il le rattrape et plisse les yeux pour envisager posément son arrière-petite-fille. Il n'a côtoyé cette enfant qu'une dizaine de fois, à l'occasion de mariages ou d'enterrements familiaux, il ne lui a jamais prêté attention et ne sait d'elle que ce que Jean Quentin lui en a dit. Une jeune personne soufflée d'orgueil, susceptible et opiniâtre. Un arbuste que par faiblesse François La Vienne a laissé croître sans jamais l'élaguer, et qu'il faut tailler et redresser d'urgence. Sous la taie blanchâtre qui le voile, l'œil de Binet est plus vif qu'il n'y paraît. Il inspecte Nine un long moment sans rien dire. À soixante et treize ans on aime prendre son temps et se forger par soi-même une opinion sur les gens. La robe modeste, une étamine verte à rayures, le corsage peu échancré et sans ornement, juste un bord de dentelle au bas des manches. Les cheveux abondants, étroitement nattés, enfermés sous un bonnet tout simple. Aucune trace de fard, pas de ruban au cou. Cette petite-là ne s'embarrasse visiblement pas de coquetterie, elle se moque de l'effet qu'elle produit sur autrui. Le teint translucide, ombré sur les tempes et les paupières. Les poignets minces, les mains petites, blanches, soignées. Ni bracelet ni bague. Le regard qui fixe et aussitôt se détourne pour cacher son intensité. Le maintien réservé, posé, et une grosse veine qui bat impatiemment au creux du cou. Les ongles des deux pouces rongés jusqu'au sang. Cette gamine-là cache son jeu. Sous sa pâleur tranquille et ses gestes maîtrisés, elle bout d'élans contenus. Elle ne semble pas infatuée d'elle-même. Mais maligne, manipulatrice et obstinée, oui, sans doute. Et dissimulatrice. Elle a écouté les explications de son aïeul avec une attention extrême, maintenant elle lui sourit en attendant poliment qu'il poursuive, et pourtant son esprit est ailleurs. Elle a quelque chose de précis en tête. Un but. Qu'elle n'a vraisemblablement confié à personne. Et elle se demande si lui, l'ancêtre, l'aidera à parvenir à ses fins. Instruit par cette inspection, Binet rajuste ses besicles sur sa truffe.

— Un laboratoire ? Peut-être.

Les yeux de Nine s'allument comme des lucioles.

— Je pourrai y travailler ?

Le vieux perruquier sourit en découvrant largement ses gencives édentées, penche la tête vers son épaule, et après quelques secondes de silence demande :

— Tu es sûre que tu es venue ici pour devenir perruquière ?

Nine s'empourpre des clavicules au volant de son bonnet.

— Vous en doutez ?

Elle est aussi rouge que si elle avait mis sa figure dans un four à pain. Binet hoche la tête.

— En douter? Oh non. Je suis certain du contraire.

Et parce qu'il a le cœur tendre et qu'il a pitié du désarroi qui embue les yeux bleus, il ajoute aussitôt :

— Mais peu importe, du moment que tu ne triches pas avec moi. Ton oncle m'a chargé de te former et je n'ai plus l'âge de jouer à colin-maillard avec une petite masque. Je ne te demande pas ce que tu mijotes et il m'est indifférent que tu profites de moi. Mais je ne veux pas que tu me mentes. Si tu me mens, je m'inquiéterai, je m'agiterai, je sécréterai de la bile âcre et Monsieur Purgon m'imposera une saignée qui est la chose au monde que je déteste le plus.

Nine lève un doigt.

— Il ferait mieux de vous donner de l'élixir suédois.

— De l'élixir suédois?

— Une recette égyptienne, je crois, acclimatée par le grand Paracelse et testée sur le roi de Suède Gustave II par son médecin personnel, d'où le nom de liqueur suédoise. Elle sert pour désintoxiquer l'organisme après un excès, et elle est souveraine contre les aigreurs, les flatulences, les lourdeurs d'estomac et la constipation.

Comme la plupart des personnes âgées, Binet raffole des remèdes.

— Tout cela semble bien utile. Tu sais où trouver cette liqueur?

— Non, mais je peux en fabriquer.

— Tu te moques.

— Il faut de l'aloès qui stimule en douceur la digestion, de la myrrhe qu'Hippocrate recommande pour ses vertus tonifiantes, du safran et du séné, du camphre, des racines de rhubarbe et de zédoaire, un peu de fruit du frêne, dix grammes de thériaque de Venise dont j'ai une petite bouteille avec moi, des racines de carline qui est une sorte de chardon, des racines d'angélique, enfin si vous souhaitez accroître l'effet tonifiant, cinq grammes de racines de gentiane.

Fasciné, Binet lui fait signe de continuer.

— Vous enfermez les ingrédients dans une bouteille de deux litres remplie d'un litre et demi d'eau-de-vie de grain et vous laissez reposer quatorze jours en plein soleil ou tout près d'un fourneau.

— Et ensuite ?

— Ensuite vous transvasez la liqueur obtenue dans des fioles que vous bouchez hermétiquement, et vous gardez au frais.

— Longtemps ?

— Cet élixir-là ressemble aux grands sorciers, plus il vieillit, plus son effet est puissant.

— Mais si l'on en a besoin tout de suite ? Dans le cadre d'une entente... dont le soignant se trouvera à terme aussi content que le soigné ?

Nine sourit.

— On en prend une cuillerée diluée dans de l'eau tiède trois fois par jour.

Le perruquier glisse son bras sous celui de sa nouvelle complice.

— Ainsi soit-il.

Ils sont de la même taille, de la même corpulence, et dans leurs prunelles brille la même malice. Le vieil homme serre le poignet de son arrière-petite-fille.

— Le matin, je te montrerai comment choisir les cheveux, les nettoyer, les démêler et les lisser avec toutes sortes de cardes. Nous dînerons ensemble, parfois tous les deux, parfois avec les ouvrières, et pendant que nous mangerons je t'expliquerai les teintures, les assouplissants et les fixateurs. Après dînée je t'apprendrai le maniement des fers à friser, qui sont des pinces à deux branches avec des mâchoires en dedans, et des fers à toupet, qui ont une branche ronde entrant dans une creuse. Tu t'exerceras à tresser des vrais cheveux avec du crin, à natter de plus en plus fin, à friser en crêpe puis en boucles, à retrousser les mèches en cadenette, en bourse, en catogan, à la grecque, et ensuite, quand ta main sera affermie, à trousser une perruque d'abbé, de palais, à marteaux, en bonnet, à simple nœud ou à queue de ruban. Le soir tu souperas avec Edmée et Zéphyrine, qui ont fait leur apprentissage ici et qui te parleront à leur manière du métier. Et après le souper, si tu mis assez de cœur à ton ouvrage...

Il s'interrompt et la fixe avec une grimace entendue. Incertaine, elle demande :

— Après souper...?

— Après souper, quand nous serons sûrs que ton oncle sera occupé au-dehors, nous irons dans ce laboratoire qui semble t'intéresser, et c'est toi qui essaieras de m'étonner.

Jean Quentin n'a pas menti. Nine constate rapidement que l'atelier Binet offre de quoi nourrir une curiosité comme la sienne, et malgré sa dévotion aux Bains La Vienne, force lui est d'admettre que la perruquerie lui convient mieux que le métier d'étuviste. La matière est d'une grande variété, et fait la part aussi belle à l'imagination qu'à l'expérience. Les perruques bon marché, en crin éventuellement mélangé de fils de soie et de vrais cheveux, sont réservées aux subalternes de la chicane, aux solliciteurs, aux comédiens ambulants, aux négociants qui livrent eux-mêmes leur riche clientèle. La riche clientèle ne veut évidemment que de vrais faux cheveux et elle en change souvent. Deux ou trois fois par jour pour un docteur ou un notaire, jusqu'à six fois pour un courtisan, autant de fois que sa fantaisie et ses obligations le commandent pour le roi. Un perruquier prospère se rend rarement sur les marchés, il dispose d'un réseau de fournisseurs qui ratissent Paris et les provinces pour son compte. Ces hommes, aussi rustiques et matois que des maquignons normands, arrivent rue des Petits-Champs chargés de ballots qu'ils éventrent sur un plateau taillé dans un beau bois de cèdre qui sent la forêt et éloigne les mites. Les tresses coupées au ras de la nuque glissent et coulent sur la table comme des serpents moirés, étrangement morts et vivants à la fois, et le parfum qui en émane emplit toute la pièce. Au bout de quelques semaines, Nine peut en apprécier seule la souplesse, la solidité, la brillance, et, selon la qualité du produit et l'usage qu'il suggère, en négocier le prix. Le traitement des lots de cheveux déplaît ordinairement aux apprentis. Il faut traquer les poux, ôter les lentes, décoller pellicules et dépôts variés, dégraisser sans assécher, huiler sans alourdir, lisser sans aplatir, donner de l'élasticité sans amollir, et traiter en sorte de rebuter les parasites. Les produits s'appliquent à mains nues, ils piquent les yeux et donnent des démangeaisons. Parce qu'elle nécessite le recours à une chimie empirique, Nine aime particulièrement cette étape. Elle a cousu plusieurs poches au revers de son tablier, elle y cache son carnet de notes et les petites boîtes contenant les préparations dont au fil des jours elle améliore la composition. Le tressage la passionne moins, mais Edmée et Zéphyrine s'échinent à lui transmettre leur savoir et leur zèle affectueux la touche. Ces deux-là sont jumelles, la première mariée à un bon à rien, la seconde à un don juan de basse-cour, ensemble elles comptent quatorze enfants qu'elles élèvent dans les dépendances de l'hôtel de Rohan où, grâce à l'intercession de maître Binet, le bourreau du cœur de Zéphyrine travaille comme cocher. Les doigts agiles et la voix douce, elles racontent à Nine ce que c'est que de marier un homme, de coucher dans son lit tous les soirs que Dieu fait, de jouir de lui, de le laisser jouir de soi, de pleurer par sa faute, de porter ses petits, de les mettre au monde dans des douleurs que rien ne peut représenter, de trembler qu'ils ne prennent un mal ou un autre, de les voir mourir du croup ou d'un coup de sabot, de laisser son mari boire, de boire aussi, de se refuser pour ne plus être grosse, de céder parce qu'on l'a dans la peau, ce bonhomme, et qu'en plus on n'aime pas les gifles, d'être enceinte à nouveau, de faire une fausse couche, de remettre le couvert pour se rassurer, et tout le long de l'an, et un an après l'autre, de vivre cette vie-là en remerciant le Ciel pour ses bienfaits parce que la voisine, et la cousine, et les veuves, et les femmes stériles ont beaucoup moins de chance. Le soir, dans son lit clos, Nine contemple le portrait de la Vierge qu'elle a accroché à son chevet. Les yeux plantés dans ceux de Marie, elle essaie de comprendre comment celle-ci est parvenue à accepter une grossesse qu'aucune logique ne permettait d'expliquer et la crucifixion d'un fils innocent de tout crime. Elle pense à la soumission des femmes, à la souffrance des mères, et elle se dit que pour rester maître de son destin, il faut impérativement se garder d'aimer. En soufflant sa chandelle, elle se promet d'être vigilante, et de ne laisser personne, jamais, la détourner de l'objectif qu'elle s'est fixé.

Le vieux Binet se montre avec elle plus exigeant qu'avec n'importe quel apprenti, mais sur les deux points qui lui tiennent à cœur, il l'épaule sans restriction. Le premier de ces points est l'accès au cabinet situé à l'entresol, juste en dessous du salon où les clients boivent et jacassent pendant qu'on leur présente les dernières créations. Plutôt qu'un laboratoire, c'est un bric-à-brac de pots crasseux, de réchauds à huile et à charbon de bois, de fioles, de livres écornés et de papiers jaunis, au milieu desquels trône un appareil à distiller d'une saleté impressionnante. Dès le premier soir, Nine a lessivé ce galetas du sol au plafond, nettoyé les instruments, installé des étagères comme dans la réserve de son père, et depuis, sous la surveillance enthousiaste du vieux Binet, toutes les nuits elle concocte des pommades, des baumes, des fards, des lotions et des poudres. Jean Quentin ne soupçonne rien. Quand le dimanche il ramène la nouvelle apprentie rue Neuve-Montmartre, il ne tarit pas d'éloges sur sa docilité, son assiduité et son habileté. À telle enseigne que lorsque Binet le presse de sortir la petite des coulisses pour lui montrer la destination finale des cheveux qu'elle travaille avec une application si exemplaire, il ne peut raisonnablement refuser. Après examen des toilettes de sa nièce et malgré ses protestations, il demande à la marquise d'Heudicourt, une cliente dont les dettes remplissent la moitié d'un registre, de lui prêter son tailleur. Cette jolie dame a vingt-cinq ans, elle est fille d'honneur de la reine, l'an passé le roi a trompé ensemble son épouse et sa maîtresse avec elle, on la surnomme la Grande Louve parce que son mari est le Grand Louvetier de France, elle a un goût immodéré pour la parure et elle dispute à Madame l'honneur de lancer les modes. Son tailleur coupe pour Nine deux robes de demoiselle, l'une couleur de peau d'amande, l'autre d'un rose assez vif, avec des jarretières et des souliers assortis. Ainsi accommodée, les cheveux pris dans un petit chaperon avec deux boucles en serpenteaux le long des joues, Nine est autorisée à assister aux séances de présentation des modèles. Sept mois après ses débuts, la voici arrivée au point qu'elle désirait atteindre. Reste à trouver le fil qui la tirera au-dehors et à s'y accrocher.

Dans les salons d'essayage, on ne parle que de la guerre. Glanant des bribes de conversation, Nine essaie de reconstituer le puzzle de ce qui, si elle trouve le moyen d'en tirer profit, lui offrira peut-être l'opportunité qu'elle attend. Philippe IV d'Espagne, frère aîné de feu la reine Anne, est mort en laissant pour héritier un petit garçon souffreteux. Ce Charles II a aujourd'hui six ans. Il est de complexion fragile, les hivers à l'Escurial sont rudes, il ne vivra pas longtemps. Le contrat de mariage de Marie-Thérèse, fille du roi d'Espagne, avec Louis XIV, roi de France et de Navarre, prévoyait qu'en cas de non-versement de la dot prévue, la renonciation de l'Infante à la succession de son père serait nulle et non avenue. La dot n'a pas été versée, Louis XIV est donc en droit, si son jeune beau-frère trépasse, de réclamer au nom de son épouse les immenses possessions espagnoles, tant sur le continent qu'outremer. Le souci est que, par testament, le feu roi a désigné comme héritière en second non pas Marie-Thérèse, fille de sa première femme, mais Marguerite-Thérèse, sœur du petit roi et née comme lui de son second mariage. Soucieux d'obtenir justice, Louis XIV a envoyé des ambassadeurs. Aimables, puis précis, puis pressants. La reine régente, qui est viennoise et n'aime que dormir et manger, les a renvoyés sans aucun ménagement. Ce dont notre roi, sous couvert d'indignation, a été bien aise. Il désire cette guerre. À vingt-huit ans révolus, il se fait peindre en soleil sur ses plafonds, mais pour que sa lumière rayonne concrètement, il lui faut susciter l'étonnement, forcer l'admiration et, comme son aïeul Henri IV, forger sa gloire sur les champs de bataille. Depuis la mort de la reine mère, à sa manière secrète mais furieusement déterminée, il n'a cessé de presser le maréchal de Turenne, Le Tellier et Louvois. À la Noël de 1666, l'armée française compte cinquante-deux mille hommes équipés de pied en cap, plus vingt mille Suisses et Lorrains. Un millier de canons et bombardes ont été fondus, autant commandés au Danemark, les écuries et les magasins de fourrage sont pleins, les dépôts d'armes et de munitions aussi. On ne fait pas la guerre en hiver, il faut attendre les beaux jours, ce qui permet de peaufiner un épais document destiné à toutes les chancelleries d'Europe. Le mémoire s'intitule : *Traité des droits de la reine Très Chrétienne sur divers États de la monarchie d'Espagne*. Aucun des clients de Binet ne l'a lu, mais tous conviennent que ce document-là est un prodige de diplomatie. En les écoutant s'extasier sur l'habileté du roi et de ses conseillers, Nine comprend que diplomatie et hypocrisie sont aussi jumelles qu'Edmée et Zéphyrine. Le propos est d'appliquer à la France une antique coutume flamande qui déshérite les héritiers du second lit au bénéfice des enfants du premier. Fort de cette coutume de droit privé qu'on n'a jamais vue s'appliquer aux successions royales, Louis XIV revendique le duché de Brabant, le marquisat d'Anvers, le comté de Namur, le comté d'Artois, le duché de Cambrai, plus trois autres provinces de moindre importance et un bon morceau du duché du Luxembourg. Nine est étonnée. Le jeune homme vigoureux qu'elle a vu dormir dans son bain est donc aussi affamé qu'un loup au milieu de l'hiver. Les seigneurs et les dames qui cancanent en se faisant poudrer le chef se pâment sur la façon dont il inspecte ses régiments et sur sa moustache galamment retroussée, mais Nine se demande de quoi, lorsque l'on règne depuis qu'on a cinq ans, on peut bien avoir faim. Pourquoi désirer être Apollon quand on est déjà Louis XIV ? Elle aimerait interroger à ce sujet son père, qui connaît la vie, et son parrain, qui connaît le roi, mais il faudrait avouer qu'elle écoute les conversations, et Jean Quentin, s'il l'apprenait, la renverrait au tressage. Elle continue donc de présenter modestement les perruques sur des boules de bois piquées au bout d'un bâton ou vissées sur des torses en crin habillés de velours et de soie. Une révérence à l'entrée du salon, une autre devant le client. S'ils sont plusieurs dans la pièce, assis ou debout, une révérence à chacun d'entre eux. Gracieuse mais humble. Yeux baissés. L'attention de l'assistance doit se porter sur le modèle, pas sur l'apprentie. Si le modèle plaît, Nine le retire de son support et, les yeux toujours baissés, le tend à maître Binet ou à Jean Quentin pour que l'un ou l'autre l'ajuste sur le crâne adéquatement recou-

vert d'un fin bonnet pour les messieurs, d'un filet à
mailles serrées pour les dames. Une moitié seulement de
la clientèle masculine se fait raser la tête afin de porter
plus commodément la perruque, l'autre chérit ses cheveux
jusqu'à la maniaquerie et dépense des fortunes en lotions
fortifiantes, baumes lissants et pommades à dissuader les
poux. Le chevalier de Rohan est de ceux-là. Nine l'a
reconnu au premier regard et n'a pu s'empêcher de sourire au souvenir de son corps nu. Ce seigneur-là lui plaît.
Pas au sens où il plaît à Edmée, dont le mari s'endort sitôt
assis sur son lit, sans même ôter ses chausses. Edmée dit
que le chevalier est un sacré morceau, et qu'elle en tâterait
volontiers. Nine se moque que Rohan ait la taille plus
haute, la cuisse plus longue et plus vigoureuse, les épaules
plus musclées, le port à la fois plus noble et plus mâle
qu'aucun des clients de l'atelier. Elle ne le désire pas, elle
le déchiffre. Tous les hommes se lisent, et ses années aux
Bains La Vienne lui ont enseigné quantité d'alphabets. Le
grand veneur est splendide, il le sait et il en jouit. Il se
croit le plus beau damoiseau de la Cour, donc de France.
Il se croit aussi le plus intouchable. Le roi a confiance en
lui. Le roi ne peut se passer de lui. Le roi l'a en très profonde, très sincère affection. Colbert? Le Tellier? Des
valets. Le Grand Condé? Un traître qui malgré son rallie-
ment restera toujours un traître. Monsieur? Un cœur d'artichaut dans une poupée de chiffons. Rohan rit fort, à
larges dents presque blanches. Quand il rit ainsi, il fait
plus clair dans la pièce. Le front bombé, les yeux luisants,
la bouche grande et vermeille, le menton affirmé, le cou
fort et blanc, c'est lui qui ressemble au soleil. Il ponctue
ses propos de gestes amples qui mettent en valeur les
admirables dentelles de ses manchettes. Il parle comme
un cheval galope, de dix choses à la fois, sans s'embarrasser des détails. Il est volontiers cru, voire grossier, pour le
visible plaisir de provoquer tout ce qui porte épée ou dis-

pose de vingt mille livres de rente. Avec les petits, par contre, il est d'une courtoisie chaleureuse, ne manquant jamais de s'enquérir de la santé de Binet ou de la marmaille des jumelles. Méfiante, Nine se demande si ce chevalier trop séduisant pour être honnête s'intéresse véritablement à son prochain, ou s'il cherche simplement à s'en faire aduler. Un mélange des deux, sans doute. Ce qui, pour un seigneur de son rang, est déjà beaucoup d'humanité. Largement assez, en tout cas, pour ce qu'elle en attend. Il la salue à chacune de ses visites, mais elle n'a pas une tournure propre à retenir l'attention et elle n'est pas sûre qu'il l'ait vraiment remarquée. Elle s'en réjouit. Pour rien au monde elle n'accepterait de tracer son chemin dans ce monde à l'aide des appas qui font la carrière des femmes ordinaires. Elle ne veut pas que Rohan regarde ses épaules ou son décolleté, mais ses yeux. Et qu'il demande son nom.

Un divertissement champêtre dans les jardins de Versailles. Pour fêter le printemps et la guerre. On dansera, forcément. Au mois de février le roi a remarqué l'appétissante marquise de Montespan dans le *Carrousel des Amazones,* et il lui plairait de l'admirer encore. Monsieur Lully dispute avec Monsieur Le Nôtre sur la question du théâtre de verdure qui, selon le jardinier, ne pourra être prêt à temps. Tout le monde sera masqué. Même le roi. Surtout le roi. Mademoiselle de La Vallière est à nouveau enceinte, et bien qu'il n'y paraisse qu'à peine, son amant a les mains qui brûlent de se poser sur et sous d'autres jupes. Masqué et déguisé. Le roi raffole des costumes, les dames aussi, et Monsieur plus que personne. Monsieur viendra en petite fille, avec un habit copié sur celui qu'il portait à six ans sur le portrait préféré de la reine défunte. Le roi viendra en héros de l'Antiquité, Hercule ou Achille, il hésite encore. Et Rohan? Rohan viendra en Adam.

Adam avant la faute? Dans son appareil le plus simple, agrémenté d'un peu de verdure en guise de pudeur et d'une chevelure conçue pour l'occasion. Les feuilles seront naturelles, la perruque doit l'être aussi, ou du moins si proche de la nature qu'on pourra les confondre. Le vieux Binet dessine trois modèles pour Adam, correspondant chacun à un état du père de nos pères. L'innocence. La tentation. L'expiation. Nine aide son aïeul à friser, gonfler, remonter et nouer «en négligé savant» les trois coiffures. Le résultat est irrésistible, mais Rohan n'en veut pas. Ce qu'il faut, c'est qu'Adam ait l'air d'avoir la chevelure du chevalier de Rohan et non l'inverse. Le soir venu, alors que Jean Quentin et le vieux Binet se lamentent de n'avoir pu satisfaire leur client préféré, Nine s'enferme dans la salle de couture et, avec les mèches inutilisées qu'elle a mises de côté, elle monte une quatrième perruque. Lorsque le chevalier revient pour un nouvel essayage, elle lui ajuste son bonnet et esquisse une révérence.

— Monseigneur me permettrait-il de lui offrir un présent de ma façon?

Rohan a un geste négligent qui peut dire aussi bien oui que non. Sous le regard interloqué de son aïeul, Nine relève son tablier et, de sa poche secrète, tire quelque chose qui ressemble plus aux chevelures arrachées vives avec leur peau au crâne des ennemis qu'à une perruque conçue par l'atelier Binet. Rohan tord une moue dégoûtée.

— Qu'est ceci?

— Si Monseigneur veut bien me laisser l'apprêter...

D'un geste rapide Nine lui ôte son bonnet et, d'une main, éparpille sa chevelure, tandis que de l'autre, sans lui laisser le temps de protester, elle pose sur sa tête la toison sortie de son tablier. Le chevalier a un mouvement de recul.

— Holà! Je ne veux pas de cette dépouille!

Comme des langues de caméléon les doigts de Nine glissent sur sa nuque, son occiput et ses tempes, tirant, retroussant, ébouriffant, lissant. Chatouillé, Rohan glousse.

— Maître Binet, qui vous a donné cette diablesse ?

Nine a fini, elle se recule pour apprécier son ouvrage. Atterré, le vieux Binet bredouille :

— Oh pardon, Monseigneur ! Elle ne sait pas, elle vient juste d'arriver...

Campée devant Rohan, Nine a dans les yeux une telle expression de triomphe que le chevalier en est intrigué. Il se lève et s'approche d'un miroir.

— Couille d'âne ! Qu'est-ce que vous m'avez mis là ! On dirait que j'ai été emporté sur la roue d'un moulin !

Nine se hausse sur la pointe des pieds pour crêper deux mèches avec son petit peigne.

— Je vous ai fait Adam. Avec ses cheveux. Et les vôtres.

Perplexe, Rohan inspecte la toison sauvage qui le coiffe. Le cœur battant la charge, mais la voix parfaitement posée, Nine explique :

— Adam vivait au grand air. Comme vous, qui chassez tous les jours. Adam n'avait pas de démêloir, et encore moins de fer à friser...

Le chevalier l'interrompt.

— Comment avez-vous mélangé mes cheveux avec ceux de la perruque ?

Les yeux de Nine brillent.

— Des fentes ! J'ai pratiqué des fentes dans le calepin, par où j'ai tiré vos mèches en sorte qu'on ne puisse distinguer ce qui est vrai de ce qui est faux. Vous portez, Monseigneur, la première perruque qui ne puisse être qu'à vous...

Rohan se penche, se tourne, se tâte, ravi de l'invention. Il fait signe à Nine de reculer et la dévisage pour la première fois.

— Comment vous nomme-t-on, petite demoiselle ?

Nine relève le menton.

— Nine La Vienne, Monseigneur. Nine Louise Philippa La Vienne.

Étonné, Rohan se retourne vers Binet.

— La Vienne, le baigneur? Le frère de maître Quentin?

— Si fait, Monseigneur. Celui-là même.

— La Vienne a donc une fille? Je le croyais sans femme!

— Ma mère est morte, Monseigneur. En me donnant naissance. Comme il n'a jamais cessé de l'aimer, il ne s'est pas remarié. Nous avons vécu ensemble jusqu'à ce que j'entre en apprentissage ici.

Le regard posé sur Nine se précise.

— Rue Neuve-Montmartre? Je ne me souviens pas de vous y avoir vue.

— Vous m'avez croisée plusieurs fois. Ici aussi, d'ailleurs. Mais vous ne m'avez jamais regardée.

Elle sourit.

— Par contre moi, je vous ai regardé.

— Vraiment?

Le sourire de Nine s'élargit. Elle est petite, oui, mais ce grand seigneur-là ne l'intimide pas plus qu'un ramoneur ou un matelot.

— Vraiment. Vous étiez aussi nu qu'Adam, et je vous ai trouvé fort bien fait.

Rohan éclate de rire.

— Sais-tu que tu es aussi insolente que tu es douée de tes dix doigts?

— C'est donc être insolent que d'être sincère?

— Quel âge as-tu?

— Bientôt quatorze ans au mois de juin prochain, Monseigneur.

— Et c'est toi qui as imaginé cette perruque?

— Imaginée et montée, oui. Pour vous.

— Pourquoi pour moi ? Tu aurais pu la faire pour le roi.

— Le roi ne vient pas ici, et mon oncle ne m'emmène pas quand il va à la Cour.

— Ton invention me plaît. Adam la portera dans les jardins de Versailles, et si le roi lui demande quelle fée l'a coiffé, il donnera ton nom.

Nine plonge dans une énième révérence, censée cette fois marquer sa gratitude.

— Je veux aussi te la payer. Maître Binet, vous donnerez à cette jeune personne trois louis, que vous rajouterez sur mon compte.

Binet hoche servilement la tête.

— Bien entendu, Monseigneur.

Nine se redresse et, les mains serrées sur sa taille, risque le tout pour le tout.

— Monseigneur, je vous demande pardon, mais ce n'est pas de l'argent que je voudrais.

Rohan hausse les sourcils.

— Et que voudriez-vous, Mademoiselle l'exigeante ?

— Aller à la guerre. En Hollande. Au printemps.

— À la guerre ! D'où te vient cette lubie ?

— Mon oncle doit suivre l'armée pour continuer son service auprès du roi. Si vous lui commandez de me prendre avec lui, il ne pourra pas refuser.

— Les camps et les champs de bataille ne sont pas un terrain de jeu pour les pucelles !

— J'ai des choses à y faire.

— Des choses ? Tu te prends pour une nouvelle Jeanne d'Arc ?

— Qu'il plaise à Monseigneur de ne pas me demander quelles choses.

— Le bel aplomb ! Et si je l'exigeais ?

Nine a le feu aux joues mais l'œil ferme.

— Vous n'auriez rien à y gagner et moi beaucoup à y perdre.

Rohan ne déteste pas qu'on lui tienne tête. Il considère avec amusement son minuscule et vaillant adversaire.

— Je ne l'exigerai donc pas.

Il ôte son gant et tend sa grande main.

— Topez-là, Nine La Vienne. J'emporte votre perruque à fentes. Et vous, à vos risques et périls, vous irez à la guerre.

Oui, Monsieur, à la Cour il vous faudra porter une perruque. Le roi sous l'impressionnant échafaudage capillaire que vous lui verrez n'a plus aujourd'hui le poil très vaillant, il se fait raser le peu qui lui reste et personne n'oserait afficher près de lui une chevelure en pleine santé. Mais ne vous souciez pas d'acheter un postiche, il s'en loue à chaque coin du château. Vous choisirez une coiffure courte pour assister à la messe de Sa Majesté, une bien serrée pour jouer à la paume ou chasser, et une mi-longue pour le jeu ou le bal. Demandez ce qui sied à votre âge, et si vous hésitez, prenez conseil du duc de Chartres, le fils de Monsieur, il saura ce qui convient. Par contre dans les rues de Paris, dans les jardins du Palais-Royal ou à la Comédie, vous pourrez aller au naturel. Tirez vos boucles en arrière en les faisant un peu bouffer, comme je vous ai montré, et poudrez-les à l'amidon de riz plutôt que de maïs, légèrement le matin, généreusement le soir. Lavez votre tête au moins une fois le mois, peignez-vous en veillant à décoller les croûtes, usez de la lotion vivifiante que je vous ai laissée, et je vous promets qu'à mon âge vous ne serez pas chauve.

Si mes cheveux gris sont naturels?

Non, ils sont faux. Mais très bien imités, avouez-le.

Je suis donc complètement déplumé?

Dieu m'en garde, non, pas du tout.

Pourquoi en ce cas les cacher? Je vis seul, sans servante, hors les gens de votre père et l'abbesse d'Almenêches je ne fréquente que de pauvres hères, quel besoin ai-je, en pleine campagne, d'une perruque?

Dans les commencements, quand je me suis installé ici, c'était pour impressionner favorablement le comte de Cholay. Cet homme-là arrivait de la Cour, il avait l'habitude des Esculapes mondains, je voulais que malgré mon extraction obscure il me prît au sérieux et me laissât en confiance m'occuper des paysans qui travaillaient ses terres, des moniales de l'abbaye, des domestiques qui servaient au château. Et de vous.

Mais ensuite?

Ensuite j'ai vérifié la justesse de ce que disait Louis XIV à son valet Bontemps : «La perruque ne fait ni le roi ni l'homme, mais elle fait l'image que le public en a.» L'image que je donne de moi ainsi coiffé me convient. Je conserve donc mon austère couvre-chef, qui offre le double avantage de me vieillir, me préservant opportunément des assiduités féminines, et de me tenir le cerveau au chaud pendant nos hivers normands.

Si là où je m'en vais sans vous, je garderai ces tristes mèches?

Oh non, je laisserai mes vrais cheveux repousser.

De quelle couleur seront-ils? Blonds, comme ceux de votre père? Roux, comme ceux de Mathilde la volaillère? Bruns, comme ceux de Nine La Vienne? Noirs, comme ceux de Quentin Pichard? Mordorés, comme les vôtres?

Je vous trouve bien curieux. Hâtez-vous de venir me retrouver, Charles, et vous verrez.

En attendant il me faut vous dire que la douce Mathilde qui, je le devine, vous plaît beaucoup, est enceinte. L'ardente Jeanne Jolly aussi.

De Batiste ?

Ces dames ne sauraient l'affirmer avec certitude car pour endormir les soupçons de leur mari elles se prêtent de temps à autre au devoir conjugal, mais les sages-femmes prétendent que l'amour véritable féconde plus sûrement que les ébats dictés par la raison, elles pensent donc toutes les deux porter l'enfant du fontainier. Les mois ont passé depuis la première étreinte dans la cabane et la première nuit à l'auberge du Cheval couronné, mais au lieu de l'affadir, ces mois ont renforcé une passion vécue aussi différemment qu'il est possible et qui cependant les brûle à l'identique. Batiste se partage entre elles avec tant de bonne volonté qu'aucune ne soupçonne l'existence de l'autre. Cela sans que son cœur s'émeuve le moins du monde. Chacune à sa façon sert ses desseins, il paie ponctuellement en nature les services rendus, là se borne l'affaire. Madeleine Le Jongleur a remarqué certaine nouvelle façon que son cadet a de s'exprimer, de manger son repas, de tenir son visage et ses mains propres, sans parler d'une paire de bottes courtes comme en porte maître Jolly, d'une ceinture de flanelle rouge et de plusieurs bonnets bien chauds qu'assurément un salaire d'apprenti ne permet pas de payer. Mais elle ne pose plus de questions. Depuis que Batiste travaille aux fontaines, elle n'a pas eu une seule fois à se plaindre de lui, elle songe même à allumer un cierge pour remercier Dieu d'avoir montré le chemin de l'honnêteté à son vaurien. De son côté, le mari de la belle Jeanne Jolly se doute que son prochain enfant sera un arlequin, c'est-à-dire cousu de bric et de broc, et il soupçonne l'identité du coucou à qui il devra cette paternité hypocrite, mais il a les épaules assez larges pour endosser tout ce qui vient de sa femme. La douce Mathilde n'a pas cette chance. Depuis qu'au durcissement de ses mamelles elle a compris qu'elle attendait, elle tremble et elle pleure. On n'élève pas un enfant sans homme, et son Benoît vient de s'enrôler dans l'armée. Un capitaine recruteur a vanté sur la place de Versailles les mérites de la vie de soldat et expliqué que les nouvelles recrues recevaient le pardon du roi pour toutes leurs fautes. Benoît Tacheron, qui est second apprenti charpentier, venait d'être suspendu pour s'être rudement bagarré avec le premier apprenti. Voyant dans son engagement le moyen d'échapper à la prison, il a signé d'une croix en bas du rôle et quitté la cabane le soir même pour suivre son entraînement du côté de Melun, d'où il rejoindra avec son unité le grand rassemblement qui se fera dans les plaines du Nord.

Sur le site de Versailles, le gros des ouvriers se moque qu'une guerre se prépare. Les gens ne voient pas plus loin que leur tâche quotidienne, le chantier leur tient lieu d'horizon, et les Pays-Bas espagnols leur sont aussi indifférents que la Dalmatie ou la Chine. Depuis le début de l'hiver, les fontainiers s'échinent à étanchéifier trois nouveaux réservoirs, et il leur importe plus que les jeux d'eau soient le fleuron du divertissement prévu avant le départ en campagne que de savoir si Sa Majesté a raison ou tort d'envahir les Pays-Bas. L'équipe de Jolly s'enorgueillit d'une technique unique en Europe, mise au point ici même par les frères Francine et dont le grand Bernin quand il est venu visiter le château s'est émerveillé. Les réservoirs sont des constructions de glaise, dont l'étanchéité était auparavant assurée par des feuilles de plomb soudées entre elles qui épousaient et tapissaient le bâti. François Francine a inventé d'appliquer une sous-couche de toile enduite de cire et jointoyée au mastic entre la paroi et sa couverture intérieure en plomb. Quand le réservoir est de taille imposante, il faut y installer des échafaudages qu'on déplace à mesure de la pose de la sous-couche. Pour en simplifier la manipulation, Batiste suggère de les construire non pas avec des planches mais avec des roseaux à quenouille.

Cette plante, qu'on appelle aussi canne de Provence, a des tiges de trois centimètres de diamètre et cinq mètres de portée qui sont à la fois très légères et très résistantes. Elle pousse comme du chiendent, elle est facile à transporter et peut être utilisée sitôt coupée, sans séchage ni traitement. Définitivement séduit, Jolly s'écrie que s'il avait une fille à marier, il le prendrait volontiers pour gendre. Batiste mange son sourire. Le mari de Jeanne est un si brave homme qu'il se félicite d'avoir engrossé sa femme. Cet enfant-là, au moins, aura un père qui prendra soin de lui.

La nuit du bal dans les jardins de Versailles est une féerie pour les invités et un cauchemar pour les hommes de Jolly. Pendant que princes, princesses, ducs, marquises et comtesses folâtrent au son des violons, les cinq garçons fontainiers courent comme des lapins chassés. Le roi a promis à Mademoiselle de La Vallière de faire jouer pour elle les eaux dans toute leur splendeur. Il l'a promis dans des termes identiques à la reine qui trottine derrière lui en frottant ses menottes. Il l'a également promis à la grande brune trop maigre mais si piquante qui se prénomme Henriette et est mariée à son frère. Et aussi à une blonde éblouissante, dodue comme un poulet de grain, déshabillée plus qu'habillée en Vénus et qui avec un air de sainte-nitouche l'allume savamment. Le roi sait que les réservoirs ne peuvent fournir une pression suffisante pour alimenter toutes les bouches d'eau en même temps, mais il a dit à Denis Jolly qu'il attendait de lui un miracle. Pour que Sa Majesté ne soit pas déçue, Batiste et ses camarades galopent de bosquet en bassin et s'écorchent les mains à ouvrir et refermer les vannes à mesure que la joyeuse troupe se déplace. Couchés derrière les margelles, blottis dans les guérites, tapis à l'entrée des galeries souterraines qui traversent les allées, ils relaient le signal donné par

Jolly, lancent les jets au moment où le roi et sa suite s'en approchent et les coupent quand ils sont hors de vue. Heureusement personne ne se retourne. Hormis un Adam qui culbute dans les bosquets une nymphe après l'autre, les courtisans ne songent qu'à coller d'aussi près que possible aux sandales dorées d'Hercule. Bombant son torse dont la musculature est soulignée par une cuirasse de cuir, le demi-dieu se sent visiblement un dieu entier et boit comme de l'ambroisie leurs exclamations extasiées. L'agencement des parterres, qui a coûté à Monsieur Le Nôtre une poignée de cheveux, plaît beaucoup. Les porte-torches peints en argent de la taille aux sourcils aussi. Aux dames, bien sûr, mais surtout à une fausse petite fille très grosse et très maquillée qui, chaque fois qu'elle croise un de ces valets statufiés sur le bord d'une allée, ne peut s'empêcher de le frotter et stimuler aux endroits stratégiques. Lorsqu'au moment du feu d'artifice Batiste l'aperçoit à genoux derrière un buisson, joues barbouillées de rouge et bonnet de travers, passionnément occupée à astiquer les bijoux de famille d'un Bacchus blond qui la tient rudement par les cheveux, il se dit que le vice chez les Grands se prend de bonne heure, et que si cette petite était leur sœur, Pierre la rosserait. Pierre a du Bien et du Mal une idée inflexible, et sur la question des mœurs moins d'ouverture d'esprit que le responsable des novices au Grand Carmel. Batiste se demande souvent d'où lui vient cette vertu sourcilleuse. Ce garçon-là est droit comme un tir d'arbalète, aucune tentation ne l'a jamais fait dévier. Les filles? Il danse avec elles sous les lampions, mais il garde son cœur et son corps pour celle qu'il épousera. Le vin? Il en boit seulement pour se donner des forces. Les dés, les cartes, les paris sur les chiens ou les coqs? Il gagne trop péniblement son argent pour le risquer au jeu. Le tabac? Il n'en aime ni le goût ni l'odeur. Il ne ment pas, il ne triche pas, il ne médit pas, il ne rechigne pas à l'effort, il est incapable de lâcheté ou de déloyauté. Pas un seul vice? Même un bénin, un discret? Au plus loin que remonte sa mémoire, Batiste ne voit que le sucre. Pierre n'est pas gourmand, mais il raffole du sucre. À quelques rares occasions, quand il était petit, il a laissé Batiste en voler pour lui. Plaisir cruellement bref, dont il se punissait à coups de verge sur le dos et les cuisses. Les marques violettes sont restées imprimées sur sa peau, et chaque fois que Batiste les voit, il a honte. Il admire son frère, il l'aime d'un sentiment violent, mais il se ferait écorcher plutôt que de l'avouer. Les rôles sont répartis entre eux depuis l'enfance : Pierre est le bon grain, le chêne protecteur, et lui l'ivraie, le chiendent, le chardon, celui qui ne connaît ni Dieu ni loi, qui donne du plaisir aux filles et des cheveux blancs à sa mère. Même aujourd'hui où par son ingéniosité il a obtenu la considération de maître Jolly, Madeleine Le Jongleur continue de voir en lui un mauvais sujet et Pierre de le traiter comme un fanfaron. À leurs yeux il reste un garnement, un fessard à fouetter. Quand Batiste leur propose d'assister au divertissement royal non pas noyés au milieu du public mais cachés derrière le théâtre où le roi doit danser un petit impromptu, sa mère et son frère refusent sèchement au motif que voler avec les yeux est aussi grave que voler avec les mains, et Madeleine attache Blanche à un arbre pour l'empêcher de rejoindre la fête. La petite pleure tant que Pierre, pris de pitié, passe la nuit auprès d'elle. Recru de fatigue, il s'endort sur l'herbe, oubliant de rentrer la trousse de toile dans laquelle il resserre ses outils.

Au matin, les outils ont disparu. Le maillet en bois de buis, le marteau court, le pic allongé, le ciseau pour tailler la pierre, trois broches ou poinçons octogonaux pour niveler les faces, le compas, l'équerre et la truelle donnés par son géniteur. Madeleine pousse des cris d'orfraie et se prosterne au milieu de la clairière en implorant saint

Antoine de Padoue de venir en aide à son aîné et, par là, à toute la famille fidèle, repentante et disposée à faire dire pour le saint autant de messes qu'il reste de jours dans l'année en cours, la suivante aussi, et même celle d'après si les outils sont retrouvés au complet et en bon état. Pâle comme si la terre béait sous ses pieds, Pierre se présente à la surintendance des Bâtiments afin de déclarer le vol. Le préposé note sa plainte mais lui donne peu d'espoir. Ses outils ne portent pas de marque, celui qui les a dérobés les a probablement déjà vendus, dès demain ils tailleront la pierre sur un autre chantier. Pierre n'a pas de quoi en racheter un lot, et sans outils son patron ne le passera jamais apprenti? Tant pis pour lui. Quand on a la chance de posséder plus qu'une chemise et une paire de sabots, on veille sur son bien. Pierre se retire avec la sensation que le bonhomme vient de lui taillader les jarrets. Au plus loin que remontent ses souvenirs, il ne voit qu'effort à la tâche, fidélité à ceux qui l'ont employé, soutien à sa famille. Il n'a causé de tort à personne, il s'est juste endormi, pourquoi est-il puni? Il retrouve Batiste à la pause de la mi-journée et se lamente :

— Maître Pichard va me remettre à gâcher du plâtre. Ce n'est pas juste.

Batiste a une grimace fataliste.

— Dieu et le roi se ressemblent, mon pauvre frère, ils peuvent tout, mais ils ne font que ce qui leur plaît. Ne perds pas de temps à te plaindre. Fais-toi justice toi-même.

— Même si je récupérais mes outils, je ne pourrais pas prouver qu'ils sont à moi.

— Justement. Puisque rien ne distingue un marteau d'un autre marteau...

Pierre ouvre de gros yeux désolés.

— Tu vois! Je n'ai aucune chance!

Attendri par sa naïveté, Batiste lui donne une bourrade.

— Je vais m'arranger avec Jolly. Je t'en trouverai, des outils.

— En supposant qu'il t'avance deux années de ta paie, ce qu'il ne fera jamais, tu n'auras pas assez.

Batiste sourit. Son beau sourire de velours, avec la prunelle de vison gris sous les épais cils bruns.

— Est-ce qu'un jour tu me feras confiance?

Le dimanche suivant, à son réveil, Pierre découvre près de sa tête une caissette contenant tous les outils dont un apprenti maçon peut rêver. Éberlué, il court au quartier des fontainiers et demande Batiste, qu'il trouve dans le grenier, occupé à épucer Jésus. Sans reprendre son souffle, il lui montre la caisse.

— C'est toi?

Les yeux de Batiste pétillent.

— Dieu a la vue courte, mais tu méritais qu'on te vienne en aide.

Pierre n'en peut plus de joie.

— Je vais me jeter aux pieds de maître Jolly. C'est si généreux de t'avoir prêté cet argent...

— Garde tes génuflexions. Tu ne dois rien à ce balourd.

— À qui, alors?

Sans cesser de caresser son furet, Batiste lui coule un regard malicieux.

— Devine.

Une bouffée de sang monte aux joues de Pierre.

— Batiste, tu n'as pas...

— Combien de fois m'as-tu répété que dans la vie, il faut se fixer un but et ne rien épargner pour l'atteindre?

Pierre se redresse. Sous sa tignasse rouge, son visage est cramoisi.

— Tu vas rendre ces outils. Maintenant.

Batiste le regarde calmement.

— De quoi me parles-tu?

Pierre prend la caissette et jette les instruments par terre.

— Maintenant. Si ce n'est pas fait ce soir, je te dénonce.

Batiste se lève lentement.

— Toi? Toi, tu me dénonces?

Pierre pousse son frère si brutalement qu'il l'envoie cogner contre le châssis de la lucarne.

— Et je te dévisse la tête.

Il donne un grand coup de pied à la caisse à outils et sort sans se retourner. Étourdi, Batiste essuie le sang qui lui coule dans l'œil droit. Jésus grimpe le long de sa jambe comme une araignée, et, debout sur son épaule, nettoie à coups de langue passionnés l'entaille qui lui fend le sourcil. Batiste repousse son museau.

— Doux, mon gredin, n'en profite pas.

Docile, le furet se coule dans la poche que son maître a cousue pour lui à l'intérieur de sa chemise. Batiste noue son mouchoir autour de son front et remet en vrac les outils dans leur boîte. Une vague de colère blanche lui monte aux yeux. Son frère a-t-il idée des risques qu'il a pris pour le tirer d'embarras? Rien de ce qu'il fait pour les siens n'est jamais ce qui convient. Pierre est un crétin. Advienne que pourra.

Le soir venu, au lieu de retrouver Jeanne Jolly au Cheval couronné, le garçon profite d'un convoi de bois pour gagner la porte Saint-Denis. Les provinciaux croient qu'il n'y a qu'une seule cour des Miracles, sise dans le quartier Réaumur, et quand ils l'évoquent avec des frissons, c'est à la Grande Cour, dite aussi Fief d'Alby, qu'ils pensent. Mais les malfrats et les gens du guet savent que le vice dispose dans la capitale d'une bonne douzaine de repaires où la loi du roi ne s'applique pas plus que celle de Dieu. Il y a la cour Gentien, rue de la Coquille. La cour de la Jussienne, au numéro 23 de la rue de la Jussienne. La cour

du marché Saint-Honoré, qu'on nomme aussi cour de
l'Échelle parce qu'elle est à cheval entre les rues Saint-
Honoré, Sainte-Nicaise et de l'Échelle. La cour Brisset, à
côté du Temple, dans la rue de la Mortellerie. La Petite
cour du 63 de la rue du Bac, la cour des Aveugles du 81 de
la rue de Rueilly, à côté de l'hospice des Quinze-Vingts, et
le passage des Miracles au 26 de la rue des Tournelles,
dans le quartier du Marais. Le parrain de Batiste règne sur
la cour Sainte-Catherine et sur la cour du roi François qui
se tiennent respectivement au 313 et au 328 rue Saint-
Denis. Pas plus que le potentat du Fief d'Alby, que l'on
appelle Grand Coesre ou roi des Thunes, il n'a de nom. Il
n'a pas d'âge non plus. Grand, droit, sec, borgne, plus ridé
que l'océan, il loge sous une tente rescapée de la dernière
campagne militaire de Louis XIII, s'éclaire à l'huile de
baleine payée avec du sang humain, ne mange que des ali-
ments crus et porte un cilice censé racheter ses péchés passés et à venir. Il a cinq femmes, toutes épousées en vrai
mariage chrétien, et garde en esclavage des nobles
condamnés aux galères pour meurtre, escroquerie ou félo-
nie, qu'il rachète cinquante livres par tête aux sergents
chargés de les conduire au port. Il lui plaît de se faire laver
les pieds et essuyer sur sa chaise percée par un chevalier
ou un comte déchu. Il les nomme indistinctement Louis
ou Philippe, et quand ils meurent jette leur corps au
cochon qu'il mange en guise d'agneau pascal. Il ne reconnaît pour maître que le temps, parce que le plus habile des
voleurs n'en peut soustraire une miette, et il se rit de la
police, de l'Église et de Monsieur Colbert. Avec une autorité nourrie par une parfaite connaissance des vices
humains, il a rossé, nourri et éduqué à sa mode la moitié
des mendiants, tire-laine, coupe-bourse, petits et grands
escrocs, serineurs à gages et culs à vendre de la capitale.
Batiste lui doit de s'être fait violer à onze ans, sous un
porche, par un marchand de drap amateur d'angelots

à longs cils. Parrain faisait le guet. Il a empoché l'argent.
Le marchand est revenu, il a réclamé Batiste pour une nuit
entière. Parrain a accepté à condition qu'il reçût l'enfant
dans son magasin du quartier Saint-Antoine, devant un
bon feu, et qu'avant de l'enfourcher il lui offrît à souper.
Batiste a dévoré la soupe d'ail, les pigeons farcis, la hure
de sanglier, le saumon en gelée et les fruits secs. Il s'est
dévêtu à la lumière des braises et s'est donné à admirer
sous toutes les coutures. Après quoi, un sourire séraphique
aux lèvres et ses cils de fille baissés sur ses prunelles de fer,
il a tendu sa croupe. Dans sa main appuyée au linteau de
la cheminée il tenait un éclat de miroir tranchant comme
un rasoir. Bavant son désir, le marchand l'a empoigné par
les hanches et pointé comme on embroche un poulet.
Batiste a hurlé, un feulement de rage autant que de douleur, et d'un geste net, sans se retourner, il a tailladé le
vicieux au ras du ventre. Le bonhomme s'est écroulé. Le
laissant se vider de son sang sur son riche tapis, Batiste est
allé ouvrir la porte à Parrain qui a promptement dévalisé
le magasin. Batiste a échangé sa part du butin contre la
promesse que plus jamais il ne serait vendu, et que lorsque
Parrain lui aurait dispensé la formation réservée à ses
sujets les mieux doués, il pourrait disposer de lui-même.
Le borgne a tenu parole. Quand Batiste a su voler avec
autant de grâce que d'efficacité, mentir en sorte d'être cru
et se protéger d'autrui, il l'a libéré en lui souhaitant tout le
bien qui vient du mal. Batiste déteste son parrain mais il le
respecte. C'est chez lui qu'il a connu l'évêque mangeur de
moinillons. C'est par lui qu'il a appris que son père était le
beau François Augustin Philippeaux, réputé pour son éloquence onctueuse et curé de la riche abbaye Saint-Marcel.
Il ignore comment Madeleine Le Jongleur s'est liée au
patron des cours de la rue Saint-Denis. Il se souvient seulement qu'un soir, après longuement prié, elle l'a conduit
au cœur de Paris à travers un dédale puant où les chiens

pourchassaient des rats presqu'aussi gros qu'eux. Au bas d'une longue pente tortue et raboteuse, il a vu une maison de boue à demi enterrée, toute branlante de pourriture, qui n'avait pas quatre toises en carré et où s'entassaient une cinquantaine de ménages chargés d'enfants autant que couilles de pape sur une branche. À côté se dressait une tente de toile devant laquelle Madeleine l'a laissé en lui recommandant de réciter un *Je vous salue Marie* s'il avait peur et de se plier à tout ce que Parrain lui commanderait. Batiste n'a jamais parlé à sa mère du fouet sur la tête, là où les cheveux emmêlés cachent les plaies. Ni des brûlures sous la plante des pieds. Ni, bien sûr, du marchand de drap. Un jour, il se l'est promis, il rendra au borgne la peur pour la peur, la douleur pour la douleur, l'horreur pour l'horreur. Ce jour-là, ce jour-là seulement, il sera tout à fait libre.

Dans l'immédiat il trouve le borgne assis devant sa tente, touillant avec un bâton dans une cuvette que lui présentent l'épais Roger d'Angènes et le squelettique Philippe de Merlerault, tous deux habillés en valets de comédie et les pieds nus. Batiste tend le cou.

— Vous préparez un bouillon ?

— Je taquine l'immortalité.

Batiste se penche sur la cuvette. Dans l'eau grise se tortille un gros poisson jaune. Parrain relève le nez.

— Elle vient du Japon.

— C'est une carpe ?

— Une carpe dorée. Une carpe royale. Encore toute jeune, mais elle vivra mille ans et elle pèsera plus lourd que le plus grand brochet de nos rivières. L'Empereur du Japon en possède cent, il les élève dans son palais, elles reconnaissent sa voix et elles se laissent caresser comme des loutres apprivoisées.

— À qui l'avez-vous achetée ?

— Un matelot qui revenait du Levant me l'a donnée en paiement d'une dette.

Batiste pousse la caisse à outils contre les pieds de son parrain.

— Je vous la rachète.

— Avec les marteaux que tu as volés pour ton frère?

— Avec les outils que vous m'avez fournis. Pierre n'en veut pas, il m'a commandé de les rendre à leur propriétaire.

— Il ne sait pas encore que la pureté nourrit mal son homme?

— La faim le gêne moins que le péché.

Le borgne taquine la nageoire caudale du poisson.

— Une carpe royale n'a pas de prix, gamin.

— Je ne suis plus un gamin.

— Tu seras toujours un gamin. Doué, mais trop fougueux. L'incendie de Saint-Marcel n'était pas nécessaire, tu pouvais voler ton père sans brûler son église.

— Qui vous dit que c'était moi?

— Je te connais comme si je t'avais fait. Ce qui d'ailleurs est le cas.

— J'y ai pris du plaisir.

— Justement. Tu te laisses guider par tes instincts.

— C'est ce que vous croyez...

— Pourquoi veux-tu ma carpe?

— Pour l'offrir.

— À une femme? Cette femme riche qui te fait te laver et porter une ceinture rouge?

— À un homme.

— Riche lui aussi?

— Très riche. Beaucoup plus riche.

— Tu attends de ton cadeau un retour?

Batiste sourit d'un seul côté.

— Rassurez-vous, mon parrain, tôt ou tard, vous en profiterez.

— Au centuple ? Tu me connais, moins ne m'intéresse pas.

Le regard du jeune homme ressemble à une lame de Tolède.

— Oh... bien davantage...

Batiste revient à Versailles juste avant l'aube. Il laisse la carpe sous la garde de Jésus et pour éviter d'être réprimandé se rue à l'ouvrage. Sous la terre, les heures coulent sans que l'on y prenne garde. Quand la soif pousse le fontainier hors de la galerie, la nuit tombe déjà. Pierre l'attend, poings sur les hanches, devant la bouche d'accès.

— Ils ont arrêté Thomas le Sourd.

Batiste se déplie et s'étire. Des talons aux sourcils, il est couvert de sable boueux.

— Le petit trapu à moitié idiot ?

Pierre empoigne son frère par le col et le secoue comme un lapin.

— Ils vont lui faire porter le chapeau pour ton vol !

Batiste essaie de se dégager, mais l'autre est deux fois plus costaud que lui.

— Tu n'as pas rendu les outils, n'est-ce pas ?

— Si.

Pierre le lâche.

— Tu mens.

Batiste masse sa nuque endolorie.

— Je ne me mêlerai plus de tes affaires, ne te mêle pas des miennes.

— Thomas a dépensé une grosse somme à l'auberge. Un garde lui a demandé d'où venait son argent. L'autre n'a pas répondu, forcément, il n'entend rien. Le garde l'a amené à Monsieur Declezeaux qui est garde à la prévôté, c'est lui qui examine les plaintes. Je ne sais pas le détail, mais Thomas a signé des aveux.

— C'est son problème.

— Batiste, ils vont l'envoyer aux galères ! La seule façon de le tirer de là, c'est de rapporter les outils que tu as pris.

— Je ne les ai plus.

— Tu les as revendus ?

— Troqués.

Pierre lui saute à la gorge. À moitié étranglé, Batiste crie :

— Contre un présent ! Pour le roi !

Pierre lui envoie un coup de poing dans le ventre qui le plie en deux.

— Ordure !

Batiste se redresse en grimaçant de douleur. Le visage de Pierre est rouge brique, et dans ses yeux exorbités il n'y a pas la moindre trace de compassion fraternelle. Un second coup de poing cueille Batiste derrière l'oreille et l'envoie rouler dans le gravier de l'allée. Dix années sous la férule de Parrain lui ont appris à encaisser et à rendre les coups, et ce que la cour des Miracles a oublié de lui inculquer, la férocité de Jésus le lui a enseigné. Il bloque le pied que son frère s'apprête à lui enfoncer dans les côtes et tord le genou qui craque vilainement. Pierre lui tombe dessus de tout son poids.

— Je vais te désosser, pourri !

Pierre pèse deux cents livres, d'un tranchant de main il peut assommer un veau, mais Batiste a l'avantage de la souplesse et de la rapidité. Depuis l'enfance il se bat comme un chat sauvage, comme une panthère. Sans effort inutile, sans effet de muscles. En silence. Pour tuer. Il agrippe le cou de son aîné et presse son pouce sur la trachée.

— Arrête, Pierre. On n'a pas besoin de ça. Tant pis pour le sourd. Ce qui compte, c'est nous.

Pierre le repousse et d'un revers du coude lui fend la lèvre.

— Il n'y a plus de nous ! Je ne veux pas d'un frère comme toi ! Tu es une plaie ! Tu me fais honte !

Batiste roule sur le côté. Le sang coule sur son menton. Son frère lui enfonce les reins à coups de genou. Il gémit :

— Je voulais t'aider...

Pierre lui abat ses deux poings noués sur le crâne.

— Crève !

Le ciel bascule. Une ouate blanche criblée d'étincelles muettes. Quand il reprend conscience, Pierre le savate comme s'il voulait achever un chien galeux. Batiste ne calcule pas son élan, il se ramasse sur lui-même, ouvre grand les yeux qu'il avait au moment de châtrer le marchand de drap et se détend d'un seul coup.

Après, il ne se souvient plus.

Pierre n'a pas crié.

Il est juste tombé.

Au fond du puits d'accès à la galerie.

Trois mètres à peine, mais son pied s'est coincé dans un des fers qui servent d'échelons, ou bien il s'est cogné aux saillants de la roche, ou bien avant de le basculer Batiste l'a désarticulé...

Pierre gît dans le sable humide, les doigts retournés, le visage tuméfié, les jambes formant un angle étrange avec les cuisses. Il sanglote comme un tout petit garçon.

Comment Batiste l'a remonté, comment il l'a porté sur son dos jusqu'à l'infirmerie du chantier, sur la place de Versailles, il ne sait pas.

Madeleine et Blanche sont encore là, elles finissent de langer les malades pour la nuit. Madeleine en voyant ses deux fils couverts de sang tombe à genoux et sa face prend la couleur grisâtre de sa coiffe. Sans un mot, Blanche dégage la table sur laquelle on ampute les membres écrasés par les pierres ou broyés par les roues. Quand son frère l'allonge, Pierre hurle à épouvanter un cimetière et s'évanouit avant que la religieuse en service ait réussi à lui ôter ses guêtres. Les rotules sont déboîtées, une écharde d'os perce la peau au-dessus de la cheville droite, une autre sous le genou gauche. La cheville gauche roule sous la main, dedans on dirait de la bouillie. Batiste tient la tête du blessé, Blanche et Madeleine ses deux pieds. La religieuse tire, pousse, tape avec le poing fermé puis avec un petit maillet. La douleur ranime Pierre qui se met à vagir le *Notre Père* comme si le monde touchait à sa fin. Ses articulations ont trop enflé pour permettre d'apprécier le talent du docteur en cornette, mais les jambes semblent revenues dans l'alignement des cuisses. La religieuse hésite devant les tibias. Elle a l'habitude de réduire des fractures simples mais ignore comment convaincre les esquilles d'os de retourner à leur place. Dans le doute, elle arrose les plaies d'esprit de vin, puis pose fermement sur chaque jambe une planchette qu'elle bande tout du long. Pierre a les yeux renversés, le souffle rauque. La sœur bande également la cheville molle. Dieu sait mieux qu'elle ce qu'il y a là-dessous. Dans Sa miséricorde Il fera certainement pour le mieux. Elle remet les doigts un par un et sangle les bras de Pierre sur son ventre. Madeleine découpe les chausses souillées de son fils. Elle le lave comme le bébé qu'il a été. Elle met son cœur et son esprit dans ses mains, elle ne veut ni penser ni sentir, elle ne veut ni comprendre ni prévoir, elle s'occupe de son garçon, il n'est pas mort, il ne mourra pas, elle demande à Blanche de chanter quelque chose d'apaisant, Blanche chante la douceur limpide des infinis célestes, Pierre rouvre des yeux sanguinolents et lui sourit, une atroce grimace de damné, la petite éclate en sanglots et sort sur la place pour vomir.

Et Batiste?

Batiste s'est enfui.

La guerre de Sa Majesté ressemble à un opéra de Monsieur Lully. De la musique, des héros sanglés dans des cuirasses très seyantes, des plumes et des rubans un peu partout, des armes étincelantes sur lesquelles les taches de sang font comme des mouches sur la gorge des dames, des dames, justement, nombreuses, ravissantes et largement décolletées, de la poudre aux yeux et des forteresses qui tombent aussi courtoisement que des châteaux de cartes. Nine La Vienne n'en revient pas. Elle espérait et redoutait un grand carnage noir et rouge, à perte de vue des plaines et des hommes éventrés, et il lui semble suivre le train d'une troupe de comédiens pensionnés pour mettre en scène chez les Flamands la bravoure et la splendeur du souverain français. Précédés par les sapeurs chargés de consolider les ponts, les régiments marchent en ordre chamarré au son des violons, jamais on n'a vu armée si rutilante, si enthousiaste, si disciplinée, et derrière eux la cour entassée dans une file interminable de carrosses bringuebale docilement, gorgée de poussière, les reins brisés par les cahots mais impatiente d'assister au triomphe d'Hercule. Viennent ensuite des chariots en quantité invraisemblable, portant tentes, mobilier, tapis et tapisseries, linge de lit et de toilette, vaisselle de table et de cuisine, provisions de bouche, bougies, bois, fourrage. La domesticité plus nombreuse que mouches sur charogne va à pied, comme les soldats du rang ; les trafiquants, les profiteurs de tout poil et les filles publiques aussi. À l'étape on dort au petit bonheur. Le roi a si grande impatience d'en découdre qu'il ne laisse pas le temps de monter le camp, la reine couche sur un lit de sangle, ses filles d'honneur à même la paille, les jeunes seigneurs sous les étoiles. On boit du vin aigre et de la bière tiède, on converse avec des manants croisés sur le bord du chemin, on attrape des puces, on plaint les vieux et les malades qui ne s'amusent pas du tout, on vante le bonheur de mourir au service de son maître, on échange des baisers ou davantage en se félicitant de l'aventure. Comme c'est joyeux, la guerre, comme c'est galant... Binche, Charleroi, Arth, Bergues, Furnes, Armentières se rendent quasi sans résistance, et bien que le maréchal de Turenne déplore le manque d'entraînement des fantassins et l'insuffisance des munitions et des vivres, le roi trouve cette campagne tout à fait à son goût. Une guerre de parade, avec des sièges campés selon les règles de l'art, assez impétueux pour s'y mettre en valeur mais assez brefs pour ne pas lasser les spectateurs, voilà exactement ce à quoi il aspirait. Le peintre Van der Meulen, spécialiste des scènes militaires, a reçu ordre de retracer les grandes batailles qui sur les murs de Versailles enseigneront au public la glorieuse histoire du règne. Il s'installe sur un ployant, à l'abri d'une ombrelle tenue par un page, et croque au fusain rehaussé d'aquarelle les abords des villes assiégées, les tentes du camp royal, le mouvement des troupes en rase campage, la traversée épique des rivières grossies par le pinceau en fleuves menaçants, et la mâle silhouette de Louis XIV sur son cheval espagnol. Mâle, le roi entend l'être plus que personne. *Nec pluribus impar*, à la lettre : « Qui n'est pas inégal à plusieurs », mais où le roi veut dire : « Je suffis à

plusieurs mondes ». Le premier guerrier, menant si vaillamment les mousquetaires au siège de Tournai que le
talon de sa botte est emporté par un boulet sans qu'il en
paraisse nullement ému ni tourne seulement la tête. À
Douai, deux boulets le rasent de près sans l'empêcher
de grimper sur le parapet et de s'y exposer à portée de
mousquet de l'ennemi. À Lille, un page de la Grande
Écurie reçoit une salve en pleine tête juste à côté de lui.
Un soldat le tire par le bras en criant : « Ôtez-vous ! Est-ce
là votre place ? », mais l'après-midi même il se remet à
caracoler à découvert, inspectant les fortins, encourageant
les hommes et buvant à pleines gorgées leurs acclama-
tions. Monsieur de Turenne lui promet de quitter l'armée
s'il s'obstine à parader dans la tranchée sur un grand cheval blanc, avec un grand plumet blanc, comme pour se
faire remarquer. Monsieur de Turenne ne comprend pas
que le rôle d'un roi conquérant est justement de se faire
remarquer. Remarquer des soldats qui doivent reconnaître
en lui un nouvel Henri IV et l'idolâtrer comme les païens
de l'Antiquité vénéraient le dieu Mars. Admirer des
princes et seigneurs qui dirigent ses régiments et qui, par
le prestige du sang ou des armes, pourraient prétendre
rivaliser avec lui. Désirer des dames, titrées ou non, demoiselles ou non, qui au débotté ont pour fonction de s'offrir
au repos du guerrier couronné. Quand à la fin du mois
d'avril 1667 le roi s'est mis en campagne, il a emmené la
reine, Madame et toutes leurs filles d'honneur en laissant
derrière lui Louise de La Vallière au motif qu'elle était
grosse de quatre mois et de complexion trop fragile pour
suivre le train sans risque pour son fruit. Juste avant le
départ, il l'a faite duchesse de Vaujours et il a légitimé leur
fille Marie-Anne qui va sur ses quatre ans. La nouvelle a
embrasé la Cour et la ville, et Nine La Vienne en l'apprenant a trouvé que c'était là honorer superbement une
affection vieille de bientôt six ans. Grimpée sur le toit de la

voiture où son oncle a entassé les malles contenant son attirail de perruquier, elle guette, au milieu des cavaliers qui l'entourent, la silhouette de ce prince au grand cœur. Et puis l'armée met le siège devant La Fère-en-Tardenois, et Françoise de Rochechouart de Mortemart, marquise de Montespan, fait porter à Jean Quentin un billet le mandant à minuit dans la tente du chevalier de Rohan. Debout derrière son oncle, Nine se contente de passer les brosses, mais elle guette le reflet de la marquise dans le miroir. Cette femme-là ne ressemble à rien de ce qu'elle a vu aux Bains La Vienne ni chez le vieux Binet. L'œil en nœud coulant, des courbes d'odalisque, un port de tête impérieux, elle n'est pas seulement belle, elle est royale. Alexandre Bontemps patiente à l'entrée de la tente. Dès que Madame de Montespan est coiffée, il pose sur sa tête un long voile et l'emmène sans un mot. Le lendemain matin court la rumeur que La Vallière est certes duchesse, mais qu'elle n'est plus maîtresse. La reine ne comprend rien. Lorsqu'on vient l'informer que, malgré l'interdiction du roi, le carrosse de la nouvelle duchesse de Vaujours approche, elle entre dans une colère effroyable et se réfugie dans les bras de sa chère marquise. Dévorée d'angoisse à l'idée que son amant puisse la répudier, Louise de La Vallière a roulé pendant quatre jours pour lui rappeler ses serments. Sa voiture est arrêtée à moins d'une lieue du camp par deux lieutenants des gardes qui lui enjoignent de repartir sur-le-champ. Le roi est là, oui. Il se porte à merveille, oui. Mais il ne souhaite pas la voir. Des explications? Non, pas d'explications. Sa Majesté lui envoie son bonjour avec un pichet de vin frais, elle l'assure de son affection et la prie de s'en retourner sans faire de scandale. Le carrosse reste jusqu'au crépuscule sur le haut de la colline, et les langues sous les tentes vont un train d'enfer. Ravie de voir sa rivale humiliée, la reine baise avec effusion la main de son mari. À la lune haute, le carrosse repart sans que Louise de La Vallière ait posé un pied sur le sol flamand. Sans que le roi se soit donné la peine de s'enquérir de sa santé. Nine en le regardant s'éloigner songe que Louis XIV n'a pas l'âme si haute qu'elle croyait. Que lui coûtait de recevoir celle qui l'aime assez pour se jeter sur les routes au risque de perdre l'enfant qu'elle porte? Et si vraiment le roi ne souhaitait pas l'imposer à la reine, ce que pourtant il fait toute l'année à Saint-Germain et à Versailles, ne pouvait-il au moins venir la saluer? Elle aimerait demander au chevalier de Rohan si les Grands sont ainsi faits qu'ils ne peuvent aimer qu'au pluriel. Depuis que la Cour s'est mise en chemin, ce superbe seigneur la voit presque chaque jour et la traite avec amitié. Une amitié qui n'est pas de l'amitié, bien sûr, il se soucie moins d'elle que de sa dernière jument, mais elle lui inspire une sorte de curiosité amusée. La veille du départ en campagne, il lui a apporté des habits de garçon avec souliers à boucle, petit chapeau et gants chamois. Jean Quentin a poussé des cris stridents, mais Rohan l'a aisément persuadé qu'ainsi travestie sa nièce pourrait se promener au milieu des gens de guerre sans être importunée. Nine en justaucorps ajusté se plaît beaucoup. Le perruquier la présente comme son neveu, et aucun des clients de l'atelier Binet ne l'a reconnue. Beaucoup sont là, le ravissant Lorraine, le solide maréchal d'Aumont, le bouillant Louvois qui est le fils aîné du ministre de la Guerre Le Tellier, tous hâlés, crasseux, amaigris par les longues chevauchées. Chaque matin au premier clairon Nine prend brosses, huiles et rubans et, passant d'une tente à l'autre sur les talons de son oncle, elle frise les cheveux que ces messieurs laissent flotter pour imiter le roi. La vérité secrète est que le roi porte non pas sa chevelure naturelle, mais une perruque à fentes, cousue par Nine selon le modèle de celle d'Adam dans les jardins de Versailles et offerte par Rohan qui s'en est attribué l'idée.

Louis XIV s'est trouvé si content de ce cadeau qu'il a promis au chevalier de rembourser ses dettes de jeu. Nine n'a soufflé mot du subterfuge à personne, pas même à son oncle. La confiance d'un Louis de Rohan se mérite, elle se ferait cuisiner en salmis plutôt que de trahir. Elle sourit en pensant qu'elle est la complice du grand veneur de Sa Majesté et que le roi est beau grâce à elle. Le soir, toujours suivant Jean Quentin, elle poudre et parfume les combattants fourbus afin qu'ils puissent souper sans étourdir les dames par leur fumet de bouc. Au passage, elle leur fait essayer quelque onguent de sa façon. Contre les moustiques et les taons. Contre les poux. Contre les démangeaisons qui viennent à l'aine, aux aisselles et dans le pli du genou sous l'effet de la sueur. Contre les hémorroïdes dont la plupart souffrent sans s'en vanter. Beaucoup ont les mains cisaillées par les rênes. Les chevilles entamées par les étriers. Les yeux attaqués par la poudre. Des bubons. Des écorchures. Nine les oint avec application, mais ce n'est pas pour soigner ces peccadilles qu'elle est venue jusqu'ici. Jean Quentin a rarement besoin de ses services après souper, et en été, le soleil se couche tard. Dès que son oncle la congédie, elle emprunte une mule et file sous les murailles où pendant la journée l'on s'est battu. La consigne dans les deux camps est de récupérer dès la fin de l'engagement les blessés, mais les brancards ramènent en priorité ceux qui portent cravate et éperons, Nine a donc tout loisir d'examiner ceux qui restent. Ils sont généralement une centaine agglutinés dans les tranchées ou éparpillés dans les chaumes, et la petite s'effare qu'avec une constitution identique les hommes trouvent tant de façons de souffrir et de mourir. La première fois qu'un soldat touché à l'estomac lui crache un flot de sang au visage, elle s'évanouit. Ensuite elle serre les dents. Elle ne peut rien pour la plupart de ces malheureux, pas même les soulager. Elle passe de l'un à l'autre avec la sensation d'être un busard en quête de chair pantelante, et priant à haute voix se penche sur les ventres ouverts et les crânes broyés. Elle veut voir, elle veut comprendre. Le flux du sang dans le corps. La forme et la consistance de la cervelle. La façon dont la chair tient aux os et dont les veines irriguent la matière humaine. Les organes dont dépendent la vie, comme le foie, les reins, le cœur, les poumons. Dans les rabats de son habit elle cache du fil ciré, une aiguille, quelques outils empruntés par Rohan au docteur Lequenec qui est chirurgien du régiment des Cent Suisses, et toutes les fioles qu'elle a pu emporter. Les mains tremblantes, suant à grosses gouttes, elle tâche de se remémorer les leçons glanées ici et là. Rien ne peut représenter ce que c'est que d'essayer, à genoux dans l'herbe gluante de sang, de remettre un écheveau de boyaux dans un abdomen troué par un coup de sabre. À paumes nues. Pendant que le blessé vous fend l'âme et les tympans par ses cris. Ce que c'est que de chercher un mort encore tiède et de lui scier le bras ou la cuisse pour étudier l'articulation de son épaule ou de son grand fémur. De s'asseoir près d'un soldat touché à la gorge ou à l'aine en calculant le rapport entre l'hémorragie et le temps de l'agonie. De recoudre à vif des doigts, un pied, une oreille en sachant que le pauvre hère qui sanglote et vous bénit de prendre soin de lui a aussi peu de chance d'échapper à la gangrène que vous de devenir archevêque. Les plus costauds, peut-être, s'en tireront. En redressant de son mieux les membres démis, en suturant les estafilades, en délogeant les balles, en désinfectant à l'urine et au vinaigre, en posant des emplâtres, Nine espère que sur le nombre une dizaine guérira. Il lui semble que dix vies sauvées justifieraient l'horreur de son entreprise. Même cinq ou six suffiraient. Deux ou trois. Tenaillée par le doute, elle se réveille en sursaut au milieu de la nuit et pleure des larmes qui ont un goût de fiel. Est-ce qu'au terme des combats un seul de ces hommes sans nom dont elle se force à oublier le visage aura survécu ?

La guerre prend fin comme elle a commencé, avec des marches en musique et des baisers. Après la prise de Lille, qui est la plus riche des possessions espagnoles en Flandre, le roi profiterait volontiers de la terreur que ses armées inspirent pour attaquer Bruxelles, mais le maréchal de Turenne l'en dissuade d'autant plus facilement que Sa Majesté a moissonné assez de trophées et qu'il lui démange de rentrer pour jouir du plus beau d'entre eux : la marquise de Montespan. Monsieur Lully apprend à Nine qu'en Italie les opéras chantent l'amour comme la plus douce et la plus cruelle des guerres. Violoniste prodige, compositeur prolixe et courtisan dans l'âme, le surintendant de la musique royale est mari et père, mais sous la lune il hante les rangs des fantassins endormis en quête de délices d'autant plus délectables qu'interdits. Il trouve au jeune apprenti de maître Quentin une fort jolie tournure. Le jouvenceau est aussi frêle qu'un moineau, mais quand il se penche, sa culotte lui dessine des formes appétissantes et dans ses yeux trop grands pour son menu minois brûle une fièvre qui ressemble à une faim. N'ayant aucun goût pour la violence et préférant les plaisirs partagés, Lully lui fait la cour. En musique, évidemment. Il lui montre comment tenir un archet. Il lui enseigne les notes. Il joue, il chante, il danse pour lui. Il lui raconte qu'il a connu le roi à l'âge de quatorze ans. Un garçon massif, silencieux, ombrageux, conscient jusqu'à la douleur de l'immensité de sa tâche et pourtant impatient de s'y atteler, avide de gloire et doutant de lui-même. Il jouait gentiment de la guitare et il aimait la danse. Lully a fait de lui un excellent musicien et un remarquable danseur. Mieux, il l'a mis en scène. Au milieu du théâtre, sous les yeux de l'ancienne noblesse frondeuse, de la Cour, de la France, du monde.

Le roi lui doit son image. Une part importante, essentielle de son image. À lui, le baladin florentin. Quel génie, n'est-ce pas ? Si le charmant neveu de maître Quentin voulait, ce génie pourrait le sortir de l'atelier Binet et lui trouver un emploi alliant plus d'agrément à de plus brillantes espérances... Troublée malgré elle, Nine rit et se laisse embrasser sur la joue. Jean-Baptiste Lully n'est ni grand ni vigoureux, il a les dents gâtées, il boit comme un soudard, son accent italien est aussi fort que l'accent espagnol de la reine, il est vaniteux, menteur, intéressé, il vendrait sa mère, sa femme et ses filles contre un quart d'heure de débauche, mais il a un je-ne-sais-quoi qui donne envie de tout lui pardonner. Ce petit homme aime immodérément la vie, et il met tant de talent à exprimer sa fougue qu'elle en devient contagieuse. Nine ces derniers temps a beaucoup vu mourir. Elle a maintenant une furieuse envie de vivre.

Vous aussi, Charles, n'est-ce pas ? Malgré votre deuil. Malgré mon départ. Vous avez cela en vous, vous l'avez toujours eu. La rage de vivre vous est venue avec la vie même, et la mauvaiseté de votre père n'a pas réussi à vous en dégoûter. La première fois que je vous ai pris dans mes bras, vous n'aviez pas un mois, et depuis l'instant de votre naissance il semblait que vous n'eussiez pas arrêté de crier. Pas de pleurer, de crier. Bonne Fermat qui vous donnait le sein en perdait son lait, et le comte votre père hésitait entre vous étouffer avec un coussin ou vous abandonner aux loups dans la forêt de Gouffern. Seul le souci de l'avenir le retenait. Pas votre avenir, le sien. Comme votre mère avant vous, vous n'étiez à ses yeux pas une personne mais une clef. La première clef ne lui avait ouvert que des portes murées. La seconde devait compenser cette déception en lui offrant un jour son retour en grâce. Si vous mouriez, il était sûr de ne jamais revoir la Cour et de finir ses jours ici, entre Gervaise et Quentin, avec pour toute distraction un viol d'enfant de temps à autre. Sur le chemin entre Versailles, où vous étiez né, et ses terres d'Almenêches, où il se retirait avec vous, il a failli vous jeter par la portière. Sincèrement je le comprends. Vos hurlements auraient rendu enragé le plus placide des moines bénédictins. C'est Bonne qui lui a suggéré de recourir à mes services. J'étais installé au village depuis peu, mais j'avais déjà soigné ses jumeaux d'une otite jumelle, la grosse Charlotte sa voisine m'avait aussi consulté pour son aînée qui toussait, et encore la mère Angéline pour son poupon qui vomissait. À son idée, j'avais une entente singulière avec les petits. Le comte Emmanuel m'a convoqué au château. Il m'a reçu dans la tour où il vous avait relégué avec votre nourrice afin que vos vagissements n'achevassent pas de lui gâcher le goût du pain et du vin. Un feu brûlait dans la cheminée, Bonne se tenait près du berceau où vous vous époumoniez, et lui marchait de long en large devant la fenêtre, l'air d'un homme tourmenté par un abcès à la mâchoire. C'est à peine s'il m'a jeté un coup d'œil.

— On me dit, Monsieur, que vous vous y entendez en marmots.

Je m'inclinai avec un respect que j'étais, vous comprendrez plus tard pourquoi, loin d'éprouver.

— Je connais en effet quelques tours. Si Monsieur le comte veut me confier...

— Il faudra plus que quelques tours, je vous assure. Mon fils n'est pas un enfant, c'est un démon.

Je ne pus m'empêcher de sourire.

— J'ai une solide expérience des démons.

Il s'approcha et me toisa de toute sa hauteur.

— Je vous trouve petit, et bien chétif. Êtes-vous en bonne santé, au moins ?

— Excellente. Mon père, paix à son âme, n'était pas très grand lui non plus...

— Comment vous nomme-t-on ?

— Ange Lacarpe, Monsieur le comte. Ma famille vient de Loches, nous cousinons avec Monsieur Bontemps qui est premier valet de chambre du roi...

— Je sais qui est Bontemps et ne veux pas en entendre parler. Dites-moi seulement si vous serez capable de faire taire ceci.

De sa main gantée de noir, il montrait le vieux berceau des comtes de Cholay au fond duquel vous brailliez sans reprendre votre souffle.

Je me suis approché et penché. Violacé, gonflé, plissé, la bouche en four béant d'une oreille à l'autre, deux fentes boursouflées en guise d'yeux, vous étiez, je l'avoue, aussi affreux qu'un diable. Je me suis retourné vers la pauvre Bonne qui me couvait d'un regard éperdu, puis vers votre père qui déjà gagnait la porte.

— Me permettez-vous de prendre Monsieur votre fils afin de l'examiner ?

— Faites-en ce que bon vous semble. La manière m'importe peu, du moment que vous le rendez muet. Mais ne le tuez pas, hein, j'ai besoin de lui !

Je baissai les yeux sur vous.

Vous.

Ne plus penser qu'à vous.

Je vous sortis de vos dentelles. Langé comme un cocon, vous empestiez l'ordure. Je vous dévêtis entièrement et, avec l'aide de Bonne qui pressait son gros sein comme un pis, je vous lavai de la pointe du crâne à la pointe des talons. Au lait, oui. Le lait de femme, de vache ou de brebis vaut infiniment mieux que le vinaigre qui dessèche la peau des nourrissons et favorise les crevasses. Évidemment vous n'avez, pendant cette opération, pas cessé de hurler. Pas de détresse, ni de peur, ni de faim. De fureur. Vous hoquetiez si fort que Bonne, craignant le pire, pleurait dans sa moustache. Certainement, Bonne avait déjà une moustache. Non pas blanche comme aujourd'hui, mais du même noir corbeau que ses cheveux, et presque aussi fournie que celle de son mari. Quand vous fûtes raisonnablement décrotté, je priai votre nourrice de sortir un moment, je tirai un tabouret près du feu et vous calai sur mes genoux. Vous étiez si laid, vous criiez si fort et vous vous débattiez avec tant de mauvaise grâce qu'il était difficile de vous trouver aimable. J'avais la gorge sèche, et je me demandais si je n'étais pas en train de faire la seconde plus lourde erreur de ma vie. Mais j'étais dans l'arène, il fallait trouver un moyen d'apprivoiser le lion. Je pris une longue respiration et, approchant mon front du vôtre, sur le ton d'une confidence entre deux amis de longue date, je commençai de vous parler :

— Il n'y a de cela pas si longtemps, en beau royaume de France où tout n'était pas beau, vivaient un fils de roi et un fils de personne. Le fils de roi était né pour monter sur le trône, le fils de personne ignorait pourquoi il était né. Le premier grandit dans une lumière dorée, le second dans l'ombre amère qui est le lot des déshérités. Jamais au grand jamais leurs chemins n'eussent dû se croiser, et encore moins leurs destinées se mêler. Mais la Fortune est femme, et rien ne lui plaît tant que de jouer avec les humains...

Vous m'écoutiez. Je vous le jure, Monsieur, vous m'écoutiez. Aussi muet que le poisson dont je porte le nom, le visage encore tavelé de plaques rouges mais défroissé, les yeux écarquillés et posés sur ma bouche. Avec le même timbre feutré, je continuai mon discours.

— Le roi n'aimait pas beaucoup les gens. Le fils de personne non plus. Mais par calcul et par habitude, tous deux faisaient semblant. Le roi jouait au père de ses sujets, et le fils de personne jouait à aimer toutes les femmes. Le roi aussi aimait les femmes, mais il les aimait moins qu'il ne s'aimait lui-même...

Sans cesser de parler, je plaçai le bout de mon petit doigt entre vos lèvres. Vous gargouillâtes et, serrant les gencives, vous entreprîtes de me téter avec la rage qu'un moment plus tôt vous mettiez à hurler. Je souris. Les bûches se consumaient dans la cheminée, Bonne déjà par deux fois avait passé la tête par la porte sans oser nous déranger. Je repris le fil de mon récit sans savoir où j'allais. Je n'avais jamais raconté d'histoire à un bébé et je m'étonnais que les mots coulassent si aisément.

— Le fils de roi avait un frère. Le fils de personne aussi... Tous deux pensaient que leur mère trouvait à ce frère trop de qualités et dans le secret de leurs nuits rêvaient de l'éclipser...

Ce conte-là ne s'annonçait pas très moral. Peu importait, le fils de roi et le fils de personne ne vous lassaient pas. Je vous sentais vous alanguir sur mes cuisses, mais vous étiez têtu, vous ne vouliez pas céder encore, pas tout de suite. Vous m'avez écouté ainsi une heure pleine, les yeux ronds et fixes, et au dernier mot, au dernier mot seulement, vous vous êtes endormi. Les passions qui m'avaient animé jusqu'alors m'avaient laissé moribond. Pour vous, par vous, mon cœur s'est remis à battre. Ce matin-là je suis tombé amoureux de vous, Charles, oui, véritablement amoureux. En vous reposant doucement dans votre berceau, je me suis juré d'empêcher qu'on vous fît du mal, et de ne me retirer que lorsque je vous saurais hors de danger.

J'ai tenu parole. Vous avez passé l'âge des maladies d'enfant, vous êtes sain de corps autant que d'esprit, et la mort de votre père vous met à l'abri de ses visées sournoises. Ma mission est accomplie, je puis maintenant reprendre la route que j'aurais suivie si vous n'aviez fait irruption dans ma vie.

Je sais que sans me l'avoir jamais dit, vous m'aimez. Je sais que je vous manque. Mais je suis là, Charles, je n'ai pas lâché votre main. L'histoire que vous lisez est la suite de notre première histoire, celle du fils de roi et du fils de personne, celle que je vous ai contée de mille façons différentes au fil des ans. Vous avez toujours aimé les histoires qui serpentent, et à toutes vous préfériez celles qui n'ont pas de fin. Cette histoire-ci va encore beaucoup serpenter. Et si vous le décidez, elle n'aura pas de fin. À mesure que je l'écris, je vous la chuchote à l'oreille. Là, tout contre votre oreille. M'entendez-vous?

Nous avons quitté Pierre Le Jongleur entre les mains d'une infirmière persuadée que la prière mieux que tous les remèdes ressoudrait ses os brisés, sa mère cramponnée à son chapelet, sa petite sœur en train de sangloter sur la place de Versailles et son frère Batiste disparu dans la nuit.

Dans les semaines qui suivent, les lendemains familiaux pleins de foi et d'ardeur prennent le visage d'une tragédie. Les nouvelles des opérations dans les Flandres arrivent par bouffées glorieuses, les ouvriers à chaque place forte enlevée allument des feux d'allégresse, mais Madeleine n'a plus le cœur de se réjouir pour son roi. Incapable de soulever les jambes, souffrant la malemort à chaque mouvement, Pierre a fait prévenir qu'il ne savait quand il pourrait reprendre le travail. Il a recouvré l'usage de ses doigts et de ses genoux, mais les échardes de ses tibias refusent de rentrer sous la peau et sa cheville en bouillie le torture. Au début le maître maçon qui l'emploie se déplace en personne pour prendre de ses nouvelles. Il a signalé l'accident, et le docteur Claude Lottin, qui est le meilleur des trois chirurgiens appointés par la surintendance pour panser et médicamenter les blessés du chantier, est venu par deux fois visiter le blessé. Après un mois, maître Bergeron envoie son premier apprenti et commence à se plaindre du retard pris sur les ouvrages en cours. Inquiet qu'en l'absence du roi la discipline sur le chantier ne se relâche, Monsieur Colbert vient d'édicter une ordonnance interdisant les cabales et punissant les absences avec sévérité. Les cabales sont des coalitions visant à obtenir par la grève l'amélioration des conditions de travail, le dédommagement en cas d'accident ou le paiement des salaires en retard. Le prévôt a pour consigne de sanctionner ceux qui s'attroupent et de châtier de façon exemplaire ceux qui refusent de travailler. Les peines vont du fouet en place publique à six mois de prison. Les jambes de Pierre se sont brisées sur le chantier, mais l'assistant du prévôt a affirmé que sa chute résultait d'une bagarre et Pierre n'a pas reçu les quarante livres d'indemnisation prévues par le règlement.

Pour le malheur de la famille Le Jongleur, l'assistant du prévôt est Anselme Boniface. La brute chafouine et libidineuse qui leur a loué la cabane. Celui que Jésus a failli égorger. Lui aussi a fait du chemin, il porte maintenant des bas, des souliers cirés, une montre au bout d'une chaîne et une cravate bouffante qu'il noue haut sur son cou afin de cacher les cicatrices laissées par les crocs du furet. C'est à force de dénonciations qu'il s'est hissé du statut de contremaître à celui d'assistant du prévôt, et dans cette fonction de père Fouettard il s'épanouit comme une tique sur le garrot d'une vache. Batiste est protégé par Denis Jolly, Boniface malgré ses désirs de vengeance ne peut l'atteindre. Mais en attendant de nuire au cadet, il compte ruiner l'existence du frère aîné, de la mère et de la petite sœur. L'un après l'autre, méthodiquement.

En premier, le rousseau. Dès que Pierre reprend conscience, sous prétexte de dégager un lit à l'infirmerie, Boniface le renvoie dans sa cabane. Sous le toit moisi l'air circule mal et les insectes pullulent. La chaleur aidant, le blessé va pourrir dans des souffrances affreuses. Mais eu égard à l'offense infligée par les deux garçons et leur furet, Boniface n'entend pas s'en contenter. Il veut essorer la loueuse de sangsues comme une chiffe, il veut la broyer comme une noix et qu'en se traînant à ses pieds elle le supplie d'accepter l'étreinte qu'elle lui a refusée il y a deux ans. Il a souvent repensé à sa croupe de bonne jument de labour, à ses énormes seins. Il les téterait volontiers, ces seins. Sans mordre, ou alors juste un peu. Madeleine a dû quitter l'infirmerie pour s'occuper de son blessé, et le loyer de la cabane est payable par quinzaine. Combien de quinzaines pourra-t-elle tenir sans demander au nouveau contremaître un délai? Et même si le délai est accordé, comment parviendra-t-elle à nourrir un invalide qui doit manger gras pour ressouder ses os, une fille de onze ans qui pousse comme une tige de haricot, plus elle-même dont le seul capital est la chair rebondie? Sans parler du toit, sous lequel Monsieur Colbert ne la laissera pas éternellement loger à crédit.

Le vaurien au furet lui donnera de l'argent? Peut-être. Mais une paie de garçon fontainier ne suffit pas à entretenir quatre personnes. Sauf, à la rigueur, si le bouclé s'affame. Anselme Boniface caresse sa panse. Il imagine Batiste Le Jongleur décharné, haletant au fond d'une galerie, collé au ventre humide d'un tuyau plus épais que lui. Trop faible pour remonter à la surface. À demi mort de faim. Aux trois quarts mort. Tout à fait mort. *Alleluia.* Quelques pelletées de chaux et la mère effondrée, absolument démunie, seule face à lui, l'assistant du prévôt. Un régal robuste qu'il dégustera en connaisseur, sans se presser.

Quand il en sera lassé, il passera à Blanche. Une voix d'ange, dont même le prévôt a entendu parler. Elle chantera pour lui. Ensuite il lui prendra sa fleur. Et après, il la vendra. À moins qu'il ne la loue. En lui recousant l'hymen elle passera pour vierge, et les vierges se négocient deux fois le prix de celles qui ont déjà servi. Boniface s'étire.

Monsieur de La Fontaine prétend que «patience et lon-gueur de temps font plus que force ni que rage», et Monsieur Corneille que «le désir s'accroît quand l'effet se recule», ce qui est une façon de dire que plus on attend l'instant convoité, meilleur il est quand on le tient enfin. Boniface jusqu'ici a surtout eu de la force, de la rage et de l'impatience. Mais cette fois-ci il ne lui déplaît pas de jouer au chat et aux souris. «Laissez venir à moi les pauvres et les déshérités», disent les Évangiles. C'est très exactement ce qu'il a l'intention de faire.

Depuis l'accident, Batiste n'a pas revu son frère. Madeleine le tient pour responsable et lui défend d'appro-cher de la cabane. Si Batiste est debout sur ses deux jambes et Pierre tout fracassé, c'est qu'en essayant d'échapper à une raclée méritée, le cadet a poussé l'aîné dans le trou. Intentionnellement. Le fils de Madeleine Le Jongleur, nourrice, et de François Augustin Philippeaux, curé, est un voleur et un meurtrier. L'ivraie ne tourne jamais en blé, Batiste porte le sceau du Mal depuis sa conception. Du temps où le petit suivait cour des Miracles un enseignement dont Madeleine préférait ignorer le détail, Parrain disait que ce filleul si doué était plus dange-reux que lui. Plus dangereux qu'un maître tueur, Madeleine en a des frissons sur la nuque. Elle se remé-more les mains agiles du curé Philippeaux, sa voix de confessionnal, comment il l'arrosait d'eau bénite puis la léchait sur tout le corps, comment ensuite il la besognait agenouillée au pied du crucifix où Jésus pleurait en silence les péchés du monde. Batiste est né de ces accou-plements maudits, et voici que sonne pour elle, Madeleine, l'heure d'expier par ce fils monstrueux ses nombreuses, considérables, terribles fautes. Si au moins Blanche était déjà au cloître, ses prières, peut-être, pour-raient amadouer la juste colère du Seigneur. L'an passé, avec la recommandation des sœurs de Saint-Vincent-de-Paul qui l'emploient, Madeleine a présenté la candidature de sa fille aux Grandes Carmélites du faubourg Saint-Jacques. Un des plus prestigieux couvents de France et l'un des plus rigoureux. Madeleine avait choisi ces dames parce qu'elles logaient à Paris rue d'Enfer, ce qui pour sauver des âmes semblait de bon augure, et qu'en plus des cadettes de haute naissance, il leur arrivait d'accepter des filles de condition modeste présentant un talent particulier. La voix stupéfiante de Blanche a plaidé en sa faveur. Sous condition de virginité certifiée par deux matrones assermentées, la mère abbesse acceptait de recevoir la petite avec une dot qualifiée de «symbolique». Cette dot symbolique représente pour Madeleine une existence entière d'efforts et de privations, mais que sont les sacrifices consentis ici-bas au regard de la vie éternelle? Blanche a protesté. Elle ne voulait plus chanter pour Dieu mais pour Monsieur Lully, et elle tremblait à l'idée d'être enfermée vivante dans ce grand cercueil de pierre qu'est un carmel. Les verges ne gâtant pas la voix, Madeleine ne s'est pas privée de lui inculquer à main levée le sens du devoir filial. À force d'être fouettée avec des orties, la pauvre Blanche a fini par rêver à la sévérité des carmélites comme à un paradis douillet. Au moment où le roi est parti moissonner les lauriers dans les plaines flamandes, Madeleine espérait envoyer sa fille rue d'Enfer dans le courant de l'année 1668.

Mais Pierre s'est cassé les jambes. Son frère lui a cassé les jambes.

Maudit.

Chaque soir, dès que Jolly le libère, Batiste apporte un panier avec une ration de ragoût, une cruche d'eau pure, un fruit et parfois un peu de linge?

Maudit.

La ration est la sienne, qu'il a mise de côté pour que Pierre mange à sa faim?

Maudit.

Le quinze et le trente du mois, qui sont jours de paie, il dépose de l'argent dans le creux de l'arbre où Blanche cache ses fagots?

Maudit.

Cet argent est ce qu'il gagne à la force de ses bras, tout est là, il n'en garde rien pour lui?

Maudit.

En promettant à Denis Jolly de travailler doublement, il a obtenu que le maître fontainier envoie à Pierre son propre docteur, chirurgien éminent, accompagné d'un valet portant ses instruments?

Maudit.

Pierre se laisse examiner par l'Esculape en perruque. Avec de grosses larmes dans les yeux, Blanche demande à Batiste de ne pas s'attarder dans les parages, sinon leur mère appellera l'assistant du prévôt. Anselme Boniface lui-même, oui.

Maudit.

En premier lieu, le docteur décrète que le sieur Lottin est un âne et que la cheville gauche est hors d'usage. Comme il est chirurgien patenté et qu'il a apporté de quoi scier et suturer, il la coupe.

Le cri de Pierre perce le cœur de Batiste comme un foret.

En second lieu, le docteur tarit le sang en enroulant des toiles d'araignées autour du moignon qu'il bande ensuite en recommandant de ne changer le pansement sous aucun prétexte. Les parasites grouillent dans la cabane et se trouveraient fort aise de bambocher sur une plaie vive. Ils y pondraient des œufs qui deviendraient des larves, et ces larves tueraient le patient aussi sûrement que s'il attrapait la peste bubonique.

Batiste s'affaisse contre un arbre avec au milieu de lui un trou que rien, jamais, ne pourra réparer.

En troisième lieu, le docteur palpe les genoux, qui le satisfont.

Pierre ne marchera plus. Il ne passera pas apprenti, et encore moins maçon. Il n'épousera ni la fille Bergeron, ni la fille Villedo, ni probablement aucune fille. Pierre sera un infirme, un poids mort. Pierre ne sera plus Pierre.

En quatrième lieu, le docteur examine les deux tibias, qui lui tirent des soupirs contrariés. Ces tibias-là ont fort mauvaise allure. Du violet, du jaune, et même un peu de noir. Sous l'enflure qui depuis l'accident aurait dû se résorber, on sent les échardes d'os détachées de leur bois d'origine. Pour les échardes importunes, rien ne vaut le rabot. Le docteur prie son valet de tenir le malade, et fermement il rabote. Après quoi il saupoudre la surface rabotée de poudre de myrrhe et emmaillote soigneusement les jambes jusqu'à mi-cuisses.

Si Pierre ne hurle plus, c'est qu'il n'a plus de voix. S'il ne pleure plus, c'est qu'il n'a plus de larmes. Le visage dans les feuilles sèches, la bouche pleine d'herbe et de terre, Batiste pleure et crie à sa place.

En cinquième et dernier lieu, le docteur laisse des consignes et du sirop d'opiat. Les consignes sont de ne pas plus dérouler les bandes des tibias que celles de la cheville, les démangeaisons seront signe que l'os sort de sa torpeur et se reconstitue. Le sirop d'opiat s'administre pur ou dilué. Dans le cas présent le donner pur, à raison d'une cuillerée toutes les trois heures. Il fera dormir le patient, et lui permettra de restaurer ses forces. Si Dieu le veut, dans quinze jours il ne souffrira presque plus, et quand le roi reviendra des Flandres il pourra se lever et venir l'applaudir. Sur des béquilles, bien sûr, mais perdre un pied vaut mieux que mettre ses deux pieds dans la tombe, n'est-ce pas ?

Si Dieu le veut.

Batiste ne croit pas en Dieu. Il croit en sa tête et en ses dix doigts. Il croit en ses cils et en son vit. Il croit en son instinct et en son ardeur. Il croit que tout bois est bon quand on gèle et qu'il faut faire du feu. Il croit que la justice humaine sert seulement ceux qui la rendent, que l'Enfer a été inventé pour effrayer le peuple, et que le remords est la vertu des lâches et des hypocrites.

Après un séjour dans les geôles de la prévôté, Thomas le Sourd a été reconnu coupable d'avoir dérobé des outils de maçon. En sa qualité de représentant du roi, le prévôt de Versailles l'a condamné à avoir la main droite tranchée. Batiste passe la nuit qui précède l'exécution au fond de la galerie où son frère est tombé à se demander s'il doit avouer son vol. Se dénoncer sauvera peut-être le Sourd, mais s'il se livre, qui assurera la subsistance de Pierre, Blanche et Madeleine?

Sur la place de Versailles, à côté de l'infirmerie, une estrade attend les condamnés. Le châtiment devant impressionner le plus possible l'assistance, on a joint au présumé voleur deux déserteurs. Ces malheureux sont des soldats qui avant le départ des troupes pour les Pays-Bas espagnols ont été affectés au creusement du Grand Canal. Le Grand Canal est une nouvelle folie du roi, une sorte de lagune artificielle qui doit fermer par un miroir d'eau géant la perspective des jardins. La tâche est titanesque, et les miasmes qui se dégagent des terres remuées abattent les journaliers à un rythme tel qu'il a fallu leur apporter un renfort militaire. Les soldats trouvent naturel de mourir au combat pour la grandeur du royaume, mais ils jugent beaucoup moins acceptable de crever de fièvre ou de dysenterie pour que Louis XIV puisse promener les dames en gondole au pied de son château. Depuis le commencement du déblaiement ils désertent par dizaines et se terrent dans les villages voisins en espérant que Dieu leur sera plus clément qu'Apollon. Ceux qui doivent partager l'estrade de l'infamie avec Thomas le Sourd ont été arrêtés par les sergents chez une veuve de Buc-les-Roses qui les présentait comme ses fils. Ils sont à peine plus vieux que Batiste et tremblent sous leurs chaînes. En raison de leur jeune âge on ne les pendra point, mais avant de les envoyer aux galères, on va les marquer d'une fleur de lys et leur couper le nez puis les oreilles. L'officier chargé de la besogne les examine de près et vérifie le tranchant de sa lame. Monsieur Louvois a précisé que l'intention du roi est que l'on coupe seulement le bout du nez. Le geste doit donc être assorti à l'anatomie, et adéquatement vif et précis. Le premier soldat s'évanouit en perdant son appendice nasal, le second tient jusqu'à ce que ses oreilles tombent sur ses cuisses. Ils se réveillent quand on leur applique le fer rouge dans le gras de l'épaule et leurs sanglots retournent l'estomac du public. Thomas le Sourd contemple cet édifiant spectacle sans paraître inquiet de ce qui l'attend. Quand on lui abat le poignet il ne crie pas, ne gémit pas, ne jure pas, c'est à croire qu'en plus de sourd et d'idiot, il est devenu muet. Raide au milieu de la foule impressionnée par le sang, le malheur et le bel uniforme des officiers, Batiste regarde sans ciller le trancheur galonné brandir la main innocente. Il a ses yeux de métal et il se sent aussi vide qu'après avoir incendié l'église de son père. Le remords est un luxe qu'il ne peut ni ne souhaite s'offrir. Regretter ne remettra pas plus cette main en place qu'elle ne rendra son pied à Pierre. Le fils du curé Philippeaux a une plaie béante à la place du cœur, mais personne ne le sait. Il ferme les yeux pour laisser entrer en lui la clameur qui salue le départ en charrette des trois condamnés liés en fagot, dos contre dos et tout sanguinolents. Batiste a perdu cette partie et les dégâts dépassent ce que dans ses pires cauchemars il aurait pu imaginer. Mais pour Pierre, pour Blanche, pour Madeleine, pour ce pauvre Thomas, aussi, à qui il paiera une prothèse en bois, il gagnera la seconde manche.

Les jours qui suivent la visite du chirurgien, Pierre som-
nole. Blanche et Madeleine se relaient pour lui humecter
la bouche, chasser les insectes et verser entre ses lèvres la
potion qui le maintient dans une providentielle incons-
cience. Le médecin prépare une seconde bouteille que
son valet porte jusqu'au domicile du patient. Il demande
deux livres, payables sur-le-champ. Jeanne Jolly, dont le
ventre ressemble maintenant à un tonnelet, se fait prier
de toutes les manières verticales et horizontales qu'une
femme enceinte peut inventer. À bout de caprice, elle finit
par donner à Batiste les deux livres. Mais le sirop n'agit
plus. Pierre souffre tant que par moments il en perd le
souffle. Soucieuse de respecter le second commandement
du docteur, Madeleine attend pour ôter le pansement du
pied que celui-ci soit aussi raide et croûteux qu'un quignon de pain rassis. Dessous, le moignon ressemble à un
hachis mal cuit. Pensant bien faire, Madeleine le badigeonne avec un reste d'onguent à sangsues et le lange
derechef. Dévoré d'inquiétude, obsédé par le souci de
trouver de l'argent, Batiste passe ses jours sur les nouveaux
arrangements avec lesquels Jolly veut fêter le retour du roi,
et ses nuits à dessiner les plans machine avec laquelle il
espère faire fortune. Pour la première fois de sa vie il n'a

plus de temps, plus de forces, plus de sang pour les jeux d'alcôve. Jeanne Jolly s'en étonne, puis s'en agace, puis s'en fâche, puis s'en lasse. Si joli et bouclé soit-il, un amant sans vaillance ne lui est d'aucune utilité, et les personnes ou les choses inutiles, elle les met au rebut. L'amour éternel qu'entre les draps elle lui jurait? Des mots. Le maître menteur a trouvé sa maîtresse menteuse. La brûlante passion qu'il lui inspirait? Une simple affaire de combustible. Quand on cesse de mettre des bûches dans l'âtre, il cesse de brûler.

Batiste ne peut plus compter sur Jeanne, mais il lui reste la carpe. La carpe impériale, la carpe immortelle. Depuis qu'il travaille dans les jardins, l'apprenti fontainier a eu maintes fois l'occasion d'observer le roi. En public, Louis XIV se montre économe de ses mots et de ses gestes, et ses moindres actions semblent pensées et exécutées à la façon d'un ballet dont il est le premier spectateur. Selon la scène à jouer et selon l'assistance, il est digne et froid à l'image de sa propre statue, gaulois et fougueux autant que son ancêtre Henri IV, rechigné comme Monsieur Colbert ou poète comme Monsieur Le Nôtre. Mais ce qui fait briller ses yeux, ce qui fait frémir ses mains sur le pommeau de sa canne, c'est la beauté. Il révère cette déesse-là, et comme il est roi, il fait le nécessaire pour, sous forme de femme, d'eau jaillissante ou de verdure enchanteresse, la posséder. Souvent, tapi derrière la margelle d'un bassin, Batiste l'a surpris immobile, captivé par une perspective traversée de lumière, par l'accolade d'une voûte végétale, par la pluie de nacre d'une fontaine. Batiste va offrir à cet esthète de quoi rêver. Un être doré, qui grandira à mesure de sa gloire et qui lui survivra. Un présent si royal et en même temps si surprenant qu'il ne pourra qu'en être touché. Avec les petites gens, Louis XIV n'est jamais hautain, ni impatient, et les ouvriers qui travaillent à embellir son cher Versailles sont rarement éconduits. Le plan de Batiste est simple. Parvenir jusqu'au roi. Lui donner le poisson. Profiter de son étonnement pour lui exposer son projet de pompe de relevage à six chevaux, et peut-être aussi son idée de machine à polir les glaces. L'intéresser ainsi. Et une fois ferré, lui demander de l'aide pour sa famille.

En passant devant la cabane de Madeleine Le Jongleur, Anselme Boniface renifle et sourit. La porte est ouverte. Il glisse la tête et voit la loueuse de sangsues accroupie contre son rousseau nu sur une claie de roseaux, le ventre gonflé, les jambes enroulées dans des linges maculés, les os du bassin saillants, les épaules et le cou décharnés, ses mèches rouges collées par la sueur. Boniface ricane :

— Alors, la roue du sort a tourné ? Dommage qu'elle ait écrasé ton garçon au passage, hein, la mère !

Madeleine tourne vers lui un regard haineux. Boniface songe qu'il serait divertissant de la prendre là, tout de suite, à côté de sa grande carcasse de fils incapable de bouger un doigt pour la défendre. Mais la masure pue trop. En quittant la clairière, il avise la petite Blanche qui le guette tapie derrière un arbre. Mignonne, taille souple, encore un peu verte mais de l'avenir.

— Viens ici. Je te fais peur ?

Blanche ressemble à Batiste, elle n'a peur de personne. Boniface passe sa grosse patte dans la longue chevelure brune.

— Si ta voix est aussi belle que tes cheveux, on fera quelque chose de toi.

Blanche relève un menton fier.

— Personne ne fera rien de moi. Sauf moi.

Boniface glousse. Elle promet, cette souris.

— Chante quelque chose.

— Je chante pour les gens que j'aime, les gens qui souffrent et les gens qui prient.

— Chante ou je fais couper le deuxième pied de ton frère.

Blanche devient toute pâle.

— Vous feriez cela?

— Je ferais pire. Chante.

La petite ferme les yeux et, cherchant loin en elle la magie qui allume les étoiles dans la nuit, elle chante la confiance en la clémence divine et la béatitude qui récompense les âmes pures. Boniface l'écoute bouche bée. Quand elle se tait, il ne sait plus quoi dire, ni que faire. Pour cacher son trouble, il racle sa gorge, crache par terre, jette deux sous dans les feuilles mortes et s'en va à grands pas.

Les jambes tremblantes, Blanche rentre dans la cabane. Sa mère est couchée sur Pierre qui se débat dans d'affreux soubresauts. Elle attache les bras du blessé comme elle l'a vu faire à l'infirmerie. Blanche caresse le visage de son grand frère. Pierre a le regard vitreux, il est brûlant de fièvre.

— Il faut chercher un autre docteur, maman...

— Avec quel argent?

Blanche tend les deux sous donnés par Boniface. Madeleine grimace.

— Il en faudrait vingt fois autant.

Blanche joint les mains. Elle a de longues mains graciles, des mains pour caresser le vent et imiter le vol des papillons.

— Je crois que j'ai quelque chose à vendre. C'est ce vilain Boniface qui m'a donné l'idée.

Madeleine retrousse les babines comme si elle allait mordre.

— Jamais! Tu m'entends? Jamais! Ni de mon vivant ni après ma mort!

Elle attrape Blanche par les deux bras et la secoue.

— Je te tuerais plutôt!

La petite se dégage. Batiste dit souvent que la fin justifie les moyens, et quand elle lui demande quelle fin et quels moyens, il tire ses nattes en répondant qu'elle comprendra cette logique-là toute seule et certainement plus tôt qu'il ne le souhaiterait. Blanche a compris. La fin est sous ses yeux, les moyens sous sa main. Reste à lier l'un à l'autre, ce qui, avec l'aide de la douce Mathilde qui connaît quantité de gens utiles dans le bourg de Versailles, devrait se faire sans peine. Demain, au plus tard après-demain, sans que Batiste ait besoin de s'endetter davantage, elle aura l'argent et son frère aura un médecin.

On n'aborde pas son souverain vêtu d'une veste trouée et de guêtres mangées par la rouille. Comme tous les solliciteurs de Versailles, Batiste a loué des habits propres dans une baraque sur le bord de l'avant-cour. Un grand seau à la main, ses boucles tassées sous un chapeau gris et la ceinture rouge de Jeanne autour du ventre, il arpente impatiemment les abords du bassin des Cygnes que le roi veut agrandir et dédier à Apollon. Tout le monde peut admirer Louis XIV au sortir de la chapelle ou dans les jardins qui sont ouverts au public, mais pour lui parler il faut être introduit. Batiste aurait pu demander à Denis Jolly de le présenter au roi. Mais presque tous les maîtres détournent à leur profit les idées de leurs apprentis, et le jeune homme n'entend partager avec personne l'invention à laquelle il travaille en secret. Pour avoir pataugé avec lui dans les marais, la plupart des gardes suisses connaissent le petit Jongleur, ils le laisseront passer. En attendant, Batiste calcule le nombre de plants de buis nécessaires pour encercler les bassins et la vitesse de propagation des rides sur l'eau. Le soleil touche au zénith et poursuit sa course vers l'ouest. Sur la terrasse du château, aucune agitation n'annonce l'arrivée du roi. Batiste avise un gros homme arrêté au milieu de l'allée. Cet homme-là ne ressemble pas à un ouvrier, pas non plus à un contremaître, et encore moins à un courtisan. Il doit avoir entre trente et quarante ans, il est épais de corps avec un visage long comme un carême, il porte courts des cheveux jaunes, son habit couleur de bronze est souillé de terre, il tient dans la main droite un carnet, dans la gauche un compas, et campé sur ses jambes écartées il soliloque avec sérieux. Batiste s'approche. Le carême à poil jaune se tourne vers lui, le regard fixé non pas sur son visage mais sur le seau en forme de goutte qui lui bat la jambe.

— Il est intéressant, ce seau. Je n'en ai jamais vu de pareil.

Batiste hoche la tête.

— Et vous n'en verrez jamais d'autres. Je l'ai confectionné tout exprès pour ce qu'il contient, et ce qu'il contient bientôt n'en aura plus l'usage.

Le carême sourit avec quantité de dents si empressées à se grimper les unes sur les autres qu'on ne peut distinguer les incisives des canines.

— Ce contenu est donc vivant?

— Très vivant, et j'espère pour très longtemps.

Le sourire du moustachu gagne ses yeux, qui sont petits, verts, bienveillants et pétillants d'intelligence.

— Me vendriez-vous votre seau lorsque le gros poisson qui l'habite sera parti vivre sa vie dans les bassins du roi?

Une bouffée d'inquiétude monte aux joues de Batiste.

— Puis-je vous demander, Monsieur, qui vous a informé de mes intentions?

Le carême s'assied sans façons sur la margelle et dévisage Batiste avec amusement.

— Mon jeune ami, si votre protégé devait finir au court-bouillon, vous feriez les cent pas devant les cuisines, pas ici. Vous êtes le petit Jongleur, n'est-ce pas? Vous travaillez dans l'équipe de Jolly?

— Le Jongleur. Oui.

— Montrez-le-moi, ce poisson.

Batiste hésite puis tend le seau. Le carême siffle entre ses dents.

— Oh! Voilà qui plaira assurément au roi. Je ne sais pas d'où vous la sortez, mais elle est impressionnante. La couleur est naturelle?

— Japonaise. Impériale.

Le carême lève un œil rêveur vers les jets du bassin.

— Toutes nos bouches d'eau laquées d'or comme cette carpe, vous imaginez?

Il glisse son compas dans sa poche, empoigne l'anse du seau et grimace.

— Trop lourd. Il faudrait améliorer l'alliage.

Batiste fronce les sourcils. Qui est ce bonhomme?

— Le roi ne viendra pas aujourd'hui. Mais si vous me laissez cette merveille, je la lui donnerai de votre part.

— Merci, je préfère faire mes cadeaux moi-même.

— Vous avez peur que je me sauve avec la belle Japonaise?

— J'ai besoin de parler au roi en personne.

— C'est donc que vous avez une idée tout à fait nouvelle et dont vous espérez beaucoup. Jolly dit que vous êtes une boîte à inventions dont il garde la clef afin que personne n'en profite! Méfiez-vous de Jolly, mon garçon. Ce maître-là n'aime que sa femme et l'argent. Pour dix mille livres, il trahirait le roi, et pour la belle Jeanne, il vendrait son salut. Un homme en somme assez peu estimable, en qui je vous déconseille de placer votre confiance.

— Il m'apprend beaucoup.

— Je me suis laissé dire que vous en saviez maintenant autant que lui, et qu'en plus, vous aviez dans la tête une forge toujours en action. Ce n'est pas dans l'équipe de Jolly que vous devriez travailler, c'est dans la mienne.

— Dans la vôtre...?

— Vous iriez plus vite, plus loin, plus haut, vous seriez

fier de vous, et vous n'auriez pas besoin de coucher avec la femme de votre patron.

Batiste grimace.

— Vous savez cela aussi ?

Le carême étire ses jambes qui craquent avec un bruit de bois mort.

— Versailles est un petit aquarium... Mais rassurez-vous, je ne colporte pas plus les ragots que je ne débauche les apprentis. Je féliciterai Jolly pour l'enfant qui va lui naître, et vous viendrez à moi sans que j'aie besoin de vous soudoyer. Souvenez-vous qu'il n'y a dans les parages du roi que trois hommes honnêtes, trois seulement qui seront susceptibles de s'intéresser à vous pour ce que vous êtes : Alexandre Bontemps, qui est premier valet de chambre, André Le Nôtre, qui est premier jardinier, et... moi.

Les yeux de Batiste s'éclairent.

— Vous êtes François Francine ! J'ai demandé vingt fois à maître Jolly de me présenter à vous, et chaque fois il a répondu : « Je verrai. »

— C'est ce que Sa Majesté répond quand elle veut dire : « Jamais. » Le roi est à Saint-Germain, il viendra quand les plafonds de ses appartements seront prêts, ce qui, d'après Le Brun qui surveille les peintures, n'est plus qu'une question de jours. Mais vous ne pouvez pas passer ces jours à promener votre seau au lieu de travailler. Voulez-vous que je mette la carpe au frais dans un de mes bassins et que je la porte au roi dès qu'il sera ici ?

Batiste hésite.

— Vous lui direz vraiment mon nom, et que je souhaite lui exposer en personne un projet de machine dont, je crois, il sera content ?

— Vous connaissez ma réputation, je ne m'engage pas à la légère et je tiens mes promesses. Le Jongleur. Une machine. Est-ce urgent ou puis-je attendre le moment le plus opportun ?

— Très urgent.

— Vous avez une grâce à demander au roi ? C'est cette grâce-là qui ne souffre pas de délai ?

— Une vie est en jeu.

— Je remettrai votre présent. Je parlerai en votre faveur. Après, jeune Jongleur, il ne vous restera plus qu'à prier.

— Dieu et moi ne sommes pas très amis.

François Francine tourne son visage vers le soleil rougeoyant au-dessus du bourbier qui doit devenir le Grand Canal.

— En Italie, d'où vient ma famille, nous avons une prière qui dit : « Seigneur, donnez-moi la force de changer ce que je peux changer, l'humilité d'accepter ce que je ne puis changer, et la sagesse de reconnaître la différence. » C'est une prière qui s'adresse plus à soi-même qu'à Dieu, à l'occasion elle pourrait vous servir.

L'intendant général des fontaines de Sa Majesté se lève et prend le seau.

— La force, l'humilité et la sagesse. Songez-y, Le Jongleur. Et méfiez-vous des époux Jolly.

Batiste le regarde s'éloigner avec la carpe à qui, la tête penchée, il parle tout en marchant. Curieux personnage. Batiste ne se souvient pas avoir jamais fait confiance à quiconque, et pourtant il est certain que cet homme-là respectera la parole qu'il vient de lui donner. Sur le chantier où François Francine vient peu parce qu'il travaille davantage sur sa planche à dessin qu'au fond des galeries, tout le monde prononce son nom avec respect. Batiste sait qu'il est le fils aîné d'un hydraulicien d'origine florentine distingué par Henri IV, que son frère Pierre est maître d'hôtel ordinaire du roi, que par passion d'inventeur autant que pour plaire à Sa Majesté il s'est promis de faire des grottes et fontaines de Versailles les plus belles du monde, enfin que Louis XIV admire son génie. Avec son appui

Batiste ne doute plus d'être reçu. Dans quelques jours, Pierre aura un nouveau médecin. Le meilleur des médecins. Et ce médecin-là le sauvera.

Il court annoncer la bonne nouvelle à Blanche et à sa mère. Au milieu de la clairière est arrêtée une calèche. Le cheval broute à côté d'un homme couché dans l'herbe, son chapeau sur le nez et son fouet entre les jambes. La voiture est vide, mais sur le siège du cocher sont empilés des sacs de chanvre pliés. Inquiet, Batiste se hâte vers la cabane. Par-dessus l'épaule de Madeleine dont le corps massif barre l'entrée, il aperçoit une silhouette féminine penchée sur la paillasse de Pierre. La personne est brune, petite, vêtue comme une dame, son visage ovale fait dans l'ombre une tache claire et elle parle d'une voix nette :

— Je ne suis pas docteur, mais je peux m'occuper de votre frère.

Blanche, que Batiste ne voit pas, répond :

— Nous voulons le docteur qui l'a soigné au printemps. Combien, pour mes cheveux ?

— Approchez, que je les touche.

Blanche s'avance. Sa chevelure dénouée lui tombe jusqu'au milieu des cuisses. La femme tend la main, palpe et soupèse.

— Cinq livres.

— Vous êtes sûre que cela ne vaut pas plus ?

— Je connais mon métier.

— Cinq livres tout de suite ?

— Je les ai avec moi.

— Donnez l'argent à ma mère et coupez.

La femme hoche la tête et rassemble les cheveux de Blanche dans son poing gauche.

— Les docteurs viennent rarement quand on a besoin d'eux. Si d'aventure le vôtre tardait, faites-moi prévenir, j'apporterai de quoi soulager votre frère...

Batiste voit briller une paire de ciseaux. Il écarte Madeleine et attrape la femme par le bras.

— Vous faites un bien vilain commerce, Madame !

La femme se dégage vivement. Elle est à peine plus grande que Blanche, mais elle répond avec une autorité qui cingle comme un coup de fouet.

— Les cheveux repoussent, Monsieur, à la différence des membres, et si je suis ici, c'est que l'on m'y a appelée !

Madeleine s'interpose.

— Laisse-nous, Batiste ! C'est Mathilde, notre voisine, qui nous a envoyé Madame. Madame achète des cheveux pour son oncle qui fabrique des perruques. La reine porte les perruques confectionnées par l'oncle de Madame, le roi aussi, et quantité d'autres gens au château. J'ai battu ta sœur parce que je craignais qu'elle ne veuille vendre autre chose, mais au couvent on la rasera de toute manière, alors Madame peut bien nous rendre service en payant ce dont Dieu n'a pas l'usage...

Batiste empoigne la femme par les épaules et la pousse dehors.

— Un métier de vautour, oui ! Profiter de la détresse des gens pour les tondre ! Des pouilleux au fond d'une hutte, avec un malheureux en train de pourrir au milieu des mouches, quelle aubaine ! Vous ne voulez pas acheter le sang de ma mère, aussi ?

La femme se retourne et lui fait face.

— Vous êtes le frère du blessé ? Il faut le réopérer d'urgence, l'infection va monter...

Ce n'est pas une femme, c'est une fille. Quinze ou seize ans, pas davantage. Haute comme deux pommes, des yeux d'eau vive, le nez et le menton pointus, les pommettes marquées, le front grand, les lèvres pâles de quelqu'un qui retient sa colère ou qui est sous le coup d'une émotion poignante.

— Il va mourir, vous le savez ?

Batiste a envie de la gifler. Il crie :

— Retourne chez ton perruquier, il te trouvera d'autres charognes à dépouiller !

Les yeux fixés sur ceux de Batiste virent au bleu nuit.

— Il va mourir et ce sera votre faute.

— Va-t'en !

Le cocher a fait reculer la calèche. La fille prend sa main et grimpe à côté de lui. Elle serre les mâchoires et ses lèvres blanches tremblent. L'homme fait claquer son fouet. Elle se retourne vers Batiste.

— Je m'appelle Nine La Vienne. J'aurais pu vous aider.

Tout le long du chemin qui la ramène de Versailles à Paris, Nine garde les yeux fermés. Comme le jour où dans l'église Saint-Germain-l'Auxerrois elle a pris conscience de sa nature femelle, elle a honte, elle est furieuse et elle se déteste. Depuis l'enfance elle habite des pièces vastes et claires, elle dort sur un épais matelas, elle porte du linge frais et elle mange gras autant qu'il lui plaît. Elle n'a jamais mis le pied dans ces masures branlantes qui désho-norent les faubourgs de Paris, encore moins chez ces pay-sans qui, paraît-il, se nourrissent de racines et boivent l'eau des flaques. Même pendant son intermède guerrier, elle n'a manqué de rien. La misère de la famille Le Jongleur vient de lui sauter à la conscience. Aujourd'hui, en France, au bord des merveilleux jardins de Monsieur Le Nôtre, sous les fenêtres d'un palais que le roi fait dorer du sol au plafond, on vit comme vivent ces gens-là. Sans fenêtre, sans latrines, sans puits, sans feu, sans lit, sans table ni tabouret, sur un sol d'herbe rance, au milieu d'une puan-teur qui lui rappelle les corps décomposés devant les cita-delles flamandes. Sous ses paupières serrées elle revoit l'amputé emmailloté dans ses bandages moisis, les mains jointes de la mère, le regard de la petite sœur offrant ses cheveux. Lumineuse, cette gamine. Si fière que Nine s'est demandé si elle n'allait pas les lui donner, ses cinq livres, sans rien exiger en échange. Le brutal qui l'a jetée dehors porte un chapeau et des bottes souples alors que son frère agonise et que sa mère marche pieds nus. Qui se croit-il pour faire la morale ? Il a refusé son argent, il l'a traitée de vautour. Nine serre les poings. Elle n'a pas dit son dernier mot.

Pour l'heure, il lui faut affronter Jean Quentin qui manque s'évanouir en la voyant revenir sans la marchandise escomptée. En Flandre, le chevalier de Rohan a soufflé au chevalier de Lorraine le secret des boucles admirables que le roi arborait sous les plumes d'autruche de son grand chapeau. Lorraine s'étant empressé de partager ledit secret avec Monsieur, ce dernier s'est mis en tête de faire la nique à son frère en arborant une perruque plus fournie que la sienne. Le rendez-vous au Palais-Royal est fixé et l'on ne décommande pas le frère du roi. Habillée en garçon comme à l'armée, Nine suit son oncle sous les arcades du Palais-Royal puis, par un dédale d'escaliers, et de galeries, jusqu'aux appartements privés de Son Altesse le duc d'Orléans. Après avoir patienté deux heures dans une antichambre ornée de peintures qui témoignent de la passion du prince pour l'art italien, le perruquier et son prétendu neveu sont introduits dans un cabinet où se trouvent déjà le chevalier de Rohan, le chevalier de Lorraine et le marquis d'Effiat que Nine connaît de vue, un aumônier avec soutane et bréviaire, un docteur avec robe et bonnet, un barbier avec rasoir et bassin, plus une quinzaine d'hommes et de femmes à la mine contristée qui se tiennent debout dans les angles de la pièce, le dos arrondi et les épaules rentrées, comme des promeneurs surpris par une tempête. De fait, l'orage bat son plein sous le plafond à caissons, alternant foudre, tonnerre et déluge de grêlons. Une scène de ménage dans les règles du genre, à ceci près que l'époux porte une robe, que l'épouse se plaint non pas d'une maîtresse mais d'un amant, et que ledit amant reproche au mari de coucher trop volontiers avec sa femme. Nine écarquille les yeux. L'amant est le ravissant Lorraine, vêtu de blanc, cheveux blonds sur les épaules, joues rosies par la colère, jouant magistralement le rôle de l'ange offusqué. Longue et souple comme une graminée, les yeux noirs, le visage et le nez un peu longs, Henriette d'Angleterre n'a que vingt-trois ans mais ses six grossesses l'ont prématurément vieillie, et Nine ne la trouve pas si séduisante qu'elle l'espérait. Quant à Monsieur, il est exactement tel que Rohan le lui a décrit : court de jambes et de col, rond de ventre, le nez encore plus tombant que Madame, l'œil charbonneux et le teint présentement aussi rouge qu'une crête de coq. Haussant le menton pour se grandir, il crie dans la figure de sa femme :

— Je ne serais pas jaloux si vous ne m'en donniez pas motif! D'abord vous m'avez fait enrager avec le roi, mon propre frère, ensuite avec Monsieur de Guiche que j'aimais tendrement, et ce matin le comte de Gramont me dit : « On n'y voit décidément rien chez vous! Si vous donniez de la lumière, vous verriez comme le chevalier de Lorraine, le comte d'Armagnac et le comte de Puiguilhem baisent Madame! »

Ulcérée, Henriette d'Angleterre répond sur le même ton :

— Vous me confondez avec les catins que votre favori lève sous votre nez!

Monsieur devient encore plus rouge.

— Je vous ferai enfermer!

— Enfermez plutôt le chevalier de Lorraine, Dieu m'est témoin qu'il vous trompe plus que moi!

— Le fait-il avec vous?

— Demandez-lui! Une fois dans sa vie peut-être il répondra la vérité!

Furibond, Monsieur se tourne vers Lorraine qui a une grimace de mépris.

— J'ai toutes les femmes que je veux. La vôtre, je vous la laisse ! Le temps que vous passez dans sa couche est du temps perdu, vous le savez bien...

Le sang se retire du visage d'Henriette. Jean Quentin souffle à l'oreille de Nine que le fils de Madame est mort l'hiver passé, sur les quatre petits dont elle est accouchée à terme, il ne lui reste plus qu'une fille. Les yeux fixés sur ceux de son rival, Madame siffle entre ses dents :

— Je ne connais rien d'aussi méchant, d'aussi sournois que vous.

Lorraine plonge dans une révérence ironique :

— Et je m'en félicite, puisque votre époux se trouve plus content de mes grands défauts que de vos grandes qualités !

Monsieur ricane et, l'attirant par le cou, l'embrasse derrière l'oreille. Lorraine lui prend la taille. Enlacés, le premier en séraphin triomphant, le second en brunette vicieuse, ils narguent la princesse dont le regard passe de l'un à l'autre avec un dégoût et une tristesse que rien ne peut représenter. Renonçant à poursuivre un combat cent fois mené et toujours perdu, elle se redresse de manière à dominer Monsieur d'une demi-tête, pivote sur ses talons et sort sans se retourner. Le duc d'Orléans se laisse tomber dans un fauteuil et, soulevant ses jupons en sorte que l'assistance puisse admirer ses mollets gainés de soie ponceau, réclame un tabouret et un éventail. Par-dessus l'épaule du valet accroupi à ses pieds, il avise Jean Quentin. Pour faire de la publicité à la maison Binet, le perruquier s'est affublé d'une « binette » à étages, haute, frisée et odorante comme une maison couverte de chèvrefeuille. Monsieur lui fait signe d'avancer.

— Allons, maître Quentin, expliquez-moi cette nouveauté dont notre ami le grand veneur et le roi ont déjà profité.

Lorraine et Rohan s'approchent et regardent avec le prince les dessins que le perruquier présente pour expliquer le principe de la perruque à fentes. Piquée derrière son oncle, Nine écoute sans remuer un cil. Amusé de sa raideur, Rohan lui adresse un clin d'œil. Lorraine se penche vers le chevalier.

— C'est là le jeune neveu dont vous m'avez parlé?

Interrompant l'exposé de Quentin, Monsieur se gratte la nuque avec la désinvolture d'un chimpanzé.

— Je vois bien l'idée, mais tout dépend du matériau. Montrez un peu ce que vous avez pour moi.

Nine tend à son oncle la pochette de velours dans laquelle sont cousus les échantillons des toisons proposées. Monsieur se penche et examine chaque mèche. Il se redresse, les sourcils si froncés qu'ils se touchent.

— Vous moquez-vous de moi? Croyez-vous que je vais laisser ces queues de chien se mêler à mes cheveux?

Courbé sur la pochette qu'il tient ouverte sur sa cuisse tendue, Jean Quentin se récrie qu'il n'y a là que des spécimens très sains, sans doute moins spectaculaires que ceux de Son Altesse, mais les cheveux de Son Altesse sont d'une telle qualité qu'il est difficile de s'en procurer d'aussi beaux... Monsieur balaie d'un revers du bras les échantillons et le perruquier qui, déséquilibré, choit lourdement sur son séant. Dressé sur son fauteuil comme un coq sur son fumier, le duc d'Orléans est à nouveau cramoisi et piaille si fort que son docteur, inquiet, demande à Lorraine depuis combien de temps le prince n'a pas été saigné. Jean Quentin se relève, s'époussette et, tête basse, s'entend traiter d'incapable, de butor, de charlatan, de cancrelat, de traître, de néant, plus cent autres délicatesses qui lui mettent les larmes aux yeux. Nine n'y tient plus.

Ôtant d'un seul geste sa perruque de garçon et le filet qui resserre sa chevelure, elle secoue la tête. Son épaisse natte brune lui descend jusqu'aux reins. Elle la ramène par-devant et, tirant un rasoir de sa poche, la tranche au ras du menton.

— Si Votre Altesse juge ces cheveux-ci dignes d'elle, je me ferai un honneur d'en tirer une perruque si semblable à la chevelure de Votre Altesse qu'on la croira née avec.

Éberlué, le prince regarde Quentin, puis Lorraine, puis Rohan, puis la natte, puis Quentin, puis le soi-disant apprenti, puis la natte posée sur sa jupe. Ses traits se détendent pour laisser place à une expression de convoitise enfantine.

— La couleur ressemble à la mienne et la texture est aussi vigoureuse...

Il relève les yeux sur Nine et demande d'une voix sucrée :

— Ces cheveux-là sont très beaux, ils ne vont pas vous manquer ?

— Je ne les perdrai pas de vue si j'ai le bonheur de les admirer sur le chef de Votre Altesse...

Le duc d'Orléans enroule une mèche soyeuse autour de son poignet et fait un signe à Jean Quentin.

— Je la veux.

— La perruque ? Certainement, Votre Altesse...

— La fille. Votre neveu. C'est bien elle, votre neveu ?

— Ma nièce, Votre Altesse, oui, c'est ma nièce...

— À part se sacrifier pour vous tirer d'embarras, que sait-elle faire, votre nièce ?

Jean Quentin toussote.

— Si Votre Altesse parle des travaux féminins, Nine sait un peu coudre et broder, mais....

Rohan se penche à l'oreille de Monsieur et lui chuchote quelque chose. Le prince regarde Nine avec un intérêt accru.

— Reculez d'un pas, Mademoiselle le neveu.

Nine s'exécute.

— Tournez sur vous-même, maintenant. Lentement, que je vous voie bien.

Haussant son face-à-main, il l'inspecte comme si elle était une nouvelle autruche destinée à sa ménagerie de Saint-Cloud.

— Avec cette tournure de garçon mal nourri, Mademoiselle le neveu fabrique des pommades, vraiment? Contre les démangeaisons, par exemple? Continuez de tourner. Celles qui viennent sur le crâne quand on porte une perruque de femme?

— Une lotion, oui. Je l'utilise moi-même.

— Venez ici. Montrez vos dents. Les dents renseignent beaucoup sur le soin que l'on prend de sa personne.

Nine ouvre la bouche. Monsieur émet un grognement et se recule dans son siège.

— Plus blanches que les miennes, assurément.

— Je les frotte matin et soir avec du sable mouillé de jus de citron.

— Cela soigne les douleurs?

— Pour les douleurs, vous pouvez mettre une cuillerée de poudre à fusil dans un morceau de linge que vous mâchez longuement ou commander qu'on vous cuise une poignée de gros vers de terre, qu'on les réduise en bouillie et que l'on introduise cette pâte dans votre oreille du côté où se trouve la douleur. Vous pouvez aspirer par la narine de ce même côté une cuillerée d'eau-de-vie. Vous pouvez faire brûler au fer rouge l'hélix de votre oreille...

— Mais vous, que faites-vous?

— Je me rince la bouche après chaque repas avec du thym macéré à la dose de trois onces et demie dans un demi-litre d'eau-de-vie.

— Et contre les désagréments qui viennent au séant pour avoir trop... chevauché, vous avez une recette?

Le duc d'Orléans coule un regard vers le chevalier de Lorraine.

— Vous voyez... ce que je veux dire ?

Baissant un peu la voix, Nine répond suavement :

— Le mal des grands cavaliers, je suppose... Qu'il faut absolument soigner, sans quoi les élancements et le risque d'hémorragie gâchent le plaisir des exercices qui pimentent l'existence...

Monsieur sourit. Quand il sourit, il est presque charmant.

— C'est cela même.

— D'aucuns recommandent la sueur de mort. Le bourreau de Paris en fait commerce et je sais comment l'accommoder. On peut aussi faire bouillir dans du lait des pépins de coing dépouillés de leur écorce, les mettre dans des petits sacs et appliquer ces petits sacs bien chauds sur les parties souffrantes. Pour ma part, je conseillerais d'enduire et masser lesdites parties avec une pommade à base de racine fraîche de consoude épluchée, ébouillantée et broyée. Votre Altesse connaît la consoude, elle pousse par touffes dans les endroits humides, on l'appelle aussi oreilles d'âne. En prenant ce dernier soin une semaine d'affilée, et en s'abstenant pendant ce temps de tout... exercice, Votre Altesse pourra ensuite rester en selle aussi souvent et aussi longtemps qu'il lui plaira.

Les yeux du duc d'Orléans pétillent.

— Mademoiselle le neveu, je vous trouve fort plaisante. Je vous veux dorénavant auprès de moi chaque matin, pour ma toilette. À partir de demain. Avec vos onguents. Si vous continuez de me surprendre, je vous garderai. Sinon vous retournerez à vos perruques.

Rohan se penche vers Lorraine.

— Cette pouliche-là ira loin...

L'œil luisant, Lorraine répond sur le même ton :

— À condition qu'elle se laisse monter...

— Depuis quand Monsieur aime-t-il les petites filles ?

Lorraine passe une langue de chat angora sur ses lèvres vermeilles.

— Il ne les aime pas. Mais moi, si. Je les aime même beaucoup...

Monsieur bâille assez largement pour que le public puisse constater qu'à la différence du roi, il a toutes ses molaires, puis il frotte ses menottes.

— La cause est entendue.

Il tend la natte de Nine à Jean Quentin.

— Maître perruquier, que votre œuvre soit à la hauteur du geste de votre apprenti. Approchez, Mademoiselle.

De son index, il ôte un anneau orné d'un saphir.

— Ceci vaut pour la chevelure dont vous m'avez fait don.

Sur son majeur, il prend une grosse perle montée sur de l'or jaune.

— Ceci pour un jeu de perruques qui la puisse honorablement remplacer.

Puis sur son annulaire, un rubis cabochon.

— Et ceci pour vous commander quelques robes assorties à votre nouvelle coiffure et à votre nouvel emploi.

En ce temps-là, le duc d'Orléans était très généreux, d'une générosité qui venait du cœur et qui par sa sincérité compensait les nombreux travers de son caractère. Le roi donnait par calcul, pour s'affider les gens, Monsieur donnait par plaisir et sans autre but que de faire plaisir. En presque toutes choses il était d'ailleurs le revers de son aîné, dissemblable jusqu'à la caricature et pourtant lié à lui comme le sont les deux faces d'une même pièce. Louis était acharné dans l'effort, perfectionniste, à la fois visionnaire et passionné de détail. Philippe vivait dans l'instant, faisait tout en se jouant, et peu lui importait le flacon pourvu qu'il eût l'ivresse. Le premier rêvait d'éclipser les plus grands empereurs, le second d'être l'unique amour du chevalier de Lorraine. Le roi pour garder une longueur d'avance sur autrui déguisait ses pensées, ses sentiments, ses intentions, son frère enfilait une robe de marquise ou de bohémienne, se couvrait de mouches et cancanait sans retenue. Depuis l'enfance, Monsieur aimait aveuglément son aîné et ardemment désirait être aimé de lui. Depuis l'enfance, le roi nourrissait envers son cadet de sombres sentiments et ardemment aspirait à être débarrassé de lui.

Débarrassé comment?

Un roi peut prendre pour éliminer qui le gêne bien des détours. Ce roi-là, qui fait tout à la perfection, sait tuer d'une infinité de manières, sans jamais se salir les mains.

Pourquoi je dis cela?

Parce que l'ai vu faire.

Tuer des gens que j'ai connus? Qui me touchent de près?

De très près, oui.

Des gens de cette histoire?

Les histoires sont des voyages, Charles, laissez-moi vous emmener...

En vendant aux joailliers qui tiennent boutique sur le Pont-au-Change et le quai des Orfèvres un saphir, une perle et un rubis, une jeune fille peut se constituer un riche trousseau de mariée. Un trousseau complet, avec robes de jour et de nuit, linge de corps, de chambre et de table, sans oublier le grand drap brodé qui lui servira de linceul. À l'atelier où Zéphyrine et Edmée s'affairent à tresser les cheveux de Nine avant de les coudre par mèches régulières sur un calepin taillé aux mesures du crâne de Monsieur, Jean Quentin échafaude des plans. Le regard que le chevalier de Lorraine a posé sur sa nièce ne lui a pas échappé. Ce seigneur-là n'a qu'à jeter son mouchoir pour que toutes les dames de la Cour le ramassent.

Si Nine lui a plu, c'est qu'elle peut plaire. Dans l'entourage de Monsieur, elle rencontrera plus de mignons que d'hommes à épouser, mais le premier qui se proposera fera l'affaire, quand on est fille de baigneur, orpheline de mère et dépourvue de gorge, on ne discute pas les partis. Les établissements La Vienne et Binet sont prospères, François fournira la moitié de la dot, et lui, Jean, offrira à sa nièce l'autre moitié. Ne lui a-t-il pas promis, lorsqu'il l'a prise en apprentissage, de veiller à ses intérêts? Assise devant le vieux Binet qui d'un ciseau ingénieux redonne forme à sa coiffure, Nine écoute le perruquier détailler son avenir comme s'il faisait l'inventaire d'une nouvelle maison. Mobilier, tentures, équipage, serviteurs, invités de marque, rien n'y manque, mais malgré l'enthousiasme de l'orateur, malgré les sourires encourageants de son père, malgré les mines émerveillées de Zéphyrine, rien ne lui fait envie.

Ce dont Nine a envie, elle l'achète en cédant seulement le saphir du duc d'Orléans. Un attirail de chirurgien flambant neuf comportant plusieurs canules, un trépan, deux bistouris, une petite et une grande scie, plus des compresses de coton épais et quantité de bandelettes pour les pansements. Avec la complicité du père Binet, elle passe la soirée à confectionner un cataplasme à base de croûte de pain brûlée macérée dans du vinaigre (deux onces, soit deux fois vingt-huit grammes), d'huile de résine d'arbre à mastic (une once), d'huile de coing (une once), d'ivoire broyé et de corail pilé (une drachme, soit trois à quatre grammes), de menthe écrasée, de santal rouge et blanc, le tout incorporé à deux onces de farine d'orge cuite à l'eau. Cette mixture, fort molle et difficile à conserver, est recommandée contre la gangrène par le savant Nicolas Lémery, dont la *Pharmacopée universelle* est révérée par tous les apothicaires de ce siècle. Nine connaît la plupart des recettes du sieur Lémery, elle les a essayées sur son père, sur les clients des Bains La Vienne, sur les Ursulines qui lui faisaient l'école, sur Edmée et Zéphyrine, sur les blessés flamands et les soldats français, sur elle-même, enfin, chaque fois qu'elle en a eu l'occasion. Elle a grand respect pour la science et l'expérience de Nicolas Lémery, mais elle n'a pu s'empêcher de constater que ses emplâtres, eaux subtiles et pâtes omnipotentes produisaient rarement l'effet que l'auteur avec autorité décrivait. Dans la voiture qui la ramène dans les bois de Versailles, elle se dit que si l'état du fils Le Jongleur a empiré, plutôt que d'appliquer à la lettre les consignes de la *Pharmacopée*, il faudra improviser.

Elle trouve l'amputé seul, haletant de fièvre et de douleur sur sa claie de bambous, une cruche renversée à côté de lui. Nine puise une louche d'eau dans le seau posé près de la porte et lui donne à boire. Il souffle :

— Pardonnez à mon frère, Mademoiselle. Il aimerait faire le bien, mais il ne sait faire que le mal...

— Je vous ai apporté de l'argent pour votre chirurgien. Et un emplâtre pour vos plaies. Et aussi du laudanum, pour moins souffrir. Vous permettez que j'examine vos jambes ?

Le blessé gémit :

— Vous n'êtes pas perruquière ?

— Je voudrais ne pas l'être. Vos pansements, je peux ?

Les yeux exorbités, le malheureux regarde Nine passer par-dessus sa robe son grand tablier de baigneuse et défaire un à un les bandages. Le moignon de la cheville est totalement nécrosé. Les deux jambes sont monstrueusement gonflées, dures, marbrées de marron jusqu'au genou.

— Où est votre mère ?

— Chez le contremaître. Pour les termes en retard.

Nine se penche sur le tibia droit. La peau noirâtre est parsemée de petites bulles violettes qui dégagent une odeur abominable.

— Comment vous appelle-t-on ?

— Pierre. Pierrot. Est-ce que je vais garder mes jambes ?

Nine enfonce son pouce puis le bout de son bistouri dans l'enflure du mollet. La chair est insensible sur trois centimètres de profondeur.

— Il faut que le médecin vienne très vite, Pierre. Demain, absolument.

— Il va couper ? La gauche aussi ?

— Je le crains, oui. Sinon l'infection passera dans vos cuisses.

— Et je mourrai ?

Pierre se laisse retomber en arrière.

— Je ne veux pas mourir...

Nine lui glisse entre les lèvres une fiole entière de *spécifique anodin* qu'elle a composé avec de la poudre d'opium et du safran dissous dans du vin de Malaga. Elle lave au vinaigre blanc les ulcérations, découpe les langues de chair putréfiée, et, par acquit de conscience, applique des chevilles jusqu'au milieu des cuisses de larges bandes de toile sur lesquelles elle a étalé la mixture au pain brûlé. Tordu sur son grabat, Pierre retient autant qu'il peut ses plaintes et sous l'effet de l'opiat finit par s'assoupir.

Dans la clairière Nine arrache son tablier et sa coiffe, elle verse de l'alcool sur ses mains, sur ses bras, elle voudrait s'en frotter tout entière...

— Qu'est-ce que vous avez fait à vos cheveux ?

Debout à l'ombre d'un chêne, la petite sœur la fixe en fronçant les sourcils. Nine ramasse son bonnet et le rattache prestement sur sa tête.

— Je les ai vendus. Donnés.

— À la place des miens ?

— En quelque sorte...

— Vous aviez donc vraiment besoin de mes cheveux ?

Nine sourit.

— Oui.

La petite pose le seau d'eau qu'elle tenait et s'avance.

— Je suis Blanche. Vous avez soigné Pierre ?

— Je l'ai juste nettoyé et pansé. C'est à votre docteur de terminer l'ouvrage qu'il a commencé. J'ai laissé dans la cruche vide, chez vous, de quoi le payer.

— Vous aimez faire la charité ? Vous avez des péchés sur la conscience ?

Nine rougit.

— Quand je vois un malade ou un blessé, j'essaie de le soulager. Je veux devenir chirurgien.

— Ah. Moi, je serai chanteuse d'opéra. C'est Batiste qui le dit. Batiste est mon autre frère. Celui qui a été impoli avec vous, mais vous avez eu de la chance, s'il avait lâché Jésus vous seriez repartie défigurée, ou vous seriez même morte et il aurait fallu vous enterrer en cachette. Par cette chaleur, vous imaginez. Jésus est un furet apprivoisé, il a les dents très pointues. Batiste est garçon fontainier, et toutes les femmes sauf notre mère l'aiment à la folie. Vous aussi, vous verrez, vous l'aimerez.

Nine grimace.

— J'en doute, petite.

— Je ne suis pas beaucoup plus petite que vous. Et je m'appelle Blanche. Vous allez revenir ?

— Je ne crois pas.

La fillette reprend son seau et se dirige vers la cabane. Sur le seuil, elle se retourne, regarde Nine de bas en haut et dit avec un grand sérieux :

— Moi, je crois que si.

Les deux jours qui suivent, Nine lit tout ce qu'elle déniche sur la gangrène gazeuse. Le troisième, elle prend seule la carriole et fouette vers le chantier de Versailles. Accroupi à côté de la cahute de Pierre Le Jongleur, le fontainier Batiste attise un feu de tourbe. Nine saute à terre, tirant derrière elle un gros sac. Le fontainier se redresse et vient à elle. Son torse nu est luisant de sueur. Il sent la fatigue, la peur et le chagrin. Il a les épaules carrées, les flancs secs, les lèvres fendillées, trop de boucles et de cils pour un garçon. Il attrape le sac, le balance sur son dos et, baissant les yeux devant le regard noir de Nine, il dit très vite :

— Pardon pour la dernière fois. Et merci de ce que vous avez fait.

Nine le suit dans la cabane. Malgré la porte rabattue, la puanteur est inimaginable. Suffoquée, Nine s'approche du grabat.

— Le chirurgien n'a pas voulu se déplacer ?

La petite sœur sort de l'ombre.

— L'assistant du prévôt a pris l'argent. Il a aussi emmené notre mère. Il s'appelle Boniface, Anselme Boniface, et c'est lui le vrai diable.

Batiste la tire en arrière.

— Tais-toi, Blanche.

Nine soulève les pansements. Autour des blessures la peau est maintenant noire jusqu'en haut du tibia. Les yeux mi-clos, Pierre geint faiblement. Nine se tourne vers Batiste.

— Si on le laisse ainsi, Dieu le reprendra avant la fin de la semaine.

Batiste se mord les lèvres et grommelle :

— Dieu n'a rien à voir là-dedans.

Il regarde la fille penchée sur les plaies de Pierre. Malgré sa jeunesse et sa constitution délicate, elle n'est manifestement pas impressionnée par ce qu'elle voit. D'où sort cette belette ?

— Vous travaillez dans un hôpital ?

Sans relever les yeux, Nine répond d'une voix calme :

— Non. Mais je sais couper une jambe, je sais contenir l'hémorragie et je connais des recettes pour enrayer l'infection.

Le sang se retire du visage de Batiste.

— Il s'agirait d'une jambe ou des deux?

— Les deux. À l'articulation du genou. La gangrène est très étalée, mais votre frère a une charpente solide, si le pourrissement ne s'est pas déjà répandu dans son organisme, il peut encore s'en tirer.

Bastiste hésite.

— Pourquoi faites-vous cela? Qu'est-ce que vous y gagnez?

Nine se redresse et le regarde bien droit.

— Nous avons tous, d'une façon ou d'une autre, quelque chose à racheter.

Batiste pose la main sur le front brûlant de Pierre. Il n'aura pas assez de toute sa vie pour racheter l'instant où il a poussé son frère dans la galerie.

— Dites-moi ce que je dois faire. Blanche aussi peut aider, elle a servi avec ma mère à l'infirmerie du chantier.

— Vous avez du bois à brûler? Il va me falloir d'abord de l'eau bouillante, ensuite des braises.

Batiste arrache la porte de la cahute, la brise et jette les morceaux dans le feu. Nine passe son tablier, verse du vinaigre sur ses mains, noue sous son nez un mouchoir imbibé d'eau de mélisse, demande à Blanche de déchirer en lambeaux les draps qu'elle a apportés, donne une double dose d'opiat à Pierre et ouvre sa trousse de chirurgie.

Elle passe la nuit entière dans la cabane. Assommé par les drogues, Pierre ne hurle que lorsqu'elle applique la braise rouge sur ses moignons. Blanche chante pour lui depuis le premier coup de bistouri jusqu'au dernier pansement. C'est elle qui, suivant les instructions de Nine, le frictionne entièrement avec de l'huile de clou de girofle avant de l'envelopper dans un drap aspergé d'essence de citronnelle réputée pour ses vertus antiseptiques et purifiantes. Batiste l'aide à le recoucher sur la claie tapissée

248

d'herbes fraîches et rejoint Nine dehors. Le jour se lève, déjà embué de chaleur. Assise contre la roue de sa carriole, la jeune fille pleure d'épuisement en regardant le ciel. Elle a ôté son tablier, ses souliers et ses bas, elle est pâle comme une cire, ses cheveux courts tombent en désordre autour de son petit visage, ses bras et son cou sont souillés de sang. Pieds nus, les épaules maigres, elle a l'air d'une gamine à bout de forces. Batiste s'assied à côté d'elle et, doucement, lui prend la main. Au loin, du côté de l'Orangerie, la cloche sonne le rassemblement des premières équipes d'ouvriers. Batiste murmure :

— On m'attend là-bas. Le service du roi.

Nine serre sa main.

— Restez encore un peu. S'il vous plaît...

Lorsque Pierre se réveille, il souffre le martyre mais la fièvre a baissé. Le lendemain soir, Nine lui apporte du bouillon de bœuf, qu'il boit, et des figues en compote, qu'il mange. Le surlendemain, sa fièvre flambe à nouveau et il a si mal qu'il supplie sa mère de l'achever. Le matin suivant, les deux cuisses se colorent d'un brun qui fonce au fil des heures, et le pauvre garçon commence à délirer. Affolée, Nine épuise ses potions et onctions sans le soulager aucunement. Cédant à l'insistance de Madeleine Le Jongleur qui a appliqué d'autorité une demi-douzaine de sangsues sur le torse du malade, elle pratique une saignée au pli du bras droit. Pierre perd conscience avant qu'elle ait retiré le garrot. Deux heures plus tard, il rend le dernier souffle.

Le règlement de la surintendance des Bâtiments prévoit un dédommagement forfaitaire pour les blessures et les décès survenus sur le chantier. Le barème tient compte de la nature des lésions et du statut de l'ouvrier concerné. Une cuisse broyée : vingt livres pour un manœuvre, trente livres pour un compagnon. Une tête fracassée : vingt livres pour un apprenti, soixante pour un maître. L'indemnisation en cas de décès obéit aux mêmes règles. Chez les maçons, un manœuvre mort vaut vingt livres, qui peuvent à peu près couvrir les frais de nourriture de deux personnes pendant un mois. Un compagnon vaut trente livres, qui sont aussi le montant prévu pour la perte d'un cheval. Un piqueur de pierre vaut cinquante livres, et un maître soixante. En échange du corps de Pierre, enterré à cinq heures du matin le lendemain par les soins de la prévôté, Madeleine Le Jongleur doit recevoir vingt livres, plus trente autres prévues pour compenser la douleur d'une mère privée de son fils. Anselme Boniface en personne vient lui apporter la bourse préparée par les soins du comptable des Bâtiments et lui présenter les condoléances de Monsieur Colbert. Campé devant la cabane, l'assistant du prévôt a le teint plus fleuri que jamais et la mine d'un homme que Dieu et le roi tiennent en grande estime. Il regarde avec satisfaction Madeleine et Blanche serrées l'une contre l'autre sur leur seuil sans porte, hâves et étourdies de malheur. Il connaît maintenant le goût de la loueuse de sangsues, il s'est même extrêmement diverti, pendant que le rousseau agonisait, à lui mordre les seins et les fesses jusqu'au sang dans une maison forestière dont il garde la clef. Un morceau de choix, en vérité. La petite sera sans doute moins roborative, mais les fruits verts agacent les dents et il s'en promet une autre sorte de délices. La mère n'ose plus lever les yeux vers lui, elle a honte de sa déchéance et grand peur pour sa fillette. Elle a raison. Boniface crache par terre un épais jus de tabac et, une fois n'étant pas coutume, décide de se montrer clément. Avec une lenteur théâtrale, il tire de son gousset dix pièces d'argent qu'il jette aux pieds de la mère et de l'enfant. Madeleine Le Jongleur regarde les pièces sans comprendre. Boniface sourit à la façon du roi, en retroussant seulement les côtés de la bouche, ce qui présente le double avantage de rendre le sourire énigmatique et de ne pas dévoiler une dentition peu flatteuse.

— Sur les cinquante livres octroyées pour la mort de ton gars, j'en ai gardé trente-deux pour tes loyers en retard et le terme à venir. Restaient vingt-huit livres, soit neuf louis et vingt sols, que par égard pour ton deuil j'arrondis à dix louis. Ainsi vont la justice du roi et la mienne. Tu peux dire merci.

Madeleine pâlit.

— Mais vous avez déjà pris l'argent que la perruquière avait laissé pour le médecin !

— Il a rémunéré la patience dont je fais preuve à ton endroit.

— Vous n'avez pas le droit !

— Va donc te plaindre !

La loueuse de sangsues se met à trembler comme une feuille sous le vent. Boniface ne détesterait pas qu'elle se rue sur lui en hurlant. La colère sied aux femmes mûres, elle leur anime le teint. Mais la petite Blanche la retient par la taille et tout bas la raisonne. Madeleine Le Jongleur fixe sur l'assistant du prévôt ses yeux rougis et dit lentement, en fermant son poing dans son dos pour attirer le mauvais sort :

— La prochaine fois, je laisserai le furet t'égorger, Anselme Boniface !

Boniface éclate d'un rire d'ogre qui roule sous les frondaisons dénudées par l'automne.

— La prochaine fois, ma grosse, je ferai à ta fille tout ce que je t'ai fait ! Elle va chanter, ta Blanchette, je te le promets, mais pas au fond d'un couvent !

À une demi-lieue de là, dans ses appartements fleurant la peinture et la colle à boiseries, Louis XIV est comblé autant qu'un sultan de harem peut l'être. Il a imposé Madame de Montespan à la reine, à Louise de La Vallière, à la Cour, aux ambassadeurs, et se pavaner en public avec la plus belle femme du royaume l'emplit d'un contentement que les vociférations du marquis de Montespan et les larmes de la duchesse de Vaujours ne parviennent pas à gâcher. Le mariage de la nouvelle odalisque ne peut être annulé, il a produit deux enfants vigoureux et l'époux, en Gascon bouillonnant, n'entend pas céder son bien sans combat. Monsieur Colbert et Monsieur Bontemps ont mission de circonvenir l'importun afin que ses éclats ne troublent pas la royale félicité. Le double adultère est une situation juridique délicate et un affront à l'Église sans précédent sur le trône de France, mais lorsqu'il s'agit d'entériner son caprice sur un chapitre aussi cher à son cœur qu'à ses sens, la volonté du roi se suffit à elle-même. Si le cocu ne se laisse pas acheter, on l'exilera sur ses terres. Et s'il prétend priver la marquise de sa fille et de son fils, respectivement âgés de quatre et deux ans, on les lui laissera. Comme la plupart des jeunes femmes de son rang, Madame de Montespan connaît à peine ses marmots, et les bienfaits dont Sa Majesté entend la couvrir compenseront au centuple ce dont en l'aimant il la prive. Le public qui d'ordinaire montre pour les frasques des princes plus d'indulgence que pour celles des particuliers ne voit pas d'un œil clément le nouvel engouement de Louis XIV. Mademoiselle de La Vallière ressemble à une petite violette qui se cache sous l'herbe, honteuse d'être maîtresse, d'être mère, d'être duchesse, et sa modestie jointe à la passion désintéressée que lui inspire son amant touche les cœurs simples. Mais la splendide Montespan a trop de morgue et une ambition trop affichée pour émouvoir les braves gens. Dans les rues de Paris les libelles fleurissent, et sous le manteau circulent des caricatures montrant Louis-Apollon sur un char tiré par son épouse et ses deux maîtresses, seins et fessard à l'air.

Au fond de sa cabane où elle n'en finit pas de pleurer son Pierrot, Madeleine Le Jongleur se prend à détester le roi aussi fort qu'elle l'a adulé. Elle ne peut se résoudre à accuser Dieu de lui avoir ravi son fils, et comme son désespoir réclame des coupables qui se puissent haïr, elle confond dans son ressentiment Batiste et Louis XIV. Le premier est un démon, le second un despote. L'un et l'autre narguent le Très-Haut, foulent aux pieds la morale, utilisent autrui à des fins égoïstes, paient de sourires et de promesses, ignorent la compassion et le remords. Non content de tatouer son corps avec des morsures et des pinçons, Boniface prend plaisir à attiser sa colère en sorte que, désespérant du roi comme de son fils cadet, elle commette quelque irréparable folie. Il lui narre les nuits où, dans l'aile sud du château, la reine se lamente d'être doublement trompée, tandis que, dans l'aile nord, Sa Majesté fornique avec Madame de Montespan à côté de la chambre où Louise de La Vallière, fraîchement accouchée de son quatrième bâtard, souffre la malemort de se voir délaissée. Boniface se moque que le roi se mette en état de péché mortel et se vautre dans le scandale sous les yeux de ses sujets. Mais il se délecte de voir la statue sur laquelle Madeleine Le Jongleur avait ancré sa confiance et ses espoirs s'effriter peu à peu. Pour faire bonne mesure, il conte également à la mère éperdue les rendez-vous de Batiste avec l'épouse de son maître et bienfaiteur Denis Jolly, une belle brune que le vaurien a engrossée en même temps qu'une autre femme mariée, une plumeuse de volailles nommée Mathilde Benoît. L'une et l'autre ont donné naissance à des garçons robustes que les maris respectifs pensent être le fruit de l'amour conjugal. Couchée en chien de fusil à l'endroit où, sous la claie de bambous, la terre a bu le sang de Pierre, Madeleine gronde et profère entre ses dents des menaces terribles. Quand Nine La Vienne, hantée par le remords d'avoir accéléré la mort du blessé, revient à la cabane avec du pain frais et de la bière, elle la traite de suppôt de Satan et la somme de déguerpir sans quoi elle lui arrache et lui mange les yeux. Incapable de chercher du travail, Madeleine ne quitte sa tanière que pour s'en aller subir l'assistant du prévôt dans la maison forestière où chaque nuit il l'attend. Avec l'appui de Batiste, Blanche pourrait sans doute trouver à s'employer comme tourne-broche ou frotteuse de carreaux à l'auberge du Cheval couronné, mais Madeleine refuse farouchement toute aide de celui qu'elle n'appelle plus que « le maudit ». La honte, le chagrin et la rage fermentent dans son cœur jusqu'à former une boule fielleuse qui remonte dans sa gorge au point de l'étouffer. Elle rêve que la mort revient pour lui rendre Pierre et prendre en échange Batiste. Dame Mort dans ses rêves porte cuirasse et caracole sur un étalon caparaçonné de pourpre. Elle a le visage de Louis le Quatorzième.

C'est un matin frais du début du printemps et il ne pleut pas. Le roi a décidé d'emmener son épouse et ses deux favorites visiter le chantier de Versailles. La reine déteste le grand air, la duchesse de La Vallière préfère aller à cheval plutôt qu'à pied parce qu'elle boite, mais Madame de Montespan a du goût pour l'architecture et Sa Majesté se réjouit de lui montrer qu'en termes de grandeur, son château et sa personne n'ont pas leur pareille. Il conduit ces dames ensemble dans son carrosse depuis Saint-Germain, Marie-Thérèse assise à ses côtés, Louise et Françoise en face de lui. Elles sont blondes, toutes les trois, mais le perruquier Quentin dit qu'une seule mèche suffit à les différencier. La reine a une blondeur cendrée et frisée rappelant celle de feu la reine mère, Mademoiselle de La Vallière une chevelure pâle et lisse de nymphe sortant de l'eau, la marquise un blond de blé doré et des boucles naturelles qui feraient une splendide perruque. Le regard de Louis passe de l'une à l'autre avec un amusement qu'il cache sous son masque habituel. Ces femmes-là sont aussi différentes que le seraient une oie, une colombe et un aigle femelle, et il aime les observer autant qu'il aime jouir d'elles. La première est sotte, la seconde timide, la troisième éblouissante. Condamnées à se supporter, elles se jalousent, elles se haïssent, mais pour ne pas lui déplaire elles sourient et bavardent comme si elles étaient les meilleures amies du monde. Louis désire la sotte parce qu'il veut donner des frères au petit dauphin, l'éblouissante parce qu'elle le comble, et la timide parce qu'après avoir tenu le rôle du chandelier quand il roucoulait avec Madame, elle lui sert maintenant de paravent pour cacher ses amours avec une femme mariée et mère. Il sait parfaitement qu'à la Cour et à Paris personne n'est dupe, mais régner c'est à la fois exhiber et dissimuler, et un roi plus qu'un quidam doit sauvegarder les apparences. Depuis qu'il est rentré de Flandre, les travaux à Versailles sont allés bon train, et les avancées des jardins, surtout, sont considérables. Piqués au pied de la terrasse ouest, sa femme, ses maîtresses et une dizaine de familiers contemplent avec perplexité la perspective des terres du bas, replantées depuis peu et à nouveau éventrées pour préparer l'acheminement des eaux jusqu'au futur Grand Canal dont le bourbier géant barre l'horizon. La reine, qui est extrêmement myope, plisse ses yeux bleus et demande d'une voix incertaine :

— Où sont les progrès qué you zavé dit, Sire ? Pour moi, si yé vois bien, yé crois qu'il y a là encore plou dé dessordre y dé boue qu'avant...

La marquise de Montespan sourit. D'un mot cinglant elle pourrait tourner en ridicule l'Espagnole grassouillette, qu'elle continue de servir en qualité de fille d'honneur, elle la ménage uniquement parce que le roi ne souffrait pas qu'on manquât de respect à la reine. La duchesse de La Vallière baisse les yeux. Elle respecte sincèrement Marie-Thérèse et elle se reprochera jusque dans la tombe de lui avoir fait endurer pendant six ans ce qu'elle-même endure aujourd'hui. Pointant sa canne vers le chantier, le roi décrit le plan d'eau qui se confondra si bien avec le ciel qu'au coucher du soleil l'astre épousera l'onde en l'embrasant. Louis aime partager ses visions, il le fait avec passion et talent. Les yeux ronds fixés sur son visage, la bouche entrouverte, la reine l'écoute comme s'il était Jésus prêchant en chaire. Elle ne regarde pas les endroits qu'il lui montre, les moyens du projet l'indiffèrent et sa symbolique lui échappe, mais elle voit son mari joyeux pour un autre motif que ses nuits avec la Montespan, donc elle trouve les sommes et les vies englouties dans ce nouveau pari idéalement employées. Tout au plaisir de captiver son public, le roi ne remarque pas la femme en guenilles qui sort du bois et se hâte vers lui. Malgré son embonpoint elle court en agitant les bras, et tout en galopant elle crie comme si le feu couvait sous ses jupes crottées. Croyant à quelque urgence les Suisses la laissent passer, et les courtisans voyant sa misère mettent en hâte leur mouchoir sur leur nez. La bonne femme ne leur adresse pas un regard. Sans ralentir le pas elle fonce sur Louis XIV et lui tombe dessus à coups de poing en hurlant :

— Tyran ! Putassier ! Honte à toi !

Les gardes se jettent sur elle et la tirent en arrière. La femme se débat en vociférant :

— Rends-moi mon fils ! Rends-le-moi !

La reine s'appuie sur le bras du chevalier de Rohan. Si le roi fermait ses jardins au public, on ne serait pas sans cesse importunés par des malheureux... Le grand veneur la confie au duc de la Vieuville et s'avance pour aider les Suisses à entraver la forcenée qui continue à glapir :

— Tu nous tonds ! Tu nous tues ! Et pour quoi ?

Du menton elle montre les fontaines qui lancent vers le ciel leurs arabesques argentées.

— Pour ça ?

Elle crache vers Mademoiselle de La Vallière et Madame de Montespan.

— Pour impressionner tes catins ?

Le feu aux joues mais l'œil froid, la marquise murmure :

— Est-ce que personne ne va faire taire cette folle ?

Louis XIV qui semblait statufié reprend vie. D'un geste bref il commande à Rohan de régler le problème. Le chevalier arrache le bonnet de la femme et le lui fourre dans la bouche. Cramoisie, à demi étouffée, elle continue de hurler dans son bâillon pendant que les gardes l'entraînent. Tordue par une nausée, Louise de La Vallière se cache derrière le fidèle Bontemps pour rendre son déjeuner. Quand elle se redresse, elle est aussi blanche que la dentelle qui garnit son décolleté. Un rictus ironique sur ses lèvres exquisement ourlées, Madame de Montespan lui souffle :

— Reprenez-vous, Madame. Une position aussi exposée que la nôtre demande d'avoir le cœur dans la tête, pas dans le ventre.

Le roi semble déjà avoir oublié l'incident. Le visage lisse, il continue son discours comme si rien ne l'avait troublé puis, offrant galamment son bras à la reine, il invite les dames qui l'accompagnent à venir admirer dans le bassin de Latone une carpe extraordinaire offerte par l'empereur du Japon. L'empereur du Japon en personne, oui. Plusieurs voyageurs au pays du Levant lui ayant vanté l'ambition des jardins de Versailles, l'illustre tenant du Trône des Chrysanthèmes a souhaité saluer par ce présent la magnificence du roi de France. Le grand maître des fontaines François Francine lance un regard stupéfait au chevalier de Rohan qui, discrètement, se rapproche de lui. Francine lui chuchote :

— C'est moi qui ai donné la carpe au roi ! De la part d'un petit fontainier, un apprenti de Jolly !

Rohan répond sur le même ton :

— L'attention est touchante. Mais le faux présent d'un empereur a plus d'utilité politique que le vrai cadeau d'un ouvrier.

— Le garçon voulait une audience et je lui ai promis...

— Vous n'auriez pas dû. Maintenant le roi ne peut plus revenir en arrière, il ne recevra jamais votre protégé.

Avec un entrain de gamin, Sa Majesté encourage Madame de Montespan à émietter un biscuit dans l'eau. La carpe remonte à la surface et ses écailles dorées provoquent des exclamations extasiées. Louis XIV se penche et, du bout des doigts, caresse ses flancs. Occupé à gober les miettes, le poisson ne bronche pas. Madame de Montespan sourit à son amant.

— Savez-vous, Sire, ce qui serait plaisant?

Le roi se redresse et lui sourit en retour.

— Tout ce qui vous plaira, Madame, me semblera plaisant.

La reine se renfrogne. La duchesse de La Vallière songe qu'elle noierait volontiers la marquise, là, maintenant, devant tout le monde.

— Un collier pour votre carpe impériale. Avec une médaille, bien sûr.

La reine éclate d'un rire aigre.

— Oune collier! Ma chère voussavé déssidées ridicoules!

Accentuant son sourire, la marquise poursuit :

— Un collier en or que vous ferez changer chaque année, le 5 septembre, jour de votre anniversaire. Sur une face de la médaille on gravera votre profil, et sur l'autre une devise qui résumera vos hauts faits de l'année écoulée.

Le roi prend la main de sa maîtresse et la baise.

— Voici, Madame, une proposition qui m'enchante. Monsieur Bontemps commandera à maître Germain, qui est le meilleur orfèvre de ce royaume, un bijou. Vous en surveillerez l'exécution, et il fera une copie que j'aurai plaisir à vous offrir.

Il se retourne vers son épouse et Louise de La Vallière.

— Et vous, mesdames, pourquoi ne pas chercher ensemble un nom pour cette carpe?

Batiste n'a rien vu. Au moment où sa mère s'est ruée sur Louis XIV, il était sous la terre, à quelques pas de là, accroupi contre le « gâteau » de Latone, qui est le corps invisible de la fontaine et le cœur de son mécanisme, un épais tronc de moellons où les tuyaux convergent et se redistribuent les différents ajutages pour alimenter. Il vissait, il limait. Il n'a rien entendu. Quand il est ressorti par une galerie débouchant du côté de l'Orangerie, il n'y avait aucune trace du roi ni de sa suite, et les ouvriers parlaient seulement d'un charpentier qui venait de recevoir une poutre sur la tête. Sur ordre de Denis Jolly, il a passé l'après-midi à peser des plaques de plomb dans les entrepôts de la rue du Réservoir, la soirée et la nuit à réparer la pompe actionnée par des chevaux qui se trouve près de l'étang de Clagny. Le corps fourbu, ivre du bruit que fait la machinerie quand les percherons l'entraînent, il a dormi sur place, dans une mangeoire. Comme chaque nuit, il a rêvé de son frère. Et de l'étrange fille qui lui a coupé les jambes avec l'aplomb d'un homme d'expérience et qui, lorsque Pierre est mort, a sangloté en lui demandant pardon. Batiste connaît son nom, qui est celui du plus fameux établissement de bains de Paris. S'il se renseignait, il saurait si elle est fiancée et pourquoi elle court les masures pour acheter des cheveux avec une trousse de chirurgien dans son sac. Il ne l'a pas revue, ses traits dans sa mémoire ne sont plus très nets, mais ses yeux bleus le guettent dans les voiles du sommeil, et quand il se réveille, il sent sa petite main dans la sienne.

Le samedi suivant, qui est jour de marché, Madeleine Le Jongleur, anciennement nourrice et pêcheuse de sangsues, est conduite sur la place de Versailles sous la garde d'Anselme Boniface, assistant du prévôt, afin d'y être mise demi nue et fouettée publiquement pour crime de lèse-majesté. Prévenu par un garde suisse qu'il a l'an passé sauvé de la noyade dans une poche du marais, Batiste arrive en courant au moment où le bourreau attache sa mère au pilori. La presse est si grande qu'il doit se frayer un passage à coups d'épaule. La rousse Mathilde est au pied de l'estrade, enveloppée dans un châle qui cache son nourrisson au sein. Elle voit les lèvres blanches de Batiste, ses mâchoires crispées, son regard de fer. Il va se jeter sur le bourreau, ou sur Boniface, ou sur les deux. Avec un cri d'effroi elle se pousse jusqu'à lui, et pour le retenir lui fourre son bébé dans les bras. Batiste se fige. Le poupon hurle avec la foule qui applaudit la sentence, le fouet brandi, les seins de la condamnée, l'autorité de l'assistant du prévôt. Tremblant d'impuissance, Batiste le serre contre sa poitrine et ferme les yeux. Le fouet s'abat. La foule compte à haute voix les trente coups qui ouvrent dans la chair de Madeleine autant de zébrures écarlates. Sous ses paupières serrées, Batiste est ailleurs, loin, là où le marchand de drap l'a pour la première fois envoyé, dans ce pays sans nom où l'enfance martyrisée se réfugie en attendant l'heure de se venger. Il rouvre les yeux quand Mathilde lui reprend doucement son petit. Le bourreau a quitté l'estrade. Boniface fume et plaisante avec les gardes. Le cou serré dans le carcan de bois où elle doit rester exposée une heure pleine afin de dissuader le bon peuple de manquer de respect à son roi, Madeleine a le teint d'une morte, le dos et les flancs marbrés de sang. Batiste s'approche, prend l'éponge mouillée que lui tend Mathilde et il la lui passe doucement sur le front. La suppliciée gémit, redresse le cou, ouvre avec peine les yeux. En reconnaissant son fils, elle recule la tête autant qu'elle peut et lui crache au visage.

— Assassin !

Batiste vacille et se rattrape au montant du carcan. Boniface applaudit.

— Vas-y, la mère ! Règle-lui son compte, ça m'évitera d'y toucher, je préfère m'occuper de ta gamine !

Batiste blêmit.

— Où as-tu mis Blanche, ordure ?

Boniface lève une main menaçante.

— Tu me parles autrement ou il va t'en cuire, toi aussi ! Depuis le temps que j'attends ça ! Et ton furet, j'en ferai un ragoût !

— Où est ma sœur ?

— À l'abri.

À l'éclair de haine dans les yeux du garçon, Boniface sent qu'il va lui sauter à la gorge. Il porte machinalement la main au foulard qui cache ses cicatrices et crie aux gardes :

— Holà ! À moi !

Une voix grave arrête l'élan des Suisses.

— Ne vous donnez pas cette peine, je l'emmène.

L'assistant du prévôt se retourne. Écartant les commères qui se pressent dans l'espoir d'une nouvelle arrestation, François Francine pose la main sur l'épaule de Batiste.

— Les fontaines de Sa Majesté ont besoin de ce jeune homme.

Boniface prend un air offusqué et proteste :

— Il m'a insulté, messire !

— J'en suis navré pour vous, mais sa présence est requise sur le chantier du Labyrinthe. Vous aurait-il mordu le nez que je ne vous l'enlèverais pas moins.

Batiste se dégage et souffle :

— Je dois trouver ma sœur...

Francine lui jette un regard impérieux.

— Pour une fois, taisez-vous et venez.

Au terme de l'heure prescrite, Anselme Boniface délivre Madeleine, et sans couvrir sa nudité la fait monter dans une charrette attelée. Les religieuses de Saint-Vincent-de-

Paul n'osent l'approcher tant elle jure contre son fils cadet et contre le roi de France. L'assistant du prévôt leur a confié la petite Blanche avec mission de la garder sous clef jusqu'à ce que le cas de sa folle de mère soit réglé. Dès qu'il aura bouclé la femme Le Jongleur en sorte qu'elle ne cause plus de souci à personne, Boniface reviendra chercher la fillette et prendra personnellement soin de son avenir. Bouclée dans la lingerie de l'infirmerie, Blanche a entendu les huées de la foule et les cris de Madeleine. Elle tambourine contre la porte et tapage si longtemps que les sœurs renoncent à lui porter son dîner. Puis, enfin, elle se tait. À la tombée du jour, la croyant calmée, l'infirmière en chef entre avec une gamelle et un quignon de pain. La pièce est sens dessus dessous, les armoires ouvertes, les piles de draps par terre, les panières renversées. Et l'enfant n'est plus là.

Imaginez, Monsieur, une salle de quarante pas sur dix, avec des murs en pierre nue percés de fenêtres en ogive. Cette salle est dallée, jonchée d'ordure. À chaque coin, un tas de paille souillée que l'on évacue le dimanche. Pas de cheminée. Le long des murs, deux tables et des bancs. Pas de chaise, pas de coffre. Les fenêtres ont des barreaux, leurs carreaux sont encrassés, le jour y filtre à travers d'épaisses toiles d'araignées. Pas de chandeliers, pas de bras de lumière. À midi, on y voit comme un soir de Toussaint, et avant vêpres, que l'on chante à sept heures en été et à cinq en hiver, il fait aussi noir qu'au fond d'un caveau. En vérité cet endroit est très exactement un caveau. Un caveau construit au milieu de la rue de Sèvres, dans le quartier Notre-Dame-des-Champs, pour y enfermer des vivants. On l'appelle les Petites-Maisons, et personne, à l'époque dont je vous parle comme aujourd'hui, n'a jamais prononcé ce nom sans frémir.

Les vivants qui s'y trouvent enterrés? À la lumière de la torche que je hausse devant vous, regardez-les. Ils sont une quarantaine, peut-être un peu plus, hommes, femmes, vieillards et jeunes gens, vêtus de lambeaux informes, jambes et bras marqués au poinçon des punaises et des tiques, le visage et le dos bleuis par les coups, couverts de gerçures et de croûtes, la bouche grise fendue sur des gencives enflées, les yeux furieux, hagards ou morts. Accroupis ici et là, couchés à même le sol, marchant de long en large, ils ressemblent à des spectres. Approchez, n'ayez pas peur, la plupart d'entre eux n'écraseraient pas une mouche et ceux qui pourraient vous molester sont enchaînés à un anneau solide. Ils sont affreusement maigres, horriblement pâles, ils hurlent des plaintes et des imprécations qui font dresser vos cheveux sous votre perruque? Tous sans exception sont ici sur ordre du roi de France.

Le roi dont nous parlons, celui qui aime les dames et les fontaines, celui que Madeleine Le Jongleur a agressé?

Celui-là même, qui au retour des Flandres a confié au sieur de La Reynie, lieutenant général de police, le soin d'assainir Paris en engeôlant tout ce qui mendiait, errait ou se tordait d'épilepsie dans la fange des rues.

Pourquoi tant de sévérité envers des malheureux qui n'ont commis aucun crime?

Parce que, selon l'édit royal, rien ne trouble plus l'ordre public que le spectacle de ces misères humaines. Il serait plus honnête de dire que c'est le roi qui n'entend être troublé par le spectacle d'aucune misère humaine. Louis-Apollon aime le soleil, les feux d'artifice, les jeux d'eau et d'alcôve, les allées rectilignes, les parterres tracés au cordeau. La misère le chagrine autant que la laideur, et la maladie autant que le désordre parce qu'à ses yeux la misère est une laideur, et la maladie un désordre. Il a vaincu les Flamands, il a conquis Madame de Montespan, il entend maintenant faire plier sous ses lois tout ce qui dans le royaume contrarie son besoin de grandeur, d'ordre et d'harmonie. Monsieur de La Reynie a reçu en ce sens des consignes que le premier policier du royaume applique sans états d'âme. Quartier après quartier, les ruelles de la capitale sont ratissées, les caves visitées, les abris de fortune rasés. Les vagabonds, les mendiants valides et invalides, les hommes défigurés, les enfants trouvés, les prostituées et les indigents vont à l'Hôpital général pour y être décrassés, tondus, nourris et soignés. Les fous avérés ou dénoncés comme tels, les mélancoliques, les simples d'esprit et les délirants des deux sexes sont expédiés avec les vénériens et les teigneux aux Petites-Maisons, dont le nom vient de ce que les cours de cet asile sont entourées de loges fort basses dévolues par le Grand Bureau des pauvres à quatre cents vieilles gens qui sans cette charité mourraient sur les trottoirs.

C'est là, dans une cellule contiguë à la grande salle que je viens de vous décrire, que Nine La Vienne retrouve Madeleine Le Jongleur. Elle a appris le geste de la pauvre femme par Bontemps, son parrain. Le roi après l'incident a eu la migraine et fait plusieurs nuits d'affilée ces cauchemars qui depuis l'enfance le torturent. Il s'est inquiété de savoir si la démente qui l'avait injurié se trouvait hors d'état de nuire, et si on l'avait châtiée assez vigoureusement pour que personne, jamais, n'osât suivre son exemple. Il n'a pas demandé son nom, ni son état, ni quel concours de circonstances l'avait disposée à se jeter sur lui. Par le chevalier de Rohan qui emmène parfois le prévôt de Versailles chasser, Nine a su qu'Anselme Boniface avait conduit Madeleine aux Petites-Maisons où elle était gardée au secret. Nine n'a pas eu besoin de prier le chevalier de s'entremettre pour lui obtenir un droit de visite. En guise de lettre de recommandation, elle avait ses ciseaux et la réputation de l'atelier Binet. L'économe de l'établissement doit entretenir près de sept cents personnes et il peine chaque mois à équilibrer ses comptes. Ses pensionnaires sont évidemment incapables de subvenir à leurs besoins, mais certains ont sur la tête des cheveux qui valent quelque chose. Jouant son va-tout, Nine a proposé au trésorier deux livres par chevelure saine, en se réservant le privilège d'examiner les sujets un par un. C'était beaucoup moins que le tarif en vigueur sur les marchés, mais elle ne pouvait offrir davantage. Craignant qu'il ne poussât les hauts cris à l'idée de la voir se pencher sur des crânes infestés de teigne, elle n'a pas parlé à son oncle de cette opération. Elle l'a financée en vendant la grosse perle de Monsieur et en mettant en gage son rubis. Pourquoi elle a fait cela? Parce que après le supplice de Madeleine Le Jongleur, la petite Blanche s'est réfugiée chez elle en la suppliant de lui porter secours. Refuse-t-on d'aider une gamine qui marche cinq lieues sur ses pieds nus, écume la cour des Miracles jusqu'à dénicher l'adresse des maîtres Binet et Quentin, perruquiers, qui trouve son chemin jusqu'à la rue des Petits-Champs, qui vous attend sans boire ni manger sous votre porche et se présente à vous comme si vous étiez sur cette terre la seule personne à qui se fier?

Campé au milieu de la cour de l'asile, Batiste suit des yeux deux vieillards qui se disputent une gamelle.

— Vous auriez pu la renvoyer à Versailles. La plupart des gens que je connais l'auraient fait.

Nine hoche la tête.

— Vous ne fréquentez pas les bonnes personnes.

Bastiste Le Jongleur se force à sourire.

— Est-ce qu'il est trop tard pour commencer?

Nine aimerait lui rendre son sourire, mais elle n'y arrive pas. Les gardes ont laissé Batiste pénétrer avec elle dans la cour de l'hospice, mais pas franchir les portes du bâtiment des aliénés. Nine y est entrée seule, après avoir promis au fontainier de lui rapporter tout ce qu'elle verrait et apprendrait. Quand elle est ressortie flanquée d'un homme en tablier portant une malle pleine de cheveux, ses traits accusaient une telle détresse que Batiste pressent le pire. La jeune fille soupire:

— Si l'Enfer existe, il ressemble à ce que je viens de
voir.

Batiste pâlit.

— Ma mère est morte ?

— Non. Mais elle n'est plus véritablement de ce monde.

— Elle ne vous a pas reconnue ?

— Je ne sais pas. La cellule où ils l'enferment est très
sombre, je n'ai pas vu son visage. Elle est toute nue, malgré le froid. La religieuse qui la surveille prétend qu'elle
déchire son linge en bandelettes et qu'elle enroule ces
bandelettes autour de son cou jusqu'à s'étrangler. Elle a
une couchette et un seau, mais elle dort et se soulage sur
le sol. Pour justifier ma visite, j'ai voulu lui palper les cheveux. Elle m'a mordue. Un vrai fauve. Le docteur a commandé qu'on lui administre une douche froide, puis un
bain brûlant, puis encore une douche froide. Il dit qu'elle
mord pareillement les sœurs qui lui portent son repas. Et
qu'elle se mord elle-même, aux bras, aux mollets, aux
cuisses. Elle tète son sang comme un vampire. Les médecins de l'hospice trouvent le cas passionnant, ils n'en ont
jamais vu un pareil. Ils essaient des traitements, mais pour
l'instant aucun ne produit d'effet.

— Quels traitements ?

— Le trémoussoir. Le piano à chats.

— Pardon ?

— Le trémoussoir est un fauteuil muni de ressorts que
l'on met en branle de façon à reproduire les secousses
d'un voyage en chaise de poste. L'effet de ces trémuments
sur le cerveau est, paraît-il, très bénéfique. Le piano à
chats est une caisse de piano dont les cordes sont rempla-
cées par des chats. Des vrais chats, dont les bonds et miau-
lements excitent le rire des malades, ce qui les détend et
facilite les exercices de rééducation. Mais votre mère s'endort sur le trémoussoir et elle veut dévorer les chats.

— Il faut la tirer de là. Avant qu'ils ne la rendent vraiment folle.

Nine s'assied sur l'un des bancs de pierre qui bordent la cour et, de la main, invite Batiste à prendre place à côté d'elle.

— Vous ne pourrez pas. Aucun patient ne sort sans l'autorisation du collège médical. Dans le cas de votre mère, cette autorisation devra être contresignée par Monsieur de La Reynie, qui prend ses ordres directement du roi.

— Je trouverai un moyen. Tout s'achète aujourd'hui.

— Monsieur de La Reynie est comme Monsieur Colbert : incorruptible.

— Les infirmiers et les gardiens seront sûrement moins rigides.

— Cela vous coûtera une fortune. Je ne pourrai pas vous aider en proportion.

— Vous en avez assez fait. Vous avez mis Blanche à l'abri.

— C'est elle qui s'est mise à l'abri. Je me suis contentée de lui ouvrir la porte de l'atelier. En moins de temps qu'il n'en faut pour trousser une perruque, elle a séduit tout le monde. Elle dit qu'elle tient ce talent-là de vous...

Batiste grimace tristement.

— Notre mère a pourtant fait de son mieux pour la garder de mon influence.

— Mon aïeul l'a prise en affection. Il n'y voit plus du tout, elle lui sert d'yeux. Et elle chante pour les clients, ce qui est extrêmement apprécié. Dans un ou deux ans, quand sa voix sera fixée, je la recommanderai à Monsieur Lully que je connais un peu.

Étonné, Batiste se tourne vers elle.

— Vous l'aimez donc bien, ma petite sœur ?

— Quand j'avais l'âge de Blanche, je voulais être un garçon, et je ne me souviens pas m'être jamais sentie une enfant. Mais j'avais un père aimant, un toit solide, du pain, et en plus on me permettait d'étudier. Votre sœur n'a rien de tout cela, pourtant elle aspire à autre chose que manger, dormir au sec et vieillir en paix. C'est cette audace que j'aime. Moi aussi, je voulais choisir ma voie, moi aussi je rêvais de sortir du lot commun.

Batiste la regarde retrousser le bas de sa jupe, ôter ses souliers crottés, frotter l'ordure qui tache ses bas. Cette fille n'en finit pas de le surprendre.

— Et aujourd'hui ?

Nine se rechausse avec une grimace.

— Un pas après l'autre. J'ai longtemps pensé que l'avenir appartient aux risque-tout, à ceux qui bravent les règles. Je crois maintenant qu'on gagne plus à jouer le jeu de ce monde, de ce temps. En apparence, du moins. C'est ce que je fais.

— Sans tricher ?

Elle sourit.

— On triche tous, d'une façon ou d'une autre. Cela fait partie du jeu, non ?

Batiste joint ses doigts gercés par la rouille.

— Et moi qui vous croyais un modèle de vertu !

Nine lui coule un regard ironique.

— Vous ne trichez pas, vous ? Comment s'enrichit-on dans votre métier ?

En trafiquant. Parrain, qui se veut le meilleur spécialiste en arnaques, combines, graissages de patte et malversations du royaume, se fait un plaisir d'expliquer à Batiste le fonctionnement du chantier de Versailles. Ou, plus précisément, les dessous du chantier de Versailles. Le roi prétend contrôler chaque étape, chaque rouage, chaque maillon de l'immense chaîne qui va des carrières de marbre italiennes aux marches de ses escaliers, des forêts hollandaises aux poutres de ses salons, des ardoiseries d'Auvergne aux toits de la nouvelle chapelle, des étangs de

Clagny et de Marly aux fontaines des frères Francine. Monsieur Colbert suit en comptable pointilleux l'application des règlements visant chaque catégorie d'entrepreneurs, de fournisseurs et d'ouvriers, mais du plus bas au plus haut de l'échelle ce sont près de dix mille personnes qui cherchent à tirer leur miel de la ruche, et il faudrait avoir autant d'yeux pour les surveiller toutes. De l'attribution des marchés au dépôt des matériaux, c'est une cascade de petites et grandes filouteries. La pierre, le bois, les minerais, les animaux de trait, les charrettes, les barges et gabarres, les routes, ponts, voies fluviales, canaux, les ports avec leurs vaisseaux, leurs matelots et leurs entrepôts depuis Marseille, Bordeaux, La Rochelle, Le Havre jusqu'à Paris sont réquisitionnés et mis au service du chantier comme si la France entière devait se consacrer à bâtir un seul château. Sous l'autorité du bailli de Versailles, la police sanitaire de Sa Majesté encadre l'approvisionnement afin d'éviter que des denrées avariées ne déciment la précieuse main-d'œuvre. Le bétail doit être abattu sur place, le pain fait sur place, le foin engrangé sur place et l'eau tirée de puits creusés à cet effet. En pratique, les intermédiaires pullulent et s'engraissent, les ouvriers mangent plus de viande salée que de viande fraîche, et la cantine qui fournit bouillon, cidre, bière, vin et eau-de-vie payants fait des affaires fructeuses. Sur le chantier, les palettes de tuiles, d'ardoises, les carreaux en terre cuite, les dalles de pierre et de marbre sont comptés avec soin, mais au moment de les poser il s'en trouve toujours moins que les registres ne l'attestent. On ne dérobe pas seulement les matériaux de construction. Les poulies, les jougs des bêtes de somme, les roues des charrettes, les socs, les échelles, les cordages disparaissent et se négocient dès le lendemain sur un marché parallèle où les entrepreneurs rachètent à prix avantageux ce qu'on a volé au roi. Parrain entretient une dizaine de gars spécialisés dans ce genre de larcin. Il fournit à Batiste une liste très complète des trafics, avec le nom des bénéficiaires et les sommes que chacun engrange. Les profits les plus importants se font sur les matériaux précieux dont le roi est friand. L'or pour les boiseries, les grilles, les balcons, les bouches d'eau. L'argent pour les balustres des lits et les bras de lumière. Le mercure pour les miroirs. Le cuivre pour les tuyaux.

— Et le plomb ?

— Encombrant, difficile à manipuler. On refourgue plus facilement des feuilles d'or que des feuilles de plomb. Mais au prix où se négocient les métaux, celui qui aurait une idée et les bonnes connexions se roulerait une jolie pelote.

Batiste prend soin de vider son regard de toute expression, mais Parrain le connaît trop pour se laisser duper. Il attrape le poignet du jeune homme et enfonce ses ongles taillés en pointe juste à l'endroit des veines.

— Je veux cinquante pour cent sur ce qui est en train de germer dans ta jolie caboche. Retour sur investissement. La carpe que je t'ai cédée barbote dans les bassins de Versailles et je n'en ai tiré aucun avantage.

— Moi non plus. Je me suis fait doubler.

— Par l'intermédiaire ?

— Par le destinataire.

— Cela m'étonne de toi.

— Je vais me rattraper.

— À la bonne heure ! J'ai craint un moment que tu ne songes sérieusement à devenir honnête.

Parrain porte le poignet de Batiste à ses lèvres et lèche le sang qui a perlé sous ses ongles.

— Il me déplairait que tu me déçoives à nouveau... Le plomb, si tu trouves comment le détourner, je peux le cacher. Et pour la revente, j'ai un réseau.

— Il n'y aura rien à cacher. Et rien à écouler.

Parrain arrondit son œil valide qui est aussi noir qu'un morceau de charbon.

— Alors quoi? Un tour de passe-passe?

Batiste dégage son poignet, et d'un geste gracieux retire une rose derrière l'oreille du borgne. Une rose en plein hiver. Rouge.

— C'est vous qui m'avez appris la magie, mon parrain...

L'idée de Batiste est audacieuse, simple dans son principe mais compliquée à mettre en œuvre, et il ne peut l'exploiter sans la complicité des époux Jolly. Par contrat passé avec la surintendance des Bâtiments, Denis Jolly touche cent mille livres annuelles pour fournir et poser les tuyaux de plomb qui viennent remplacer les canalisations en pierre et en bois du château de Versailles. Ces tuyaux de dix à soixante centimètres de diamètre sont façonnés en tronçons de deux à cinq mètres pesant un poids également fixé par contrat. L'astuce est de livrer des tuyaux moins lourds, donc moins coûteux à fabriquer, et d'empocher la différence.

Jeanne Jolly se laisse facilement convaincre. Elle aime les bijoux autant que le plaisir, et les émoluments de Jolly ne suffisent pas à couvrir ses dépenses. De surcroît, elle a grand respect pour Louis XIV qui a fait de Jolly ce qu'il est, mais elle trouve l'idée de s'enrichir à ses dépens encore plus divertissante que de cocufier son mari. Quand elle lui expose le projet, ledit mari manque s'évanouir. Mais il résiste d'autant moins à ses arguments qu'il a lui-même des dettes pressantes. Batiste est aimablement convié au domicile parisien des époux pour arrêter les détails de l'opération. Il y admire les lévriers du mari, la collection de boîtes à musique de l'épouse, les jumeaux du couple, ainsi que son propre fils, prénommé Déodat, qui a quatre dents et le poil couleur de carotte. En homme d'action qui ne s'encombre pas de scrupules, Denis Jolly ouvre une bouteille de vin de Madère et trinque avec son jeune complice. Batiste a déjà circonvenu deux maîtres de forges à qui il a promis, s'ils s'avisaient de trahir son secret, de confier leur femme et leurs filles aux sbires de Parrain. Les tronçons qui sortiront des ateliers auront le diamètre prévu, mais les parois en seront légèrement plus minces. Hormis le poids que personne à Versailles ne songera à vérifier, rien ne les distinguera des pièces conformes au règlement. Jolly décidera de l'affectation de ces lots, et Batiste en surveillera la pose. Une fois les tuyaux jointés et reliés au réseau existant, il sera impossible de déceler l'escroquerie. Ni vu ni connu, mais des bénéfices considérables. Batiste promet au maître fontainier un profit de vingt-cinq mille livres par an, à partager en trois parts égales. Enchantée de cette proposition qui lui assure à titre personnel un substantiel revenu, Jeanne l'embrasse sur la bouche devant son mari. Jolly sort le boulier sans lequel il est incapable d'effectuer une opération et réclame huit pour cent de plus. Batiste n'est pas en situation de lui refuser quoi que ce soit. En échange il demande à passer officiellement apprenti fontainier. Un apprenti fontainier ne gagne que quarante sous par jour, soit douze livres par semaine, mais il a un statut, donc une crédibilité. Jolly promet de préparer un contrat en bonne et due forme, et même de compter les mois où Le Jongleur a travaillé en tant que garçon fontainier comme une première année d'apprentissage. Batiste s'en retourne à Versailles le cœur moins lourd. Il escompte en réalité retirer cinquante mille livres de bénéfice annuel de son arnaque, ce qui, en trichant sur la somme promise à Parrain, devrait lui laisser en poche environ vingt mille livres. Vingt mille livres. À peu près cent années de son salaire actuel. De quoi acheter la totalité des infirmiers et gardiens des Petites-Maisons.

Nine a mal au dos. Quand elle n'est pas courbée sur le mortier où elle pile et malaxe les ingrédients dont elle tire ses onguents, elle est penchée sur la nuque de Monsieur pour huiler ses croûtes, accroupie à ses pieds pour parfumer ses orteils, ou cassée en deux pour pommader son séant. Monsieur a des démangeaisons. Monsieur a des flux de ventre. Monsieur a des douleurs derrière les yeux, dans les oreilles, sous la peau du crâne, au bout de son mâle appendice, au fond de ses bourses épilées. Il craint de devenir aveugle et sourd. Il lui semble que ses attributs rapetissent, se dessèchent, menacent de se détacher de sa personne. Il réclame des miroirs, s'examine sous toutes les coutures et s'affole. Il se sent vieux. Il se trouve laid. Nine masse ses genoux puis ses cuisses empâtés par la graisse et s'efforce de le rassurer :

— Vingt-sept ans n'est pas vieux, Votre Altesse. Mon père a le double de votre âge, il se porte comme un chêne.

— J'enfle autant que la grenouille de Monsieur de La Fontaine. Je ne mange pas plus que le roi mon frère, pourtant, et regardez-moi !

Nine sourit au souvenir de Louis XIV endormi dans la baignoire paternelle en songeant que si Philippe d'Orléans se donnait du mouvement à la paume, comme fait le roi, s'il chassait et dansait, si au moins il marchait d'un pas vif dans ses jardins de Saint-Cloud ou de Villers-Cotterêts, il aurait moins d'embonpoint. Mais à l'exception des prouesses guerrières et des joutes d'alcôve, Monsieur répugne à toute sorte d'effort.

— C'est ma jeunesse qui s'en va, je vous le dis, bientôt je ne plairai plus à personne !

Nine baisse les yeux sur le nombril curieusement saillant et brun de Son Altesse et s'abstient de répondre. On ne converse pas avec un prince du sang, on l'écoute. Nine connaît l'anatomie de Monsieur dans ses moindres replis, mais lui graisser le fondement tous les jours ne change rien à la révérence qu'elle lui doit. À dire le vrai, ce petit homme geignard et capricieux éveille en elle plus d'impatience que de respect, mais comme la règle chez les Grands est de feindre, elle feint. Il ne lui a pas fallu plus de quelques semaines pour comprendre que nonobstant sa naissance Philippe d'Orléans était une perruche, et sa cour une volière. Derrière les grilles dorées du Palais-Royal, rien de grave ne se débat, rien d'important ne se décide. On jacasse, on jabote, on lustre son plumage, on taille ses ergots, on se pousse de l'aile et du bec sans autre ambition que de monopoliser l'attention. L'*Amphitryon* de Molière, qui est l'histoire d'un honnête mari que Jupiter cocufie sans vergogne après avoir pris son apparence, la dernière perruque inventée par Binet, ou la campagne éclair menée en Franche-Comté pour punir les Hollandais d'avoir signé une alliance avec l'Angleterre et la Suède sont commentés sur le même ton. On s'exclame que Molière embroche les ridicules comme personne, que le roi n'est pas homme à se laisser tailler la barbe à contre-poil par qui que ce soit, et que l'aïeul de Nine a autant de génie que le maréchal de Turenne. Ensuite on guette l'humeur de Monsieur pour savoir s'il faut parler de la pluie ou du beau temps. L'humeur de Monsieur depuis le début de l'année 1668 ressemble à du lait entre les mains d'une cuisinière étourdie. Dans les premiers temps Nine en imputait la faute au tempérament du prince, qui est à la fois sanguin et bilieux, et elle s'ingéniait à concocter des tisanes lénifiantes, des mélanges aromatiques contre les idées noires, des potions pour égayer la rate. Puis elle a croisé le duc de Monmouth et elle a compris que les maux de Monsieur ne venaient pas de sa gloutonnerie et de sa paresse mais de son orgueil jaloux. James, duc de Monmouth, en visite à la cour de France, est le fils bâtard de Charles II d'Angleterre, frère aîné de Madame. Le bâtard a dix-neuf ans et un extérieur éblouissant comportant taille de jouvencelle et poitrail de guerrier. Ajoutez à cela une figure à peindre et de l'esprit en abondance, vous aurez la terreur universelle des époux. Parce que Madame se réjouit de parler anglais avec ce trop joli damoiseau, parce qu'en sa compagnie elle rayonne et pétille, Monsieur se voit cornu. Que Monmouth soit le demi-frère de la princesse ne tempère pas ses inquiétudes. Pour avoir souffert mille morts au temps où le roi lutinait son épouse, il sait trop bien ce que certains frères s'autorisent. Il n'est plus amoureux de Madame depuis longtemps, il soutient à Nine qu'il ne l'a pas aimée plus de quinze jours, mais cette femme-là lui appartient et il refuse qu'elle dispose d'elle-même pour quelque plaisir que ce soit. Le voir chanter pouilles à son épouse pour un regard appuyé ou un éclat de rire alors qu'il permet au chevalier de Lorraine de coucher avec le premier venu met Nine fort mal à l'aise. Madame est la sœur du roi d'Angleterre, la belle-sœur du roi de France, et elle n'est pas maîtresse dans sa propre maison. Non seulement le chevalier puise à l'envi dans la cassette du duc d'Orléans, mais il attribue les charges, il encaisse les pots-de-vin et il pousse la fortune de qui lui plaît. Alors que Madame ne peut frôler la main du jeune Monmouth, le chevalier de Lorraine a ses favoris que

Monsieur accepte de grand cœur à condition qu'il les partage avec lui. Mademoiselle de Grancey est l'élue du moment. Fille de maréchal, robustement bustée et peu farouche, elle est passée entre les bras de Rohan, puis du roi. Son effronterie amuse Monsieur, et comme il déteste beaucoup moins les femmes qu'on ne croit, à l'occasion il la prend dans son lit. La belle a confié à Nine que les ardeurs de Son Altesse la laissaient de marbre, mais qu'elle perfectionnait sous ses baisers l'art de jouer la comédie qui lui sera utile le jour où elle prendra un mari. La Grancey n'est qu'un hochet. Les vrais favoris sont trois mignons, tous les trois d'apparence remarquable et de mœurs féroces. Le premier est le vénéneux marquis d'Effiat, grand écuyer et grand veneur de Monsieur. Brun, haut, mince, d'une beauté sombre qui contraste avec la grâce lumineuse du chevalier de Lorraine, c'est l'ange noir du Palais-Royal. Un résumé de tous les vices sous un sourire de vampire à minuit. Nine le connaît depuis longtemps, elle l'a vu fouetter une femme dans les salons privés des Bains La Vienne, elle a ajusté des perruques sur son crâne à l'atelier Binet, et elle lui a vendu du bois de cerf en poudre au camp de Tournai. Il a proposé à son oncle de l'acheter en fille puis en garçon. À la lueur qui s'allume dans ses yeux quand il l'aperçoit à la toilette de Monsieur, elle devine qu'il attend le moment opportun pour se saisir d'elle et la violer. Elle le juge sans âme et parfaitement scélérat, et elle se méfie de lui comme la souris du serpent. Lointainement cousin de ce charmant seigneur, le second de ces messieurs est le comte de Beuvron, cadet de famille impécunieux et capitaine des gardes de Son Altesse. Une stature d'Atlante et une peau de nymphe. Avide et corrompu jusqu'au tréfonds. Nine est un trop petit fretin pour qu'il la convoite, mais par prudence elle l'évite. Quant au troisième...

Nous parlerons du troisième un peu plus tard. Pour l'heure, le gredin est en prison. Dettes de jeu. Cet homme-là jouerait son père et sa mère sans hésiter s'il pouvait en retirer quelque gain. Il porte un nom très ancien, un front dont les turpitudes n'ont pas altéré la noblesse, un casque de cheveux blonds et un air de hauteur qui cache un goût immodéré pour les bas-fonds. Ses parents sont morts tous les deux par sa faute. Sa mère de peur quand il avait dix ans, son père de honte quand il en avait vingt. Notre joueur va souvent en prison, il y mène grand train sur la bourse du duc d'Orléans qui finance ses débordements en cachette du chevalier de Lorraine. Nine ne l'a jamais rencontré et je ne suis pas pressé de vous le présenter. Laissons-le encore quelques nuits dans sa geôle, il en sortira toujours assez tôt pour le mal qu'il va faire.

Une volière dorée, donc. Où Monsieur tenaillé par la jalousie geint, boude, se gratte et réclame «Mademoiselle le neveu» à tout moment. Soumise à la fantaisie des prurits princiers, Nine passe le plus clair de son temps dans une antichambre à attendre que Son Altesse la sonne. Elle prend ce mal-là en patience, et pour tromper son agacement de se sentir un chien que l'on siffle, elle écoute les familiers, les intrigants, les fournisseurs et les solliciteurs qui comme elle battent la semelle dans ces pièces admirablement parquetées et boisées mais sans feu ni commodités. En plein blizzard de février, les armées du roi ont inspiré une telle terreur que Besançon et Salins se sont rendues sans combattre. Fort de cet avantage, Monsieur de Turenne souhaitait achever la conquête des Pays-Bas espagnols, mais le roi s'est rangé à l'avis de Monsieur Colbert et a choisi de négocier. On le loue de préférer la paix. On chuchote qu'Henri IV n'aurait pas montré tant de modération. On hésite à se réjouir du traité d'Aix-la-Chapelle qui restitue la Franche-Comté fraîchement soumise contre le droit de conserver les places fortes emportées l'an passé. On se demande qui a vraiment gagné cette guerre en dentelles, et l'on répond : Madame de Montespan. Le 18 de juillet, sous prétexte de fêter son triomphe et la paix rétablie, Sa Majesté offre à sa belle marquise un Grand Divertissement avec feu d'artifice dont on parlera encore dans cinq cents ans. Après quoi la Cour plie bagage et en joyeuse caravane s'en va prendre ses quartiers d'été à Chambord. Le roi veut chasser et Madame de Montespan veut jouer au volant avec le gracieux Monmouth qui est furieusement à la mode. À l'idée des succès de l'Anglais, Monsieur se gratte avec une rage décuplée. Il n'ira pas à Chambord. Tout petit, ventru et efféminé qu'il est, il demeure le seigneur et maître de Madame, elle le suivra donc à Villers-Cotterêts où il compte travailler à l'engrosser afin qu'à l'automne elle ne puisse plus jouer à colin-maillard ni danser la courante avec son cher James.

Nine plaint Henriette d'Angleterre. Dans sa naïveté, qui est celle de tous ceux qui n'ont pas vécu près des Grands, elle ne se figurait pas qu'on pût être princesse et malheureuse. Par Jean Quentin elle sait que Madame apprécie ses efforts pour adoucir ensemble la maussaderie et l'urticaire de son mari, mais jamais elle n'a osé lui adresser la parole. Lorsque la duchesse d'Orléans la remarque dans un coin de la pièce où se joue la tragi-comédie familiale du jour, elle a un battement de cils, c'est tout. Jamais elle ne lui sourit, ni ne s'arrête en la croisant. Nine le regrette, elle lui proposerait volontiers ses services. La maigreur de Madame, son teint brouillé, ses cernes profonds, les douleurs au côté dont elle se plaint sont le signe d'un excès de bile, et Nine connaît quantité de recettes pour purifier, réconforter et fortifier un foie ombrageux. Mais depuis le compliment tourné par un vieillard jusqu'au soleil sur le cou de Madame, Monsieur jalouse tout ce qui vient réjouir son épouse, et Nine craint ses éclats. Elle hésite à courir le

risque de lui déplaire parce qu'elle commence manifestement à lui plaire, et même, semble-t-il, à lui devenir précieuse. Cet heureux progrès se fait dans les temps qui
suivent le retour de Villers-Cotterêts. Les gens du duc
d'Orléans ont profité de sa villégiature pour nettoyer de
fond en comble sa demeure parisienne. Les cours et les
fosses d'aisance ont été curées, les escaliers et les corridors
décrottés, et il n'est plus besoin de faire brûler des cassolettes à parfums dans tous les coins pour n'être pas incom-
modé par des relents d'ordure. Fort aise de ce palais
propre et désireux d'en bannir toute odeur offensante,
Monsieur ambitionne d'y installer un hôtel des Bains. Afin
de s'y laver et faire masser lui-même, bien sûr, mais aussi
pour y accommoder ceux d'entre ses proches qui gagne-
raient à sentir la lavande plutôt que la sueur ou le crottin.
«Mademoiselle le neveu» étant la fille du plus célèbre baigneur de la capitale, le prince lui en touche mot. L'idée
séduit d'autant plus Nine qu'elle y voit le moyen de se rapprocher de son père, qui lui manque, et de rendre service
à Batiste Le Jongleur, qu'elle n'a pas revu depuis la visite
aux Petites-Maisons et dont le sort, étrangement, continue
de la préoccuper. Maître La Vienne tracera les plans pour
l'agencement des lieux, et le jeune Le Jongleur, qui travaille dans l'équipe de maître Jolly aux adductions du
bourg et du château de Versailles, donnera son conseil sur
la meilleure façon de dériver des eaux de rivière point
trop boueuses afin qu'elles remplissent à la demande les
baignoires princières.

François La Vienne inspecte avec minutie les lieux, et
plus méticuleusement encore l'apprenti fontainier dont
Nine lui a vanté l'ingéniosité. Le baigneur peut dire le
poids physique et moral d'un homme sans le déshabiller,
mais le jeunot lui fait penser à une coulée de mercure et
ce métal-là se pèse difficilement. L'œil et l'esprit vif
argent. Une étonnante souplesse à se couler dans le désir

d'autrui pour mieux le circonvenir. L'ambition comme une lame nue sous le velours des cils et de la voix. Un calme de puits propice à la noyade. Le petit gars connaît ses atouts, il en joue magistralement et La Vienne s'étonne moins que le gros Jolly se soit toqué de lui au point de le laisser estimer un chantier aussi important. Désireux d'imiter le roi qui s'intéresse au moindre détail des ouvrages de Versailles, Monsieur a demandé qu'on le tînt informé pas à pas afin de décider de tout par lui-même. La Vienne se présente à l'audience de Son Altesse avec son frère Jean Quentin, Batiste avec sa ceinture rouge et son furet. Sans timidité apparente, comme s'il fréquentait les princes du sang depuis sa tendre enfance, le fontainier expose à Son Altesse la nécessité d'éventrer les jardins du Palais-Royal, de choisir le plomb plutôt que le bois pour les tuyaux, enfin d'installer une pompe à l'angle du palais le plus proche de l'endroit où seront les étuves. Monsieur bat des mains. Une pompe, oui. Du plomb, bien sûr. Combien de temps ces travaux-là dureront-ils, et le savant Jongleur pourra-t-il s'en charger lui-même ? Nine connaît assez le duc d'Orléans pour deviner qu'il a regardé les lèvres de Batiste plus qu'il n'a écouté ses démonstrations, et que son désir est maintenant moins de construire des bains que de barboter en compagnie du joli fontainier. Elle jette un coup d'œil au jeune homme qui range ses esquisses dans un portefeuille neuf. Batiste prend son temps, et pendant tout ce temps il coule sur la bouche fardée de Monsieur un regard qui ressemble à un baiser langoureux. Nine s'empourpre et c'est elle qui baisse les yeux. Son émotion n'échappe pas à La Vienne. Sur le chemin qui les ramène ensemble à l'atelier Binet où sa fille conserve chambre et couvert, il lui demande, l'air de rien :

— Il a de la famille, cet apprenti que tu m'as recommandé ?

Nine en peu de mots raconte les jambes de Pierre, les cheveux de Blanche et la folie de Madeleine Le Jongleur. La Vienne hoche la tête.

— Et le garçon, tu le connais beaucoup ?

— Oui et non. Je l'ai vu une dizaine de fois, ce qui n'est pas beaucoup, mais j'ai l'impression de le connaître comme un frère.

La Vienne sourit.

— Tu n'as pas de frère.

— Justement.

— Avoue que Batiste Le Jongleur te plaît.

Nine le regarde avec étonnement.

— Mon père, vous savez bien que les hommes m'indiffèrent.

— Pas celui-là.

— C'est à Son Altesse qu'il plaît.

— Oui, je l'ai remarqué. Comme tout le monde, d'ailleurs. Et ton camarade compte en tirer parti. Il s'y entend à séduire les gens, il parle bien, il a des idées et de l'aplomb. Mais c'est un renard. Un séduisant et rusé renard très pressé de voir s'ouvrir la porte du poulailler. Ne vous laissez pas manipuler, ma fille.

Nine éclate de rire.

— Moi ? Par lui ? Vous me croyez si naïve ?

— Je crois que tu commences à devenir une femme.

Nine se hausse sur la pointe des pieds et plante un baiser sur la joue barbue de La Vienne.

— Oh non ! J'ai tellement mieux à faire ! Je me donne une année pour me rendre si indispensable à Monsieur qu'il ne puisse rien me refuser.

— Qu'est-ce que tu complotes ? Pas de t'acoquiner ce fontainier, j'espère ? Il est joli, je te l'accorde, mais je doute qu'il soit digne de confiance. De ta confiance.

— Papa, je ne saurais même pas dire la couleur de ses yeux !

Le maître baigneur lui prend le menton comme lorsqu'elle était enfant et scrute son petit visage. Elle ne porte toujours ni blanc de céruse ni rouge espagnol, pas même un trait noir autour des paupières. Ses robes de velours et ses nouvelles coiffures n'en ont pas fait une femme, c'est vrai, elle les habite comme on occupe un meublé à l'auberge en resserrant si bien ses appas qu'on ne peut les deviner. Mais elle aura seize ans au mois de juin prochain, et à cet âge les sens des filles les plus froides s'enflamment sans qu'elles y prennent garde. La Vienne soupire. On est souvent aveugle à ce que l'on craint. Sans doute Nine ignore-t-elle que le garçon fontainier l'attire. Elle est aussi naïve que butée, l'amour se tiendrait en personne et tout nu devant elle qu'elle ne le reconnaîtrait pas. Il se penche et lui rend son baiser.

— Les renards tuent les poules, ma doucette. Parfois même ils les dévorent vivantes.

Nine fronce le nez.

— Alors je serai une renarde !

C'est très exactement ce à quoi elle s'applique. Le Palais-Royal offre une volière de choix et Monsieur fait la plus appétissante des poulardes. Ayant trouvé comment l'apprivoiser, Nine cache ses crocs et travaille son approche. Le chevalier de Lorraine tient Son Altesse par l'entrejambe, elle entend le ferrer par le nez. Monsieur aime les parfums à la folie et rien ne le séduit plus qu'une essence nouvelle. Le coup de génie de Nine est de lui démontrer qu'outre le plaisir qu'elles procurent, les senteurs sont douées d'un puissant pouvoir thérapeutique. Monsieur redoutant la maladie à l'égal de la damnation dont le menace son confesseur, il raffole de ses mixtures aromatiques et plus encore des explications dont elle les accompagne. Cette médecine qui ne demande ni de saigner ni de purger ne date pas d'aujourd'hui, les Grecs la pratiquaient déjà en s'appuyant sur l'observation et le bon sens. Contrairement à l'opinion couramment répandue, l'odeur ne pénètre pas le corps seulement par l'appendice nasal, mais par tous les pores de la peau, qui sont autant de minuscules et très sensibles narines. *Via* le nez, elle se glisse dans les poumons et le cerveau. *Via* la peau, elle infiltre le sang et gagne les organes de la vie comme foie, cœur, reins, et ceux de la génération comme matrice, vit, testicules. Une fois insinuée ladite odeur se ramifie, elle fraie sa voie, établit son siège et répand les vertus des substances qui la composent. Toute substance détient en effet une énergie propre, liée en partie à l'animal ou au végétal dont elle est issue, et en partie au traitement qu'on lui fait subir afin d'en exalter le pouvoir. Les aromates grillés à la chaleur du soleil prennent une nature ardente et imputrescible qui combat la pourriture du corps. La chair de vipère broyée désarme le venin. Le foie de loup, la graisse d'ours, le blanc de baleine, la poudre de scorpion, les cendres de salamandre, l'huile de ver de terre ou de chien roux, la poudre de corne de cerf, d'or, d'argent, de perles, le sang de taureau ou d'homme enrichissent une préparation de propriétés intrinsèques qui renforcent son effet. Pour avoir essayé maintes combinaisons odoriférantes sur les clients des Bains La Vienne, Nine connaît l'influence sur l'organisme d'une multitude de senteurs simples ou associées. Attentive à varier le ton et les exemples, elle les détaille à Monsieur qui l'écoute avec la passion d'un enfant pour les contes noirs. La peste étant une vapeur contagieuse et délétère conçue en l'air par la configuration du ciel qui cause la fièvre et infeste le cœur, il sied pour s'en protéger de s'envelopper le visage d'un sparadrap cordial et le corps d'une chemise préservative macérés dans une décoction d'ail, de poireau et d'opoponax. Les mouchoirs de Vénus parfumés au musc, à l'ambre gris, à la civette et au bois de santal raniment les ardeurs mâles et inclinent les dames à l'abandon. Les cucuphes garnis de gommes et de résine, à porter sous la perruque et le chapeau ou bien en guise de bonnet de nuit, dégagent les vapeurs emprisonnées sous le crâne. Les aromes qui s'en dégagent soulagent également les vertiges, les catarrhes, les pertes de mémoire et autres incommodités de la vieillesse. Certaines compositions possèdent toute une gamme de vertus et l'on peut les employer quotidiennement, d'autres ont des pouvoirs spécifiques qu'il faut réserver aux cas d'extrême nécessité. L'eau de la reine de Hongrie, qui sent fortement le romarin, s'emploie en inhalations, en cataplasmes ou en frictions. La respirer ôte vapeurs et migraines. Quelques gouttes répandues sur le ventre apaisent les douleurs abdominales. En massage sur la nuque, les tempes et les poignets, elle rassemble les esprits égarés, donne de la force, du jugement, de la gaieté, débouche les nerfs obstrués et stimule les sens. Introduite dans l'oreille, elle dissipe la pituite et les bourdonnements. Appliquée sur tout le corps, elle soigne l'apoplexie, la paralysie, la goutte, les rhumatismes, les brûlures, les contusions et même, paraît-il, les tumeurs.

Enchanté par ce remède universel, Monsieur en fait asperger ses tentures, les rideaux de son lit et le damas de ses fauteuils. Craignant les caprices auxquels ses excès d'enthousiasme risquaient de le porter, Nine s'abstient de lui parler de la momie. La momie est une médication extrêmement efficiente inventée par un docteur du siècle passé nommé Crollius. Partant du principe selon lequel il n'existe aucun animal dont les propriétés médicinales dépassent celles du corps humain puisque l'homme est le roi des animaux, ce Crollius préconise de décupler les pouvoirs des parfums en leur ajoutant le meilleur des produits offerts par le règne animal : un corps d'homme fauché au plus vigoureux de son âge. Pas besoin de tuer le fils d'un voisin, il suffit de soudoyer le bourreau et de se faire livrer un condamné à mort fraîchement décroché du gibet, impérativement jeune et de préférence roux, la toison flamboyante garantissant un surcroît de puissance vitale. Sur ce corps on découpe les morceaux charnus dont on ôte la graisse. On lave cette viande avec de l'esprit de vin et on l'expose aux rayons du soleil et de la lune pendant deux jours et deux nuits afin d'en exalter les principes vitaux. Suite à quoi on la frotte d'aloès, de myrrhe et de safran, et on l'accroche au-dessus du feu comme on fait pour les langues de bœuf et les jambons qui contractent ainsi une odeur délicieuse. Une fois fumées à cœur, on broie et mêle ces chairs à de l'huile jusqu'à obtenir la consistance liquoreuse et la couleur de miel du baume odorant que les pilleurs recueillent au fond des sarcophages des pharaons.

Vous vous demandez si j'accorde foi à ces recettes dégoûtantes, et si Nine La Vienne découpait réellement des humains pour en faire des onguents?

Je n'ai personnellement jamais constaté les effets merveilleux de la momie, et je pense que Nine non plus. Mais à l'époque dont je vous parle, notre jeune amie trouvait moins pénible de tronçonner un cadavre que de taillader à vif Pierre Le Jongleur ou les blessés flamands. Le bourreau de Paris, qu'elle avait abordé à onze ans au pied d'une estrade ensanglantée, la tenait en amitié et elle le visitait souvent. L'homme se nommait Levasseur, et malgré la rudesse de son métier il était timide, patient et bienveillant. Refusant de juger qui n'avait commis aucun crime, il ne s'offusquait pas que Nine eût des curiosités et des ambitions réservées aux garçons. Il répondait à ses questions, il lui montrait ses tours et ses méthodes. Il la laissait également prélever sur les sujets dont il avait la garde tous ongles, cheveux, morceaux de crâne, de peau et d'os nécessaires pour les recettes notées dans ses carnets d'écolière. Les bourreaux font d'excellents guérisseurs. À force d'écorcher des gens, de rompre des membres, d'énucléer, de rouer, d'écarteler, de pendre et de décapiter, ils acquièrent plus de familiarité avec le corps humain que les médecins diplômés à qui les dissections sont chichement comptées. Ils savent que la farine de crâne est souveraine contre l'épilepsie, que frictionner un foie congestionné avec une main coupée le désengorge, que la corne de licorne à laquelle les Anciens prêtent de puissants pouvoirs est une charlatanerie, que le cœur commande le flux du sang comme la lune celui des marées et que la graisse qui enrobe le cou des femmes mûres combat efficacement les rides.

Instruit par Nine de ces grands secrets, Monsieur réclame de la graisse de cou avant ses rendez-vous galants. Monsieur veut avoir le front aussi lisse que celui du jouvenceau Monmouth. Monsieur a mis son épouse enceinte pour la huitième fois et, rassuré par cette grossesse qui enlaidit la pauvre princesse, il ne pense plus qu'à ses plaisirs. Il a décrété que son hôtel des Bains aurait une entrée rue de Valois afin que l'on y puisse admettre discrètement des « clients » venus de l'extérieur. Par « clients » Monsieur entend les recrues de toutes conditions qu'Antoine Morel de Valonne, son maître d'hôtel, lui procure. Cet homme-là vend les garçons comme des chevaux, il fait son marché au parterre de l'opéra et, connaissant parfaitement les goûts de son maître, il se targue à la fois de le satisfaire et de le surprendre. La marchandise est fraîche, saine, vigoureuse ou délicate selon les arrivages, et soigneusement dressée à cacher sa vénalité. Monsieur se moque de payer ses amants, et même de les payer une fortune, mais il veut avoir l'illusion de les séduire. Penché vers son miroir, il dit à Nine :

— Rendez-moi désirable pour moi-même et non parce que je suis le frère du roi.

La joie monte aux joues de Nine et les rosit. Voici l'heure de montrer son talent. De ce petit bonhomme san-

glé dans un corset qui transforme la graisse de ses pecto-
raux en rondeurs gélatineuses, elle va faire une créature
de rêve.

— Que Votre Altesse daigne s'asseoir et fermer les
yeux.

La renarde approche un siège du postérieur dont le
pantalon bouffant accentue le saillant. La poularde
glousse et s'installe.

— Vous complotez de vous rendre irremplaçable,
Mademoiselle le neveu?

Nine pense : «Eh oui, mon gros, évidemment!» et murmure suavement :

— S'il plaît à Son Altesse...

— Je vous trouve pleine de ressources, mon petit. Ce
jeune fontainier qui nous a donné d'excellents conseils est
lui aussi très à mon goût.

Nine pense : «Si tu reluques encore Batiste, je te barbouille à l'oxyde de plomb et tu mourras empoisonné par
ton vice et ta coquetterie.» Elle répond avec douceur :

— Il a la passion des eaux comme j'ai celle des senteurs. Votre Altesse voudrait-elle soulever un peu son
séant?

Nine ôte le couvercle rembourré du siège, dévoilant un
compartiment moitié plus petit que celui d'une chaise percée. Dans le creux elle glisse une cassolette où sur un lit de
braises fume un mélange d'ambre et de patchouli.

Charmé par cette nouveauté, Monsieur se rassied en
sorte que ses attributs ballent par l'orifice, et demande en
riant :

— Vous comptez me parfumer les couilles?

Nine lui passe une éponge imbibée d'eau de fleur
d'oranger sur les épaules, le cou, le visage, et d'une main
légère lui baisse les paupières.

— Pas seulement les couilles, Votre Altesse. Le fondement. Les vapeurs vont remonter dans vos intestins jusqu'à

vos poumons, de là jusqu'à votre bouche, vos yeux, vos oreilles, et vous ne sentirez plus comme quelqu'un qui s'est parfumé mais comme un parfum qui s'est fait chair.

Le duc d'Orléans soupire d'aise.

— Je ne saurais rien rêver de mieux...

Sous les doigts qui nouent ses cheveux et courent sur sa peau, Philippe se détend complètement. Il laisse aller sa tête en arrière, et s'abandonne dans une torpeur bienheureuse.

C'est l'hiver, au Louvre.

Il a six ans, peut-être sept, sa mère l'appelle encore « ma petite fille » et il n'aime rien tant que jouer à la poupée.

Sa poupée préférée s'appelle Anne. Elle a des joues rondes et douces, quantité de cheveux bruns et des fossettes sur ses menottes.

Anne.

Cette poupée-là est un cadeau pour le consoler de devoir toujours obéir à son aîné qui est moins malin et moins beau que lui mais qui est né le premier et qui donc est le roi.

C'est sa mère qui le trouve plus joli et plus doué, mais elle le lui dit en secret parce que sinon le roi est jaloux.

Le roi a le droit d'être jaloux mais lui, non.

Lui doit dire au roi qu'il est parfait, même s'il ne le pense pas. Il doit manifester au roi grand respect, même s'il le trouve lent, peu gracieux et pas du tout drôle. Il doit céder au roi en toutes choses, même s'il trouve cela injuste et qu'il n'est pas d'accord.

C'est aussi sa mère qui lui commande la gentillesse, le respect et l'obéissance envers son aîné le roi. Il aime sa mère plus que tout au monde, donc il s'applique avec son cœur et son esprit à la contenter. Sa mère dit qu'il a déjà de l'esprit mais surtout beaucoup de cœur, vraiment beaucoup, et quand elle dit cela, ses yeux se mouillent et souvent, elle l'embrasse.

Juste après sa mère, il aime plus que tout au monde sa poupée Anne.

Anne est à lui, il peut en faire ce qu'il veut. Il peut lui mettre du rouge et des rubans. Il peut lui donner des ordres et des gifles. Il peut lui faire des chatouilles et la pincer.

Anne ne dit jamais non, elle n'a pas le droit. Elle doit être toujours gentille et respectueuse et obéissante parce qu'elle n'est rien et que lui est le premier prince du sang. Ce n'est pas juste mais c'est ainsi, il le lui explique avec les mots qu'il a pris dans la bouche de sa mère, et parce qu'elle est une bonne poupée, elle comprend.

Quand il voit qu'elle a compris, il l'embrasse.

Anne est une très bonne poupée, personne n'en a de meilleure.

En plus, elle est vraiment jolie.

Si elle n'était pas une poupée, plus tard, il l'épouserait.

Il sait qu'un prince du sang ne peut pas épouser sa poupée parce que son frère le roi le répète tous les jours.

Son frère lui dit aussi qu'un prince du sang ne peut pas aimer sa poupée, que c'est ridicule et déchoir.

Il ne sait pas ce que signifie déchoir et il n'a pas envie de l'apprendre.

Ce qu'il sait et ne veut pas savoir ne l'empêche pas d'avoir envie d'épouser Anne dès qu'il aura treize ans. Treize ans est l'âge où son frère sera majeur, donc tout à fait roi. Quand lui-même aura cet âge-là, il sera aussi majeur, donc tout à fait prince. Treize ans est le moment où les rois et les princes peuvent se marier et engendrer leur descendance. Ils choisissent d'ordinaire des princesses, parce que c'est mieux pour le royaume. Il

*espère que lui, parce qu'il est le second, n'aura pas
besoin de se soucier du royaume, et qu'il pourra choisir
une poupée plutôt qu'une princesse.*

*Et si la reine sa mère et le roi son frère lui défendent
d'épouser Anne, au moins ne pourront-ils jamais l'empêcher de l'aimer.*

De l'aimer avec tout son cœur.

— Si Votre Altesse veut maintenant regarder...

Philippe serre les paupières pour retenir le souvenir,
mais une senteur acide passée sous ses narines le ramène
au présent et il ouvre grand les yeux.

Devant lui, le miroir renvoie l'image d'une inconnue au
front poli comme un marbre sous une perruque à fentes
plus vraie que nature, le teint d'un blanc de lait frais, l'œil
velouté ombré de cils charbonneux, les lèvres vermeilles et
luisantes, le cou sans muscles ni veines apparentes, le
décolleté engageant, très crédible, sur lequel par malice
butinent une mouche blonde et une mouche brune.
Éberlué, il se penche vers son reflet et l'effleure de l'index.
Nine La Vienne sourit de sa stupéfaction.

— Il ne reste plus à Votre Altesse qu'à choisir sa robe,
et l'illusion sera parfaite.

Si parfaite que lorsque le duc d'Orléans s'en va après
dîner visiter les travaux de ses bains, les ouvriers le
prennent pour son épouse et lui donnent du «Madame»
assorti de saluts empressés. Batiste Le Jongleur joue le jeu
en se demandant ce que la princesse brune qui embrassait
le roi dans les jardins de Versailles pense d'un pareil mari,
et si, le soir venu, ledit mari ôte sa robe pour accomplir le
devoir conjugal. Nine se glisse près du jeune fontainier et
chuchote :

— Seriez-vous troublé par notre nouvelle Altesse?

Batiste répond sur le même ton :

— Comment avez-vous réussi ce miracle?

Nine sourit.

— Il faut une demi-journée pour transformer le prince que vous connaissez en cette... personne.

— Mon parrain m'a enseigné quelques tours de magie. Vous m'apprendrez celui-là ?

Elle lui lance un coup d'œil rieur.

— Si vous me dites vos secrets...

Il lui rend son regard.

— Je ne demande pas mieux.

Surprise, elle hausse les sourcils.

— Vraiment ?

— Vraiment. J'ai perdu mon frère, Blanche vit maintenant chez votre aïeul et Jésus manque de conversation. Les secrets ne valent que si, de temps en temps, on les partage.

Nine le regarde bien droit et demande :

— Est-ce que vous comptez m'utiliser à des fins qui pourraient me déplaire ?

Batiste se tourne vers elle. Droite comme une tige d'ail, elle lui arrive à l'épaule. Elle n'est pas laide. Si elle engraissait un peu, elle serait même charmante. Pourtant il ne la désire pas. Pas du tout. Il l'estime. Quelques femmes l'ont étonné par leur générosité ou leur courage, mais aucune n'a éveillé en lui l'admiration que la petite perruquière lui inspire. Sans doute devrait-il lui mentir. On gagne toujours à mentir aux femmes, on s'évite des questions, des attentes, des reproches. Mais il n'en a pas envie. Pas du tout. Il répond donc la vérité :

— Peut-être. Je ne sais pas encore.

Nine rouvre sur lui des yeux d'eau vive dont l'éclat l'éblouit.

— Est-ce que vous attendez quelque chose de moi ?

Il prend sa main gauche, la retourne et l'embrasse au creux de la paume. Une toute petite main au pouce rongé qui sent comme un jardin de simples au midi de l'été.

— Sûrement. Mais j'ignore quoi.

Vert-de-gris.

Du moins lorsqu'il la regarde. Le reste du temps, les yeux de Batiste Le Jongleur ont la couleur des nuages avant la pluie, des anguilles qui remontent le courant, de l'ardoise polie, du métal dont on fait les épées.

Nine sourit. Penser au fontainier lui donne de la joie et de l'impatience. Au plus loin que remonte sa mémoire, elle ne s'est jamais confiée qu'au petit portrait de la Vierge Marie accroché à son chevet, mais à Batiste elle peut tout dire sans risquer de choquer ni d'être mal jugée. Elle a trouvé un complice, presque un double d'elle-même, et elle se prend à espérer les moments qu'elle passe en sa compagnie comme des bouffées de fraîcheur dans un quotidien empoisonné par les caprices princiers. Débordé par les nouveaux aménagements que le roi a lancés à Versailles, Denis Jolly délègue la surveillance des Bains de Monsieur à son jeune associé. Batiste pourrait se contenter d'inspecter le chantier une fois la semaine, pourtant il le visite tous les deux jours et chaque fois un prétexte l'y retient jusqu'au soir. Nine n'ose croire qu'il s'attarde dans l'espoir qu'elle parvienne à quitter son service, mais elle note que dès qu'il aperçoit sa silhouette dans les jardins, il laisse tout en plan et vient la rejoindre. À mesure que passent les semaines, elle imite les bourgeons des tilleuls sous le soleil printanier et s'ouvre à lui avec un plaisir croissant. Elle lui dit que ses années dans l'établissement paternel lui ont appris sur les hommes tout ce que l'on cache aux filles, qu'elle refuse d'être leur inférieure, leur jouet, leur marchandise, qu'elle les envie et les méprise. Elle lui dit qu'elle est née en tuant sa mère, et que pour paiement de ce crime sa mission sur cette terre est de soulager les souffrances et de sauver des gens. Elle lui dit que son père barbier baigneur a trahi sa promesse de la garder toujours près de lui, que son parrain valet de chambre craint incompréhensiblement qu'elle ne soit amenée à fréquenter la Cour, et que son oncle perruquier compte la marier à un barbon titré. Elle lui dit qu'à force de contes et d'onctions le duc d'Orléans s'entiche d'elle lentement mais sûrement, et que lorsqu'il sera ferré jusqu'à l'os, elle lui demandera d'appuyer sa candidature à la Faculté de médecine puis de financer ses études. Elle lui dit que le chevalier de Rohan est son allié fidèle et généreux, que Lully souhaite la présenter au roi, que le chevalier de Lorraine et le marquis d'Effiat parlent de jouer aux dés son pucelage. Elle lui dit qu'à son avis Madame souffre de l'âme autant que du foie, que l'époux et les médecins de cette princesse creusent ensemble sa tombe, et que la pauvre femme mourra d'être mal mariée autant que d'être mal soignée. Elle lui dit qu'elle veut établir une classification des remèdes en fonction de leur odeur, qu'elle enseignera un jour à guérir sans lancette ni clystère, qu'elle aura une chaire à la Société royale de médecine et qu'elle donnera des cours de chimie botanique au Jardin du roi. Elle lui dit que sa mère la visite au milieu de son sommeil en l'encourageant à tracer hardiment son chemin dans ce siècle. Elle lui dit que dans ses rêves sa maman a l'air vivante et ne ressemble pas du tout à la personne blonde que son oncle Jean de Courtin porte autour du cou, dans un médaillon, mais trait pour trait à une miniature de la sainte Vierge offerte par Alexandre Bontemps. Elle promet de montrer à Batiste un portrait de la mère du Christ, et comme il rit en la traitant d'idolâtre, elle le traite de mécréant et lui fouette le dos avec ses gants. En échange des confidences dont elle l'honore, le jeune homme lui raconte ses projets. Il admire sa détermination et il veut qu'elle admire son talent. Il est fasciné de la découvrir différente de toutes les femmes qu'il fréquente et il veut lui paraître différent de tous les hommes qu'elle connaît. Il lui parle de la machine à élever les eaux à laquelle il réfléchit depuis qu'il a commencé son apprentissage dans l'équipe de Jolly. D'un procédé entièrement nouveau qui permettrait de fabriquer en France des glaces de grande taille comme celles que Monsieur Colbert importe de Venise et qui coûtent une fortune. Quand elle lui demande d'où un garçon qui n'a jamais étudié tire ces idées, il répond dans un demi-sourire :

— Voyons, demoiselle Ninon, c'est vous qui m'inspirez...

Il a des dents saines et brillantes, avec des canines pointues qui, lorsqu'il sourit ainsi, le font ressembler à son furet. Comme Nine reste interdite, ne sachant s'il plaisante ou non, il se penche vers elle, effleure de la main son décolleté et en sort un ruban de soie ou un petit oiseau. L'oiseau s'envole. Il noue le ruban autour du poignet de la jeune fille. Lorsqu'il sera riche, ce qui ne saurait tarder, il lui offrira un bracelet en or ciselé aussi beau que ceux de Jeanne Jolly. Nine répond que les bijoux l'indiffèrent. Elle se doute qu'il fornique ou qu'il a forniqué avec l'appétissante épouse de maître Jolly, mais elle préfère ne pas y penser. Elle garde le ruban. Il lui apporte les plans qu'il n'a jamais montrés à personne et lui explique avec force croquis comment il compte faire fortune.

Il s'abstient de mentionner le trafic du plomb auquel les

ambitions architecturales de Louis XIV donnent un élan inespéré.

Non content d'incarner Apollon, Mars et Jupiter, Sa Majesté se prend maintenant pour un pharaon. Batiste entend Monsieur Colbert dire à Monsieur Francine qu'il ne comprend décidément pas l'engouement de son maître pour ce site ingrat, qu'il est absurde de vouloir construire ici le plus grand palais d'Europe quand on a déjà le Louvre et Saint-Germain, et qu'il serait fâcheux que la postérité mesurât la gloire de Louis XIV à l'aune de Versailles. Parce qu'il refuse de raser le pavillon de chasse de feu son père, ce qui serait pourtant plus simple, Sa Majesté a choisi le projet d'agrandissement de Monsieur Le Vau. À l'ouest, du côté des jardins, la façade sera entièrement doublée par une enveloppe de pierre donnant sur une terrasse monumentale prolongée par une allée d'eau descendant de fontaine en cascade jusqu'au Grand Canal. Du côté est, par où arrivent les cavaliers et les carrosses, les ailes qui encadrent la petite cour royale seront prolongées par des ailes neuves plus longues et plus larges où seront installés quantité d'appartements pour quantité de secrétaires d'État, de ducs et de marquis. Il y aura aussi une nouvelle chapelle pour la reine et un pavillon dont les murs et les toits seront tapissés de carreaux de faïence bleue et blanche pour Madame de Montespan. Le surintendant des Bâtiments bougonne que le roi a perdu son bon sens, que Versailles va ressembler à un homme pourvu d'un corps rabougri avec des bras et des jambes démesurés. Un monstre d'homme, donc un monstre de château.

Pour Batiste, cette lubie-là est une aubaine. La nouvelle tranche de travaux va fournir du travail à des milliers d'ouvriers pendant au moins cinq ans, et lui-même compte puiser dans cette manne par tous les biais possibles. Aux premiers beaux jours de 1669 le creusement du Grand Canal touche à sa fin et l'équipe de Denis Jolly reçoit charge d'installer le réseau d'adduction. Surveillé par le jardinier Henry Dupuis, le déblaiement des terres prend quatre mois. Cent vingt jours pour enlever à dos d'homme neuf mille toises cubes qui font soixante-huit mille mètres cubes de terre. Batiste pendant ces mois aide à maçonner les tunnels dans lesquels s'étirent les canalisations. Les boyaux sont construits en meulière, une roche siliceuse alvéolée, légère mais très dure, que l'on extrait avec des pics et des coins par blocs de deux ou trois mètres de haut dans les bois de la vallée de Chevreuse. Batiste apprend que chaque pierre a des qualités spécifiques commandant leur emploi pour les fondations, les sols ou les élévations. Les soubassements sont faits avec d'épaisses dalles de calcaire gris grossièrement équarries qu'on tire de «bancs francs» particulièrement résistants. Les nouvelles façades nord, sud et ouest sont montées en calcaire à grain fin de Saint-Leu-d'Esserent, dite pierre de Troissy, qui est tendre à l'extraction, ne doit pas être travaillée l'hiver car elle gèle, durcit en séchant, n'attrape jamais la maladie de la pierre et prend un beau blond rosé au fil des ans. Pour les avant-corps on a déjà dégagé dans les carrières à ciel ouvert de l'Oise des colonnes monolithes de sept mètres de haut sur un mètre de diamètre qui pèsent plus de huit tonnes. Batiste découvre également le grès venu de Seine-et-Marne et du plateau d'Orsay, dont on pose des cubes sur un lit de sable pour paver cours et allées, qu'on taille en dalles et en blocs pour le fond et la margelle des bassins, et dont les concrétions aux formes extravagantes qu'on appelle «poupées» ou «rognons» font des décorations naturelles au milieu des bosquets d'eau. Pour les statues des jardins, le roi veut du marbre blanc de Saint-Beat, que l'on fait sauter à la poudre depuis la falaise qui domine la rive droite de la Garonne avant de basculer les blocs dans la pente sur une hauteur de soixante mètres. Comme le vert des Pyrénées et le rouge du Languedoc, ce marbre blanc est transporté en radeau sur la Garonne, puis en bateau de Bordeaux jusqu'à Rouen ou Le Havre, ensuite par voie fluviale jusqu'au port de la Conférence, à Paris, enfin par voiture à bœufs ou à chevaux depuis les entrepôts du quai des Célestins et du quai de la Tournelle jusqu'à Versailles.

Batiste n'a ni la trésorerie ni les contacts nécessaires pour trafiquer sur le marbre, mais il se rattrape avec les métaux. Par crainte des contrôles il ne fait amincir que de quelques millimètres les tuyaux usinés par tronçons de deux mètres dans les manufactures nationales comme celles de Guichy-en-Nivernais, mais il maximise ses gains avec les sous-traitants, et tout en jouant l'ouvrier modèle sous la férule de Jolly et Francine, il réfléchit à d'autres façons de tourner le plomb en or. La malléabilité de ce métal le rend idéal pour les manchons et les piquages des dérivations, pour les soudures des gros fers de maçonnerie, pour la sculpture des groupes qui orneront les fontaines de l'allée d'Eau, mais Batiste ne voit pas comment en tirer parti. Par contre si Monsieur Le Vau poursuit son projet de couvrir l'ensemble des nouveaux toits, balcons et terrasses avec des plaques de plomb dont l'épaisseur pourra être facilement... révisée, sa fortune est assurée. Il est confiant. En dix mois, il a déjà engrangé plus de cinq mille livres, et au train où vont les affaires, si rien de fâcheux n'advient, la pelote sera l'an prochain assez grosse pour sortir sa mère des Petites-Maisons et lui assurer la vieillesse douillette dont Pierre rêvait pour elle.

Le sort ne lui en laisse pas le temps. Le matin du jour des Morts de 1669, Madeleine Le Jongleur communie dévotement à la chapelle de l'asile et sitôt retournée dans sa cellule s'arrache les veines des deux bras avec les dents.

La religieuse qui lui porte son repas s'évanouit en la découvrant raide sur le sol souillé, le pli des bras et les poignets comme dévorés par un loup et le corps nu entièrement barbouillé de rouge. Sur le mur, la malheureuse a dessiné avec son sang une grande croix.

Le désespoir de Batiste ressemble au brouillard qui noie le chantier. Humide et froid, il étouffe les plaintes et rend les rêves à la nuit. Suicidée, donc exclue de la communauté des chrétiens, Madeleine a été jetée à la fosse commune sans la bénédiction d'un prêtre. Damnée, condamnée à brûler pour l'éternité dans les flammes de l'enfer. Dès qu'il baisse les paupières Batiste voit ses mollets rongés par les sangsues, ses flancs et ses seins mordus par Boniface, ses yeux éteints par le deuil de Pierre, son dos lacéré par le fouet du bourreau. Il l'appelle tout doucement. Il dit : « Madeleine » ou : « La Mamelle », il n'ose plus la nommer mère et encore moins maman. Elle se retourne et, dans le regard qu'elle lui lance, il voit combien elle le hait. Elle lui crache au visage comme le jour du supplice sur la place du marché. Elle hurle : « Maudit ! Tout est ta faute ! » Elle s'approche de lui et contre son oreille, d'une voix pire que les cris, elle chuchote :

— Tu as tué mon fils.

Et puis :

— Moi aussi, tu m'as tuée.

Batiste se recroqueville et presse ses mains sur ses oreilles. Inquiet, Jésus vient lui lécher les lèvres. Batiste l'empoigne et le jette à terre. Le furet cherche un trou où se cacher. Il ne reconnaît plus son maître. Hanté par ses visions, Batiste n'a plus le goût de travailler. Il n'a réussi à sauver ni son frère ni sa mère. À quoi bon continuer de lutter puisque le combat est perdu ? À quoi bon s'échiner à sortir de sa condition, à construire des lendemains dont Pierre et Madeleine ne profiteront pas ?

Reste Blanche. Il pourrait essayer de se racheter en consacrant le restant de ses jours à faire le bonheur de sa sœur. Blanche va avoir treize ans, sa vie est aussi vierge qu'elle, sur cette page neuve l'histoire reste à écrire. Avec l'argent du plomb, Batiste pourrait lui offrir des leçons de chant, de solfège, de maintien, de diction, de lecture, d'écriture, de danse. Il pourrait lui acheter des souliers et des robes. Nine La Vienne lui apprendrait à se coiffer et à se maquiller comme on fait dans le monde, et si elle tient sa promesse de présenter la petite à Monsieur Lully...

Blanche ne souhaite plus chanter dans la troupe des musiciens du roi. Elle veut réaliser le vœu de sa défunte mère et entrer au couvent. Les Carmélites de la rue d'Enfer, celles qui ont reçu Madeleine Le Jongleur avec bonté, sans s'offusquer de sa condition misérable. Batiste écoute en silence sa cadette lui exposer les raisons de son choix. Blanche ne parle pas de sacrifice, mais seulement de devoir et d'amour. Batiste ne croit pas que le chagrin des morts se puisse consoler, et pas davantage que la prière suffise à soulager la peine des vivants. Mais dans sa robe de deuil, ses beaux cheveux cachés sous une coiffe semblable à celle des veuves, Blanche semble si décidée qu'il n'essaie pas de la dissuader. Le temps de l'ironie, des critiques à l'emporte-pièce, des certitudes rondement assenées est révolu. Le jeune homme estime avoir perdu le droit de prétendre savoir ce qui est bon ou mauvais pour les siens. Il rassemble les gains de ses trafics, six mille livres en pièces d'or et d'argent. La part du diable, le prix du sang. La dot d'une enfant à voix d'ange. Il serre cette somme fabuleuse dans une bourse neuve, y joint le chapelet de Madeleine récupéré dans la cabane et confie le tout à Nine en la priant de conduire la petite chez les Carmélites et de prendre soin de son admission. Chacune des fibres de Nine se révolte contre cette décision, mais elle voit le jeune homme trop défait pour lui refuser ce service. Monsieur lui accorde gracieusement deux jours de congé qu'elle passe dans la soupente de l'atelier Binet, à parler avec la future novice du destin qui l'attend. Ces deux jours d'abandon et de tendresse, et surtout les nuits qu'elles passent à rire et pleurer sous un même drap, les font sœurs. Le matin du départ, Nine décroche la miniature de la Vierge qui est son bien le plus précieux, et elle la glisse dans le bagage de Blanche. Au dos, elle a écrit : *« Que cette Dame soit votre mère comme elle a été la mienne. Puisse-t-elle vous veiller dans la joie et l'épreuve comme elle a veillé sur moi. »*

La supérieure du Carmel est une grande femme paisible. Elle reçoit Blanche et la cassette comme deux cadeaux du ciel. Elle demande à la postulante de chanter, joint les mains et remercie le Très-Haut d'avoir posé son doigt sur la gorge de cette fillette. Par considération pour son emploi auprès du duc d'Orléans, Nine est autorisée à assister à l'office au côté de l'enfant que la responsable des novices doit emmener après la communion. Il fait dans l'abbatiale un froid de tombeau. De l'autre côté de la grille qui sépare les moniales du monde des vivants, les silhouettes grises agenouillées sur les dalles du chœur ressemblent à des fantômes. Blanche cherche la main de Nine et chuchote :

— Vous avez été bonne pour Pierre, pour maman et pour moi. Dieu vous le rendra. De tout ce que je perds, c'est vous qui me manquerez le plus.

L'assistante de la supérieure la foudroie du regard en posant un doigt sur ses lèvres. Blanche baisse la tête et poursuit dans un murmure :

— Vous prendrez soin de mon frère ? Il n'est pas mauvais, vous savez.

Nine répond sur le même ton :

— Je sais.

— Il a besoin de vous.

Nine se trouble.

— Vous croyez?

Banche serre sa main. Ses lèvres tremblent.

— Vous ne m'oublierez pas?

Nine noue ses doigts à ceux de la petite.

— Je demanderai à Monsieur d'intercéder auprès de l'abbesse pour que l'on me laisse vous rendre visite.

Blanche lui sourit. Elle a les yeux mouillés et son visage de lutin est gonflé d'émotion contenue.

— Je chanterai pour vous. Je vous confie Batiste.

Le duc d'Orléans trouve excellent que Nine La Vienne ait une sœur d'adoption au Grand Carmel. Ce couvent-là est le plus sévère de France, la clôture y est absolue, et l'âme privée de toute jouissance terrestre s'y élève certainement plus qu'ailleurs. Comme feu Madeleine Le Jongleur, Monsieur voit dans le sacrifice des innocents qui font pénitence à la place des pécheurs une chance de salut d'autant plus précieuse qu'elle ne lui demande pas de changer sa façon de vivre. Son Altesse se frappe la poitrine avant chaque communion, s'arrache une poignée de cheveux le jour des Cendres et accroche un cilice sous sa jarretière au retour du bal public, mais malgré sa sincère piété et sa crainte encore plus sincère du Jugement dernier, il se sait incapable de s'amender. Il craint de fâcher Dieu, mais il craint encore plus d'indisposer son bien-aimé Lorraine. Madame lui reproche d'avoir oublié le français et de ne plus parler d'autre langue que celle du chevalier. Il rétorque que si elle ne lui jure pas de vivre en bonne intelligence avec son favori, il refusera l'hostie à la messe de Noël.

Quotidiennement informé grâce aux mouches mâles et femelles que Monsieur de La Reynie place sous les arcades du Palais-Royal, le roi compte les points de cette guerre conjugale. Le chevalier de Rohan s'amuse de la passion que Sa Majesté met à suivre les turbulences de la vie de son cadet.

— Pourquoi tenez-vous tant à ce que rien ne vous échappe, Sire ?

— Un roi doit toujours avoir deux ou trois coups d'avance sur ses adversaires.

— Vous savez que Monsieur n'est pas un adversaire et que Madame vous est entièrement dévouée.

— Méfiez-vous des certitudes, chevalier. On ne connaît jamais le fond de l'âme d'autrui.

— Je parierais que le fond de l'âme du duc d'Orléans ressemble à son extérieur lorsqu'il demande à la nièce de maître Quentin de le maquiller en femme. Votre cadet s'est trompé de sexe en naissant, personne n'y peut remédier.

— Il paraît qu'il s'est récemment entiché d'un apprenti fontainier et que pour l'attirer, il se fait construire un hôtel des Bains.

Rohan soupire.

— Philippe est homme de caprice, cela n'est pas nouveau.

Le roi donne de la canne contre le pied d'un fauteuil.

— Il me déplaît d'avoir un frère perdu de vices et ridicule.

Rohan prend un ton conciliant.

— Ce frère-là vaut mieux que ce qu'il paraît.

— Ses mœurs déshonorent le sang qui coule dans nos veines.

— Vous le préféreriez vertueux ? « Traînant tous les cœurs après soi, tel qu'on dépeint nos dieux et tel que je vous vois ? » comme le Thésée du jeune Racine ?

Rohan sourit.

— Un polichinelle parfumé ne saurait porter ombre à Apollon. Les faiblesses de Monsieur ne vous nuisent pas, elles vous servent. Votre frère est le jouet de ses passions comme au temps où il a dévouvert l'amour. Au lieu de vous en agacer, vous devriez vous en féliciter.

Un éclat s'est allumé dans l'œil du roi.

— De quel amour parlez-vous?

— Vous ne vous souvenez pas qu'autrefois Philippe était toqué de la petite Anne Trouvé exactement comme il l'est aujourd'hui de son beau Lorraine?

— Non.

— Anne Trouvé, l'orpheline que la reine votre mère lui avait donnée pour jouer à la poupée vivante?

— Je ne vois pas.

— Elle a grandi dans la garde-robe de Monsieur, elle a appris à lire avec lui, elle nous suivait partout. Non?

— Non.

— Au début de la fronde des parlements, quand la reine votre mère nous a fait quitter Paris, nous dormions dans des granges, n'est-ce pas?

— Bien sûr.

— Anne ne quittait pas Philippe, Bontemps la retrouvait endormie dans la paille contre lui. De cela, tout de même, vous vous rappelez?

Le visage de Louis XIV est aussi lisse et froid que le marbre.

— Pas du tout.

— Elle a disparu à l'automne de 1652. Monsieur a passé plusieurs semaines sans prononcer un mot. Il adorait cette fille. Si elle était restée près de lui, il ne se serait peut-être pas tourné vers les garçons comme il l'a fait ensuite. Anne Trouvé. Vraiment, son nom ne vous évoque rien?

— Absolument rien.

Le chevalier connaît cette voix. C'est celle que le cardinal Mazarin a léguée à son filleul, celle derrière laquelle le souverain se retranche pour cacher les émotions que personne ne doit soupçonner.

Sa Majesté ment.

Et si elle ment à lui, Rohan, sur un sujet en apparence aussi anodin, c'est que le sujet n'a rien d'anodin.

Louis de Rohan est extravagant, souvent inconséquent, mais on ne l'a jamais pris en délit de lâcheté. Il laisse passer quelques secondes et dit :

— Moi, je me souviens d'elle. Bien en chair, les yeux bleus. Votre frère lui avait attribué un anniversaire au hasard, en posant le doigt sur l'almanach. Peu avant sa disparition il m'avait emprunté de l'argent pour la faire peindre telle qu'il l'aimait. Il voulait lui offrir ce portrait pour ses quinze ans.

La main de Louis XIV se serre sur le pommeau de sa canne. Un pommeau en agate d'un travail merveilleux, qui s'ouvre par le milieu sur un compartiment dissimulant un nécessaire en or avec cure-dents, lime pour les ongles, crochet servant à tirer les boutons dans leurs boutonnières, stylet, jeu de tablettes en ivoire pour noter le nom d'une jolie personne ou la circonférence d'un bassin, et sous le couvercle un astucieux miroir afin que Sa Majesté puisse vérifier en toutes circonstances qu'elle n'est pas décoiffée.

Rohan n'a peur de rien. Il se redresse de toute sa taille. Ainsi campé, il domine son souverain d'une tête. Avec le calme de celui qui se croit intouchable il demande :

— Qu'est-il arrivé à Anne Trouvé, Sire ?

Dans les royales prunelles danse une lueur qui ressemble au reflet de la lune sur la hache du bourreau. Louis XIV s'approche de la fenêtre.

— Quelle importance ?

Le jour gris fond la perspective du canal dans un dégradé de teintes fantomatiques. Le roi frissonne.

Anne.

Il pose le front contre un carreau.

Cette nuit-là.

Le bras de la fille est tendre, la peau légèrement humide glisse sous les doigts. Louis affermit sa prise et de sa main libre intime à son frère l'ordre de ne pas bouger.

Philippe est assis en tailleur dans le fouillis des draps. Il n'a pas encore de poil sur les jambes, son torse aussi est glabre, son corps lisse ressemble à celui des anges italiens qui ornent les plafonds du cardinal Mazarin. Quand il reconnaît l'intrus qui vient de sortir de l'ombre, il ouvre rond les yeux puis la bouche. Son regard va de Louis à la fille, de la fille à Louis, il retient sa respiration, il ne comprend pas. Et puis il voit Louis sourire, et il devient tout pâle.

Louis n'est plus en colère. Il sent la vie qui bat, qui enfle au-dedans de lui. Il aime cette sensation de force. Il aime la terreur qui monte comme une eau sale dans les yeux écarquillés de son frère. Il aime le tremblement sur les lèvres de la fille.

Il dit à Philippe :

— Je suis le maître. Ce qui est à toi est à moi.

Sans lâcher le bras de la fille, il tire son corset vers le bas pour dénuder sa poitrine. Elle gémit, un couinement de souris terrifiée qui enflamme le sang de Louis. Il lui empoigne les seins et les pétrit aussi fort qu'il peut. Elle fond en larmes et du regard supplie Philippe de lui venir en aide.

Philippe est immobile au creux du lit, paralysé.

Louis retourne la fille. Elle n'a pas eu le temps de remettre son caleçon ni ses jupes, tant mieux. Il lui empaume le conin et le presse comme si c'était un tétin. Elle crie. Ses plaintes ne ressemblent pas à celles qu'elle poussait en chevauchant Philippe. Louis s'en délecte, il est en train de lui apprendre le respect qu'elle lui doit.

Philippe a toujours la bouche grande ouverte. Un peu de salive coule sur son menton. Quand son aîné *pousse celle qu'il aime contre le coffre où sont rangées la bassinoire et la provision de chandelles, il ferme les yeux.*

Louis appuie fortement sur les reins de la fille pour la maintenir penchée pendant qu'il dénoue ses aiguillettes. Elle ne geint plus, elle sanglote. Il saisit les hanches rondes et crie à son frère :

— Ouvre les yeux ! Regarde !

Et à la fille :

— Alors ? Qui est ton roi ?

— Sire, vous m'entendez ?

Le souffle de Rohan contre son oreille chasse la fille, le coffre, le grand lit. Le roi se retourne d'un bloc. Rohan est si près qu'en tendant les lèvres, il pourrait l'embrasser.

— Le passé a parfois d'étranges façons de se rappeler à nous, n'est-ce pas, Sire ?

Le roi rajuste le cordon du Saint-Esprit qui barre son estomac.

— Laissons le passé à ses cendres, c'est le présent qui réclame nos soins. Allez me chercher le chevalier de Lorraine, je vais poursuivre cette conversation avec lui.

— S'il me demande de quoi vous voulez l'entretenir ?

Louis caresse sa fine moustache et la cicatrice qui barre sa lèvre supérieure.

— Vous lui répondrez que je veux lui parler... d'amour et de fidélité.

Rohan revient avec Lorraine. Le bel amant de Monsieur cache son inquiétude sous un air d'heureuse surprise, et tandis qu'il salue son souverain assis sur un fauteuil doré, Louis XIV admire le galbe de sa jambe et son teint de porcelaine. Lorraine se relève, son chapeau à la main. Le roi le considère un moment en silence. Puis de sa voix la plus grave, il dit :

— Monsieur, je ne suis pas content de vous.

Le chevalier arque ses sourcils blonds.

— En quoi ai-je pu vous déplaire, Sire?

— Monsieur n'a jamais eu de passion que pour votre personne, et vous lui rendez médiocrement son affection.

— Je ne comprends pas...

— Pourquoi court-il les bals en quête d'un bonheur qu'il devrait trouver auprès de vous?

Rohan retient un sourire. Lorraine ne voit pas s'ouvrir le piège où il va s'enfermer. Enfant, Louis n'avait pas son pareil pour attirer des mouches et les emprisonner sous un verre retourné.

Le roi poursuit :

— Les égarements de Monsieur lui font du tort, ils en font à Madame et ils en font au trône. Je respecte trop mon frère pour le gourmander, c'est donc sur vous que va retomber ma colère.

Lorraine baisse la tête comme un enfant tancé par son maître d'école.

— Sire, je ferai tout ce qui est en mon pouvoir pour que le duc d'Orléans ne vous donne que des satisfactions!

— Vous me répondez de lui?

— Sur ma foi.

— Il ne fera rien qui puisse me déplaire?

— Je vous le promets.

— Et si d'aventure lui venaient des idées propres à me contrarier?

— J'en préviendrais aussitôt Votre Majesté.

— Nous avons donc ici un accord, vous et moi?

— Sur mon âme, Sire.

Rohan songe que le serment d'un homme qui n'a jamais eu d'âme à un homme qui n'en a pas l'usage est un plaisant jeu de dupes. Louis XIV fait craquer ses doigts.

— Je veux vous être agréable à mon tour. Y a-t-il quelque chose qui vous ferait plaisir?

— Sire, si j'osais, je demanderais à Votre Majesté d'éloigner de Monsieur un profiteur qui a sur lui une influence détestable. Un homme bien né, mais un joueur forcené et un affreux débauché. Monsieur en est infatué, il paie ses dettes sans lui faire reproche, depuis le début de l'année le drôle lui a coûté soixante-huit mille livres, et pour le tirer de la prison où ses créanciers l'ont envoyé, Monsieur s'apprête à débourser le double !

— Comment se nomme ce joueur ?

— Cholay, Sire.

— J'ai croisé le chemin d'un Cholay au temps où ma cousine s'amusait à me tuer avec des boulets de canon. Le fils unique d'un vieux gentilhomme normand que le roi mon père tenait en grande estime, je crois.

— C'est celui-là même, aujourd'hui comte de Cholay et baron d'Almenêches.

— Je croyais que mon frère appréciait en ce moment des compagnies plus rustiques, on m'a parlé d'un fontainier...

— Tous les fontainiers de Paris ne coûteraient pas en une vie ce qu'Emmanuel de Cholay extorque chaque mois à Monsieur.

Le roi se retourne vers Rohan.

— Chevalier, vous connaissez le personnage ?

Le grand veneur s'approche.

— Assez pour n'avoir pas envie de le fréquenter.

Louis XIV soupire.

— Nous venons de signer la paix, je ne peux envoyer votre comte sur le front en espérant une issue opportune. S'il retournait sur ses terres, Monsieur viendrait-il l'y chercher ?

— Monsieur a moins de mémoire que vous, Majesté, ce qui n'est pas à portée de son désir cesse vite de lui manquer.

Rohan hoche la tête.

— Reste à trouver le moyen de persuader Cholay de prendre une retraite anticipée dans la campagne normande. Lui donner en mariage une vache richement dotée, peut-être?

Le roi sourit.

— L'idée n'est pas mauvaise. Nous pouvons nous charger de la dot. Vous avez un nom de vache à me proposer?

Le projet ne semble pas du goût de Lorraine.

— Sire, il me semble que des mesures plus radicales seraient une meilleure garantie...

Louis XIV tourne vers lui un œil dur.

— Respecter votre parole de surveiller Monsieur doit être dorénavant votre seul souci, chevalier. Le reste ne vous regarde pas.

Le mot a claqué comme un coup de cravache. D'un mouvement du menton, Sa Majesté marque la fin de l'entretien. Déconfit, Lorraine salue bas et se retire, escorté par Rohan.

Le roi les regarde sortir. Il s'en souvient, il adorait attraper les mouches. Quand personne ne l'observait, il leur arrachait une aile. Une seule. Avec une seule aile, elles restaient des mouches, elles vrombissaient et s'agitaient. Mais elles ne pouvaient plus s'envoler.

Cholay, oui.

Le vôtre. Le nôtre.

Je vous vois frémir, Charles, et mon cœur se serre.

Vous n'avez jamais eu d'estime pour le comte votre père, cependant vous craignez d'apprendre sur lui des horreurs pires que celles dont il vous a rendu spectateur tout au long de votre enfance?

Je vous comprends.

Armez-vous de courage. Je préférerais vous épargner ce qui va suivre, mais nous ne pouvons vous et moi y échapper.

Vous êtes le fils providentiel, l'héritier du titre. Si vous étiez mort en bas âge comme la moitié des poupons d'aujourd'hui, le vieux nom de Cholay serait mort avec vous. Le comte Emmanuel vous a raconté qu'il s'était retiré à Almenêches sitôt après votre naissance en raison de votre constitution fragile, et que depuis treize ans il se sacrifiait pour votre santé et se cantonnait sur ses terres afin de vous élever et fortifier au bon air, loin des contagions de Paris et des miasmes de Versailles?

Cela n'est pas faux.

Mais comme je vous le disais en commençant de vous écrire, la vérité peut prendre maints visages, et souvent en regardant autrui on voit surtout ce que l'on désire voir.

Les traits, les gestes, les faits, les sentiments, tout se maquille.

Prenez Nine La Vienne. Calée au milieu d'un amoncellement de boîtes à perruques au fond du carrosse que maître Quentin loue lorsqu'il se rend à Versailles, la taille marquée par un corset à tuyaux, les hanches arrondies par une triple jupe, le pied mignon dans des souliers à talons verts, les joues fardées et la perruque poudrée, elle ressemble à s'y méprendre à une demoiselle de qualité.

Même vous, qui commencez à la connaître, vous vous y tromperiez.

Assis en face d'elle, son oncle soliloque en se frottant les mains. Oui, il a promis à Alexandre Bontemps de ne jamais emmener Nine à Versailles. Mais les princes ont pouvoir de délier les serments, et Monsieur veut que la jeune fille le prépare pour le bal du nouvel an auquel Sa Majesté l'a prié avec Madame, le chevalier de Lorraine, le chevalier de Rohan plus quantité de dames et seigneurs clients de l'atelier Binet. Bontemps va pousser les hauts cris, mais Nine invoquera les nécessités de son service et elle laissera passer l'orage. Monsieur n'aime rien tant qu'agiter sous le nez d'autrui ses nouveaux hochets. Si ses vantardises piquent la curiosité de la reine ou de Madame de Montespan, Sa Majesté demandera peut-être à profiter des talents de « Mademoiselle le neveu ». Maître Quentin a prévu une seconde robe en vue de la présentation de sa précieuse nièce. Virginale, avec des poches secrètes et d'amples ourlets où Nine pourra glisser des sachets odoriférants. Le perruquier lui recommande de montrer dès l'abord et le plus largement possible l'éventail de son art. Plaire au frère du roi est bien, et Jean Quentin reconnaît que Nine dans cette course a mené sa barque avec une adresse remarquable. Mais le Graal est de plaire au roi lui-même. Avec l'aide de Dieu et un peu de génie, ce but suprême se peut atteindre. Jean Quentin sert Sa Majesté d'assez près pour connaître ce que cachent le masque doré d'Apollon, la cuirasse musculeuse de Mars et le foudre de Jupiter. Louis XIV n'a que trente et un ans et il donne en public une impression de majesté, de vigueur, de santé remarquables, mais ses cheveux se raréfient, ses dents se déchaussent, les marques de vérole sur ses joues s'enflamment dès qu'il a chaud, il transpire d'abondance pendant son sommeil et ses mains restent moites, il mange comme quatre sans parvenir à se rassasier, il digère très mal, il a des insomnies, des vapeurs, des éblouissements, des migraines, des vertiges. Ces infirmités tenues soigneusement secrètes gâchent nombre de ses journées et la moitié de ses nuits. Il suffirait que Nine trouve à en soulager quelques-unes et l'avenir de la dynastie Binet serait assuré.

— Le roi a le nez presque aussi sensible que Monsieur. Le nom de votre père lui inspirera confiance, il ne rechignera pas à essayer vos médecines parfumées. Mais attention! Pas de fanfaronnades ni d'inventions farfelues! Pas question de couper votre natte ou de proposer je ne sais quelle décoction de cadavre, n'est-ce pas? On n'attrape pas un roi comme on séduit un chevalier de Rohan, et Sa Majesté a moins de goût que Monsieur pour les histoires à dormir debout. Soyez inventive, mais soyez prudente!

Nine lui sourit bravement.

— Rassurez-vous, mon oncle, je ne vous ferai pas honte.

Dans son riche habit marron d'Inde et sa perruque veloutée, Jean Quentin ressemble à un papillon de nuit en tenue de bal. Il remonte le rideau de toile cirée qui protège des vents coulis et crie au cocher de s'arrêter au plus près de la grille de l'avant-cour. Nine se penche par la portière autant que la raideur de son corset le permet. La nuit était encore noire quand la voiture a quitté la rue des Petits-Champs et le jour se lève paresseusement sur l'avenue élargie et plantée de jeunes arbres qui mène à la place d'armes. Les chevaux prennent le petit trot, puis le pas. Nine n'est pas revenue à Versailles depuis la mort de Pierre Le Jongleur et elle n'est jamais entrée dans le château. Son cœur bat plus fort qu'elle ne voudrait. Elle n'a pas eu peur de se déguiser en garçon pour suivre l'armée en Flandre, de couper les jambes d'un moribond au fond d'une cabane puante, de raser des crânes dans un asile de fous. Elle n'a pas eu peur du chevalier de Rohan à l'atelier Binet, et pas davantage de Monsieur au Palais-Royal. Mais là, maintenant, elle a peur. Elle a déjà vu le roi, pourtant. Elle l'a vu caracoler sur son cheval de guerre, marcher au milieu des camps, rire avec son grand veneur, congratuler ses vaillants soldats. Elle l'a vu tout nu dans une baignoire et assis au milieu d'une tente sur une chaise percée. Elle a tenu un cornet devant son visage et soufflé de la poudre sur la perruque à fentes qu'elle avait fabriquée pour lui. Mais la première fois Louis XIV dormait, et les autres fois, il l'a prise pour un valet insignifiant et ne lui a pas accordé plus d'attention qu'au tabouret glissé sous ses bottes. Aujourd'hui il s'agit d'être remarquée, puis distinguée par lui. Le monarque de droit divin, fils aîné de l'Église, sacré à Saint-Denis. Celui dont dépend le destin de quinze millions de paysans, de vingt mille religieux, de cinq mille courtisans. Celui qui a fait la fortune de François La Vienne et de Jean Quentin. Celui qui a supplicié et enfermé Madeleine Le Jongleur. La gorge de Nine se noue. Elle pense à Blanche emmurée au Grand Carmel. Au carrosse de Louise de La Vallière attendant en vain près du camp où Sa Majesté forniquait avec l'épouse du marquis de Montespan. Humble inconnue ou maîtresse détrônée, une femme ne pèse pas lourd dans la main de Louis le Quatorzième. A-t-elle raison de jouer son va-tout avec ce roi-là ?

Sitôt descendue de la voiture, elle est fouettée par un vent glacé qui emporte son chapeau et ses interrogations.

Sillonnée d'ornières creusées par les roues des charrois, l'avant-cour ressemble à un entrepôt à ciel ouvert. Empilés ici et là, des blocs de pierre blanche aussi hauts que Nine voisinent avec d'énormes tonneaux, des citernes roulantes, des bardeaux et des appareils à lever. Aux quatre coins, quatre pavillons carrés de brique et de pierre montés à mi-corps sont encadrés de grues et environnés d'une nuée d'ouvriers et d'animaux de trait. Grelottante, étourdie par les cris et les sifflets, le grincement des scies à pierre et les coups de marteau, Nine retrousse le bas de sa robe qui trempe dans la boue et rentre le ventre en essayant de respirer normalement. Le corset à tuyaux est un avant-goût du Purgatoire. Et les talons hauts sont conçus pour déboîter les chevilles féminines.

Deux garçons en perruque courte et livrée bleu roy bravent les bourrasques pour venir saluer son oncle et lui offrir avec beaucoup de civilité de le conduire à son logement et de se charger de son bagage. Ces valets-là sont des garçons bleus, spécialement recrutés et dressés par Alexandre Bontemps qui a sur eux toute autorité. Le parrain de Nine n'est pas seulement premier valet de chambre, charge qu'il exerce par quartier, mais également intendant de Versailles. L'originalité de Versailles, qui le rend différent du Louvre ou de Saint-Germain, est que ce château-là n'appartient pas à la couronne mais au roi, et que son embellissement et son entretien puisent dans la cassette personnelle du souverain et ne dépendent pas du Trésor. En théorie, du moins. Sa Majesté trouve que les aménagements qu'elle y a apportés depuis cinq ans ne le rendent encore ni assez vaste ni assez commode pour de longs séjours, mais quand elle y réside elle veut avoir près d'elle ses ministres, sa famille, ses favorites et sa cour. Toutes ces personnes de haute qualité, auxquelles il faut adjoindre les officiers de la maison du roi, ceux de la maison de la reine, plus quantité d'officiers subalternes et de domestiques de tous grades, font près de cinq cents hommes et moitié plus de femmes à demeure. Les princes du sang, les plus grands seigneurs, les membres du gouvernement les plus indispensables, les détenteurs des charges les plus importantes, les courtisans les plus en vue et les plus jolies dames ont droit à un appartement attitré. Les logements de faveur sont attribués nominativement, et ceux qui les obtiennent se feraient tuer plutôt que de les céder. Les logements de fonction ne portent pas le nom de leur bénéficiaire mais celui de sa charge, et ils donnent lieu à un incessant jeu de chaises musicales. Certains comportent une enfilade de pièces, d'autres se réduisent à deux chambres et une garde-robe, mais tous sont meublés, et, ce qui ne s'est jamais fait dans aucune résidence royale, le bois de chauffage et les bougies sont fournies. En théorie, également.

Le roi a une telle confiance dans l'intégrité de son intendant qu'il le laisse établir le plan d'attribution des logements disponibles en fonction du rang et de la fonction de chacun. L'honnête Bontemps se passerait volontiers de cet honneur qui lui vaut des supplications, des promesses et des chantages, mais il a grand plaisir à travailler le soir avec le roi sur ces questions où la politique se cache sous le masque de l'hospitalité. Son orgueil et son ambition se résument à bien servir son souverain, il n'a pas le désir de s'élever au-dessus d'un état qui le comble, et c'est par bonté qu'il essaie de satisfaire les quémandeurs, jamais pour en tirer profit. Il ne peut bien sûr contenter tout le monde, d'autant qu'il arrive au roi de changer les dispositions prises en accordant par caprice ce qui avait été refusé par raison. Le marquis de Dangeau a mené pendant des mois un siège assidu sans rien obtenir. Un soir qu'il jouait à la table de Sa Majesté et de Madame de Montespan, le roi l'a plaisanté sur sa facilité à tourner des vers qui, à la vérité, sont rarement bons. Lui proposant des rimes fort sauvages, il a promis au marquis un logement s'il les remplissait sur-le-champ. Monsieur de Dangeau n'y a réfléchi qu'un moment, il s'est exécuté avec brio, et il a eu son appartement. Le menu fretin des courtisans et des domestiques n'ayant jamais pareille chance doit louer chez l'habitant, ou dans les garnis qui poussent comme des champignons depuis le commencement des travaux. Malgré sa charge de barbier perruquier et son talent prisé par le maître des lieux, maître Quentin s'est souvent retrouvé à l'auberge.

Cette fois, à son grand bonheur, les garçons bleus le conduisent par un chapelet d'escaliers de plus en plus raides jusqu'à une chambre minuscule mais, luxe rare, pourvue d'une lucarne et d'une cheminée. À l'extrémité est des combles de l'aile nord, qui est celle où le roi a ses appartements, elle est meublée d'un lit étroit avec garniture, chevet, bougeoir et chandelle de cire jaune, d'une petite commode avec broc et cuvette en faïence, d'une table et d'un fauteuil en bois nu. Au mur, des boiseries peintes en gris clair comme les couloirs et les paliers, au sol, des carreaux de terre cuite non jointés. Le tout poussiéreux et sentant le champignon à l'automne. Une seule bûche dans la cheminée. Pas d'eau dans le broc. Le carreau de la lucarne est fendu. Nine trouve que l'endroit ressemble au galetas de la maison de son père, mais son oncle semble enchanté. Une fois les caisses, les boîtes et les mannequins montés et installés, il n'y a plus moyen de faire un pas ni même de se retourner. Jean Quentin se frotte les mains avec une ardeur redoublée. Il n'a pas froid, non. Il trouve la pièce idéale. L'été dernier il a dû partager un réduit avec deux officiers de la garde-robe qui jetaient le contenu de leur pot de chambre seulement lorsque ce dernier débordait. Nine l'aide à déballer les perruques, les brosses, les fers à friser et les poudres. Elle demande où se vident les seaux d'aisance – en bas, dans

les puisards des petites cours –, s'il y a des latrines dans les
étages – il n'y en a pas –, comment tirer de l'eau – à la fontaine qui se trouve près de la grotte de Thétys –, s'il faut la
monter soi-même – les porteurs d'eau s'en chargent –, s'il
sied de la faire bouillir avant de la boire comme son père
le lui a recommandé – cela serait prudent, mais on n'en a
pas le moyen –, si quelqu'un va apporter du bois ou s'il
faudra en acheter au-dehors – avec un peu de patience et
l'appui de Bontemps, les valets s'en chargeront –, si elle
est censée dormir dans le lit de son oncle – à moins de se
plier pour rentrer dans une boîte, il n'y a pas d'autre
option –, si les appartements du duc d'Orléans commu-
niquent avec ceux du roi – non –, si les frères se voient
souvent – oui –, dans quel ordre ajuster les perruques de la
reine, de la duchesse de Vaujours et de Madame de
Montespan – dans celui de l'affection royale –, si elle devra
rejoindre Monsieur dès son arrivée et rester à sa disposi-
tion comme au Palais-Royal – assurément –, enfin, plus
urgent que tout le reste car l'horloge du fronton vient de
sonner onze heures et son estomac crie famine : quand
mange-t-on, et où ? Nine n'a rien avalé depuis l'aube, et un
ventre de seize ans ne se nourrit pas seulement de l'honneur de se trouver sous le toit du plus grand roi d'Europe.

Jean Quentin prend son air sévère. À Versailles, il est
de bon ton de n'avoir ni faim, ni soif, ni sommeil, ni envie
de se gratter ou d'aller à la chaise percée. Louis XIV
affirme que le vouloir prime sur l'instinct et que la nature
se domestique. Ceux qui le servent ont le devoir d'illustrer
cette maxime, de canaliser leurs instincts et de domestiquer leur nature. Nine a de l'ambition, mais pas l'esprit de
sacrifice. Elle ne voit pas au nom de quelle raison supérieure elle se priverait de boire ou de soulager sa vessie.
Jean Quentin a misé sur cette enfant comme maître Jolly
sur ses lévriers, il n'est pas question qu'elle quitte l'arène
avant d'avoir couru. Il lui sourit en oncle affectionné et la

rassure : Versailles est le palais de tous les possibles, d'une façon ou d'une autre, au sens propre ou au figuré, chacun s'il en prend les moyens trouve à se rassasier.

Il ne faut pas plus de quelques heures à Nine pour constater qu'il dit vrai.

Pisser ? N'importe où, sans vergogne ni retenue. Dans les antichambres et les cabinets. Dans les coins des boiseries, au bas des rideaux. À la chapelle, quand le sermon s'éternise, les dames glissent sous leurs jupes une sorte de saucière en faïence que leur suivante vide ensuite derrière une colonne. Le mois dernier, l'évêque-comte de Noyon s'est soulagé par-dessus une balustrade du premier étage de l'aile sud. Le bruit de la chute de l'eau sur le marbre dont la cour est pavée a fait accourir un Suisse qui, horrifié, s'en est allé quérir l'intendant du château. Bontemps, très indigné, a aussitôt rapporté l'anecdote au roi. Au lieu de s'en fâcher, Sa Majesté a beaucoup ri et a eu la considération pour Monsieur de Noyon de ne le lui en point parler.

Plus consistant ? Dans la mesure du possible, dehors. Derrière presque chaque bosquet on trouve une comtesse ou un Suisse accroupi. Sinon, dans les petits passages, les cours intérieures ou sous les escaliers. On glisse dans des flaques innommables, les marches des degrés secondaires sont fleuries d'étrons, on ne peut traverser certains passages sans poser un mouchoir sur son nez, les mouches vertes pullulent, mais tout le monde en use ainsi.

Se laver ? Le gros de courtisans ne fréquente pas les bains publics, et ceux qui apprécient l'eau autrement que pour couper leur vin se comptent sur les doigts des deux mains. Hormis Monsieur qui a été loutre ou truite dans une vie antérieure, personne ne pense à se laver, personne n'en éprouve le besoin, personne ne le fait. Les chanceux qui disposent d'un appartement avec cuisine nettoient vaisselle et pots de chambre chez eux, les autres vont aux fontaines des petites cours. Le règlement veut que les eaux sales soient descendues dans des cuveaux. Dès que les Suisses tournent le dos, les domestiques vident seaux et bassines par les fenêtres.

Boire? Quand le roi a commencé de venir se délasser à Versailles en nombreuse compagnie, le château n'offrait qu'un seul point d'eau courante. Cette eau-là venait du Chesnay, elle était fraîche et potable en toute saison, mais son débit ne pouvait suffire à couvrir les besoins d'une résidence régulièrement occupée. Dans un premier temps, Claude Denis et Denis Jolly a creusé un puits au-dessus de l'étang de Clagny, puis un réservoir dominant ce puits, enfin une machine mue par deux chevaux pour pomper et élever les eaux du puits jusqu'au réservoir. Ces eaux étant marécageuses, on les a affectées aux fontaines et maître Jolly a installé une seconde machine pour amener de l'eau pure depuis les sources de Bailly et de Rocquencourt. Les occupants du château peuvent maintenant boire sans risquer un flux de ventre à la grotte de Thétys et sous le grand escalier du roi. Seulement deux fontaines pour plus de six cents personnes? Sa Majesté voudrait offrir davantage, elle a donné des ordres en ce sens à Francine et Jolly, mais l'équipe des fontainiers se consacre pour l'heure aux adductions du Grand Canal. En attendant, les mécontents n'ont qu'à se désaltérer aux fontaines des jardins ou à celles du bourg. Les ouvriers du chantier et les habitants de Versailles consomment cette eau-là à longueur d'année et s'ils en meurent, c'est sans se plaindre. Ce sont là de braves gens, des sujets fidèles qui méritent l'affection de leur souverain.

Manger? Sur ce point Sa Majesté a organisé les choses avec la méticulosité d'un aubergiste soucieux de fidéliser sa clientèle. Le système est conçu comme une pyramide et réglé comme une horloge en sorte que, du plus grand au plus petit, chacun trouve à s'alimenter sans avoir besoin de s'absenter. Au sommet, les tables royales. En dessous, les tables principales et d'honneur réservées aux hôtes que le roi veut distinguer. Celle du grand chambellan, tenue par le premier maître d'hôtel de Sa Majesté, accueille les ambassadeurs, les ministres et les invités de marque extérieurs à la cour. Celle du grand maître, tenue par le capitaine des gardes en quartier, reçoit les princes du sang et les grands seigneurs. Encore en dessous, la table secondaire du grand maître, celle des maîtres d'hôtel, celle des aumôniers, celle des gentilshommes servants qu'on nomme aussi table du serdeau, celle des valets de chambre et de la garde-robe, des huissiers de l'antichambre, des portemanteaux et des barbiers. Un «État des personnes qui doivent et ont droit de manger à la table du roi» est affiché dans les salles des repas afin de dissuader les resquilleurs qui «cherchent midi». Certains fastueux seigneurs comme le grand écuyer ou le grand veneur tiennent également table ouverte, mais ils le font dans leurs appartements, sur leurs propres deniers et traitent qui leur plaît. Les horaires des différents services sont réglés en sorte de faciliter le roulement des convives et leur présence auprès du souverain. Les tables des maîtres d'hôtel et des valets de chambre qui doivent être présents au dîner du roi sont servies à onze heures, celle des aumôniers dès que Sa Majesté sort de la messe, celles du grand maître et des premiers valets de chambre vers une heure, en même temps que la table royale, et celle du serdeau immédiatement après. Les menus sont arrêtés par le Bureau de la Maison-Bouche, et les quantités de nourriture calculées pour nourrir en cascade d'abord les invités, ensuite leurs domestiques, enfin les personnes qui n'ont pas «bouche à cour» et qui, ne pouvant profiter des tables officielles ni de leur desserte, achètent les «restes des restes» aux officiers qui ont présidé les tables ou aux garçons servants, et les consomment ensuite dans leur appartement. Ceux qui n'ont pas les accointances nécessaires et

ceux qui viennent au palais pour la journée s'approvi-
sionnent dans les baraques dans l'avant-cour où les « restes
des restes des restes » sont abondamment recuits et pimen-
tés afin d'en masquer les relents faisandés.

Il est trop tard pour se rendre à la table secondaire où
maître Quentin en tant que barbier perruquier a sa place
réservée, et Nine n'ose se risquer à « piquer » à celle de son
parrain. Elle doit se contenter d'un ragoût d'une viande
imprécise remontée dans un pot par un petit valet.
Comme son oncle n'a emporté ni assiette ni cuillère, elle
le mange en y trempant son pain, debout devant le
réchauffoir construit sur le palier. Ce fourneau de fortune
fonctionne avec des braises qu'il faut attiser à chaque
usage, ce qui perd beaucoup de temps et calcine la boiserie, les sauces lourdes répandent une odeur poisseuse qui,
se mêlant à celle de l'ordure, soulève le cœur, mais ne
sachant ce que l'avenir lui réserve, elle ne se fait pas prier.
Jean Quentin est trop agité pour toucher à son plat.
Quand il loge à Versailles, il se nourrit ordinairement de
fruits secs et de sirop, il a ainsi la tête claire et le ventre
léger, et le temps qu'il prend sur les repas lui permet de se
consacrer mieux encore à sa raison d'être dans ce palais et
plus généralement sur cette terre : plaire à Sa Majesté.

Plaire à Sa Majesté.

Le premier soir, Nine ne voit pas le roi. Monsieur,
Madame, le chevalier de Lorraine, le marquis d'Effiat, le
comte de Beuvron, la maréchale de Grancey arrivent dans
l'après-midi avec leurs gens, leurs malles, leurs chiens et
leurs caprices. Il faut apprêter Monsieur pour le souper au
grand couvert, ce qui prend trois heures, puis le changer
et parfumer de la tête aux pieds avant le jeu de mime qui
se tient chez Madame de Montespan, puis l'attendre, le
démaquiller, le remaquiller et le reparfumer en vue de
la nuit que pour plaire à Sa Majesté il ne passera pas avec
ses favoris mais avec son épouse.

Plaire à Sa Majesté.

Ainsi même le frère du roi se sent obligé de faire sa cour au maître de Versailles.

Le lendemain le roi chasse, et Monsieur, toujours pour lui être agréable et malgré ses hémorroïdes, chasse avec lui. Nine ayant quartier libre envoie un mot à Batiste Le Jongleur le priant de la retrouver dès qu'il en aura le loisir. Il se rend disponible dans l'heure qui suit et l'attend avec Jésus devant la grotte de Thétys. Il porte ses habits de travail tachés de rouille, elle vient en robe de soie et perruque poudrée, avec sur les épaules une cape doublée de petit-gris prêtée par Claude Roger, valet de chambre de Monsieur. Mal à l'aise, Batiste la détaille depuis ses talons verts jusqu'aux perles qui ornent ses oreilles. Il fronce les sourcils.

— Quand avez-vous fait percer vos lobes ?

Nine grimace.

— Avant-hier. C'est Monsieur qui l'a exigé. Lui aussi a les oreilles percées, et même en plusieurs endroits. Il m'a dit qu'il m'avait assez vue avec le cou aussi nue qu'une nonnette, et que si je ne m'arrangeais pas un peu, il aurait trop honte de moi pour me montrer au roi.

— Je croyais que vous n'aimiez pas les bijoux.

— J'aime ceux-là. Ils me viennent de ma mère.

Batiste recule d'un pas. Il a inventé un énorme mensonge pour quitter son service, il a couru depuis le bout du canal pour rejoindre cette fille au plus vite, et voilà qu'au lieu de plaisanter avec elle comme ils font d'ordinaire, il se sent affreusement agacé. Il déteste sa perruque en forme de meringue. Il déteste son maintien compassé, on dirait que malgré sa petite taille elle le toise. Elle pivote lentement pour lui donner à admirer la moire de ses jupes.

— Je vous plais ?

L'eau de ses prunelles pétille de joie. Batiste a envie de brouiller cette eau-là. Une vilaine envie, qui a le goût du fiel. Trois mots et il la fait pleurer. C'est si facile de faire pleurer une femme. Nine se fige. Déjà elle s'inquiète et s'attriste.

— Vous n'aimez pas ?

Il se détourne.

— Je ne vous reconnais plus.

Elle ôte son gant et lui prend la main. Il a la paume froide et rêche. Elle noue ses doigts aux siens.

— Et comme cela ?

Il ferme les yeux. Maintenant il la voit comme le jour où il l'a rencontrée. Il a failli la battre. Elle lui a tenu tête. Et les autres fois, toutes les autres fois. Sa petite main est douce. Il semble à Batiste qu'il n'a jamais touché une main si douce. L'envie de meurtrir reflue. À mi-voix, il demande :

— Vous rappelez-vous le matin après l'opération de Pierre, dans la clairière ?

Elle hésite.

— J'étais très fatiguée...

— Vous m'avez pris la main et vous m'avez demandé de rester.

— Vraiment ?

— De rester près de vous encore un peu.

Il l'attire contre sa poitrine et la tient serrée à peine, comme s'il enlaçait un rêve de fille et non une fille. Sans rouvrir les yeux, il murmure :

— Je ne veux pas que tu changes.

Elle répond tout bas :

— Je ne changerai pas...

Et pour enrayer l'émotion qui les gagne tous les deux, elle ajoute avec un grand sérieux :

— Mais il faudra pour cela m'empailler. Savez-vous empailler les perruquières ?

Batiste la prend à bras-le-corps, la soulève et la fait tourner comme je le faisais avec vous, Charles, quand vous étiez petit. Nine proteste et ses cris sonnent en moi comme autrefois les vôtres. Batiste la repose, remonte le col fourré de sa cape et reprend sa main.

— Venez, je vais vous montrer quelque chose que les dames de votre espèce ne voient jamais.

Elle le suit aussi vite que ses talons le permettent :

— Je ne suis pas une dame !

Il la tire sans ménagement. Elle trébuche. Il la rattrape juste pour le plaisir de la sentir à nouveau contre lui.

— J'espère bien ! Sinon je vous traiterais comme telle et vous y perdriez !

Faraude, elle le nargue.

— Vous oseriez ?

— Ne me tentez pas !

Il la mène le long d'un énorme bâtiment de pierre blanche qui cache l'aile nord de ce que l'on appelle maintenant le « château-vieux ». Cette construction-là, deux fois plus large que l'ancienne aile, s'assied sur le fossé en herbe qui encerclait le palais, tourne à angle droit du côté des jardins et continue sur le large perron dominant l'allée centrale. Les murs du bas sont finis, par les ouvertures on voit les ouvriers qui travaillent à la solivure, et ceux de l'étage montent jusqu'à mi-hauteur des futures croisées. Appuyé contre la muraille, un escalier mobile rejoint l'échafaudage jeté au-dessus du vide. Batiste regarde les amples jupes de Nine et grimace.

— Pensez-vous que vous pourrez monter ?

Sans hésiter, Nine enlève ses souliers, les glisse dans la ceinture du jeune homme et, tenant d'une main son ourlet, de l'autre la rampe, elle grimpe jusqu'à la plateforme avec l'agilité d'une chevrette. Les marches glacées lui gèlent les pieds, les maçons à l'ouvrage la regardent d'un air peu amène, mais pour rien au monde elle ne déclarerait forfait. En haut, la vue coupe le souffle au sens figuré et le vent au sens strict. Aussi fier que s'il lui expliquait un tour de magie, Batiste lui montre les tiges de métal qui sortent ici et là de la maçonnerie. L'ouvrage de Monsieur Le Vau ne se soutient pas par le seul ajustement des pierres, mais grâce à une armature composée de colonnes et d'un entablement faits avec des barres métalliques de cinq centimètres de section et de plusieurs mètres de haut qu'on appelle gros fers de construction et que lui-même, Batiste Le Jongleur, a aidé à souder au plomb fondu. À cette structure qui forme l'ossature invisible du bâtiment s'ajoutent des ancres, des étriers, des agrafes et des tirants qui renforcent l'adhésion des pierres et s'opposent à leur naturel effort d'écartement. Pour empêcher la corrosion de la rouille, tous ces fers sont enduits avec du goudron, de la poix, de la cire, du vernis, du mastic et de la graisse de chapon.

Par chance, le jour est clair et la lumière froide dessine nettement les contours des bosquets, des bassins, des allées et des bois qui s'étendent jusqu'à l'horizon. De ce côté-ci du palais, Nine a gardé le souvenir de quelques parterres ornés de fontaines enchâssés dans un gigantesque labour, de cohortes de manœuvres pliant sous des hottes pleines de terre, d'une armée de troncs couchés le long de la forêt bordant la plaine marécageuse, et d'une odeur de vase épouvantable. Elle ne reconnaît rien. Au pied des nouveaux bâtiments et au bout de l'interminable avenue qui descend vers le couchant, le sol éventré grouille toujours d'hommes et de bêtes de trait, mais le reste du paysage semble avoir été domestiqué avec une rigueur et un sens de l'harmonie qui rappellent à Nine les marches en musique des armées françaises. Sur sa gauche, du côté où ouvrent les appartements de la reine, se trouve le parterre du Midi avec un petit bassin dit «de l'Amour» et une balustrade ouvragée surplombant l'Orangerie. Sur sa droite, le bassin ovale de la Sirène, qui a été creusé au temps des premières amours du roi avec Mademoiselle de La Vallière, précède un parterre de gazon et de buis deux fois plus grand que lors des premiers travaux, percé de deux bassins ronds, puis une longue allée descendant en pente douce vers une énorme excavation destinée aux fondations du futur bassin du Dragon. Cette allée, explique Batiste, est l'endroit où il a le plus travaillé l'an passé. On la nomme l'allée d'Eau, et à terme, si l'équipe des fontainiers relayée par celle des sculpteurs parvient à réaliser tout ce que le roi a en tête, elle ne comptera pas moins de six fontaines d'apparence et de mécanisme différents, dont une installée dans un pavillon au milieu d'un plan d'eau. En 1670, le gros des efforts se portera vers l'ouest, pour aménager la perspective partant du château et descendant de degré en bassin jusqu'à la tête du Grand Canal. Le mot d'ordre est nouveauté, splendeur et symétrie. Pour la nouveauté, le roi a commandé des calculs afin d'installer des réservoirs d'une taille sans précédent sous sa future terrasse. Pour la splendeur, les frères Marsy, qui sont d'excellents sculpteurs, achèvent un impressionnant groupe à placer dans le bassin en demi-lune sous lequel Batiste a croisé pour la première fois la brune princesse Henriette d'Angleterre. Ce groupe contera la mésaventure de Latone, qui voit des paysans félons changés en grenouilles. Les lézards et les tritons seront en plomb, les roseaux en laiton, c'est l'équipe de Batiste qui les soudera. Pour la symétrie, l'intention est bien visible, mais il reste fort à faire. Les buis taillés forment des dessins géométriques, les allées rectilignes se croisent à angle droit, toutefois les parterres nord et sud n'ont pas la même ampleur, et ceux qui se distribuent de part et d'autre de la grande allée centrale n'ont ni la même forme, ni la même taille. L'impression de symétrie est suggérée par deux épais rideaux de sapins qui enserrent les massifs plantés, mais de haut l'on voit que seule l'allée de gauche débouche sur un bois. Batiste tend le bras vers le fond de la perspective.

— Dès que nous aurons mis le canal en eau, on pourra naviguer là-bas comme sur un lac. Le roi fait construire une flottille tout exprès. Quand vous serez mariée à un chevalier ou à un comte, vous irez dans ces bateaux et vous penserez à moi.

Il ôte son chapeau et la salue comme les paysans saluent les dames. Elle lui rend son salut à la façon dont les dames saluent les paysans et, se retournant, d'un pied prudent entreprend de redescendre l'escalier mobile. Arrivée en bas, elle se rechausse et rajuste sa perruque.

— Je ne me marierai pas, Batiste, vous le savez bien. Et je n'ai pas besoin de voguer sur votre canal pour penser à vous.

Le front dégagé, les joues colorées par le vent, elle est ravissante. Sans réfléchir, il se penche et l'embrasse. Elle a les lèvres fraîches et dures. Elle se recule vivement et le regarde comme s'il l'avait giflée. Il rit :

— Ne me mordez pas, demoiselle Ninon.

Dans ses yeux élargis, il voit passer un vol de pensées affolées. Et puis son regard s'aiguise comme une hirondelle fend le ciel et, sans que la lumière sur son visage ait changé, ses iris virent de l'azur à l'encre. Elle se hausse sur la pointe des pieds, l'attrape par le col et lui rend son baiser. Sa langue a un goût de sucre roux. Le fontainier lèche ses dents lisses, et le désir flambe dans ses reins. Il la prend par la taille, la cambre et s'appuie en cherchant son bassin. Elle gémit. Croyant à un encouragement, il la presse plus fort. Elle se dégage. Elle est toute blanche.

— Vous allez m'étouffer !

Elle écarte les pans de sa cape, et sous la pointe de son corsage brodé montre les baleines rigides qui lui compriment l'estomac. Batiste a délacé une infinité de corsets, mais il n'en a jamais vu de ce type.

— Pourquoi portez-vous cet instrument de torture?

Les poignets posés sur le renflé de ses jupes, Nine plonge dans une révérence d'autant plus gracieuse que le bas du corps s'épanouit en corolle alors que le buste reste mince et droit comme une graminée.

— Pour ressembler à une fleur, monsieur.

L'œil luisant, Batiste réplique :

— Les fleurs, je les froisse, demoiselle, et ensuite, je les mange.

Nine se redresse avec un sourire radieux :

— À l'avenir, je mettrai donc mes épines...

Vous apprendrez vite, Charles, que l'avenir à Versailles ne dépend pas des souhaits de chacun mais du caprice royal.

Le lendemain du baiser en plein vent, Sa Majesté force le cerf sept heures d'affilée. Le soir venu, elle se plaint d'une irritation à la gorge et d'un fort mal de tête. Toujours empressé, son frère cadet lui porte à son coucher un cucuphe confectionné à son intention. Par Nine, évidemment. Dans la cuisine de l'appartement de Monsieur d'où son parrain lui défend absolument de sortir. Alexandre Bontemps a reçu la liberté prise par Jean Quentin d'emmener la jeune fille à Versailles comme une offense personnelle. Peu importait que le duc d'Orléans l'eût exigé, il fallait prétexter une indisposition et répondre non, rigoureusement non. Cet homme si bienveillant a menacé de fourrer sa filleule dans un couvent si elle lui désobéissait encore, et il n'adresse plus la parole au maître perruquier. L'intendant de Versailles est un personnage puissant, Jean Quentin depuis cet esclandre file doux et Nine ne risque plus un pied dehors.

Le cucuphe produit l'effet escompté. Le roi en réclame un autre, à porter s'il se peut pendant la journée. Nine lui en prépare un si fin qu'il ne gêne pas sous la perruque, et si délicieusement odorant qu'au coin du feu de son grand cabinet, Sa Majesté se croit dans une forêt de pins au midi de l'été.

— D'eucalyptus, Sire.

Le roi pose sur son frère un regard surpris.

— De quoi?

Monsieur lève le nez du trictrac où il s'applique à perdre pour faire plaisir à sa belle-sœur la reine.

— D'eucalytus. Une plante lointaine. D'Afrique ou d'Asie, paraît-il. Mais on en trouve aussi en Italie, dans les collines près de Florence.

— Et d'où connaissez-vous cette plante, vous qui n'ouvrez jamais un ouvrage savant?

— La personne qui prépare mes onguents m'en a vanté les mérites. Après en avoir apprécié les effets en pâte et en inhalation, je m'en suis fait livrer.

— Vous donnerez l'adresse de votre apothicaire à Bontemps. C'est un homme ingénieux, je serai ravi de profiter de ses lumières.

L'œil noir de Philippe d'Orléans pétille à l'idée de surprendre son aîné.

— L'ingénieux n'est pas un homme de science, Sire, mais la nièce de votre perruquier Quentin, que j'ai prise à mon service il y a quelque temps.

— Une femme? Vous vous faites soigner par une femme?

— Une fille.

— Une fille de quel âge, grand Dieu?

— Elle n'est pas vieille. Mais sur le chapitre des senteurs efficientes, elle en sait autant qu'un médecin chenu.

Le roi se rembrunit.

— Ce n'est pas une graine de sorcière, au moins?

— Tout le contraire. L'âme aussi pure que le corps.

Madame de Montespan glousse.

— Elle doit être bien vilaine, alors!

— Moins belle que vous, Madame, infiniment et de toutes les manières, mais ni laide ni même disgracieuse. Pour ma part je la trouve plaisante.

— Assez vanté, Monsieur, montrez-nous votre prodige. Qu'elle m'apporte une préparation pour...

Le roi sourit à Madame de Montespan, blonde, rose et opulente, qui a rejoint près de la cheminée la duchesse de Vaujours, plus pâle et maigre que jamais.

— Pour notre chère marquise. Votre génie en jupon devinera sans peine ce qui ces temps-ci peut lui être agréable.

Nine n'en a pas la moindre idée. Elle n'a pas revu Madame de Montespan depuis la campagne de Flandre, et elle ne sait rien de ses goûts. Monsieur s'amuse de sa perplexité.

— Il ne s'agit pas de goût, mais de nécessité. La marquise se trouve empêchée.

— Empêchée?

— Blessée dans le service.

Nine ouvre des yeux ronds. Monsieur précise :

— Elle est depuis quelques semaines intérieurement si chahutée qu'elle peine à rendre au roi la vive affection qu'il lui témoigne et chaque fois qu'elle s'y applique, elle a des saignements qui lui causent de grandes frayeurs.

Cette fois Nine a compris.

— De combien de mois la marquise est-elle grosse?

— Six.

— Le père est Sa Majesté?

— Officiellement non. Officiellement Madame de Montespan n'attend pas, elle a juste pris un peu d'embonpoint. Elle a lancé la mode des robes « à l'innocente » pour cacher son ventre. Personne n'est dupe, mais au moins le marquis son mari ne vient-il plus faire d'esclandre.

— C'est la première fois?

— La seconde. Il y a eu un fruit au printemps dernier. Bontemps s'est chargé de le récolter comme il le faisait avec ceux de la duchesse de Vaujours lorsqu'elle n'était que Louise de La Vallière et que mon frère l'aimait. Il l'a confié à des gens sûrs, et rien n'a transpiré. Cet homme-là s'entend comme personne à garder un secret, c'est ce qui le rend si précieux au roi.

Nine réfléchit.

— La marquise préférerait que l'enfant se tienne coi, ou que les ardeurs royales n'aient plus de conséquences inquiétantes ?

— Ne peut-on remédier aux deux embarras à la fois ?

— On le peut séparément.

— Il vous faut longtemps pour confectionner ces remèdes ?

— Si vous me donnez accès à l'apothicairerie du château, tout sera prêt demain.

— Demain ? Vous êtes une magicienne !

Nine pense à Batiste et sourit.

— Juste une apprentie...

Le duc d'Orléans détache la broche piquée dans le flot de dentelles de sa cravate. Nine proteste.

— Votre Altesse m'a déjà donné quatre bagues !

Monsieur la considère avec perplexité.

— Quatre ? Seulement !

— C'est bien assez, Monseigneur, vraiment.

— Les portez-vous, au moins ? Je vous vois toujours les doigts nus.

La jeune fille rougit jusqu'aux oreilles.

— Que Votre Altesse me pardonne, mais je les ai vendues.

— Vendues ? Votre père et votre oncle vous affament ?

— Non, Monseigneur.

— Vous aussi vous jouez ? Ou alors vous avez un galant ? Ce fontainier très joli ?

— Avec vos bagues j'ai acheté des instruments de chirurgie, les cheveux de tous les pensionnaires des Petites-Maisons et le trousseau de l'enfant qui vient d'entrer au Grand Carmel.

Monsieur regarde Nine comme si elle était une folle échappée de l'asile. La folle précise :

— Les cheveux m'ont permis d'approcher la mère du fontainier dont vous parlez. Elle était enfermée dans cet hospice, où elle s'est suicidée. La novice que j'ai accompagnée chez les Carmélites est la petite sœur de ce même fontainier. Mais non, Batiste Le Jongleur n'est pas mon galant.

— Et les instruments de chirurgie ?

— Pour couper une jambe. Deux, au final. Celles du frère...

— De mon fontainier ?

— Oui.

Son Altesse fait signe qu'on lui approche un fauteuil, s'assied avec la grâce d'un oison et penche la tête en arrière afin que Nine ôte les épingles qui tiennent sa perruque. La jeune fille s'exécute. Les yeux brillants de Monsieur la fixent par-dessous.

— Vous êtes trop jeune et pas assez mariée pour vous ruiner ainsi, Mademoiselle le neveu. Votre gars est un bel hameçon, j'y mordrais volontiers moi-même, mais prince ne peut déchoir à fréquenter manant, alors que vous méritez mieux qu'un plombier. Il faut viser plus haut, mon petit, beaucoup plus haut !

— Je vise plus haut, Monseigneur, considérablement plus haut.

— Ah. Qui donc ?

— Le doyen de la Faculté de médecine de Paris.

— Comment ! Il a au moins cent ans !

— Je ne veux pas l'épouser, je veux suivre les cours de son académie et passer mes diplômes.

— Vous êtes une fille, cela n'est pas possible.

— Si vous le décidez, si vous l'exigez, cela sera possible.

Monsieur pivote sur son siège. La lippe vermeille, les paupières ombrées de gris, les cheveux épais ramenés en catogan sur son épaule, une tache de vermillon sur chaque pommette et les sourcils savamment épilés, il ressemble à une actrice de Monsieur de Molière. L'actrice dévisage la perruquière d'un air sévère.

— Vous complotez cela depuis que vous êtes entrée à mon service?

Nine pourrait mentir, mais elle n'a jamais laissé passer un défi.

— Bien avant. J'ai voulu me faire remarquer de vous parce que je complotais cela.

— Et vous osez l'avouer! Je pourrais vous en tenir rigueur et vous chasser.

— Le roi le ferait peut-être. Vous, non.

— Qu'en savez-vous?

— Quand vous aimez quelqu'un, vous le prenez avec ses défauts, même si ces défauts-là sont très grands, même s'ils vous portent préjudice. Vous aimez ce quelqu'un pour lui-même, et non pour l'image qu'il vous renvoie de vous.

— Voyez cet aplomb!

— Tout le monde craint de perdre. Son mari ou sa femme, un commerce, un lopin de terre, une réputation. La richesse. La faveur. Posséder m'indiffère, et je ne crains pas de m'aliéner votre amitié en affichant des ambitions qui me semblent honorables.

— Vous pensez donc que je vous aime. C'est vous donner beaucoup d'importance.

— Je pense que vous m'estimez, et que pour cette raison et malgré mes grands défauts, vous me gardez.

Le duc d'Orléans plisse les yeux.

— Vous êtes une petite personne étrange, Mademoiselle le neveu.

— On me le dit souvent...

Il la fixe, mais au-delà d'elle, c'est un autre visage, d'autres yeux clairs qu'il voit.

— Il y a longtemps, très longtemps, une personne a eu avec moi cette sorte de franchise.

Nine sourit.

— Vous ne l'avez pas chassée, n'est-ce pas?

— Moi? Non.

Le prince baisse la tête.

— Le roi s'en est chargé.

Nine passe la nuit à concocter un premier remède pour resserrer le sang de Madame de Montespan, puis un second remède pour calmer l'agitation de son fœtus. Au matin, Jean Quentin fait lacer sa nièce si serré qu'elle manque s'évanouir, et il met personnellement la main à sa coiffure. La robe prévue pour la présentation est couleur de nuage, avec des nœuds d'une soie bleue reprise en rubans sur la perruque, en ourlet sur la jupe de dessous, en revers sur les jarretières. Sous les doigts des deux filles de chambre enrôlées pour l'habiller, Nine a l'impression de se transformer elle aussi en actrice de l'Illustre Théâtre. Assis sur la courtepointe de son petit lit, le mètre ruban du vieux père Binet autour du cou, son oncle surveille la transformation. Perles aux oreilles, poudrée de blanc, les lèvres et les joues rehaussées de rose, la taille et la gorge soulignées par le corset, sa nièce a tout à fait bonne figure. Il laque une dernière boucle, contemple son œuvre et se frotte les mains. Bontemps ne connaît rien aux femmes, cette enfant-là est faite pour la Cour et la Cour pour elle. Il fait signe à son valet de prendre les cartons à perruque empilés sous la lucarne.

— À vous voir chez le roi, ma nièce. Et d'ici là, je vous en conjure, si vous voulez le succès notre entreprise, gardez-vous de votre parrain.

Attentive à ne pas souiller le bas de sa robe dans les escaliers pleins de crotte, Nine se glisse chez Monsieur sans être reconnue. Le chevalier de Lorraine qui se chauffait devant la flambée tourne la tête et siffle avec un air gourmand.

— Diable! Le neveu du perruquier ressemble à une rose de Monsieur Le Nôtre, ce matin! Les pétales vous sont poussés dans la nuit, coquine? Il vous faut donner la recette à Monsieur, regardez-le, il est tout froissé!

Le duc d'Orléans jette à son amant un regard féroce. Ils ont dû se disputer et ne pas avoir le temps de se réconcilier sur l'oreiller.

— Assez, Philippe.

Le chevalier glisse le bout de son soulier à boucle sous la jupe de Nine, qu'il remonte hardiment.

— Au contraire, le meilleur est à venir...

— Assez, vous dis-je!

Monsieur attrape une boîte en marqueterie et la lance sur Lorraine.

La boîte contenait de la poudre rose. L'habit du chevalier en est couvert, son visage aussi, il en a jusque sur ses bas. Philippe de Lorraine ravale la colère qui lui brûle les yeux et, dépliant sa taille parfaite, il sourit au prince avec un flegme affecté :

— Je vous laisse avec votre protégée, Monseigneur, elle vous divertira sans doute mieux que moi.

En passant près de Nine, il s'époussette sur sa robe. La jeune fille le fixe sans ciller. Il se penche et chuchote à son oreille :

— Fais ta prière, garce, tes heures sont comptées.

L'« archimignon » est sorti. Monsieur se repent déjà de son geste. Comme Nine lui pose sur la tête une serviette sous laquelle elle veut lui faire respirer l'essence qui décongestionnera ses traits, il gémit :

— J'aurais dû au moins le retenir...

Nine ouvre sa cassette à senteurs, débouche un flacon à l'odeur camphrée et le lui glisse sous le nez. Il inhale pendant une minute, puis repousse la serviette et regarde la jeune fille avec une gravité inhabituelle.

— Mademoiselle La Vienne, j'ai réfléchi depuis hier. Je ne veux plus que vous alliez chez le roi.

— Pourquoi donc, Votre Altesse ?

— Parce que je vous le dis.

— Je ne comprends pas.

— Vous n'avez pas à comprendre, seulement à obéir.

— Mais c'est vous qui avez vanté mes talents à Sa Majesté, c'est vous qui lui avez donné fantaisie d'essayer mes remèdes !

— Je le sais et je le regrette. J'ai voulu lui faire envie et je n'aurais pas dû.

— Vous craignez que mes préparations ne lui conviennent pas ?

— Elles ne sauraient être pires que celles de ses médecins.

— Que craignez-vous alors ?

Philippe d'Orléans hésite.

— De lui faire envie, justement.

Ce qui est amusant, avec une poupée, c'est de la déshabiller entièrement, de la frotter pour qu'elle ne s'enrhume pas, de choisir ses habits et de la rhabiller. Ensuite, on lui met ses souliers et ses colliers. Et après, on la coiffe.

Une fois que la poupée est toute nue, avant de la rhabiller, on joue.

Une poupée ne doit pas avoir peur, elle doit être docile, garder ses grands yeux bleus fixés sur rien, et se laisser toucher partout.

Philippe a vraiment la meilleure des poupées.

Louis a tout, mais il n'a pas de poupée.

Louis dit qu'il n'en a pas envie, que les poupées sont

pour les filles, qu'il préfère son fort miniature et ses chiens et les régiments qu'il passe en revue, mais c'est faux.

Louis ment souvent. Il ment presque tout le temps. Quand lui, Philippe, ment, on lui donne les verges. Quand c'est le roi qui ment, on fait semblant de le croire.

Un matin, Philippe lavait sa poupée dehors avec l'eau des chevaux. C'était l'été, il faisait très chaud et la poupée avait des piqûres de puces parce qu'il fallait dormir dans la paille à cause des insolents frondeurs qui occupaient Paris. Louis s'est approché et il a dit : «Je la veux.» Philippe a dit : «Non, elle est à moi, maman me l'a donnée.» Louis a tapé du pied et insisté : «Je suis ton roi. Je la veux.» Philippe a pris Anne par la main pour l'emmener ailleurs. Louis a pris l'autre main, et ils ont tiré chacun d'un côté si fort que si le bonhomme Bontemps ne leur avait pas enlevé la poupée, ils lui auraient arraché un bras, ou les deux.

Depuis ce jour, Philippe n'a plus joué avec Anne devant son frère.

Sauf une fois.

La dernière.

— Je supplie Votre Altesse de ne pas m'empêcher de porter mes remèdes à Madame de Montespan...

Philippe d'Orléans relève la tête vers Nine qui se tient raide devant lui, vivante image de la désolation. Son Altesse soupire.

— Vous tenez tant à faire votre cour, vous aussi ?

— Mon oncle y tient. Si je ne lui donne pas satisfaction, il se jettera dans le Grand Canal.

— Hormis votre aïeul Binet, aucun perruquier n'est irremplaçable.

— Je lui dois de vous avoir été présentée.

Philippe d'Orléans soupire.

— En ce cas, donnons à maître Quentin la satisfaction méritée. À vos risques et périls...

Louis XIV est la personne la plus majestueuse et en même temps la plus courtoise qui se puisse imaginer. À l'entrée du salon où le roi tient audience, Nine remet les deux pots en faïence contenant ses préparations à un personnage couvert de broderies qui les emporte aussitôt, elle marche comme sur un édredon de plumes jusqu'au milieu de la pièce qui est brillamment éclairée mais en comparaison du cabinet de Monsieur semble une glacière, et elle fait la révérence enseignée par son oncle en pensant tomber morte sur le tapis. Sa Majesté hoche le menton avec bonhomie.

— Voici donc la nièce de notre perruquier, qui est aussi la fille de notre baigneur, tous deux hommes de valeur et qui nous servent bien. Monsieur m'a parlé de vous, Mademoiselle, il vous trouve du talent. Quelle sorte de talents avez-vous ?

Prise de court, Nine reste aussi muette que la carpe impériale placée par les soins de Bontemps dans le bassin où les paysans de Latone vont bientôt se changer en grenouilles. Le roi sourit.

— Pas le don d'éloquence, sans doute, mais cela ne nous manquera pas, nous avons assez de jacasseurs dans ce palais. Relevez-vous, Mademoiselle, nous sommes désolés que le froid de ce vilain hiver gèle même les mots.

Campée droit sur ses jambes, Nine se sent plus vaillante. Jean Quentin lui a répété de ne pas fixer le roi effrontément comme elle en use avec tout le monde, mais de le regarder sans le regarder tout en le regardant. Nine pose les yeux sur la royale bouche qui est moins rouge et moins charnue que celle de Monsieur. Entre les royales lèvres

pointent des dents d'aspect peu ragoûtant. Elle pense :
opiat au clou de girofle, et l'esprit lui revient. Relevant le
regard jusqu'au royal nez, qu'elle trouve plus fort et plus
busqué que dans son souvenir, elle répond enfin :

— Je puis donner aux gens une apparence si différente
de leur figure ordinaire que leurs proches ne les reconnaissent pas. Je puis changer leur humeur en leur faisant
respirer des essences de ma composition. Je puis également changer l'air d'une pièce, sa qualité, son odeur et,
partant de là, apaiser, égayer ou stimuler les sens des personnes qui s'y trouvent. Je puis soulager des maux de tête,
de dents, de ventre, des fluxions...

Le roi sourit.

— Et Monsieur profite de tout cela ? Heureux homme !

La royale pommette. Peu saillante, sans aucun maquillage.

— Je fais de mon mieux pour lui être agréable.

— Approchez, je vous prie.

L'espace étroit entre les royaux sourcils qui se hérissent
à l'endroit où l'arête épaisse et très marquée du nez
rejoint le front. Si Nine avait charge du royal visage, elle
épilerait ces poils disgracieux.

— Ce sont de fort belles perles que vous avez là.

Surprise par le ton du compliment, Nine regarde le roi
droit dans les yeux. Plutôt marron que bleus ou verts, ou
peut-être un mélange des trois.

— Les tenez-vous de votre famille ?

— De ma mère, Votre Majesté.

— Votre mère ?

— Qui est morte en me donnant naissance.

Le roi marque un temps. Froids, ses yeux. Sa physiono-
mie est noble et débonnaire, mais ses yeux ressemblent à
ceux d'un serpent à l'affût.

— Il nous plairait de vous les voir chaque fois que vous
vous présenterez devant nous.

— Ainsi en sera-t-il, Votre Majesté.

— Ferez-vous de votre mieux pour nous être aussi agréable que vous l'êtes pour Monsieur ?

— Assurément, Votre Majesté.

— Nous nous en réjouissons, et vous ferons mander à l'occasion.

Nine recule de trois pas, s'épanouit en pivoine irisée, recule à nouveau de trois pas et fait le dahlia soyeux, encore trois pas et une dernière révérence, la plus profonde de toutes, qui lui met le genou sur le carreau. Le salon est dallé en marbre vert et blanc selon une géométrie qui évoque l'agencement des massifs de Monsieur Le Nôtre. Elle se retient de relever le regard pour voir si les yeux du roi ont suivi sa retraite, s'ils fixent toujours ses pendants d'oreilles, s'ils ont gardé le même éclat glacé. À reculons, ce qui, compte tenu du poids de ses jupes, tient de l'exploit, elle gagne la porte gardée par deux cerbères aussi géants que le chevalier de Rohan. L'huissier annonce le visiteur suivant, qui est une princesse de Guéméné équipée d'une mine de Junon outragée par les ans, d'une robe qui ne déparerait pas un sacre, d'une perruque constellée de pierreries, d'un manteau long dont le traînant est tenu par une petite négresse, de deux lévriers blancs avec des colliers dorés, et de deux dames blondes au bout des laisses des lévriers. Nine s'efface en hâte. Le nom de Guéméné ne lui est pas étranger, et quelque chose dans le profil de cette somptueuse personne lui rappelle quelqu'un, mais elle ne voit pas qui. La masse des courtisans pressés près de l'entrée se fend puis se reforme comme un banc de friture dérangé par la chute d'un caillou. Nine a la gorge sèche. Le cœur lui bat dans les oreilles. Il lui semble que le moment devant le roi n'a duré qu'une seconde, mais que cette seconde n'en finit pas de s'écouler. Les joues, les lèvres, le nez, le front de Sa Majesté sont imprimés sur sa rétine, la musique de ses phrases lui sonne dans l'oreille, ses appréciations flatteuses lui font monter des bouffées d'émotion, et en même temps, curieusement, elle n'est pas satisfaite. Le roi s'est montré affable. Mais ses yeux. Elle sent un frisson dans le bas de son dos. Le bras tendu pour écarter les gens qui la bousculent, elle se retourne lentement. Planté devant elle, le visage défait, se tient son parrain, Alexandre Bontemps.

— J'ignorais que vous aviez une filleule, Bontemps.

— Je n'en ai qu'une, Sire. Je suis parrain de plusieurs garçons, mais d'une seule fille.

— Nine La Vienne. Celle qui a inventé la perruque que je porte et qui soigne Monsieur par le nez.

— Oui, Sire. Je vois que Votre Majesté est bien informée.

— J'aurais dû l'être par vous, Monsieur mon premier valet.

— Je ne pensais pas que Nine paraîtrait jamais à la Cour, Sire, je n'ai donc pas jugé utile...

— Aimez-vous beaucoup cette filleule?

— Oui, Majesté, énormément.

— Pourquoi cela?

— D'abord parce qu'elle est la raison de vivre de mon plus cher ami. Ensuite parce qu'elle est différente de toutes les petites que je connais.

— En quoi est-elle différente?

Le front baissé, Bontemps réfléchit et choisit avec soin ses mots.

— Son caractère. Il est à la fois très raisonneur et très impétueux.

— Voilà qui est peu fait pour me plaire!

— Je le crains, Sire.

— Vous n'êtes pas curieux de savoir ce que j'ai pensé d'elle ?

Non, Bontemps n'est pas curieux. Il préférerait ne pas savoir. Il aimerait continuer à se raconter que le roi a trouvé Nine sans grâce et sans esprit, le nez trop pointu, les yeux trop grands, et si possible d'une prétention ridicule.

— Elle ne m'a pas paru dénuée d'intérêt. Cela vous fait plaisir, j'espère.

— Oui, Sire.

— Elle n'est pas très jolie.

— Non, Sire, pas très.

— Sauf les yeux, qui sont beaux. Bleus, n'est-ce pas ?

— Le plus souvent. Car ils changent de couleur, voyez-vous, c'est d'ailleurs un phénomère assez dérangeant.

— Quand elle oublie d'être timide, elle ne manque pas d'aplomb.

— De mon point de vue, elle en montre beaucoup trop.

— Peut-être, mais il y a en elle un je-ne-sais-quoi...

— Oh, Sire, très peu. Vraiment très peu.

Le roi rit.

— Ne donnez pas votre avis sur les femmes, Bontemps, vous n'y entendez rien.

— Ma filleule n'est pas une femme, Votre Majesté, c'est encore une enfant.

— Mon bon, à seize ans l'on est femme, et même bien avant, croyez-moi !

Bontemps porte la main à sa nuque. Il a chaud, froid, il voudrait que cette conversation tourne court, il donnerait tous ses biens pour connaître un sort capable d'effacer Nine La Vienne de la mémoire monstrueuse du roi.

— Essuyez-vous, monsieur l'intendant, vous suez comme une poularde sur la broche !

— C'est le feu, Sire, c'est le feu.

— Vous êtes à dix pas des braises. Vous n'avez pas la fièvre, au moins ? Je vous veux vaillant, je vous enverrai mon médecin, en attendant demandez donc à votre filleule un cordial.

— Je le ferai, Sire. Dès je retournerai à Paris, je le ferai.

— Pourquoi Paris ? La jeune personne ne dispose-t-elle pas ici de tout le nécessaire ?

— Nine est indisposée, Sire. Monsieur va la faire ramener tantôt à l'atelier Binet où elle loge d'ordinaire. Son aïeul, le vieux Binet que la reine votre mère affectionnait, prendra soin d'elle.

— Il n'est pas question qu'elle mette un pied hors d'ici. Il faut attendre l'effet de ses remèdes sur Madame de Montespan, et moi-même je pourrais avoir besoin d'elle. On ne quitte pas ce palais sans mon accord, l'a-t-elle sollicité ?

Bontemps tire son mouchoir et tamponne son front moite.

— Je ne sais, Sire.

Il sait très bien. D'autant mieux que c'est lui qui a commandé la voiture.

En chemise, bonnet de laine et pantoufles fourrées, le roi marche en long et large dans sa chambre. Il est tard, deux heures après minuit, l'heure où il parle de tout et de rien avec son fidèle valet. Il s'est couché selon l'étiquette puis relevé, il n'a pas sommeil, il craint toujours le moment de s'assoupir, de perdre conscience, de mourir en dormant. Il s'arrête et se penche vers un chien brun et blanc allongé au milieu de la pièce. Bontemps respire et range son mouchoir. Son imagination lui fait toujours envisager le pire. En une seule entrevue, si brève de surcroît, Ninon n'a pu plaire au point de...

— Je veux la revoir demain soir. Vous l'amènerez à onze heures par la petite porte que vous savez.

Bontemps blêmit. La petite porte.

— Votre Majesté, Nine La Vienne est comme ma propre fille...

Le roi s'accroupit et tire les oreilles du beagle. Ses chiennes favorites dorment dans sa chambre, et quand il loge à Versailles, le grand veneur lui amène ses chiens de tête afin qu'il ait le plaisir de les nourrir lui-même.

— Justement. L'honneur que je lui fais de la recevoir dans mon particulier, c'est aussi à vous que je le fais.

— Sire, si j'osais, je vous répondrais que pendant mon quartier je vous vois tous les soirs dans votre particulier, vous n'avez nul besoin de m'honorer par le truchement de cette enfant.

— Vous m'êtes cher, Bontemps, et je vous sais un gré infini du soin que vous prenez de ma personne, mais l'affection que je vous porte n'empêche pas que je veuille être obéi dans les ordres que je vous donne. Onze heures. La petite porte.

Celle des soupers tardifs. À l'aller comme au retour, ici comme au Louvre ou à Saint-Germain, c'est Alexandre Bontemps qui a charge des plats. Le roi est gros mangeur, et les nourritures roboratives qu'il prend quotidiennement dans la chambre de Madame de Montespan, régulièrement dans celle de la reine et occasionnellement dans celle de la duchesse de La Vallière ne l'empêchent pas de désirer des saveurs nouvelles. Chambrière ou dame d'atour, fille de cuisine ou fille d'honneur, pucelle ou cuisse légère, grasse, maigre, verte ou mûre, pourvu qu'elle n'ait ni poux ni blessure apparente, toute femelle est bonne à consommer. Sa Majesté n'est pas plus regardante sur le mode que sur le choix, elle fait la chosette comme elle goberait un œuf ou irait à la chaise, en moins de temps qu'il ne faut pour en écrire le nom et les qualités, le plat est expédié et Bontemps prié de le débarrasser.

Effrayer le roi. Le dégoûter.

Le premier valet a peu d'imagination, mais il connaît son maître. Il sait qu'il ne pourra tirer qu'une cartouche, il choisit celle qui fera le plus grand bruit.

— Que Votre Majesté me pardonne, mais je dois lui dire quelque chose au sujet de ma filleule.

— Elle est d'une sagesse exemplaire et ma demande va l'embarrasser? Je n'en attends pas moins d'elle.

— Elle a des dartres.

Depuis qu'enfant la reine mère l'a obligé à toucher les écrouelles d'une foule de scrofuleux, Louis XIV a les maladies de peau en horreur.

— Des dartres? J'ai vu ses épaules et ses bras, ils m'ont paru très sains.

— L'air est bon pour ces affections-là. C'est sous les vêtements que se développe le mal. Le ventre, les jambes, la pauvre chère en est couverte. Elle en a même entre les cuisses, qui la torturent. C'est pour soigner ses plaies qu'elle a étudié les simples et inventé ces onguents et pommades qu'apprécie tant Monsieur. Mais sa matière est plus rebelle que les prurits du prince, rien n'en peut venir à bout.

Le roi se gratte machinalement les reins et tourne vers Bontemps des yeux où point une inquiétude qui met du baume au cœur de son rusé valet.

— Des dartres, dites-vous?

— Purulentes. Partout.

Ce brave Bontemps ment si mal que c'en est pitié. En grimpant l'escalier en colimaçon qui monte vers les combles du château-vieux, le roi sourit en pensant au nez que tirera le piètre affabulateur quand il comprendra que malgré ses efforts, il n'a pas été cru. Une fille qui a le corps mangé d'ulcères ne regarde pas un homme, et un roi encore moins, avec l'assurance qu'a montrée Nine La Vienne lors de son audience. De surcroît cette fille-là se ronge vilainement les pouces. Elle les replie par réflexe dans sa paume, mais au moment où elle a pris ses jupes pour faire sa révérence, le roi a vu le bout de ses doigts tout rouge et grignoté. Quand on possède deux sous d'intelligence et qu'on a les parties invisibles défigurées, on veille à ne pas abîmer les plus apparentes. La petite n'ayant ni le maintien ni le discours d'une sotte, elle n'est probablement pas plus chancreuse que Louise de La Vallière qui au même âge avait une peau de soie blanche. Bontemps par contre a raison sur un point : sa filleule a quelque chose de très particulier, et c'est ce quelque chose de très particulier qui amène Sa Majesté à l'étage des domestiques, en plein jour et sans autre escorte qu'un Suisse aussi muet qu'un bahut.

Quand il était plus jeune, avant de prendre des favorites, le roi raffolait de ces escapades qu'il préparait et menait comme des actions guerrières. Parfois c'était un siège, parfois une escarmouche, parfois une charge à l'épée. Rohan le séducteur lui servait de maréchal ou de renfort dans ces campagnes galantes, et le roi partageait à l'occasion avec lui les trophées. Une fois, à Saint-Germain, ils se sont piqués de passer par les balcons pour rejoindre à la lune haute la chambre des filles d'honneur de la reine. La forteresse convoitée était Mademoiselle de La Mothe-Houdancourt, qui venait de passer seize ans et offrait une gorge à rendre Vénus jalouse. La belle n'a résisté que pour donner plus de prix à l'assaut, et le roi a passé un délicieux moment. Le lendemain, la maréchale de Navailles, gouvernante des filles d'honneur et fort prude, a trouvé du sang sur le linge. Elle est entrée dans une grande colère et a fait incontinent poser des grilles aux fenêtres. Marie-Thérèse a pleuré et boudé. Sans doute ignorait-elle encore que le sort des reines est de partager leur époux avec toutes les femmes du royaume...

Sur le dernier palier, Sa Majesté note mentalement un réchauffoir fendu, des portions de tommettes à changer, des taches d'humidité au bas des murs sans cimaises et des infiltrations sous plusieurs lucarnes. Le roi dictera une note, et Colbert prendra les mesures nécessaires. La perfection réside dans les détails, et Versailles doit être le reflet de son souverain : admirable jusque dans les recoins.

Du moins les recoins auxquels Louis donne accès. Les autres, ceux qu'il a verrouillés, personne ne saura jamais ce qu'ils renferment. Personne. Jamais. Il y va de l'image qu'il veut donner de son règne, et cette image lui est plus chère que sa vie même.

La porte que les valets bleus lui indiquent comme étant celle de maître Quentin est entrouverte. Le perruquier est parti se réapprovisionner en rubans à Paris, laissant à sa nièce le soin de modifier selon les souhaits de Leurs Majestés la perruque que la reine portera pour la soirée du nouvel an. Le Suisse s'avance pour annoncer le roi. Louis XIV l'arrête du geste. Il entre seul et repousse le battant derrière lui. Nine La Vienne est accroupie au milieu d'un désordre de boîtes à poudre, de flacons de parfum et d'huile, de bâtons de cire, de queues et de nattes postiches, d'écheveaux de laine, de coton et de soie, de carrés de tissus de toutes couleurs, de ciseaux de toutes tailles et de pelotes d'aiguilles. Au fond, trois mannequins en habit masculin et une dizaine de boules à perruque montées sur des bâtons. Près de la cheminée, un réchaud à huile sur lequel frémit une mixture qui sent désagréablement la colle. La pièce est si petite et si basse de plafond que le roi campé devant la lucarne en mange tout l'espace libre et toute la lumière. Le feu brûle chichement, les bûches sifflent et fument, dans un coin de la mémoire de Louis s'inscrit une note à Bontemps, qui a charge de l'approvisionnement en bois, afin qu'il gourmande les fournisseurs qui livrent des billots trop verts. Appliquée à marquer des fentes sur un calepin, Nine demande sans se retourner :

— Vous voilà déjà revenu, mon oncle ?

— Non, Mademoiselle.

De surprise, la jeune fille lâche la craie qu'elle tenait, et, se redressant, bascule en arrière, renversant avec elle pots et cartons. Sa jupe retroussée montre ses bas jusqu'au genou. Des bas de laine, avec un gros-grain noué en guise de jarretière. Les souliers sont épais, des souliers d'homme bourrés de paille comme les sabots des paysans. Affreusement gênée par le regard de Sa Majesté, elle bredouille :

— Ce sont les souliers de mon oncle, la paille les met à ma taille et me tient chaud. On prend facilement le rhume par les pieds...

Les chevilles sont fines, les mollets galbés.

— Remontez plus haut votre jupon, je vous prie. Il me plairait de voir votre peau.

Le sang monte aux joues de Nine. Elle prend appui sur le mur et d'un coup de reins se relève.

— Sire...

Le roi fait un pas en avant. Maintenant il ne regarde plus ses jambes mais ses oreilles.

— Vous portez vos perles...

S'il fait encore un pas, il sera contre elle.

— J'aimerais les toucher. Me le permettez-vous ?

Il baisse les yeux sur son gant droit, qu'il déboutonne. Nine se met à trembler, un tremblement de tout le corps qui la couvre de sueur. Elle lorgne l'étroit chemin libre entre le fatras de perruquerie et le lit. Elle n'a pas entendu jouer le loquet, la porte n'est donc pas verrouillée, si elle parvient à se faufiler jusqu'au couloir elle hélera le porteur d'eau, en présence d'un tiers Sa Majesté ne se hasardera pas...

Louis XIV relève les yeux. Ses yeux de serpent.

— Venez donc ici, nous serons plus à notre aise.

Avec un sourire avenant censé la rassurer, il la prend par l'épaule et l'assied sur le lit. Toujours souriant, il se plie et pose ses paumes à plat sur le matelas. Son visage est à la hauteur de celui de Nine. De près, il est plus viril et moins beau. Les marques de vérole sur ses joues sont profondes, le front haut est noble, la bouche gourmande, et le port de tête donne à l'ensemble une mâle autorité. Ses yeux coulent dans l'échancrure du corsage de Nine, remontent le long de son cou, enveloppent son menton, caressent l'ovale de son visage.

— Maître Quentin a beaucoup de chance de vous avoir pour nièce.

Elle peut sentir son souffle. Haleine pourrie. Dents cariées et mauvaise digestion. Il se rapproche. Elle recule et reste en appui sur les coudes.

— Laissez-moi faire.

Il attrape à pleines mains ses jupes et les relève. Nine ne porte pas de pantalon. La voix veloutée, le roi constate :

— Je m'en doutais, vous n'avez pas de dartres.

Il tend la main vers sa joue.

— Ne bougez pas...

Il caresse son oreille, taquinant la lourde perle et son attache d'or rouge. Nine mord l'intérieur de sa bouche pour ne pas crier. Toutes les filles veulent ce qui se prépare, mais elle, non. Le roi se rapproche un peu plus. Incapable de se contenir davantage, elle l'agrippe aux épaules et le repousse sur le côté. Ils roulent ensemble, et la tête de Sa Majesté donne avec un bruit mat contre l'angle du chevet. L'arcade sourcilière fendue pisse un jet écarlate qui en un battement de cils imbibe les boucles de la perruque et le flot de la cravate. Étourdi, le roi s'appuie au bois du lit. Nine s'est levée d'un bond. Le cœur au bout des doigts, elle plonge un linge dans une cuvette et s'affaire à essuyer le sang. La coupure est profonde, le roi semble sur le point de tomber en faiblesse. Nine lui badigeonne le sourcil d'une pommade à base de ronces et lui frotte les gencives avec de l'alcool de menthe. Il reprend ses esprits, écarte la main qui le soigne, se relève et lisse avec une application machinale les pans de son habit. Son arcade blessée a doublé de volume et son œil gauche est plein de sang. Nine plie le genou. Elle n'ose plus le regarder.

— Sire, je ne sais comment demander à Votre Majesté de pardonner...

Louis XIV la toise comme s'il la découvrait.

— Puisque personne ne vous l'a enseigné, apprenez de votre roi, Mademoiselle La Vienne, que certaines fautes ne se pardonnent pas.

— Je vous conjure....

Le roi décroche d'un portant une écharpe qu'il noue en jabot pour cacher sa cravate souillée. Il a retrouvé son calme et sa majesté.

— Vous êtes une personne très inattendue, Mademoiselle. On ne saurait dire moins, et je ne laisserai à personne le soin d'en dire plus.

Nine fond en larmes. Le roi poursuit d'une voix égale :

— Il est un peu tard pour pleurer. Ou un peu tôt. Économisez vos transports et vos forces, je gage que l'avenir vous offrira à les employer de façon plus utile.

Louis XIV prend son chapeau aussi rouge que son sang et, saluant d'un hochement de tête la jeune fille effondrée, il s'en va. Son gant droit, du même rouge cramoisi, est resté au pied du lit.

Dans le mouvement que Nine a fait pour se libérer, une de ses boucles d'oreilles s'est détachée. Elle la cherche fébrilement sous la courtepointe et sur le sol. Elle retourne les boîtes et secoue les perruques. En vain. Elle se laisse tomber contre le lit et sanglote. Avoir perdu le dernier souvenir de sa mère l'affecte plus encore que la colère du roi.

L'avenir, Charles.

Si certaines fautes ne peuvent trouver de pardon, puis-je espérer que vous me pardonnerez celles que bientôt je vais vous avouer ?

Bontemps ne comprend pas. Le roi prétend s'être cogné, ce qui est en soi alarmant car un simple coup sur la tête peut engendrer quantité de complications, et il refuse absolument d'expliquer où et comment. Monsieur Fagon lui recoud le sourcil sans lui tirer une plainte. Il a cet air absent qu'il prend lorsqu'une contrariété occupe son esprit, il s'anime seulement pour commander que ses vêtements tachés ne soient pas nettoyés, mais brûlés. Brûlés ? Hormis sur le chapitre de sa grandeur où quel qu'en soit le prix rien n'est jamais assez beau, Louis XIV rechigne à la dépense. S'il ne devait faire le roi jusque dans le lit de ses maîtresses, trois habits commodes lui suffiraient, et il les userait jusqu'à la trame. Pourquoi jeter un pourpoint qui sort des mains du tailleur et des dentelles qu'une bonne blanchisseuse rattraperait sans peine ? Tout en lui rattachant des manchettes neuves, Bontemps bougonne :

— Sire, si au moins je savais ce dont il retourne...

— Cela ne changerait rien. Faites plutôt apporter de la glace pilée dans une serviette.

— Voulez-vous un de ces onguents que sait préparer Nine La Vienne ? Conformément à vos ordres, elle est demeurée au château...

— Si cette personne connaît un moyen de me rendre ma figure, qu'elle s'y emploie, mais qu'elle fasse vite.

Bontemps griffonne un mot à l'intention de Nine et le confie à un valet bleu. Carré dans un fauteuil, le roi l'observe d'un œil songeur.

— Monsieur l'intendant, j'ai pensé à une chose.

— Oui, Sire ?

— Au sujet de votre filleule.

Bontemps retient son souffle.

— Nous allons la marier.

— Nine ? Il n'y a pas urgence, elle a seulement...

— Seize ans, oui, vous me l'avez dit. Justement, j'ai réfléchi à cela. Seize ans est le printemps des filles, leur teint n'est jamais plus clair ni leurs appas plus charmants, sans compter qu'il n'est pas de meilleure saison pour commencer à procréer.

— Votre Majesté, cette petite montre beaucoup de talent pour la chimie, mais elle n'a aucun désir de fonder une famille.

— Le sexe faible manque de discernement, c'est à nous de savoir ce qui est bel et bon pour nos femmes et nos filles. L'urticaire dont souffre votre filleule dissuaderait l'homme le mieux intentionné. Il faut profiter de ce que la pauvrette a au moins un peu de fraîcheur à offrir pour lui trouver un parti qui l'acceptera comme elle est. Un parti avantageux, bien sûr. Le propos n'est pas de la brader mais au contraire de l'élever, et ses oncle et père avec elle.

— Sire, Nine La Vienne souhaite vieillir au milieu de ses cornues, les services qu'elle rend à Monsieur la comblent, et nonobstant la fierté qu'elle aurait à se rapprocher de Votre Majesté, je ne crois pas que vivre à la Cour puisse lui apporter...

— Qui vous parle de la Cour? Le parti que j'ai en tête ménagera son aspiration à une existence studieuse et retirée, et dans le même temps il comblera maître Quentin qui rêve de voir sa nièce établie et titrée.

— Titrée?

— Comtesse. Je songe à faire votre filleule comtesse, Monsieur Bontemps.

— Sire, voilà beaucoup d'honneur...

— En province, comme vous-même le souhaitez.

— En province? Oui, cela serait sans doute approprié. Comme son père, Nine aime le grand air, elle pourrait étudier ses chères plantes tout à loisir...

— Tout à loisir.

— Une province point trop éloignée?

— Une demi-journée de coche. Mais l'état du gentilhomme que je lui destine l'oblige à résider sur ses terres, elle devra donc s'accoutumer à se priver du monde.

— Il ne lui manquera pas.

— À la bonne heure. Vous voilà donc content?

— Je crois, Sire, je crois... La nouvelle est seulement un peu brusque, et vous savez que je m'apprivoise lentement aux choses nouvelles. Lorsque j'aurai pu m'en réjouir avec mon ami La Vienne, je prendrai certainement la mesure de la générosité de Votre Majesté.

— Vous n'en parlerez ni à La Vienne ni à maître Quentin. Je veux leur réserver la surprise, comme à vous.

Bontemps opine à contrecœur.

— L'attention est délicate, Sire, cependant un mariage ne se règle pas en une heure, il faut prendre des dispositions qui demandent réflexion. La famille Binet est respectable, elle voudra donner à l'événement le lustre qu'il mérite.

— Ne vous inquiétez de rien. Nous doterons la fiancée en sorte que son promis se félicite de ces accordailles, et les noces se feront ici même, dans la chapelle, à l'occasion du nouvel an.

— Si vite ?

— Le premier de janvier. L'année commencera ainsi sous des auspices agréables.

— C'est après-demain, Sire, et le soir du réveillon Votre Majesté donne un grand bal masqué. Nine sera requise par son service auprès de Monsieur, elle n'aura pas un instant pour songer à sa parure. Sans parler du trousseau, qu'il est impossible de constituer en si peu de temps.

— La duchesse de La Vallière nous fera la grâce d'offrir à la promise une de ses robes. Mademoiselle La Vienne n'est pas épaisse, il suffira de retoucher les ourlets. Le trousseau suivra, vous en prendrez soin et le paierez sur ma cassette.

— Vos bienfaits honorent ma filleule, Sire, mais pourquoi tant d'honneur et pourquoi tant de hâte ? Ouvrir l'année par un mariage est un symbole heureux, je le comprends, cependant la fille du baigneur La Vienne vous était hier inconnue, et tant de précipitation pourrait donner à jaser.

Louis XIV pose sur son premier valet le regard de Gorgone pétrifiant l'adversaire.

— Premièrement, Mademoiselle La Vienne vaut d'être distinguée, sans quoi nous ne le ferions pas. Secondement, vous avez dit que son caractère était à la fois raisonneur et impétueux. Ces tempéraments-là confondent souvent le bien avec le mal, et comme leur opiniâtreté les rend très combatifs, pour les amener où l'on veut, il faut les prendre de court. Si nous donnons à votre filleule le temps d'envisager le sort que nous lui préparons, elle s'efforcera à coup sûr de s'y dérober, et il faut craindre que les moyens employés ne lui causent un tort irréparable.

Bontemps baisse le nez.

— Votre Majesté a certainement raison.

— Certainement. Allez, maintenant, et veillez à ne pas ébruiter cette affaire.

— Puis-je au moins vous demander le nom, Sire, du gentilhomme à qui vous donnez Nine ?

— Si vous savez garder un secret. Savez-vous garder un secret, Monsieur l'intendant ?

Bontemps se cambre comme si une pointe lui avait piqué les reins.

— Sire !

— Approchez, en ce cas.

Bontemps se penche. Le roi lui dit à l'oreille trois mots qui le font changer de couleur. Il se redresse lentement.

— Sire, cette personne n'a-t-elle pas une étrange réputation ?

Le roi sourit.

— Ne dit-on pas : tel maître, tel chien ?

— Il circule à son propos des contes plutôt sinistres...

— Votre protégée l'égaiera. Elle s'y entend soi-disant à changer l'humeur des gens, elle trouvera avec son époux un excellent sujet d'expérimentation.

— Votre Majesté connaît bien ce seigneur ?

— Je ne l'ai jamais vu. Mais je sais qu'il est assez vert pour donner à notre fidèle La Vienne une nombreuse descendance. Il n'a pas quarante ans, et si j'en crois la rumeur, il plaît beaucoup. Votre filleule profitera d'un beau nom et d'un beau mari, n'est-ce pas une double chance assez rare ?

— La rumeur prête aussi à ce comte des vices...

— Qui n'en a pas, Bontemps, à part vous et moi ?

— Il aurait souffert récemment des revers de fortune assez radicaux...

— Ces sortes d'alliances servent à colmater ces sortes de brèches. La dot de votre filleule remettra le navire à flot, et dans ses terres le couple sera moins qu'ici porté à la dépense. Maintenant assez joué la mouche du coche, mon ami. Ce mariage est la meilleure idée que j'aie eue depuis longtemps, et vous allez la mettre en œuvre selon les modalités que j'ai décidées. Occupez-vous du notaire, du curé, de la robe et de tout ce qui rendra la cérémonie agréable à Mademoiselle La Vienne. Elle ne se mariera qu'une fois, mettez un peu de musique.

— Et le promis, Sire ? Et le père ? Et l'oncle ?

— Si vous voulez me plaire, faites ce que je vous ai commandé et ne vous inquiétez pas du reste.

— Dirai-je le nom de son futur à ma filleule ?

— Non, vous ne lui direz pas. Vous m'avez promis le secret, ce secret-là vaut pour elle comme pour les autres.

— Que lui dirai-je alors ?

— Ce qui vous semblera approprié pour la préparer sans l'effrayer ni la porter à entreprendre quoi que ce soit de fâcheux.

— De fâcheux ? À quoi Votre Majesté pense-t-elle ?

— À ce que pensent toutes les filles quand elles ne veulent pas se marier, Bontemps !

Le brave homme écarquille les yeux.

— Le couvent ?

Non, Nine ne pense pas au couvent. Cachée dans la stalle des percherons qui actionnent la pompe de la tour d'eau, elle attend Batiste Le Jongleur. Elle l'attend long-temps, deux heures, peut-être trois. Il la trouve enfouie dans le foin des chevaux qu'elle a ramené sur elle en cou-verture, les doigts et les lèvres bleuis de froid. Sans hésiter elle lui tend sa bouche et ses mains pour qu'il les réchauffe, et dans une grande agitation lui raconte que le roi est venu la visiter, qu'elle l'a repoussé et blessé, que maintenant il veut lui faire épouser un seigneur de pro-vince, son parrain ne sait ni qui ni quand, mais une excel-lente famille et bientôt, elle n'a pu encore en toucher mot à Monsieur que le chevalier de Lorraine a tenu en lisière toute la journée, elle a profité de ce qu'ils se donnaient du bon temps pour sortir par une fenêtre du rez-de-chaussée, elle s'est tordu la cheville, elle a sali sa robe, il n'est pas question qu'elle se laisse marier à cet inconnu...

Batiste l'attire et l'embrasse comme si rien au monde n'existait qu'elle et lui. L'instant n'est pas propice aux abandons, pourtant ils trouvent dans ce baiser une dou-ceur si puissante qu'ils s'accrochent l'un à l'autre afin d'en prolonger la magie. Blottie dans les bras du garçon, Nine murmure :

— Il faut prévenir mon père.

Elle claque des dents. Batiste ôte sa veste et la lui enfile par-dessus le châle qui couvre ses épaules.

— Votre père ne changera pas ce qui a été décidé, vous le savez mieux que moi. Le roi a enfermé ma mère chez les fous, il vous enfermera dans un mariage qui le débarrassera de vous.

Nine se raidit.

— Je m'enfuirai.

— Sans aide, vous n'irez pas loin. Monsieur de La Reynie a des agents dans toutes les tavernes et toutes les auberges de France, si consigne lui est donnée de vous ramener pour vous passer l'anneau au doigt, il vous retrouvera.

Le menton de Nine se met à trembler. Étreint d'une émotion inconnue, Batiste caresse son cou, ses joues, son front. Il dit à mi-voix :

— Je n'aime décidément pas cette perruque.

Nine ravale un sanglot.

— Quand mon mari m'aura emmenée dans ses provinces, vous ne la verrez plus.

Il la serre et la berce avec la sensation de tenir sur son cœur le seul véritable cadeau que la vie lui ait fait.

— Vous n'allez pas vous marier. En tout cas, pas avec l'élu du roi.

— Le moyen de l'empêcher?

Il la détache de lui.

— Moi.

— Vous?

Il la prend par les coudes et l'assied sur le bord de l'abreuvoir.

— Ce soir et demain vous donnerez le change. Vous ferez docilement ce qu'on vous commandera, vous préparerez votre vêtement de noces, et surtout, surtout vous vous tiendrez tranquille. Le jour de l'an, votre maître ira à la messe, ensuite il y aura repas de fête qui prendra deux ou trois heures. Ce temps que tout le monde passera à manger ou à regarder manger vous laissera libre de vos mouvements. Je vous attendrai ici même.

— Et?

— Et je vous emmènerai où personne ne songera à vous chercher.

— Vous disiez à l'instant...

— Les gueux ont leurs principautés, leurs armées et leurs lois, comme les honnêtes gens. Mon parrain est une sorte de maréchal dans un de ces royaumes. Ces derniers temps, je lui ai fait gagner beaucoup d'or sans remuer un seul doigt. Il vous cachera.

— À la cour des Miracles de la rue Saint-Denis?

— L'endroit n'existe plus, le premier lieutenant de police l'a nettoyé sur ordre du roi. Mais la vermine trouve toujours où nicher, et ce qu'on a enlevé dans le centre a essaimé du côté des faubourgs. Vous resterez avec mon parrain le temps que je prenne les arrangements nécessaires. Vous préférez l'Espagne ou l'Angleterre?

Nine bredouille qu'elle n'en sait rien, elle n'a jamais quitté la capitale et elle ne connaît personne qui ait poussé plus loin que le Val-de-Loire. Batiste réfléchit.

— L'Angleterre serait mieux. Il y a quatre ans, Londres a connu une épidémie de peste qui a décimé la main-d'œuvre. Ils construisent beaucoup, là-bas, et je crois qu'ils aiment les jeux d'eau.

Nine le regarde avec stupeur.

— Vous partiriez avec moi?

Il sourit.

— Bien sûr.

Elle hésite à comprendre.

— Votre avenir est ici, vous avez un emploi, maître Jolly vous estime, pourquoi choisiriez-vous de tout abandonner?

Il se penche et pose les lèvres au coin de ses paupières, là où sa peau est si fine qu'il lui semble voir son âme battre sous le baiser.

— Tu as vraiment besoin de poser la question?

Nine baisse les yeux. Dans son malheur elle est tellement heureuse qu'elle pourrait mourir là, sans rien regretter.

Elle suit à la lettre les instructions que Batiste lui a données. Devant son parrain elle affiche un calme marmoréen, devant son oncle un contentement hypocrite. Pour le bal du réveillon elle grime, parfume et poudre indifféremment Monsieur, le chevalier de Lorraine, le chevalier d'Effiat et tous les gentils ou méchants hommes qu'on lui envoie. Elle les touche, elle leur parle, elle les peigne et les peint, mais elle ne les voit pas. Elle est ailleurs, loin, au fond de la charrette qui quitte Versailles par des chemins de terre, Batiste l'a enveloppée dans une bâche, c'est lui qui fouette le cheval, elle fixe son dos robuste, il a enfoncé un bonnet de laine sur ses boucles, elle songe que lorsqu'ils seront seuls, un jour, elle démêlera, lavera et huilera ces boucles, elle se demande quel en sera le poids et le soyeux entre ses doigts, elle imagine qu'elle pose sa main sur la nuque ferme, sur le cou tiède, et l'émoi qu'elle en a l'empourpre si violemment que le chevalier de Rohan, grand expert en palpitations féminines, le remarque. Profitant d'un répit entre un corsaire borgne et un ours des pôles, il la tire à l'écart.

— Seriez-vous amoureuse, petite Ninon?

Elle bat des cils et rougit encore plus.

— Moi? Monseigneur se moque, comme toujours.

— Je ne me moque pas, je vous taquine. Mais j'ai raison, comme toujours. N'est-ce pas?

Nine le regarde en face. Le grand veneur lui a mis le pied à l'étrier et depuis qu'il l'a tirée de l'atelier Binet, son appui ne s'est jamais démenti. Elle l'admire et elle l'aime autant qu'elle puisse admirer et aimer un homme qui ne soit pas Batiste. Elle lui sourit et chuchote :

— Oui.

Rohan éclate de rire.

— Alors cueillez la rose, enfant, gardez-vous seulement des épines que les garçons plantent dans le corps des filles.

Il se casse en deux pour lui parler de plus près :

— Et suivez un conseil nourri par l'expérience : aimez avec ardeur, mais n'épousez jamais. Le mariage réduit la femme à l'état de moitié, et vous valez mieux que cela.

Nine se trouble. À lui, doit-elle tout avouer ? Louis de Rohan poursuit d'un ton galant :

— Si je puis en quelque manière servir vos amours...

Il se redresse et la salue comme les jouteurs saluent leurs dames avant un tournoi.

— ... considérez-moi pour demain et toujours comme votre personnel et fidèle chevalier.

Oui, si le plan de Batiste échoue, elle l'appellera au secours et il viendra la sauver.

— Monseigneur...

Rohan a retourné un plat d'argent pour inspecter son maquillage.

— Regardez ces taches blanches ! Il faut me rajouter du brun, on va me prendre pour un nègre dalmatien !

Nine renonce. Les grands seigneurs ont une âme de girouette qui tourne au vent de leur plaisir, de leur orgueil et de leurs appétits. Elle ne doute pas de la sincérité du chevalier, mais un instant chasse l'autre et celui des confidences est passé. En priant la Vierge Marie de rappeler en temps utile sa promesse à ce bourreau des cœurs, elle le barbouille si bien que la reine en le croisant pousse un cri d'orfraie et se signe trois fois.

Personne ne soupçonne ce qui se prépare. La perspective du bal porte le tempérament éruptif de Monsieur à un degré d'ébullition proprement volcanique, et le sort du royaume compte dans ces moments beaucoup moins qu'un bouton manquant à son déguisement. Le seul qui prenne la peine de complimenter Nine sur ses talents de maquilleuse est Philippe de Lorraine, qui la couve d'un regard étrangement attentif. La jeune fille se promet de surveiller cette vipère dorée. Prise par cent urgences, elle oublie. Sa robe d'épousée l'attend sur l'un des mannequins de son oncle. La retoucheuse a raccourci les jupes et ajouté un ruché de satin au décolleté car une fiancée ne se présente pas à l'autel en montrant ses tétons. Madame de La Vallière, qui a plus de sensibilité que toutes les femmes de la Cour réunies, a aussi offert un voile brodé de perles, des gants de soie rose pâle, un manchon en hermine véritable et une étole bordée de même fourrure pour ne pas prendre la mort dans la chapelle. Pas prêté, donné. La suivante chargée de porter ces cadeaux a dit à Nine que la duchesse lui souhaitait le bonheur qu'elle-même ne connaîtrait jamais. Nine a écrit une lettre de remerciement émue. Elle aurait aimé avoir le temps de connaître Louise de La Vallière. Elle aurait aimé avoir le temps de soigner Henriette d'Angleterre, qui est accouchée d'une fille et qui depuis peine à retrouver ses forces. Elle aurait aimé...

Elle aurait aimé que Batiste fût à l'heure. Elle s'est sauvée dès la fin de la messe du Nouvel An en emportant la cape de Claude Roger et une aumônière bourrée d'essences et d'huiles rares. Depuis, tapie à l'endroit convenu, elle ronge le peu de corne qui reste sur ses pouces. Par la lucarne, elle suit le mouvement du soleil dans le ciel limpide. Un 1er janvier radieux, brillant de givre, inondé de lumière. Elle attend jusqu'à ce que le carré d'azur se colore de rose, puis de mauve, puis s'assombrisse. Elle ne sent plus son visage ni ses pieds, et son cœur fait une pierre gelée au creux de sa poitrine. Elle regagne en titubant le château. Par les fenêtres où des centaines de bougies allument un nouveau jour, filtre le son des violons de Lully. La cour. L'odeur du crottin. Un escalier de pierre. L'odeur du savon noir. Un escalier de bois. L'odeur du pissat. Le couloir des combles. L'odeur du fricot sur un réchauffoir. La porte de son oncle est ouverte et Jean Quentin assis sur le lit avec la mine d'un avare qui vient de perdre tout son or. En la voyant il lui saute dessus, et au lieu de la battre parce qu'elle a disparu pendant presque six heures, il la serre et l'embrasse.

— Vous voilà revenue... J'ai cru à un malheur. Un grand malheur, qui nous aurait tous entraînés... Votre père est chez votre parrain, il s'accorde avec ces messieurs. Les notaires de toutes les parties ont admirablement travaillé. Et le roi, ma nièce, le roi s'est montré si généreux...

Il lui ôte sa cape, la tourne et la palpe.

— Vous n'êtes pas blessée au moins? Nulle part, n'est-ce pas, aucune sorte de blessure...

Il lui prend le menton et la force à le regarder.

— N'est-ce pas?

Hagarde, elle fait signe que non.

— C'est bien. C'est bien. J'ai cru au pire, vraiment. Un grain de sable suffit à enrayer la mécanique la mieux huilée, et la bonté de Sa Majesté n'aurait pas supporté de se voir bafouée. Il faut vous préparer, maintenant, je vais appeler et je vais vous laisser. Je reviendrai mettre la main à votre coiffure. Prenez votre temps, personne ne vous dérangera. On vous montera de l'eau et un cuveau, pas très grand, hélas, mais vous saurez vous en accommoder. N'épargnez rien pour rehausser votre beauté. Votre parrain, votre père et moi-même vous voulons rayonnante, votre époux doit se réjouir de vous ce soir comme d'un cadeau non du roi, mais du Ciel!

Nine sursaute.

— Mon époux? Ce soir?

Jean Quentin pose les mains sur ses épaules, la regarde d'un air attendri et gravement annonce :

— Ninon, le chapelain de Versailles vous mariera au premier coup de minuit.

Le sol se dérobe et Nine tombe d'un bloc, raide et droite comme un arbre. Maître Quentin la rattrape, la secoue, lui mouille les tempes au vinaigre. Elle se redresse, horrifiée.

— Je ne veux pas, mon oncle !

Le perruquier la dévisage comme si elle était en un clin d'œil devenue chauve.

— Vous ne voulez pas ? Depuis deux jours vous me répétez combien cet arrangement vous plaît...

— Je n'avais pas compris ! Il faut tout arrêter, faites prévenir mon père !

Maître Quentin se lève et la toise sans la moindre compassion.

— À cette heure, votre père a signé les contrats, Mademoiselle. Il a pris langue avec votre promis, il lui a confirmé son consentement et il l'a remercié de vous offrir son nom et son rang.

Nine a l'impression qu'on lui tire la vie hors du corps. Elle glisse à genoux et enserre les cuisses de son oncle. Le perruquier l'attrape sous les aisselles et la met rudement debout.

— Reprenez-vous, maintenant ! Le roi ne fait rien par caprice, et encore moins par hasard. Une alliance voulue par lui ne peut être qu'un bon choix, vous devez vous en féliciter au lieu de jouer la mijaurée !

Nine se dégage. Elle ne se laissera pas sacrifier.

— Mon oncle, le roi ne cherche en l'occurrence ni mon bien ni celui de notre famille. Il a essayé de me forcer avant-hier...

Jean Quentin plaque la main sur sa bouche et jette un coup d'œil épouvanté vers la porte restée ouverte.

— Tais-toi, folle ! Tu portes des accusations aussi outrageantes que stupides. Un roi ne force pas une fille, il n'en a pas besoin !

Nine se débat sous le bâillon :

— Sa blessure à la tête, c'est moi...

Le perruquier resserre sa prise et chuchote :

— Sa Majesté a heurté une poutre. Tu ne dois jamais répéter ce que je viens d'entendre. Ni à moi, ni à personne. Jamais, entends-tu ? Il y va de notre sauvegarde à tous. Tu aimes ton père ?

Nine bat des cils.

— Un mot suffit à lancer une rumeur. Un seul mot, et tout ce que ton père a construit s'écroule. Ta mère te regarde du haut du Ciel, crois-tu qu'elle veut cela ?

Les larmes coulent sur les joues de Nine.

— Tu vas te taire et tu vas épouser. Jure-le.

Nine ferme les yeux.

— Te taire pour toujours et épouser avec grâce. Pense à ton père, à ta pauvre mère, et jure.

Il la secoue.

— Jure !

Elle opine et souffle sous la main qui l'étouffe :

— Je le jure.

Jean Quentin la lâche. Elle tombe assise sur le lit.

Le lit où Sa Majesté...

Elle sourit amèrement. Plus rien n'a d'importance.

Le perruquier fait bouffer les nœuds de la robe apprêtée sur un mannequin. Couleur de crème fine avec des rubans d'un rose à peine rose, corsage et jupe de dessus en soie brochée, jupes de dessous en taffetas craquant. Somptueuse. Il se retourne vers sa nièce.

— Assez perdu de temps. Votre parrain a prévu deux filles de chambre pour vous habiller, pensez-vous que cela suffira ?

Nine le regarde. Elle se sent calme, indifférente.

— Amplement.

— Pour brosser vos cheveux, pour les natter, pour vous poser le fard et les mouches ?

— Je le ferai moi-même.

Maître Quentin se frotte les mains.

— Parfait. Il est vrai que vous vous y entendez.

— Monsieur a-t-il été prévenu qu'on me mariait cette nuit ?

— Je le suppose. On m'a dit que le promis était de ses amis. Il serait merveilleux qu'il nous surprenne en honorant par sa présence la cérémonie.

— Et le chevalier de Rohan ?

— Quoi le chevalier de Rohan ?

— Je voudrais lui écrire un mot pour l'avertir...

— Vous lui écrirez un roman quand vous serez dans vos terres.

— Juste un mot...

— Assez, Nine !

Louis de Rohan n'ira pas à la chapelle et Philippe d'Orléans non plus. Un quart d'heure avant minuit, Monsieur s'endort sur le sein de l'archimignon qui l'a assaisonné à sa mode. Quant à Rohan, il vient de perdre à la table royale l'équivalent du bénéfice annuel de deux grosses abbayes, et Madame de Montespan lui propose une revanche. Engoncé dans un habit vert tendre qui lui va comme une barboteuse à un sanglier, François La Vienne n'a pas le visage d'un père comblé. Les sourcils plus broussailleux que jamais, la moue inquiète, il se plie vers sa fille et lui demande pour la cinquième fois :

— Tu es sûre ? C'est bien cela que tu veux ?

Nine hoche sagement la tête. Elle n'a même pas envie de pleurer. Elle n'est plus ailleurs, elle n'est nulle part. Sous le voile qui descend jusqu'à sa taille, La Vienne lui trouve une pâleur effrayante. Il insiste :

— Vraiment?

C'est elle qui lui prend le bras et l'entraîne. La cour d'honneur est déserte, la nuit claire et glaciale. Deux Suisses missionnés par Bontemps ouvrent le chemin avec des lanternes. La chapelle se trouve sur la gauche de l'aile sud. Devant la porte qu'éclairent deux autres Suisses, Nine se retourne et scrute les abords. Dernier instant, dernier espoir. La Vienne s'inquiète :

— Nous attendons quelqu'un?

Nine a un sanglot muet, aussitôt réprimé.

— Il ne viendra pas.

Elle lève son voile et hausse son visage vers son père. Elle est blanche comme la lune.

— Embrassez-moi, papa.

La Vienne pose un baiser moustachu sur le front froid. Sa fille lui sourit avec une étrange douceur.

— Nous pouvons aller.

La nef est dans l'ombre, seule la petite chapelle latérale dédiée à la Vierge est illuminée. Maître Quentin se tient près de l'entrée avec un vieux prêtre enrhumé et deux enfants de chœur qui bâillent à pleine bouche. Bontemps accueille sa filleule avec plus de gêne que de chaleur. Il presse sa main gantée. Il a l'air terriblement désolé.

— Monsieur Lully serait venu, il t'aime beaucoup, Ninon, mais à cause de la surprise, je n'ai pas pu lui demander. Tu auras des musiciens, mais pas ceux du roi. Vous êtes ravissante, ma filleule, je suis très fier de vous...

Nine ne l'écoute pas. Devant l'autel un homme de belle prestance, vêtu d'un habit brodé d'argent, converse avec deux personnages aussi ornés que lui. Nine sent une couleuvre glisser le long de son dos. Le plus grand de ces deux personnages, qui certainement sont les témoins de son promis, est le sinistre marquis d'Effiat.

Des violons cachés dans les hauteurs du buffet d'orgue commencent de jouer un air que Nine connaît. Blanche autrefois le chantait. La musique lui parvient comme à travers une eau lourde. Elle pense à la messe d'adieu au Grand Carmel, elle pense à la cellule où Madeleine Le Jongleur a voulu l'étrangler, elle pense aux yeux, aux lèvres, aux mots de Batiste, et elle a froid jusque dans la moelle de ses os. Un grand froid qui ressemble à la mort. Le prêtre se mouche dans un mouchoir très sale. Minuit approche, il ne faut plus tarder. Bontemps et Jean Quentin le suivent et prennent leur place du côté gauche de l'autel, le marquis d'Effiat et son acolyte de l'autre côté. Tous se tournent pour admirer Nine qui traverse la nef au bras de son père.

Tous, sauf l'homme qu'elle va épouser.

À genoux à côté de lui, elle n'ose le regarder. Il l'a saluée d'un court mouvement de tête et le voile l'a empêchée de distinguer ses traits. Le prêtre renifle gras et écourte les formules usuelles. Il ne s'agit pas de dire la messe mais d'une simple bénédiction nuptiale, plus vite il expédiera ces deux-là, plus vite il sera couché.

Est-ce que Marie Emmanuel Anselme Claude, comte de Cholay, seigneur de Sées, baron d'Almenêches, accepte de prendre et recevoir en vrai et loyal mariage Nine Louise Philippa La Vienne, ici présente de corps sinon d'esprit et encore moins de cœur ?

D'une voix grave, l'homme agenouillé prend.

Et Nine Louise Philippa, absente de cœur et d'esprit quoique présente en son corps, se donne-t-elle à Marie Emmanuel Anselme Claude, seigneur, baron et comte, pour l'aimer fidèlement dans la joie et l'épreuve jusqu'à ce que trépas la sépare de lui ?

Elle pense qu'elle ne se donnera jamais, mais il l'a prise, elle ne s'appartient plus, alors dans un souffle elle répond : oui, je le veux.

Il n'y a pas d'échange d'anneaux, le promis n'en a pas apporté. Il n'y a pas de baiser non plus. L'homme galonné d'argent se relève, et sans sourire à sa nouvelle épouse toujours agenouillée, il dit :

— Une voiture vous attend dans la cour. Vous serez chez moi à l'aube.

Nine soulève son voile.

— Mais vous, Monsieur ?

— J'irai de mon côté.

Il est déjà parti. Il n'a pas regardé son visage.

Nine se relève lentement. Ses genoux tremblent. Le marquis d'Effiat s'approche et lui glisse à l'oreille :

— Bienvenue en enfer, la belle.

L'autre témoin s'impatiente. Ils sortent ensemble. Les enfants de chœur finissent de ranger les burettes. Le prêtre en se raclant la gorge présente ses vœux de sérénité, longévité, fécondité. Jean Quentin se frotte les mains sans désemparer. Bontemps se sauve pour commander qu'on place dans la voiture des couvertures, des pâtés chauds, du vin et un brasier portatif à glisser sous les pieds. François La Vienne se demande s'il a rêvé, s'il rêve encore, s'il va bientôt se réveiller.

Il ne rêve pas.

Vous non plus, Charles. Bien qu'il soit tard, très tard, vous êtes éveillé et vous avez bien lu.

Le premier janvier de 1670, comme sonnait minuit au fronton du château de Versailles, le comte votre père a épousé la petite Ninon.

Ne posez pas ces feuillets.

Écoutez-moi encore.

De votre mère les gens qui vous entourent vous ont très peu parlé, et ce qu'ils vous ont dit était si imprécis que vous n'avez pu dessiner en vous son visage ni sa tournure. Le seul point sur lequel ils s'accordaient était sa tombe, qui selon eux se trouvait à Versailles où elle était morte juste après votre naissance. Une fièvre pourpre, ou puerpérale, ou bilieuse inflammatoire, ou continue putride, une fièvre en tout cas qui l'avait décomposée si promptement qu'il avait fallu l'enterrer sur place. En l'évoquant ils l'appelaient «la pauvre femme» et se signaient. Selon eux cette pauvre femme se prénommait Marie, on entendait rarement le son de sa voix, elle habitait l'aile nord du château, et le comte la querellait parce qu'elle tardait à lui donner un héritier. Sa naissance? Sa parentèle? Personne n'en savait rien, et quand vous interrogiez votre père, en guise de réponse il vous retournait une gifle. Lui disait : «la putain» ou «la traînée» ou «la sorcière». Ces mots vous causaient tant de chagrin qu'à force, vous avez cessé de poser des questions.

Je vous promets que votre mère n'a jamais été une putain, ni une traînée, ni une sorcière, ni rien qui puisse y ressembler.

Les personnes qui l'ont servie aux premiers temps de son mariage ont été par la suite renvoyées, et le comte a pris soin qu'elles quittassent le village afin qu'en grandissant vous ne risquiez pas de les rencontrer. Il n'a pu cependant ratisser la région au point d'éradiquer ceux qu'il appelait «les nuisibles».

Au fil des ans et des visites que je faisais dans les masures où l'on me requérait, j'en ai retrouvé plusieurs. Votre mère était aimée, Monsieur. Elle était estimée. Après sa disparition, ceux qui l'avaient côtoyée l'ont pleurée.

Le prénom de Nine ne peut se confondre avec celui de Marie, et vous ne concevez pas d'être le fils d'une perruquière et le petit-fils d'un barbier baigneur?

Je comprends que la chose vous paraisse incroyable.

Est-ce que pourtant cette chose-là est la vérité? Votre vérité? Celle que vous cherchez dans le dédale de vos rêves depuis que vous êtes tout petit?

Je vous répondrai ce que Batiste a répondu à Nine dans l'écurie : «As-tu vraiment besoin de poser la question ? »

Et parce que je ne vous ai encore dit qu'un morceau de cette vérité, je vous prie de ravaler vos larmes et de continuer à me lire.

Vous connaissez Nine La Vienne. Vous ne savez rien de la comtesse de Cholay.

C'est d'elle, maintenant, que je vais vous parler.

La tombe. « La pauvre femme ». L'aile nord du château. Le ventre qui refusait d'enfler.

Vos gens ne vous ont pas menti, mais ils ne vous ont donné que le cadre du portrait. La figure est dedans. Elle attend que vous la regardiez.

Quand après avoir roulé sur d'affreux chemins Nine La Vienne arrive à Almenêches, le ciel est de ce bleu lavé que l'on ne voit qu'ici. Rompue de fatigue et à demi morte de froid, elle découvre le château qui est vôtre aujourd'hui. La bâtisse est celle que vous connaissez, pierre de Caen pour le corps principal reconstruit vers la fin du règne de Louis XIII, brique et torchis pour les communs où logent ensemble les chevaux, la volaille, les porcs, les chiens courants, le régisseur du domaine, les domestiques de sexe mâle et les journaliers. Levé au premier rayon de soleil, tout ce monde vaque à son affaire. À l'évidence personne n'a été averti de l'arrivée d'une visiteuse, encore moins de la condition de cette visiteuse. Le cocher descend le bagage de Nine et lui offre son bras pour traverser la cour.

L'entrée est sombre, humide, glaciale. Au fond un escalier, à gauche une porte entrouverte par où filtrent de la lumière et une odeur de bouillon. Nine fait signe au cocher de pousser cette porte et entre derrière lui. La cuisine est celle de votre enfance, Monsieur, longue et basse, avec la large cheminée où pendent les aulx et les jambons. Une grosse femme en bonnet crasseux et sabots, et une petite fille qui semble sa réplique miniature se chauffent à la première flambée en triant des lentilles. Elles lèvent le nez en même temps et essuient avec la même hâte leurs mains sur leur tablier gris. Avec la sensation de présenter quelqu'un d'autre, Nine annonce :

— Je suis la nouvelle comtesse de Cholay.

La femme ouvre la bouche en four à pain et la petite se cache derrière elle. Nine se force à sourire.

— Je ne mange pas les enfants. Auriez-vous la bonté de me donner une chambre et d'y allumer un feu? J'ai voyagé longtemps, je voudrais me reposer. Savez-vous quand le comte arrivera?

Elles ne savent pas. Elles ne parlent pas non plus, sinon par gestes. Mais leur bouillon sent bon la poule grasse, et elles savent changer et bassiner les draps. Nine ne demande pas à visiter les chambres, elle prend la première qu'on lui montre. Haute, raisonnablement claire, meublée d'un lit à tentures vertes dans un renfoncement du mur formant alcôve, d'un coffre, d'une table et de deux fauteuils à dossier droit. Une fenêtre donnant sur la cour, une autre sur le parc. Une cheminée en pierre surmontée d'un miroir fendu, des tommettes rouges. Les murs sont peints en fausse pierre et mangés de salpêtre. Beaucoup de poussière. Quelques souris. Nine n'a pas changé de vêtements depuis la chapelle. Elle a un peu desserré son corset dans la voiture mais elle n'a pu le délacer seule, et il lui semble que les baleines ont creusé des ravines dans sa chair. Quand elle ôte sa cape fourrée puis l'étole offerte par Louise de La Vallière, la femme joint les mains et la petite fille se jette à genoux. La robe leur fait peur, elles refusent d'y toucher. Nine est trop épuisée pour insister. Elle avale un bol de bouillon debout devant le feu et s'écroule tout habillée sur le lit.

Quand elle se réveille, le soleil est au zénith et le comte de Cholay se tient à son chevet.

— Vous avez choisi la chambre de ma première femme. Elle s'appelait Marie. Je vous appellerai comme elle : Marie.

Nine se frotte les yeux, elle a l'impression de sortir d'une mine de sel. L'homme à qui elle s'est liée pour la vie n'est plus galonné d'argent, il porte une tenue de chasse et des bottes hautes contre lequelles il fait claquer un petit fouet.

— Quel âge avez-vous ?

Elle se redresse et lisse tant bien que mal sa coiffure ébouriffée.

— Seize ans et demi.

Il ricane d'une façon peu courtoise. Il a les cheveux blonds, le teint coloré, le visage long, la mâchoire très marquée, la bouche mince et sinueuse, le nez fin, le front grand. Nine ne pourrait dire qu'elle le trouve laid, ni même déplaisant, mais qu'il soit son époux lui paraît proprement inconcevable.

— Vous avez donc déjà été marié ?

— Deux fois. La première est tombée dans le puits. La seconde a été piétinée par son cheval.

Le ton est désinvolte, presque amusé. L'homme tourne le dos, pose son fouet sur le coffre et dégraffe son manteau. Il a les épaules larges, un peu tombantes, et le torse bombé. L'idée qu'il puisse poser un doigt sur elle donne la chair de poule à Nine. Elle se recroqueville dans l'ombre des rideaux et demande d'une voix blanche :

— Vos épouses vous ont donné beaucoup d'enfants ?

— Aucun.

Son époux tire un fauteuil près du feu et s'assied.

— Ce sera là votre emploi.

Il tend les jambes.

— Venez tirer mes bottes, Marie.

Nine hésite. Pour circonvenir Rohan puis Monsieur, elle s'est fiée à son instinct, mais elle n'a pas la moindre idée de la façon dont une fille doit procéder pour se faire respecter de l'homme à qui un sacrement religieux a donné tous les droits. La fermeté ? La distance ? Les cajoleries ? Dans le doute et l'espoir de gagner un peu de temps, elle essaie la dignité :

— Mon prénom est Nine, Monsieur. N'avez-vous pas des gens qui vous habillent et vous déshabillent ?

Elle n'a pas fini sa phrase qu'il bondit et lui envoie une gifle à lui arracher l'oreille. Il l'attrape, la traîne, l'agenouille, se rassied et lui pose son talon sur le ventre.

— Tirez, ou je vous fais lécher mes semelles.

Tétanisée, Nine ôte une botte puis l'autre. Les pieds de son mari puent le vieux bouc comme ceux d'un palefrenier. Il ricane à nouveau, allonge la jambe droite et appuie son gros orteil sur ses lèvres jusqu'à lui écarter les dents. Il pousse et lui enfonce son bas crasseux dans la bouche.

— On suce encore son pouce, à seize ans, non ?

Nine a une bouffée de rage. Elle mord aussi fort qu'elle peut.

Son mari rugit. Il l'empoigne par les cheveux, la jette face contre le lit, retrousse ses jupes et déchire en deux parties son pantalon. Cul nu, Nine hurle et se débat comme si sa vie en dépendait. Le comte défait sa cravate, lui lie les poignets et attache le foulard au montant du lit.

Il prend son fouet.

Quand il est las de la fouetter, il dénoue ses chausses et les baisse.

Je ne vous en dirai pas plus, Charles.

Ce que l'homme dont vous portez le nom fit à Nine La Vienne pendant cet après-midi d'hiver, puis à nouveau après son souper qu'il prit en compagnie de son valet devant le lit où son épouse attachée n'osait même plus crier, et encore tard dans la nuit et jusqu'au chant du coq, je vous l'épargnerai. Votre enfance a été hantée par les gémissements de filles et de garçons violentés, et ce que vous n'avez de vos yeux vu, vous ne l'avez hélas que trop imaginé.

Toute la semaine qui suit ces noces, le temps reste glorieux. Trop faible pour tenir sur ses jambes, Nine garde la chambre. La grosse femme et la petite fille la lavent, la pansent, la nourrissent et lui chantent des comptines en patois de Normandie. Elle ne pleure pas, elle ne parle pas, elle garde les yeux tournés vers la fenêtre. Comme dans la lucarne de l'écurie de Versailles, elle guette la course du soleil. Son époux chasse. La femme et la petite fille lui expliquent avec les doigts qu'il restera absent six jours, peut-être dix, qu'il rapportera beaucoup de gibier si Dieu le veut, qu'il aime le faisan au vin et la hure de sanglier, qu'il est fort, très bon chasseur et pas plus mauvais maître qu'un autre, qu'il faut vite lui faire un enfant sans quoi il ne la laissera pas en paix.

Quand elle entend les chevaux et les chiens dans la cour, elle a si peur qu'elle se met à sangloter.

Il vient directement à sa chambre.

Cette fois il n'a pas besoin de la fouetter ni de l'attacher. Elle se laisse faire, elle garde les yeux fermés, elle se raconte qu'elle est morte. Comme sa passivité le démotive, il la frappe. Elle crie. Il en tire un regain de vigueur si plaisant qu'il continue à la frapper en prenant soin de varier les coups afin de moduler les cris.

Après, il commande qu'on monte un cuveau et de l'eau chaude, et il lui ordonne de le laver, de le masser, de le pommader et de le parfumer. Il a appris ces raffinements de Monsieur. En province la propreté est aussi utile qu'une perle à l'oreille d'une vache, mais il a pris goût aux jeux du bain, et puisqu'il a sous la main la fille d'un baigneur, autant s'en servir.

Nine s'exécute, et parce qu'elle espère encore trouver un moyen de l'amadouer, elle y met tout son art. Elle fabrique un grattoir en dentelant une pièce de bois tendre, une éponge avec trois poignées de sable dans un mouchoir noué, des ventouses avec des petits verres à alcool. Pour inciser la peau, elle a son bistouri de chirurgien, et pour fabriquer une cassolette à parfums, elle met des aromates à griller dans le brasero qui a réchauffé ses pieds pendant son voyage. Le comte se laisse récurer, palper et oindre sans un commentaire ni un regard, comme si elle n'était rien de plus qu'une ouvrière anonyme. Quand il est propre, recoiffé, rhabillé, elle demande :

— Êtes-vous satisfait ?

Il hausse les épaules, qu'il a en effet tombantes. Il a aussi une vilaine cicatrice en travers du ventre et les fesses plates. Le reste est bien proportionné, vigoureusement musclé, et la peau est très belle, douce et presque aussi pâle que celle du chevalier de Lorraine.

— Croyez-vous qu'un homme de ma sorte se satisfasse d'une épouse qui a pour métier d'éplucher la couenne de tout un chacun ?

Piquée, Nine redresse sa petite taille.

— Je n'ai pas demandé à être votre femme, Monsieur. Si vous méprisez tant ma condition, pourquoi m'avez-vous choisie ?

Le comte a ce ricanement qu'elle déteste déjà.

— Ce n'est pas moi qui vous ai choisie. On m'a offert

un marché, et parce que je ne voyais pas d'autre échelle pour me tirer de prison, j'ai accepté.

— Quel marché ?

— Votre dot pour payer mes dettes. Ensuite, puisque le chevalier de Lorraine voulait m'éloigner définitivement de Monsieur, l'exil sur mes terres. Le serpent a troqué ma disgrâce contre la promesse d'espionner et de contrôler le duc d'Orléans pour le compte du roi.

— C'est le roi qui vous a proposé cet accord ?

— Je n'ai jamais vu le roi. Monsieur Bontemps est venu me trouver dans ma geôle avec un notaire.

— Et vous vous êtes laissé acheter ?

Il la bascule sur le bord du cuveau, la trousse jusqu'aux reins et attrape la fiole d'huile avec laquelle elle vient de le parfumer.

— Vous vous êtes bien laissée vendre !

Après, le temps s'arrête.

Les jours, les semaines passent.

Nine ne quitte pas la chambre verte.

Quand le comte est au château, il l'y enferme et use d'elle comme d'un jouet qu'on ne craint pas d'abîmer.

Quand il s'absente, elle reste couchée sous la garde désolée de la cuisinière et de la petite fille.

Souvent il revient avant qu'elle soit guérie des traitements qu'il lui a infligés.

Il n'en a cure. Il veut qu'elle lui donne un fils, et comme il commence à se lasser de ses appas, il n'épargne rien pour se fouetter le sang. Lorsqu'il prend dans le lit son valet ou un garçon dont la tournure l'émoustille, il les encourage à se divertir de toutes les façons qui leur plaisent, mais il veille à ce qu'ils ne l'ensemencent pas. L'héritier des comtes de Cholay doit être blond et blanc, comme lui. Il priera Monsieur de le tenir sur les fonds. Comme un prince du sang ne se déplace pas, il lui amènera le poupon. Un baptême attendrit toujours une âme pieuse et sensible, Monsieur a l'émotion facile et il aime sincèrement les enfants. Il parlera au roi, l'avenir du joli petit Cholay sera la clef du retour à Paris.

Le printemps vient, puis l'été. Malgré son assiduité, sa femme n'est toujours pas enceinte.

Dans le pays, on commence à jaser. Cette Marie-là est la troisième, et avec les deux précédentes le comte n'avait pas non plus ménagé sa peine. Le plus étonnant est que cette fois la nouvelle est une caille jeunette. À cet âge il suffit qu'un homme regarde une fille pour qu'elle se retrouve sur le point d'accoucher. Sans parler encore de sortilège, il y a peut-être sort contraire. Le régisseur du domaine demande au comte s'il a pissé dans le trou de la serrure de la chapelle où il a épousé. Non? Alors a-t-il pensé à faire gicler du vin blanc d'un tonneau nouvellement percé dans le trou de l'anneau de mariage? Le comte n'a pas passé la bague au doigt de sa promise, et il n'y a pas eu de repas de noces. C'est fâcheux. Mais en se hâtant et en y mettant les formes requises, c'est encore rattrapable. Le régisseur conseille de reprendre l'affaire à son début et de procéder comme la coutume le conseille. Le comte acquiesce avec empressement. Pour avoir un garçon, il serait même prêt à se réconcilier avec Dieu.

Nine remet son corset, sa robe de soie, son voile. Son mari l'emmène à l'abbatiale d'Almenêches et demande au curé de consacrer solennellement son union. Pour s'assurer les bonnes grâces du Ciel il ne se contente pas d'une nouvelle bénédiction, il prend une messe entière. Après avoir communié sous les deux espèces, il urine consciencieusement dans la serrure de l'église, et il profite de l'occasion pour présenter la jeune et charmante Marie de Cholay, filleule du puissant intendant de Versailles, au voisinage. Le régisseur a fait dresser trois longues tables près de la pièce d'eau où des canards tiennent lieu de cygnes. Devant la compagnie, le comte perce un tonneau d'un excellent cru tourangeau et place l'alliance de Nine sous le jet. Il prend soin de boire sec afin de vivifier son spermat, et dès que les convives ont pris congé, il renouvelle ses exploits du premier matin.

Quelques jours plus tard, Nine a ses menstrues.

Saisissant cette occasion inespérée de rapprocher une brebis rétive du bercail évangélique, le curé d'Almenêches s'en mêle. Il tient les superstitions populaires en piètre estime, mais à soixante et douze ans, dont quarante dans différents diocèses de Bretagne et de Normandie, il sait comment tourne le monde et à quelle porte frapper en cas de grand besoin. Quand Dieu s'occupe à servir les gens des villes, ceux des campagnes doivent s'adresser aux saints. Le saint tient auprès du Seigneur un rôle très comparable à celui de Monsieur Bontemps auprès du roi, et son intercession accomplit des miracles. Les esprits simples et les ignares croient que le pouvoir d'un saint lui vient de son nom. Ainsi invoquent-il saint Cloud pour les clous et les anthrax, saint Aurélien pour les otites, saint Quentin pour la coqueluche, et saint Sulpice couramment appelé saint Supplice pour soulager indifféremment toutes leurs douleurs. La vérité est que le martyre prédispose le saint à soulager les peines qu'il a endurées, c'est d'ailleurs pour acquérir cette expérience si profitable aux humains qu'il lui a fallu tant souffrir. Saint Vincent, que le bourreau a éventré, guérit les maux d'entrailles. Sainte Apolline, à qui l'on a dénudé la mâchoire, le mal de dent. Saint Laurent, qui a rôti sur la braise, est le spécialiste des brûlures. Avec ses seins tranchés, sainte Agathe soigne le tarissement du lait. Sainte Odile, née aveugle, répare les yeux. Saint Blaise, qui retira une arête de poisson coincée dans le gosier d'un enfant, soigne les maux de gorge. Pour choisir celui ou celle qui sera le mieux adapté à son cas, le comte Emmanuel se rend à Sées, où derrière l'évêché loge une tireuse de saints célèbre dans toute la province. La bonne femme, qui est vieille d'au moins deux cents ans, a du temps où ses jambes la portaient beaucoup voyagé pour son instruction. Maintenant que la voilà retirée dans la masure où elle est née, réduite à attendre au coin de son feu la fin de sa mission sur cette terre, elle propose aimablement à sa clientèle trois façons d'invoquer les saints, qui toutes trois, bien sûr, donnent entière satisfaction. La première, pratiquée en région limousine, demande qu'elle se déplace au domicile conjugal pour allumer un cierge aux quatre coins du lit de l'épouse stérile. À chacun de ces cierges elle attribuera le nom d'un saint qu'elle priera par avance. Le premier à s'éteindre désignera celui auquel les époux devront adresser leurs supplications. La seconde méthode, qui a la préférence des Alsaciens, consiste à jeter une pièce de monnaie dans un verre d'eau en prononçant les prières adéquates puis le nom des différents saints susceptibles d'intervenir. Lorsqu'elle nommera le saint disposé à soigner la comtesse de Cholay, la pièce remontera et sautera hors du verre sans que personne la touche. Le dernier moyen, qui est aussi le plus rapide, est de poser un brin de paille à la surface d'une eau qu'elle remuera en tournant le verre ou la cruche. Quand la paille s'immobilisera, le comte regardera la direction vers où pointe son petit bout. Cette direction lui indiquera d'où bouge le mal, donc où loge le saint qui le traitera.

Le comte Emmanuel choisit la paille, et la paille indique le sanctuaire de Trun où une petite statue de saint Fiacre soigne depuis cinquante ans la gale et les hémorroïdes. Ces maladies-là n'ont rien de commun avec le mal d'enfant, mais la paille ne se trompe jamais, c'est saint Fiacre qu'il faut implorer. Les époux se rendent à pied jusqu'à Trun, qui est à trois heures d'Almenêches, vêtus d'une longue chemise blanche et tête nue. Nine n'a pas marché depuis des mois. Le grand air la grise, le soleil d'août la cuit et ses muscles la trahissent. Elle défaille à mi-route, et son mari a beau la secouer, elle est incapable de poursuivre. Les gens qui l'escortent en pieuse procession improvisent un brancard et la portent comme une idole jusqu'à la source par laquelle le saint accomplit ses miracles. Là, Nine doit relever son vêtement jusqu'aux côtes et frotter son ventre nu contre la statue du saint, après quoi son époux la prend sous un bras, le curé d'Almenêches sous l'autre, et ensemble ils l'immergent entièrement dans le lavoir où coule la fontaine. Pour plus de sûreté, le comte lui enfonce la tête sous l'eau glacée quelques secondes. Quand ils la sortent, elle est à nouveau évanouie. Son mari la taloche si brutalement que l'assistance murmure. Il s'en moque, il la remet toute dégoulinante sur ses pieds et la force à faire neuf fois le tour du sanctuaire en chantant à pleine voix les cantiques prescrits. De retour au château, Nine doit ensuite dire une neuvaine, qui est une prière spécifique à réciter à heure fixe neuf jours durant. Le comte rouvre à cet effet l'oratoire où personne n'est entré depuis la mort de son père, et il veille à ce qu'elle n'y passe pas deux heures chaque soir, mais quatre. Au bout du compte, pour joindre l'agréable à l'utile et les travaux pratiques à la théorie, il l'y rejoint. Les femmes agenouillées l'inspirent, et rien de mieux pour engendrer un bel enfant qu'un chapelet de vifs élans mystiques.

À l'automne, Nine n'est toujours pas grosse. Le comte lui fait payer sa déception si chèrement qu'il faut appeler un chirurgien d'Argentan pour la recoudre. Le susdit n'a de chirurgien que l'appellation et il reconnaît sans détours que tout ce qu'il sait, il l'a appris sur le vif. Nine lui prête ses propres instruments et lui demande du sirop d'opiat. Il n'en a pas. Elle lui montre la broche offerte par Monsieur, un camée orné de petites améthystes. Il déniche du sirop d'opiat. Avant de lui donner le bijou, Nine lui remet une liste d'ingrédients, herbes, racines, aromates, essences, pierres et poudres à lui apporter sous le sceau du secret. Le bonhomme craint le comte plus que Satan lui-même, mais il a besoin de faire remonter le toit de sa maison sur laquelle la dernière tempête a abattu un sapin. Il fournit les ingrédients, et parce que l'état de la petite comtesse lui fait pitié, il y joint un ballot d'étoupe pour les compresses et une bouteille de vieil alcool de pomme pour réchauffer le cœur en même temps que les boyaux.

Les futaies roussissent, les cerfs brament. Nine espère que l'abondance de gibier et les plaisirs glanés au débuché éloigneront son mari de sa couche et lui donneront un peu de répit. Hélas le comte n'est pas d'humeur à courir les bois ni les filles de ferme. Son régisseur lui soutient que si constance au déduit et recours aux saints ne produisent pas de fruit, c'est qu'il n'y a pas seulement sort contraire, mais sort jeté. Maléfice. Magie noire. Quelqu'un cherche à le détruire, et pour le réduire à néant l'empêche d'avoir descendance. Le comte essaie de dénombrer ses ennemis. Ils sont plus puissants à Paris qu'en Normandie, et plus nombreux en Normandie qu'à Paris. User et abuser d'une fille ne prête pas à conséquence, mais il a parfois l'enthousiasme excessif et les pères dont il a abîmé les garçons le feraient volontiers mordre par un chien enragé. Il faut compter aussi les prêteurs jamais remboursés, quelques valets rossés, deux maquignons grugés, un voisin plumé à la bassette, un autre escroqué sur des bois, plus un lot de marchands et de fournisseurs. Le curé pense que le régisseur voit juste et que le jeteur est une personne du cru. Il propose son aide pour le désenvoûtement avec une insistance d'autant plus grande qu'il espère en tirer un profit substantiel. Avant de s'en remettre à l'Église, le comte par acquit de conscience frappe trois fois sur la coque des œufs qu'il vient de manger, crache sur le soulier de son pied droit avant de le chausser et fait clouer sur la porte principale du château une peau de loup. Il impose à Nine de se laver les mains chaque matin avec de l'urine et de coudre un noyau de datte poli dans l'ourlet de sa chemise. Lui-même farcit ses poches de sel non béni, et lorsqu'il croise l'une des personnes qu'il soupçonne de lui vouloir du mal, il replie ses pouces en dedans et marmonne : «Sorcier, sorcier, si tu m'ensorcelles, que le diable t'emporte.» Le ventre de son épouse est le siège du «mal d'encontre», c'est donc elle qui subit le traitement censé extirper le maléfice. Devant tous ses gens en prière dans la cour, le comte la place dos tourné au soleil point encore levé en lui commandant de prononcer haut et fort son nom, qui est Marie, comtesse de Cholay, et celui de sa mère, qui est Louise de Courtin ; elle nomme ensuite un par un les anges de gloire qui sont dans le premier degré, et redit leur nom à midi et minuit, cela pendant six jours d'affilée ; le septième jour, le comte la fait tenir toute nue de l'aube jusqu'au crépuscule, puis écrire sur une plaque le nom des anges vénérés, dans la croyance qu'ils la guériront sans faillir avant le vingtième jour du mois.

Le vingt et unième jour, le curé asperge maison et maisonnée à l'eau bénite, puis il commence les messes. Pour un désenvoûtement, neuf fois neuf évangiles dits dans la chapelle du château semblent une mesure raisonnable. Il en coûtera au comte le prix d'un orgue pour l'abbatiale d'Almenêches. Que sont quelques milliers de livres au regard d'un fils ?

Nine ne croit pas plus à l'effet des lectures saintes qu'à celui du noyau de datte, mais elle prête le haut de son crâne à l'officiant pour qu'il y appuie ses Évangiles. Par contre, lorsque le régisseur suggère qu'elle dispose sur l'autel des épingles croches et qu'après chaque messe elle s'enferme dans l'armoire où l'on range les ornements en hochant par trois fois la tête, elle refuse net. Le conseiller se vexe. Il insiste auprès du comte, qui à sa manière insiste auprès de sa femme. Nine résiste. Les épingles croches sont instruments d'avorteuse et de sorcier, et personne ne l'obligera à parodier le comportement des pensionnaires des Petites-Maisons. Le comte cogne plus dur. Elle soigne ses meurtrissures avec des cataplasmes de tamier, qu'on appelle aussi sceau de Notre-Dame, ou herbes aux femmes battues, et elle envoie dire au régisseur de garder pour lui ses remèdes. Ce robuste Normand est l'homme-lige du comte. La petite comtesse qui refuse à son maître l'héritier dont le domaine a besoin ne lui inspire pas plus de compassion que celles qui l'ont précédée. La nouvelle venue manque d'humilité autant que de rondeurs. Elle a une façon de vous regarder en plein front qui appelle la gifle. Le comte Emmanuel a raison de la corriger, il ne le fera jamais trop. Si le régisseur osait, il le seconderait dans cette tâche comme dans toutes les autres. Quand on bat les femmes là où il faut, elles ne s'en relèvent pas et on peut en changer. Les filles nées à Paris font de mauvaises reproductrices, la prochaine fois le comte doit prendre une payse, avec une croupe solide et de gros tétons. Celle-ci s'obstine à vivre malgré sa constitution chétive, et en plus, elle fait l'insolente ? C'est le diable qui la soutient et l'inspire. Voilà pourquoi le pèlerinage et les Évangiles sont restés sans effet. Elle n'est pas la victime mais la responsable, pas l'ensorcelée mais l'ensorceleuse. Le régisseur se frappe le front. En reconduisant la maîtresse à sa chambre après la première invocation aux anges, il a vu des traces de poudre rouge sur le sol. L'air sentait étrangement, et sur les braises cuisait une petite marmite. Il se mord les doigts de n'y avoir sur le moment pas prêté attention. Dès que la comtesse de Cholay se rend à l'oratoire, il se glisse dans la pièce, fouille les placards de l'alcôve et retourne le matelas. Il trouve des pots, des boîtes, des sachets avec dedans des matières aussi suspectes que lézards séchés, mouches cantharides, cheveux, crottin et crins de cheval, petits os, rondelles de bois de cerf, suif, dents de brochet, musc, coquillages, pattes d'écrevisses et mue de vipère. Il selle incontinent un cheval, galope à la rencontre du maître et lui déballe l'affaire.

Le comte devient tout pâle. Se découvrir maléficié par les soins de la personne qui dort dans votre lit est une situation effrayante. Doit-il pour se délivrer enfermer cette personne au couvent? Doit-il pour plus de sûreté la tuer?

Tuer lui permettrait de se remarier promptement, mais n'ôterait pas le charme. Le sort survit à celui qui l'a jeté et l'on est encore plus sévèrement hanté par les morts que par les vivants. Il faut d'abord désenvoûter, ensuite aviser. Le régisseur connaît un conjureur. Un gars de confiance, qui loge près de Nonant-le-Pin et se contentera pour paiement d'un sac de farine et d'un stère de bois.

L'homme est encore jeune, guère plus de trente ans, mais à force sans doute de fréquenter les démons, il a le dos aussi bossu, les doigts aussi crochus et les membres aussi tordus qu'eux. Il descend d'une longue lignée de leveurs et on ne lui fait pas prendre des vessies pour des lanternes. Il a aperçu la petite comtesse au sanctuaire de Trun, elle ne montrait aucun des signes communs aux serviteurs du Malin. Avant de s'attaquer à elle, il veut être sûr. En trempant une baguette de coudrier dans un seau d'eau on fait aisément apparaître la figure de l'ennemi. S'il s'agit de la comtesse, il la combattra volontiers. Mais s'il s'agit de quelqu'un d'autre, il la laissera en paix.

Le comte jette sur la table de bois noir quelques pièces d'argent. Sa conviction vaut preuve, et celui qui refusera de l'aider s'en repentira amèrement. Oubliant ses scrupules, le conjureur empoche les pièces. Pour ce prix-là, il va lever le maléfice et le retourner contre celle qui l'a initié. Sa Seigneurie est-elle disposée à faire ici même et tout de suite ce qu'il lui commandera ?

Le comte n'attend que cela. Le leveur allume un grand feu de charbon et le prie de se dévêtir entièrement, y compris bagues, amulettes, épée et éperons. Il balaie le foin rance qui recouvre son sol, répand sur la terre battue deux grosses pincées d'encens et d'aloès, et prenant une par une les pièces de vêtement, il les pose en disant à chacune : « Que ce soit le parfum de Jésus-Christ qui serve à guérir Emmanuel, comte de Cholay. » Quand il en a terminé, il crie : « J'appelle Marie, comtesse de Cholay » et il donne une forte rincée de coups de bâton au tas de vêtements. Après quoi il découpe trois cercles dans un papier épais. Sur chacun il trace avec une pointe les lettres J et C, pour Jésus Christ, les trempe l'un après l'autre dans sa meilleure eau-de-vie, les colle ensemble et les applique sur l'estomac du comte en faisant dessus le signe de croix. Ensuite il met à bouillir de l'huile dans un pot, prend un paquet d'aiguilles qu'il laisse tomber dans l'huile, une par une et pointe en bas, en disant : « Ce n'est point l'aiguille que je jette bouillir dans l'huile, c'est le corps, l'âme et le cœur de Marie, comtesse de Cholay, qui ont fait du mal à Emmanuel, comte de Cholay. » Il s'arrête sur un nombre impair et termine par une oraison qu'il lit ou fait semblant de lire dans un petit grimoire.

Le comte se rhabille en silence. Cet office-là ressemble à de la magie noire et tout libertin qu'il soit, il redoute les puissances occultes. Le conjureur le rassure : d'ici quelques heures le désenvoûtement commencera d'opérer, d'ici quelques jours il en sentira les effets, et à la prochaine lune il sera délivré. La comtesse aura perdu ses pouvoirs, il la tiendra à sa merci. À condition, bien sûr, qu'il ne lui donne aucun soupçon, sans quoi elle pourra renvoyer à nouveau le charme qui vient de lui être retourné.

Le maître rentre au château en ruminant sa rage. Il ne dit mot à Nine de ce qu'il a compris et entrepris, mais il ne la quitte pas des yeux. Depuis bientôt un an qu'elle vit sous son toit, il ne l'a jamais vraiment regardée. Ses clavicules saillent, elle pèse à peine plus lourd qu'une chèvre. Maigreur de sorcière. Ses iris changent de teinte quand il lui parle, quand il l'approche, quand il la touche. Tour de sorcière. Selon les jours, elle sent la prairie sous le soleil, le jardin au printemps, les mystères de l'Orient, la roseraie et le rayon de miel. Sorcellerie, encore. Dès que le charme aura cessé d'agir, elle verra ce qui advient aux sournoises de son espèce sur les terres des Cholay. Il se retient de lui cracher au visage, et s'il s'abstient de la forcer et besogner comme font impunément les maris, c'est en attendant de lui infliger les tourments qu'elle mérite.

À cette réserve inhabituelle, Nine devine que quelque chose se trame. L'anniversaire de ses noces approche et elle craint que cette occasion spéciale ne lui réserve une horrible surprise. Elle connaît maintenant assez de patois pour interroger la cuisinière et l'homme de peine qui lui monte son bois de chauffage. Ils répondent timidement que le régisseur prend Madame la comtesse pour une maléficieuse, et qu'il encourage Monsieur le comte à se venger d'elle. La grosse femme et sa petite aide ont souvent déterré des racines et coupé des herbes à la demande de Nine. Elles tremblent que le maître ne les questionne, mais toutes deux se sont prises d'une affection si vive pour l'épouse martyrisée qu'elles se feraient écorcher plutôt que d'avouer. La jeune comtesse leur a montré quels pépins et noyaux piler pour en tirer de l'huile, comment obtenir de l'essence de fleurs à partir de pétales, quelles écorces râper pour fabriquer des pommades et des gommes parfumées, comment garnir un cucuphe contre le rhume et les cauchemars, quel emplâtre poser sur une plaie infectée. Elles y ont vu beaucoup de science et de magie naturelle, et nulle part la patte du démon.

L'homme de peine a un fils de votre âge, Charles, qui fait le bois avec le piqueux et en profite pour ramasser les bestioles, mousses et cailloux que la maîtresse demande. Celui-là aime Dame Marie d'amour vrai, et quand il voit les marques des coups sur ses bras et sa gorge, il rêve de suspendre le comte au crochet par où l'on hisse les ballots de foin, de le percer avec la fourche et de le regarder se vider comme un porc. Il rêve aussi de voler un cheval dans l'écurie, de galoper jusqu'à Paris et de remettre en mains propres une lettre où sa maîtresse expliquera à ceux qui l'ont mariée ce qui se passe ici. Elle écrit plusieurs fois par mois, mais elle ne reçoit jamais de lettre. Peut-être que les gens de la capitale ne pensent plus à elle, ou peut-être que le comte garde les réponses par-devers lui. Dame Marie pleure parce qu'elle croit que là d'où elle vient, tout le monde l'a oubliée. Elle se doute que les deux précédentes épouses ne sont pas mortes de mort naturelle, et chaque fois que ses menstrues reviennent, elle se sent davantage en danger. Le garçon voudrait l'aider. S'il en trouvait le moyen, il la sortirait du château, il la cacherait dans des trous et des cabanes qu'il connaît, et par petites étapes il la conduirait à Paris. À ce qu'on dit, son parrain est un homme influent. S'il découvrait la façon dont le comte en use avec elle, il demanderait au roi de demander à l'évêque d'annuler ce mariage assassin.

Oui, le comte veut sa mort. Le matin du 25 décembre elle trouve dans le coffre de sa chambre un cœur de bœuf percé d'épingles, et quand elle lui demande s'il sait d'où vient cette horreur, il répond tranquillement :

— C'est moi qui l'ai mis là. Profitez de ce Noël, ma chère, vous n'en aurez pas d'autre.

Nine ne dort plus. Son mari l'enferme dans sa chambre, il lui a retiré son écritoire et il lui défend même d'aller prier à la chapelle. Réduite à guetter les mouvements de la vie par la fenêtre, elle attend que ce qui doit advenir advienne.

Le premier soir de la nouvelle lune, qui est aussi celui du dernier jour de l'année, le comte entre chez elle avec le sourire qui lui vient lorsqu'il lui fait très mal. Elle est déjà couchée. Il va directement aux placards de l'alcôve et balaie tout ce qu'il trouve sur les étagères. Puis il soulève son matelas et le retourne d'un coup, en la jetant à terre. Le portefeuille contenant ses instruments de chirurgie est coincé entre les sangles du lit. Il le prend et le lance dans le feu. Nine court vers le foyer. Tremblante de rage autant que de peur, elle récupère la trousse à moitié brûlée, en sort son bistouri et le pointe vers son mari. Riant de ce combat absurde, il se met en garde et la force à reculer jusqu'à ce que son dos touche la croisée. Dehors la nuit est épaisse. Les chiens dorment, les domestiques et les paysans sont partis à la veillée du curé qui sera suivie d'une bolée avec du boudin chaud. Les formes menues de Nine se dessinent sous sa chemise et l'air farouche avec lequel elle darde son arme dérisoire met l'eau à la bouche du comte. Il baisse sa lame.

— Viens ici. Si je tire assez de plaisir de toi, je te garderai encore un peu.

Le corps de Nine se couvre de sueur. D'une main elle serre ses instruments contre son ventre, de l'autre, sans se retourner, elle ouvre la fenêtre. Se hisser sur l'appui lui demande un peu de temps et d'effort. Le comte la contemple avec amusement.

— Si vous envisagez de sauter pour m'échapper, je vous rappelle que nous sommes à six mètres du sol et que la terre en bas est gelée.

Nine n'a plus peur. L'air glacé lui brûle les poumons, la lune à son premier quartier perce au-dessus des bois noirs.

— Bonne nuit, Monsieur.

Elle pivote sur ses pieds nus et elle se laisse tomber.

Madame de Cholay, ou Madame la comtesse, ou Comtesse,
en vérité je ne sais comment je dois vous appeler, quand je pense
à vous je dis : Demoiselle Ninon, comme avant. Vous souvenez-
vous d'avant? Maintenant sûrement vous me détestez parce que
j'avais promis et que je ne suis pas venu, maintenant sûrement vous
croyez tout ce qu'on raconte sur moi et qui est en effet détestable.
J'ai appris à écrire pour essayer de vous expliquer, et aussi à lire en
cas que vous me répondiez. Cet apprentissage et la pensée de vous
m'ont tenu six mois, et depuis six autres mois je cherche où adresser
ma lettre. Je ne savais ni le nom de l'homme que vous avez épousé,
ni dans quelle province on vous avait emmenée. Mathilde la rousse,
celle qui plume les volailles de la reine, a enquêté pour moi. C'est
une brave fille, un grand cœur, la seule personne que mon change-
ment de fortune n'ait pas rebutée. Tout le temps du procès on m'a
gardé au secret, mais après le jugement elle s'est fait passer pour ma
sœur et elle a obtenu permission de me visiter. Je lui ai demandé de
vous retrouver. L'idée que bientôt vous me lirez est ma consolation
au moment de quitter ce monde...

D'abord, Nine entend les chants. Des voix d'anges.
Elle n'est plus en enfer, mais au ciel.
Ensuite, il y a la douleur. Si aiguë qu'elle cesse de respirer.
Son âme est au ciel, mais son corps est resté en enfer.

Ses yeux sont collés, elle ne peut pas les ouvrir. Quand elle recommence à respirer, elle sent qu'on lui mouille les paupières avec beaucoup de douceur.

Elle perd à nouveau conscience.

Une femme lui parle en français. Elle lui dit que Dieu va la guérir.

Elle ne veut pas guérir, elle veut mourir.

Un homme lui parle en patois normand. Il lui dit que Dieu ne la guérira que si elle le décide, et qu'il est venu l'aider à le décider.

Elle se souvient de lui. Il a une grosse moustache et des grosses mains qui s'entendent à recoudre les déchirures et à remettre les os en place.

C'est ce qu'il lui propose : remettre ses os en place. Elle a le bassin, l'épaule droite, le fémur droit, les deux poignets et tous les doigts de la main droite brisés, les genoux démis et une partie des côtes enfoncées. Sans parler des plaies à la tête, au ventre et sur les cuisses. Profondes, nombreuses. En hiver les charmilles n'ont pas leurs feuilles, les rameaux nus l'ont tailladée. Les côtes n'inquiètent pas l'homme, mais les autres fractures ne doivent pas attendre, sinon elle restera infirme. Il demande à Dame Marie si elle accepte qu'il lui fasse beaucoup de mal maintenant pour beaucoup de mieux après.

Elle ne s'appelle pas Marie. Elle s'appelle Nine et on lui a fait assez de mal pour cette vie et les autres. Mais elle ne peut pas plus ouvrir la bouche que les yeux, donc elle ne répond pas.

Comme elle ne dit rien, après avoir obtenu l'accord de la femme qui parle le patois aussi bien que le français, l'homme lui fait ce qu'il estime devoir lui faire.

Elle meurt pendant qu'il le fait.

Ensuite, après du temps qui a pesé sur son corps comme un linceul, elle entrouvre les yeux. Sur sa gauche, un mur blanc avec un crucifix. Sur sa droite une vieille religieuse assise sur une chaise, le menton sur le rabat de son habit, son chapelet entre les doigts, profondément endormie. La bonne sœur ronfle. Ce son rassurant la berce. Malgré la souffrance qui flambe des chevilles au crâne, elle se rendort.

La femme qui parle en français est la mère abbesse. Le couvent est celui des Bénédictines d'Almenêches. Elle est presque morte mais pas tout à fait, et le comte envoie chaque matin demander quand elle sera assez disposée pour retourner chez lui. À l'idée de son mari elle se met à pleurer et le sel des larmes brûle les coupures de ses joues. La mère abbesse se penche et lui sourit. Elle a des traits réguliers, le visage marqué de vérole, trois rides sur le front et une grande bouche. Cette grande bouche dit qu'une abbaye est une terre d'asile, que la loi du comte ne s'y applique pas, que la comtesse est ici en sécurité, et qu'elle peut rester autant qu'il lui plaira.

Elle voudrait ne plus être la comtesse et redevenir Nine, juste Nine. Elle pense à Batiste Le Jongleur et elle se dit que si elle guérit, elle courra le retrouver.

Les sœurs la nourrissent avec de la bouillie, des soupes épaisses, des crèmes, des compotes. Elle voudrait beaucoup qu'on la lave au lieu de changer seulement son linge, mais elle n'arrive toujours pas à parler. Elle pense à Batiste Le Jongleur et elle se dit que s'il l'a abandonnée, c'est qu'il ne l'aimait pas.

La mère abbesse lui raconte que Dieu la veut vivante, sans quoi son saut l'aurait tuée. D'abord elle est tombée sur la charmille au lieu de tomber sur le sol. Ensuite Mathieu, le fils de l'homme de peine, l'a trouvée au retour de la veillée à cause de sa chemise de nuit qui faisait une tache claire dans le noir du buisson. Le comte était parti réveillonner sans se soucier d'elle, confiant sans doute que le froid mortel achèverait l'œuvre de la chute. Mathieu n'a alerté personne. Il l'a couverte avec une peau de brebis, ensuite, parce qu'il gelait à fendre les cailloux, il l'a tenue serrée contre lui de cela il a demandé humblement pardon, et pardon lui a été accordé. Quand le régisseur a soufflé sa lanterne, il a attelé la vieille jument qui est très sage, il a mis la maîtresse et la peau de brebis dans la petite charrette, sans bruit il a quitté la cour et sans lumière il est venu droit au monastère. Il a demandé pardon pour avoir bâillonné Dame Marie qui gémissait beaucoup pendant qu'il la transportait, et de cela pardon lui a été également accordé. Mathieu dit qu'il veut donner sa vie pour sa maîtresse. Si le comte l'attrape c'est ce qui arrivera, aussi ne l'a-t-on pas laissé repartir. Entre le verger, le potager et les ruches des moines, les buis taillés du cloître et les parterres d'agrément des moniales, le jardinier croule sous l'ouvrage. Un aide jeune et vigoureux sera pour lui une bénédiction.

Il y a donc ici un couvent d'hommes et un couvent de femmes jumelés. Avec un vaste jardin. Si Nine remarque un jour, elle ira s'y promener. Elle pense à Batiste Le Jongleur et souhaite qu'il tombe dans l'un de ses puits et s'y fracasse tout comme elle.

... Avant, nous riions ensemble du jour où je serais assez riche pour vous couvrir de bijoux. Vos yeux changeaient de couleur, vous refusiez d'être cette sorte de fille à qui l'on offre des bagues et des colliers. Quelle sorte de fille êtes-vous aujourd'hui ? Une femme mariée. Une comtesse. Par ma faute, oui. Mais sur ma foi je vous jure que je ne l'ai pas voulu, et que si je n'en avais été empêché, je serais venue à l'écurie et je vous aurais emmenée.

C'est le Boniface qui m'a livré. Anselme Boniface, l'assistant du prévôt, celui qui malmenait ma mère, qui guignait ma sœur, qui avait juré de rôtir Jésus et de me perdre. Un gros homme à large face, brutal, vicieux. Je vous ai souvent parlé de lui, Blanche aussi, et souvent vous m'avez fait promettre de ne pas le provoquer. Je n'ai jamais manqué à une seule des promesses que je vous ai faites, Ninon. Madame. Je vous ai seulement caché certaines choses parce que je ne voulais pas que vous me regardiez d'une certaine façon.

Tout affreux et grossier qu'il est, l'assistant du prévôt avait trouvé moyen d'entrer dans les bonnes grâces de la femme de mon maître, Jeanne Jolly. Ils forniquaient ensemble. Connaissant la Jolly comme je la connaissais, j'aurais dû le deviner. Mais la mort de ma mère m'avait mis la tête à l'envers, je n'avais plus d'yeux pour voir et je n'ai rien vu. Sur l'oreiller, la femme de mon maître a confié au Boniface le principe d'un trafic dont je vous tairai le détail. Les profits promettaient avec les travaux de Monsieur Le Vau et les nouveaux arrangements des jardins de devenir considérables. L'assistant du prévôt a saisi l'occasion et tiré d'une pierre trois coups. L'idée et l'organisation venaient de moi. En me dénonçant, il faisait plus divertissant que me tuer : il me transformait en paria. Maître Jolly me soutenait et encaissait partie des bénéfices. En l'engeôlant, Boniface récupérait l'usage exclusif de son épouse. Enfin par ce coup de maître il se haussait dans l'estime de Monsieur Colbert, dont il escomptait solide récompense.

Les gendarmes nous ont arrêtés ensemble, mon maître et moi, pendant que nous colmations une fuite aux réservoirs de glaise, le matin du 31 décembre de l'an passé.

Le jour où vous m'avez attendu.

Dieu a bien travaillé. Le rebouteux aussi. Nine est maillotée depuis les orteils jusqu'aux seins comme une momie d'Égypte, mais l'homme qui l'a manipulée promet que dans peu de semaines elle pourra s'asseoir dans son lit. Dès qu'elle retrouve l'usage de la parole, elle le prie d'ôter tous ses pansements et elle lui donne des instructions pour désinfecter ses plaies. Tant que celles-ci suppurent, elle défend qu'on la bande et elle reste aussi immobile qu'une gisante. Ensuite elle demande des attelles pour ses jambes et ses mains, où les os n'ont heu-

reusement pas percé la peau. Depuis, elle regarde le crucifix sur le mur, elle écoute la voix des anges et elle attend.

Elle souffre moins. Par moments, si elle respire très doucement, il lui semble qu'elle redevient elle-même. Elle
pense à Batiste Le Jongleur et elle espère qu'il n'est pas
tombé dans un trou.

Elle sait qu'une lettre est arrivée. Par la petite fenêtre de
sa cellule elle a entendu le guérisseur converser avec
Mathieu. Dehors, dans le jardin des moines. L'homme aux
grosses mains voit dans ses campagnes des choses épouvan-
tables et il trouve désespérant qu'en un siècle de progrès,
sous le règne d'un roi sage et puissant, un mari torture sa
femme de dix-sept ans au point de la pousser à se jeter du
haut de sa maison. À l'arrivée du coche d'Argentan,
comme le régisseur tardait, c'est lui qui a relevé le courrier
du château de Cholay. Il y avait une liasse de lettres pour
le comte, et une toute seulette au nom de son épouse.
L'homme a fourré cette lettre-là dans sa poche. Quand il
est revenu à l'abbaye pour les soins, comme il ne sait pas
lire et que de toute manière la blessée était encore dans
ses limbes, il l'a remise à la mère abbesse.

Ils m'ont attrapé et jeté dans la geôle de la prévôté. Maître
Jolly gémissait dans le cachot voisin, il m'a supplié de le déchar-
ger si on me questionnait. Il m'a parlé de devoir et de son fils
dernier-né, qui se prénomme Déodat. Le petit a deux ans. Il me
ressemble beaucoup, avec les cheveux roux de Pierre. Je ne vous ai
rien dit de lui, ni du garçon de Mathilde la dindonnière, qui a
sensiblement le même âge et qui n'est pas non plus du mari. À
quoi bon? Vous auriez pris votre air pointu et vous auriez
regretté de m'avoir embrassé. Vous souvenez-vous comment vous
m'avez embrassé? Depuis que je suis encagé, tout le temps que je
n'ai pas passé à apprendre l'alphabet, je l'ai passé à rappeler en
moi ces baisers. Oui, je sais, vous êtes la comtesse de Cholay, et
un rebut de la terre ne parle pas ainsi à une dame de votre rang.

Mais je ne vous écrirai qu'une fois, Ninon, alors s'il vous plaît, pardonnez l'offense.

Comment vous dire la chose? Si je ne vous avais pas connue, si vous ne m'aviez pas imprégné, j'aurais lesté mon maître à pleine mesure et je l'aurais laissé couler jusqu'au fond avec moi. On m'a fouetté, pendu par les chevilles, mis les brodequins, tenaillé ici et là. La souffrance physique est une amie d'enfance, je sais comment lui faire la nique. Je n'ai dit mot au tourmenteur de mon maître ou de sa femme. À ses côtés se tenait Anselme Boniface, plus rubicond que jamais. Pour le plaisir de le voir pâlir, j'aurais voulu éclabousser au moins Jeanne Jolly du sang, de la pisse et des larmes que le bourreau tirait de moi. Du sang, de la pisse et des larmes, mais pas un nom. Ni les gars des forges, ni les intermédiaires, ni mon parrain. Je ne me suis pas tu par sens de l'honneur. Encore moins par vertu. Je me suis tu pour que vous ne me méprisiez pas. Mon maître évidemment a rejeté la faute sur moi. L'affaire a donné lieu à enquête approfondie, puis à procès. On m'a transféré à Paris. Au sous-sol de la prison de la Conciergerie. J'ai connu beaucoup d'endroits sinistres, mais celui-là est de tous celui où j'ai croisé le moins d'humanité et le plus de rats. Dans les étages, les prisonniers de marque ont des chambres meublées. Nous autres gueux sommes quarante dans une cage située sous le niveau de la Seine, sans air ni prise de jour. L'ambiance y est comparable à ce que vous avez vu aux Petites-Maisons, à ceci près que l'on ne vous nourrit qu'un jour sur trois, et qu'un jour sur quatre il vous faut tuer pour n'être pas tué. J'ai retrouvé là un évêque défroqué que j'ai connu autrefois. Un homme très éduqué et très peu recommandable qui sodomisait ses novices avant de les manger crus ou cuits, selon son humeur. C'est lui qui m'a enseigné l'écriture et la lecture. En échange de quoi? De ce que j'avais encore à donner. Ne me jugez pas. Vous ignorez ce que c'est que n'avoir rien d'autre à vendre que soi. Je suis doué, paraît-il. À Versailles j'ai appris tout seul à calculer, à tirer des plans et à dessiner des machines. Ici les lettres m'ont donné à peine plus de mal que les chiffres et les angles, et il m'a semblé qu'elles mettaient le monde sous mes yeux. Quand j'ai lu les mots imprimés dans la Bible de l'évêque, quand j'ai formé des phrases sur le papier, j'ai pensé que je ne voulais pas renoncer à l'avenir, et que cet avenir je le rêvais toujours avec vous. Peut-être vous n'étiez pas encore mariée. Peut-être, si je vous expliquais tout ce que vous venez de lire, je vous persuaderais de partir avec moi. En Angleterre, sur la lune, vous choisiriez. Grâce à des appuis très secrets, mon évêque allait être élargi. Je lui ai confié la mission d'aller trouver mon parrain pour que premièrement il se rende à votre domicile de ma part et vous prie de m'attendre, et que secondement il me fasse évader.

La sœur Angéline lit à voix aussi douce qu'elle peut et s'arrête chaque fois que la comtesse s'étrangle en avalant ses larmes. Ses côtes sont tout juste consolidées, il ne faut pas la laisser tousser. La religieuse s'applique à ne pas comprendre ce qu'elle lit. Si elle comprenait, il lui faudrait parler à la supérieure du contenu de cette lettre. La mère abbesse réprouve la violence conjugale, mais elle respecte le sacrement du mariage. Elle se sentirait tenue de prévenir le comte qu'un prisonnier envisage de lui ravir son épouse.

Nine attend. Tout ce qui lui reste d'ardeur et d'espoir est suspendu à la voix de la conventine qui lui sourit avec autant d'inquiétude que de compassion.

Sœur Angéline s'est vouée à Dieu à l'âge qu'a la comtesse aujourd'hui. Depuis vingt-trois ans elle vit entre l'église, le cloître, le réfectoire, le scriptorium, la bibliothèque et sa cellule. Vingt-trois ans de dévotion en s'efforçant de nier la chair qui certaines nuits d'été s'échauffe étrangement. Elle n'a jamais embrassé un garçon. Elle ignore ce que signifie sodomiser et ne veut pas croire qu'un ministre de Dieu ait faim au point de dévorer un jeune moine. La religieuse en souriant à la comtesse pense que les femmes ordinaires connaissent de grands malheurs et de grands bonheurs qu'elle-même ne connaîtra jamais.

Quand la sœur reprend sa lecture, la momie fond d'émotion sous ses bandages. Si une fois démaillotée elle se révèle trop estropiée pour rejoindre celui qui lui écrit, elle sautera de plus haut et cette fois, elle se tuera vraiment.

Vous vous en doutez : de l'évêque et de mon parrain, je n'ai pas eu de nouvelles. Les juges m'ont condamné aux galères. Le bourreau m'a marqué au fer. Pour gagner un peu de temps, j'ai proposé au moins stupide des surveillants, qui en a parlé à son chef, qui a soumis l'idée au directeur, de curer le système d'évacuation du sous-sol et d'installer des drains pour éviter aux prisonniers de barboter dans leur fange comme des pourceaux. On m'a dit : cure. J'ai curé le plus lentement possible. On m'a dit : pas d'argent pour les drains, tu seras du prochain convoi pour La Rochelle. C'est vers ce moment que Mathilde est venue. Avec son petit. À cause de l'enfant, on m'a retiré de ma cage et amené avec mes fers dans la grande salle où se font les visites. Mathilde m'a trouvé très changé. Elle a beaucoup pleuré. Je n'ai pas voulu qu'elle m'approche et son fils non plus, à cause de la vermine. Par elle j'ai su que maître Jolly avait été relâché. Il a repris ses fonctions à Versailles. Il doit rembourser l'argent de la fraude, mais personne ne maîtrise aussi bien que lui le mécanisme des fontaines et le roi n'a pas voulu se priver de ses services. Ainsi va notre monde, Ninon. Ceux qui se rendent irremplaçables gagnent une place près du Soleil, les autres restent des ombres, et le sort des ombres est de se fondre dans la nuit.

Mathilde n'a pu obtenir une seconde visite. Par un gars des cuisines elle m'a fait dire que vous viviez près d'Almenêches, au château de Cholay, et que vous aviez épousé le seigneur du même nom.

Le convoi partira au printemps. Je ne vous reverrai pas. Si je savais prier, je demanderais au Seigneur que votre mari soit bien-

veillant, et que vous lui deveniez irremplaçable. Vous l'étiez,
vous l'êtes pour moi. Où que le sort m'envoie, vous le demeurerez.

Prenez grand soin de vous. Et si vous parvenez à lui pardon-
ner, pensez parfois à
Batiste Le Jongleur

L'envie de vivre tient à un rai de soleil, à la douceur du premier bourgeon, à un trille d'oiseau, à une caresse sur le front. À quelques mots jetés d'une écriture maladroite sur un mauvais papier. Nine ne peut pas tenir un crayon, mais elle peut dicter. Sœur Angéline, celle qui a tant de douceur dans la voix, a apporté son écritoire. Elle est la meilleure calligraphiste du couvent, et ses enluminures sont si délicates que l'archevêque de Sées lui envoie ses livres d'heures afin qu'elle les orne de feuillage, d'arabesques et d'animaux étranges.

Les yeux de la petite comtesse brillent. Sœur Angéline a accepté d'écrire toutes les lettres qu'elle voudra, à condition qu'aucune ne soit une réponse à ce monsieur Jongleur qui s'en va aux galères. La comtesse a insisté, mais bien que sa condition se soit améliorée, elle n'est pas encore en état de se fâcher et la sœur a triomphé sans beaucoup de combat. Mathieu vient de monter une table. C'est le matin, la chambre sent la lavande. Plume en l'air, la religieuse demande :

— Combien de lettres ferons-nous ?

Nine sourit et répond :

— Une seule, ma sœur. Écrivez, je vous prie, en haut de votre feuille :

«À l'attention de François Francine, intendant des fontaines
de Versailles, aux bons soins de Monsieur le chevalier de Rohan. »

Le duc d'Orléans a fêté le 21 de septembre 1671 ses trente et un ans et il se considère comme le plus malheureux des hommes. Au début de l'an passé, son frère lui a enlevé Nine La Vienne, dont il appréciait la compagnie et qui le servait bien. Le roi a donné la petite au comte de Cholay que Monsieur appréciait aussi, quoique pour des raisons très différentes, et il les a envoyés ensemble en Normandie, où personne ne va parce qu'il n'y a rien à voir que des vaches, rien à faire que des patiences au coin du feu, et rien à espérer du tout. Non content de l'avoir privé de ces deux-là, le roi lui a ensuite arraché le chevalier de Lorraine, qu'il a exilé en Italie où tout le monde rêve d'aller mais où lui, Philippe, ne peut rejoindre son bien-aimé parce que le premier prince du sang doit tenir son rang à la Cour. Déchiré par cette séparation, il a supporté que le roi confie à Madame la négociation d'une alliance avec le roi d'Angleterre son frère, et qu'elle séjourne trois semaines entières à Douvres, où se trouvait également l'irrésistible duc de Monmouth. Madame est revenue avec un traité par lequel l'Angleterre s'engage à soutenir la France si Louis XIV déclare la guerre à la Hollande, et une mine si épouvantable qu'elle semblait une morte habillée à qui l'on aurait mis du rouge. De fait, moins d'une semaine après son retour, Monsieur s'est trouvé veuf. Le roi a sagement refusé de prêter l'oreille aux rumeurs de poison et commencé à chercher une remplaçante diplomatiquement avantageuse avant même que Madame fût en terre. Sans s'enquérir des souhaits de son cadet, il a arrêté son choix sur une princesse de petite noblesse, pauvre et que les fées ont manifestement oubliée. En échange de sa signature sur le contrat de mariage, Monsieur a reçu un portrait récent et, au dire de l'ambassadeur, très ressemblant. Consterné, il le montre au marquis d'Effiat et au chevalier de Rohan.

— Regardez ça! On dirait un chou-fleur avec une patate germée en guise de nez!

Le marquis d'Effiat pouffe. Monsieur lui allonge une taloche. Rohan s'approche.

— Que votre fiancée soit vilaine n'est pas le pire, du moins je le crains.

Le duc d'Orléans lui tend le portrait.

— Pas le pire? Vous avez vu?

— D'après ce qu'on raconte, elle est fort négligée. Elle pue le chou, dont on la gave depuis toute petite. Elle pue aussi le chenil, à cause des nombreux chiens qui dorment dans son lit. Elle pue enfin le gousset, parce qu'elle raffole de la chasse et s'y donne beaucoup de mouvement. Le tout mélangé, et si puissamment qu'à dix pas et les yeux fermés, on sait qu'elle se trouve dans une pièce.

Monsieur ouvre des yeux effarés.

— Elle n'a pas des gens, là-bas, pour lui ôter ces odeurs?

— Elle déteste les soins de la toilette. Elle refuse que ses femmes la voient nue.

— Elle ne se lave jamais? D'aucune manière?

— Jamais. D'aucune manière.

Le prince est horrifié.

— Mon Dieu... Mais si cela est ainsi, je ne pourrai pas coucher avec elle !

Rohan lui rend le portrait.

— Il le faudra pourtant. D'abord le roi l'exigera, sans quoi votre mariage ne sera pas valide. Ensuite Madame ne vous a laissé que deux filles, et si vous voulez un fils...

Philippe d'Orléans secoue la tête.

— Je ne pourrai pas. J'en mourrai.

Rohan se laisse choir sans façon dans un fauteuil, étire ses longues jambes et fait craquer ses doigts.

— Vous pourrez. Je sais quelqu'un qui sera enchanté de vous aider, et qui le fera si bien que votre promise vous deviendra tout à fait acceptable.

Le visage de Monsieur s'éclaire.

— Ce quelqu'un est de vos amis ? Je le connais ?

Rohan éclate de rire.

— Mais oui ! Vous la connaissez même très bien !

Avant de vous conter le retour de Nine La Vienne, je voudrais vous dire un mot de la princesse qui est aujourd'hui votre marraine, Charles. Au moment où j'en suis de ce récit, elle a dix-neuf ans et n'est encore que Charlotte Élisabeth de Bavière, fille de l'électeur palatin. Le Palatinat, où elle a grandi, est un petit État coincé entre nos frontières de l'est et les autres États allemands, et l'électeur Charles-Louis un principule bigame qui a deux enfants de sa femme et huit de sa maîtresse. La fiancée ne souhaite pas du tout convoler avec le frère du roi de France. D'abord elle est protestante, et elle se mépriserait de changer de religion pour avoir un mari de quelque qualité qu'il fût. Ensuite ce qu'on lui a dit du parti qu'on lui destine ne l'a guère séduite, et elle préférerait de loin épouser un gentilhomme allemand qui partagerait son amour de la nature, de la vie simple et des longues randonnées au grand air. Une fille de prince n'a pas plus voix au chapitre de son avenir qu'une fille de baigneur. À ses réticences, l'électeur répond comme la plupart des pères : «Mon enfant, je vous donne le mari qu'il me faut pour gendre.» Il la conduit à Metz où il lui fait abjurer sa religion et épouser Son Altesse Royale Philippe, duc d'Orléans, par le truchement du maréchal duc du Plessis-Praslin, puis il l'embrasse et la quitte à Strasbourg en lui recommandant de ne jamais s'étonner des façons françaises. Votre future marraine sanglote jusqu'à Châlons où elle doit rencontrer son époux. Elle aime la vie de famille à l'allemande, sans souci d'étiquette ni de parure, les nourritures robustes, les habits commodes, rire à pleine gorge, se coucher et se lever tôt, lire de bons livres, dormir la fenêtre ouverte et dire tout cru ce qu'elle pense au moment où elle le pense. Elle se juge laide comme un cul et ne s'embarrasse pas de plaire. Elle a demandé à ses servantes si les maris font aux épouses ce que les chiens font aux chiennes, et le métier de fabriquer des enfants ne l'attire aucunement. Elle a de l'esprit, du caractère et du cœur en proportions exceptionnelles, aucun goût pour l'intrigue, aucun appétit de pouvoir et un franc-parler comme on n'en a jamais connu à la cour de France.

Voilà, Monsieur, la très originale princesse que vous rencontrerez bientôt. Les années écoulées depuis le temps dont je vous parle l'ont certainement changée, mais je doute qu'elles aient altéré les qualités qui la rendent unique. Malgré la différence de rang et de condition elle a chéri votre mère, et je pense qu'elle vous chérira dès l'abord pour ce qui, en vous, lui rappellera la compagne qu'elle a perdue. Votre mère l'a beaucoup aimée. Comme vous allez le voir, c'est à Madame qu'elle doit d'avoir pu donner corps à ses rêves. Tous ses rêves, Charles, y compris vous.

Le chevalier de Rohan trouve Nine dans le jardin de l'abbaye, assise sur un tabouret au milieu des limaces et des simples. Il est venu d'une traite, avec une escorte réduite, pour le plaisir de lui annoncer la nouvelle lui-même, et il rit par avance de la joie qu'il va lui donner. Quand elle le voit traverser d'une foulée conquérante le potager, Nine est prise d'une faiblesse telle qu'elle ne peut se lever. Le chevalier écrase un carré de sauge en pilant devant elle.

— Eh bien! C'est ainsi qu'on accueille les amis?

— Pardonnez-moi, Monseigneur, j'ai été malade et je ne suis pas encore très solide...

Elle sourit, mais ses lèvres tremblent.

— Vous êtes toujours aussi grand.

— Pourtant je ne suis plus le grand veneur de Sa Majesté.

— Comment cela se peut-il?

— J'ai badiné avec Madame de Montespan et le roi m'a retiré ma charge. Je me souviens d'un jour, au Louvre, c'était peu de temps après la fin de la Fronde des princes, Louis devait avoir quinze ou seize ans. Nous étions au jeu chez la reine mère, il avait gagné gros contre moi et il exigeait que je le payasse sur-le-champ. Je n'avais dans mes poches que des pistoles d'Espagne. Il me les refusa, il ne voulait que des louis et il les voulait dans l'instant. J'ouvris la fenêtre et je jetai mes pistoles dans la cour en disant que si elles n'étaient pas assez bonnes pour lui, elles ne l'étaient pour personne. Le cardinal Mazarin prit le roi à part. Il lui dit : «Sire, le chevalier de Rohan vient de jouer en roi et vous en chevalier de Rohan», et dans ma naïveté, je pensai que Louis avait admiré mon geste. Je crois plutôt que de ce jour, tout en recherchant ma compagnie, il n'a cessé de préparer le moment où il me rognerait les ailes. La jalousie est son talon d'Achille. Bagatelle chez un homme ordinaire, poison mortel chez un roi.

Le chevalier fronce les sourcils.

— Quant à vous, ma chère, vous êtes encore plus maigre que dans mon souvenir.

Il se penche et la regarde de plus près.

— Diable, comtesse, on dit que le mariage change les femmes, mais là... !

Nine baisse la tête.

— Ne m'appelez pas comtesse, Monseigneur. S'il vous plaît.

Rohan s'accroupit. Le front, les joues, le cou, les mains de Nine sont couturés de cicatrices fraîches. Il murmure :

— Qu'est-ce que Cholay vous a fait, petite fille ?

Il ôte ses gants et passe les doigts sur l'avant-bras où les balafres récentes recouvrent des marques plus anciennes.

— Pourquoi ne m'avez-vous pas écrit plus tôt ? Je serais venu vous chercher.

L'émotion brouille la voix de Nine.

— Vraiment ?

Le chevalier lui prend la main.

— Vous ai-je jamais fait défaut depuis ce jour où vous m'avez demandé de vous envoyer aux armées ?

Nine relève les yeux.

— Avez-vous transmis ma lettre à Monsieur Francine ?

Le chevalier prend l'air déçu.

— Femme de peu de foi...

Nine le fixe avec un espoir fou.

— Il est sauvé ?

Rohan sourit.

— Il vous le dira lui-même. Vous pensez-vous capable de voyager ?

Elle tâte ses jambes sous la robe de novice que sœur Angéline l'aide à passer chaque matin.

— Pourvu que ce ne soit ni à pied ni à cheval, oui, je crois.

Le chevalier lui tend la main.

— Alors je vous emmène avec moi.

Nine jette un regard apeuré vers la muraille qui enclôt le monastère.

— Mon mari sera là?

— Votre mari n'est pas encore au courant, et nous veillerons à ce qu'il le soit le plus tard possible. Venez-vous?

Nine fait étape chez la princesse de Guéméné, mère du chevalier, à qui celui-ci confie le soin de rhabiller discrètement la conventine d'Almenêches en comtesse de Cholay. Nine reconnaît son hôtesse au premier coup d'œil. Cette belle et hautaine dame est celle qui l'a bousculée le jour de son audience à Versailles. Louis de Rohan a ses yeux clairs, son profil, sa haute taille, sa superbe. La princesse conduit la protégée de son fils dans le cabinet orné comme un salon de Versailles où ses gens trois fois par jour la changent de vêtements, et elle lui demande tout à trac :

— Êtes-vous éprise du chevalier, comtesse?

Nine ne peut s'empêcher de rougir.

— Non, Madame, mais je lui dois une reconnaissance qui ne finira qu'avec mes jours...

— Vous ne faites pas de chienneries ensemble?

— Certes non!

— Fort bien. Je vais alors m'asseoir ici pendant qu'on vous apprête, et pour passer le temps vous dire ce que je pense de lui. Cela vous servira et cela me fera du bien. Vous renverrez la robe, n'est-ce pas? Pas les dessous, juste la robe. Vous m'écoutez, comtesse?

Les mères les plus indifférentes trouvent d'ordinaire un peu de chaleur quand elles parlent de leur fils. La princesse de Guéméné ne semble pas nourrir envers le sien d'autre sentiment que du dépit et de la rancœur. Le chevalier mange son héritage et ses rentes au jeu, il finira sur la paille et ce ne sera que justice. Le chevalier va aux femmes mariées et au bordeau, il finira mangé de vérole et ce ne sera que justice. Le chevalier répond au roi comme s'il était son ami ou son frère, il finira par lasser l'affection du roi et ce ne sera que justice. Le chevalier se croit au-dessus du genre humain, il finira abandonné de tous et ce ne sera que justice. Choquée d'entendre parler ainsi de l'homme à qui elle doit presque tout, Nine réplique :

— J'ai la chance, Madame, de connaître Monsieur votre fils sous un jour infiniment plus flatteur.

La princesse soupire.

— Vous le connaissez peu, et vous êtes encore au bel âge où l'on nourrit des illusions. Il vous décevra aux larmes, j'en prends le pari. Pariez-vous avec moi ?

Nine montre sa défroque monacale abandonnée sur le tapis.

— Volontiers, mais je crains de n'avoir que moi-même à mettre en gage.

La princesse lève son face-à-main et la considère d'un œil aussi froid qu'un pain de glace.

— Sans le nom de votre mari, valez-vous quelque chose, ma chère ?

Nine fait signe à la jeune fille qui la poudre de s'écarter. Dans une robe ballante qui souligne la poitrine puis s'évase sans comprimer les côtes, avec trois doigts de point de Venise en guise de collier, une perruque dont les boucles torsadées descendent jusqu'aux épaules et des gants hauts, elle n'a plus du tout l'air campagnard et ses cicatrices ne se remarquent pas. Elle se tourne vers la princesse et esquisse une révérence.

— J'ai la faiblesse, Madame, de croire que ma valeur ne doit rien au comte de Cholay.

— Tiens donc ! Vous chantez ? Vous dansez ? Vous jouez de la musique ?

— Hélas non.

— Vous dessinez, alors ?

— Non plus.

— Si vous ne savez rien faire, qu'auriez-vous à m'offrir?

Nine a remarqué sur le décolleté de la princesse un épais grain de beauté curieusement bicolore. Elle s'approche et le tâte du bout du doigt.

— Quelques années de vie, peut-être? Si vous acceptiez de suivre mon conseil, vous vous feriez ôter cette loupe avant qu'il lui prenne fantaisie de pousser des racines et de se transformer en tumeur.

La princesse de Guéméné recule sur son siège comme si la main de Nine l'avait brûlée.

— Qui êtes-vous pour prétendre connaître ces choses-là? Une sorcière? Savez-vous le sort qu'on réserve aux sorcières?

Dans la voiture qui les emmène au château de Villers-Cotterêts où le duc d'Orléans doit passer sa lune de miel, Rohan rit aux éclats.

— Une sorcière? Mais c'est très exactement ce dont Monsieur a besoin!

Nine n'est pas d'humeur à plaisanter. Elle vient de passer un an enfermée dans une chambre de torture puis neuf mois au fond d'un couvent, et revenir si brusquement dans le monde la terrifie. Le moindre bruit la fait sursauter, la perspective de retrouver des personnes de connaissance et celle de rencontrer des inconnus lui donnent envie de rentrer sous terre, et elle ne voit pas du tout comment elle va persuader une Altesse royale qu'elle n'a jamais vue et dont elle n'entend pas la langue de se laisser baigner, parfumer et maquiller par ses soins. Elle trouve la princesse Palatine assise à un bureau, une cape de zibeline sur les genoux, occupée à écrire une lettre assurément très touchante car elle pleure à chaudes larmes. À la droite de son fauteuil se tient une femme d'âge mûr à carrure et visage de grenadier qui lui tend des mouchoirs et paraît presque aussi affligée. Derrière le grenadier, Nine reconnaît Henriette de Gordon-Praslin qui occupait la charge de dame d'atour de la défunte Madame. Cette très antipathique personne vient d'Écosse, a les joues grêlées, crache en parlant dans la bouche des gens, ne peut s'empêcher de tripoter les boutons de chausses des messieurs et se croit infiniment spirituelle. Comme la Gordon l'ignore superbement, que le grenadier examine avec application les mouchoirs sales de sa maîtresse, et que ladite maîtresse se barbouille le nez d'encre en l'essuyant avec sa main, Nine bande son courage, fait une série de révérences aussi profondes que ses genoux le permettent, et s'avance jusqu'au milieu de la pièce en disant :

— Si Son Altesse royale veut bien m'accorder un moment, je lui suis adressée pour lui montrer des fards et des parfums d'un genre assez nouveau.

La nouvelle Madame pivote d'un bloc sur son siège. De face, on dirait un bouledogue.

— Je n'aime ni les fards ni les parfums. Vous êtes ?

— Nine Marie, comtesse de Cholay.

— C'est Monsieur qui vous envoie ? Je sais qu'il n'est pas content de moi. Je fais la meilleure mine possible depuis nos épousailles, mais je vois bien que je ne lui plais pas du tout. Ce qui n'est pas un tour de force, disons-le, laide comme je suis.

Son français est très correct, mais elle prononce « *che* » au lieu de « je », « *époussailles* » et « *dissons-le* » en appuyant les consonnes. Et oui, elle est laide. Elle l'est même de la laideur la mieux propre à dissuader Monsieur. Le problème n'est pas tant le manque d'harmonie de ses traits et de sa silhouette que leur rusticité. Cette princesse vient d'épouser le premier fils de France, qui se trouve être aussi l'homme le plus délicat de la Cour, et elle a un physique de fille de ferme. Elle en a aussi le fumet. Quand elle se lève et se campe en écartant bras et jambes, son odeur corporelle est si forte que Nine, gênée, baisse les yeux. Avec une simplicité déconcertante, la princesse tourne sur elle-même et dit :

— Jugez-en par vous-même !

En France au mois de novembre les dames s'habillent de velours, de soie lourde, de brocarts. Madame porte une robe de taffetas bleu pâle adaptée à un bal de province, les cheveux nus gras et plats, et pas un seul bijou. Sous son jupon passe la moitié d'une pantoufle qui doit venir de son pays, comme la robe, et qu'elle use sans doute depuis l'enfance tant le tissu en est râpé. Suivant le regard de Nine, la princesse empoigne ses jupes et se retrousse. Les mollets aussi robustes que ceux d'un terrassier sont gainés de laine et les pantoufles fourrées ressemblent à celles que François La Vienne porte au coin de son feu. Madame a un large sourire contrit.

— J'aime avoir chaud aux pieds.

Ce sourire et ce mot vont droit au cœur de Nine. Elle sourit pareillement et répond :

— Moi aussi, Votre Altesse. L'hiver, je mets de la paille dans mes souliers. La paille protège mieux que la peau de mouton, et elle absorbe l'humidité.

Madame donne une tape enthousiaste sur l'épaule du grenadier et s'exclame :

— Entendez-vous, Kolb ! Voilà une Française qui nous ressemble !

Puis, revenant à Nine, elle explique :

— C'est ma gouvernante. Je l'ai amenée du Palatinat, j'espère que Monsieur me la laissera car c'est la seule personne avec qui je me sente en confiance. Êtes-vous mariée ?

Le sourire de Nine pâlit.

— Oui, Votre Altesse.

— Bien mariée ?

Nine hésite.

— Pas selon mon goût, Votre Altesse. Mais rares, je crois, sont les femmes qui le sont.

La princesse se rassied. Elle s'assied comme un homme au retour des champs ou de la chasse, les jambes largement écartées et les mains posées à plat sur les cuisses.

— Votre franchise me plaît. Il paraît qu'en France il faut parler abondamment des choses sans importance et pas du tout des choses qui en ont. Depuis une semaine je n'ai rencontré que des gens qui répondaient à mes questions par des considérations sur le temps à la Toussaint et la richesse des arcs de triomphe montés en l'honneur de mes noces. Je voudrais bien pourtant que quelqu'un me dise ce que je dois être ou faire pour que Monsieur me regarde avec moins d'horreur.

Nine laisse passer quelques secondes avant de répondre :

— Je le dirai à Son Altesse si vraiment c'est son souhait. Mais je pense qu'elle l'entendrait mieux si nous étions seules toutes les deux.

— Kolb n'est personne, elle peut rester. Merci, Madame de Gordon-Praslin, nous nous verrons plus tard.

Une fois l'Écossaise sortie, Madame tire son fauteuil sous la fenêtre afin que la lumière l'éclaire crûment et demande :

— Alors? Comment me trouvez-vous?

Nine s'accroupit devant elle.

— Donnez-moi vos mains, Votre Altesse.

— J'ai des pattes de taupe, vous n'en tirerez rien.

Les doigts sont épais, les ongles malpropres. Nine ouvre la paume rougeaude.

— Votre Altesse ne pense-t-elle pas que le plus sûr chemin pour gagner le cœur de quelqu'un est d'apprendre ce qu'il trouve agréable, et pourquoi il le trouve agréable?

— Certainement.

— Voulez-vous que je vous montre ce qu'aime votre époux? Je l'ai servi au Palais-Royal, et si l'on ne m'avait mariée, je serais encore à ses genoux comme je le suis aux vôtres, en train de lui masser les mains et de lui parfumer les orteils.

— Ici les comtesses rendent ces sortes de services? Quel étrange pays!

— Je suis de naissance modeste, Votre Altesse. Mon père tient un établissement de Bains et mon oncle un atelier de perruquerie.

— Vraiment? Vous devez être fort rusée, car il n'y paraît pas du tout!

Nine sourit du compliment.

— Votre Altesse apprendra vite qu'en France, rien n'est plus utile qu'une panoplie de masques. Monsieur en use et en abuse, se donner à voir sous d'autres traits est même sa passion.

— Sous d'autres traits? Comment fait-il cela?

— Si vous vous prêtez au jeu, je puis faire la même chose, tout de suite, sur vous-même.

Madame étire ses lèvres sinueuses en une moue de poisson-chat.

— Mon mari sera-t-il plus content de moi?

Les yeux de Nine pétillent.

— C'est là le but, n'est-ce pas?

La princesse éclate de rire.

— Oui, c'est le but! Décidément vous me plaisez, Madame de Cholay! Faites-moi donc ce que vous faites à Monsieur, et voyons s'il en sort quelque chose de bon!

Il en sort un mariage consommé. À Châlons, où il a fait la connaissance de Madame et passé sa première nuit avec elle, puis à Épernay et à Château-Thierry où ils ont dormi sur le chemin de Villers-Cotterêts, Philippe d'Orléans n'a pu tenir un quart d'heure au lit avec sa femme et il ne l'a pas touchée. Ce soir-là, il découvre sur l'oreiller voisin une personne certes grasse et hommasse, mais poudrée et coiffée, la peau onctueuse et fleurant le réséda. L'indispensable est expédié sans plaisir pour la dame, mais sans déplaisir pour le monsieur. Comme la princesse Palatine, habituée à se coucher de bonne heure, s'endort sitôt le soupir de son seigneur poussé, Monsieur s'endort à l'unisson et le matin les trouve sous la même couverture, surpris et soulagés tous les deux. L'honneur est sauf, l'alliance avec le Palatinat aussi, et la robustesse de sa nouvelle moitié permet à Monsieur d'espérer qu'elle lui donnera quantité de gros garçons.

Le duc d'Orléans aime à récompenser les services rendus. Sitôt retourné dans ses appartements, il convoque Nine. Lorsqu'elle entre, pâle et émue de le retrouver, il vient à elle avec un sourire espiègle.

— Madame de Cholay! Vous m'avez fâché en me quittant l'an passé, mais la satisfaction que vous me donnez aujourd'hui efface ma colère d'hier. Soyez la bienvenue parmi nous!

Nine le regarde droit dans les yeux.

— Je ne vous ai pas quitté de mon plein gré, Votre Altesse.

— Vous épousez en catimini un très bel homme très bien né, vous vous sauvez nuitamment avec lui, et je suis censé croire que l'on vous a forcée?

Nine détourne le regard. Monsieur la prend par le coude et l'amène dans un coin de la pièce.

— Je vous ai connue plus bavarde du temps que vous n'étiez pas comtesse, Mademoiselle le neveu. Notre ami Cholay vous a déçue? Il est très vigoureux, pourtant.

Nine hésite, puis d'un geste rapide baisse l'épaule de sa robe.

— Très imaginatif aussi.

Monsieur contemple avec effarement les traces de brûlures qui marquent la poitrine menue. Nine commente à voix basse :

— Ces décorations ont été faites l'hiver dernier, avec le tisonnier.

Elle s'est déjà recouverte. Monsieur chuchote :

— Miséricorde... Qui sait cela?

— Les moniales d'Almenêches qui m'ont soignée. Le chevalier de Rohan qui est venu me chercher de votre part. Et maintenant Votre Altesse.

Philippe d'Orléans se signe.

— Vous ne retournerez pas en Normandie. Vous allez rester chez moi.

— Le roi le permettra? C'est Sa Majesté qui a cantonné mon mari sur ses terres, et moi avec lui.

— Je lui dirai que si la France veut rester amie de l'Électeur palatin, vous devez travailler chaque jour à me rendre mon épouse plus gracieuse que ses parents ne l'ont conçue. Nine La Vienne servait Monsieur sans charge attritrée, la comtesse de Cholay servira Madame de la même façon, et je vous donnerai sur ma cassette ce que vous me demanderez. Lorsque nous serons ici ou à Saint-Cloud, vous y serez avec nous, à Versailles également. Lorsque nous résiderons à Paris, vous logerez au Palais-Royal, votre service sera réduit au nécessaire et vous consacrerez le reste de votre temps à étudier Hippocrate et Galien comme vous le désiriez. J'ai réfléchi à la chose. La Faculté de Paris est puissante, et même s'il prend plaisir à l'entendre moquer par Molière, le roi la craint. Pour ne pas braquer les docteurs et risquer une interdiction royale, nous ferons votre inscription sous le nom de Ninon La Vienne, qui peut aller à un garçon aussi bien qu'à une fille. Vous irez aux leçons en neveu de maître La Vienne. Ce déguisement-là ne vous coûtera pas grand effort, et il vous mettra de plain-pied avec vos pairs. Lorsque vous aurez obtenu vos diplômes, ce qui ne sera pas avant cinq ou six ans, nous trouverons bien un moyen de rendre à votre sexe ses lauriers.

Nine a les larmes aux yeux. Le duc d'Orléans sourit avec malice.

— Sera-t-il dit qu'après quelques détours vous obteniez toujours ce que vous souhaitez, Mademoiselle le neveu?

Après quelques détours...

Puisse ce mot s'appliquer à vous et moi, Charles.

Tout en vous écrivant, je prie qu'au bout du chemin, au bout de cette histoire, nous nous retrouvions.

Je vous attends depuis le premier jour, celui de votre fureur et de mon désarroi, celui du fils de roi et du fils de personne, celui de vos yeux sur ma bouche et de votre poids sur mes genoux.

Ce jour-là, où je vous ai fait don de moi.

Ma dévotion vous met mal à l'aise, vous n'en demandiez pas tant, l'idée de mon sacrifice vous déplaît?

Je n'ai jamais choisi d'aimer. C'est l'amour qui m'a choisi.

Il me reste à vous conter comment.

Le matin du mardi gras de 1672, le train de neuf carosses qui suit la voiture où ont pris place Monsieur et Madame s'arrête dans l'avant-cour de Versailles. Batiste Le Jongleur a œuvré jusqu'à l'aube pour installer une fontaine d'eau potable dans l'appartement de l'aile sud que Sa Majesté fait moderniser en l'honneur de sa nouvelle belle-sœur. Jour, nuit, dimanche et jours chômés, depuis sa sortie de prison Batiste n'a fait que poser et souder des tuyaux. Dents serrés, sans relâche. Par reconnaissance envers François Francine qui l'a tiré de sa geôle, affranchi de Denis Jolly, enrôlé dans son équipe, qui malgré son passé criminel lui témoigne une entière confiance, qui estime ses idées et le traite moins en ouvrier qu'en fils adoptif? Non. Le secours de Francine a été payé, et même très bien payé. Lorsque l'intendant des fontaines de sa

Majesté s'est rendu à la Conciergerie pour offrir au condamné Le Jongleur sa libération en échange du secret d'une certaine machine dont parlait certaine lettre d'une certaine comtesse transmise par certain chevalier, il n'agissait pas par générosité, mais par intérêt. La fameuse machine, dont Batiste avait expliqué le mécanisme à Nine La Vienne au temps heureux où il la retrouvait sous les tilleuls du Palais-Royal, permet à un ouvrier aidé d'un moulin à vent, à eau ou à bras, de polir vingt-quatre glaces dans le temps qu'il mettrait à en polir une seule. Séduit par ce moyen d'accroître considérablement la productivité des vitriers de Versailles, Monsieur Colbert a accordé à François Francine l'exploitation exclusive du procédé pour une durée de trente ans avec interdiction à quiconque de le contrefaire. L'intendant des fontaines était déjà un homme riche et bien en cour. Il est maintenant encore plus riche et Monsieur Colbert ne jure que par lui. Céder son invention a sauvé Batiste, mais perdre le moyen sur lequel il comptait pour s'assurer un avenir honorable l'a empli d'une amertume que sa liberté retrouvée n'a pas réussi à tempérer. Il sait que la comtesse de Cholay a quitté sa Normandie et qu'elle a passé l'hiver auprès de la seconde épouse de Monsieur. Mille fois il a songé à courir la voir à Saint-Cloud ou au Palais-Royal. Mille fois, en touchant les cicatrices laissées par les brodequins sur ses chevilles et la fleur de lys gravée au fer rouge sur son dos, il y a renoncé. Il a écrit des dizaines de lettres. L'une après l'autre, il les a déchirées. Les mois égrenés dans le cloaque de la prison à ressasser ses deuils, ses fautes et ses échecs l'ont marqué plus profondément que les pincettes du bourreau. Il n'est plus un magicien. Il a perdu sa gourmandise de vivre et sa foi dans sa bonne étoile. Il n'a rien à offrir à une femme. Surtout cette femme-là.

Pourtant quand l'essaim des dames de la duchesse d'Orléans descend en bourdonnant des voitures, il grimpe sur un muret et cherche des yeux la silhouette de demoiselle Ninon. Il la reconnaît immédiatement, petite et gracile derrière une Allemande aussi large que haute. Elle porte la cape fourrée qu'elle avait le jour où elle l'a embrassé. Sur le perron de la cour royale elle se retourne, son regard fouille la cohue des valets qui transportent les malles et s'attarde du côté de la grotte de Thétys. Batiste se rencoigne dans l'ombre. En perruque, le visage plâtré, la comtesse de Cholay appartient à un monde auquel le fils de La Mamelle et du curé Philippeaux n'accédera jamais. Le sort de Batiste est de continuer à installer des coulettes à pisser, de dormir dans le bâtiment de la Pompe avec les garçons fontainiers, de creuser le sol comme une fourmi pour alimenter les fontaines que cette jolie dame admirera au milieu de ses pareilles, en s'abritant sous des ombrelles et en dégustant des sorbets. Hormis quelques souvenirs, elle n'a rien en commun avec lui. Il ne doit pas la revoir.

Ce soir-là, le lendemain, tous les soirs de la semaine, Nine l'espère. De peur de croiser Louis XIV elle ne quitte pas le cabinet où Madame lui a fait dresser un lit de camp, et elle compte les heures qui lui semblent aussi lentes et lourdes que celles de sa convalescence dans la cellule de l'abbaye. Heureux de la retrouver saine et sauve, son parrain vient lui conter l'almanach de la Cour. La duchesse de La Vallière souffre des froideurs de Sa Majesté, et à seulement vingt-six ans elle prépare sa retraite au couvent. Le roi a encore besoin d'elle, il ne veut pas en entendre parler. Madame de Montespan se trouve à nouveau grosse. La veuve du poète Scarron élève les deux enfants dont la faveur royale l'a déjà pourvue dans une maison louée par les soins de Colbert. Le roi se porte bien. Fort de l'alliance anglaise conclue grâce à la première Madame, il prépare une nouvelle campagne contre les Hollandais qui sont trop prospères et trop insolents. Cette guerre-là promet d'être terrible, mais Sa Majesté n'épargnera rien pour augmenter sa gloire dont l'éclat doit éblouir l'Europe et porter jusqu'en Chine. Le roi a froncé les sourcils en apprenant que la comtesse de Cholay avait quitté ses provinces malgré sa défense, mais quand Monsieur lui a expliqué le comment et le pourquoi, il est passé de la colère à la stupeur. Il savait que le comte de Cholay jouait, pas qu'il battait les femmes. Monsieur a voulu donner d'horribles détails que le souverain a refusé d'entendre. Il a semblé très contrarié et la nuit suivante, il a fait des cauchemars. L'avis du brave Bontemps est que son maître, qui a le cœur meilleur qu'il n'y paraît, regrette d'avoir précipité ce mariage. Nine peut dormir tranquille, il ne la renverra pas à Almenêches.

Nine ne peut pas dormir. Elle pense à Batiste.

Il vient le matin du départ, alors qu'elle a cessé de l'attendre. Elle surveille le chargement de son bagage à l'arrière d'un carrosse. Elle ne le voit pas arriver, elle se tourne et il est là, si près qu'en tendant la main elle pourrait caresser sa joue. C'est la première idée qui lui vient : tendre la main et caresser sa joue. Pourtant ce garçon-là ne ressemble pas à celui qui rit dans sa mémoire, son visage est plein d'ombres et de creux, ses yeux ne sont plus verts mais gris foncé. Gris de nuit. Gris de suie. Elle tend la main, caresse sa joue et dit doucement :

— Vous avez changé.

Il ôte son bonnet de laine. Dessous, son crâne est entièrement rasé. Il la fixe comme s'il voulait imprimer son image sur sa rétine. Il demande d'une voix rauque :

— Pas vous ?

Il mord sa lèvre inférieure. Elle voit le sang perler sous ses dents et elle a mal pour lui. La voix du grenadier Kolb appelle la comtesse de Cholay depuis les fenêtres de l'appartement de Madame. Elle fait signe qu'elle arrive. Quand elle revient vers Batiste, il a disparu.

De retour au Palais-Royal, Nine se jette dans sa nouvelle vie comme si elle voulait s'y noyer. Elle connaît la loi qui permet aux maris de disposer à leur gré du corps et des biens de leur épouse, et chaque fois qu'elle met le pied dehors, elle craint d'être empoignée, jetée dans une voiture et livrée de nouveau à la férocité de son seigneur et maître. Aussi ne quitte-t-elle la maison de Monsieur qu'en passant par l'hôtel des Bains récemment inauguré, où elle entre en comtesse de Cholay et ressort en neveu de Jean Quentin. Perruqué à la brigadière et chaussé de souliers à boucle, le très crédible Ninon La Vienne traverse la Seine au Pont-Neuf et rejoint en un quart d'heure la rue de la Bûcherie, en face de l'Hôtel-Dieu, où sont enseignées les merveilles de la médecine officielle réparties entre quatre chaires : les choses naturelles et non naturelles étudiées sous l'angle de l'anatomie, de la physiologie et de l'hygiène, les choses contre-naturelles réparties entre pathologie et thérapeutique, la chirurgie, et la botanique. Les maîtres en robe longue et bonnet carré sont élus pour deux ans parmi les docteurs-régents de la Faculté. Leurs leçons consistent à lire en latin Aristote, Hippocrate et Galien, dont chaque chapitre est souligné par un dithyrambe également en latin. Partant de ces vérités immuables, les docteurs se divisent en deux écoles qui toutes deux prônent le primat de la raison sur l'expérience, appliquent l'esprit de système hérité de Descartes, et veulent à toute force faire entrer la réalité dans le moule de leurs théories. Les plus nombreux, qu'on appelle iatromécanistes, voient dans le corps humain un assemblage d'organes comparables à des outils et fonctionnant selon les lois de la physique. Le cœur ressemble à un ressort, les poumons à un soufflet, l'estomac à un alambic, les muscles à des cordes, les viscères à des filtres et les veines à des tuyaux. Pour les tenants de cette médecine essentiellement évacuante, soigner consiste à déboucher puis à vider. En les écoutant vanter à l'envi purgations et saignées, Nine songe qu'ils feraient d'excellents plombiers. La seconde école est celle des iatrochimistes qui expliquent la maladie par la révolte des «archées». Les archées sont les régulateurs occultes de l'organisme, ils tempèrent la lutte entre les humeurs acides et alcalines, les fermentations et les effervescences. Cette médecine-là se veut plus expectante qu'agissante, et elle recommande comme remède universel la diète avant, pendant, et après la maladie. L'étudiant Ninon La Vienne voit mal ce que les gens qui manquent de pain gagnent à jeûner quand ils ont la fièvre. Il note également avec inquiétude que ses maîtres encouragent à saigner un malade jusqu'à vingt-quatre fois en deux jours au motif que le sang ressemble au lait : plus on le tire, mieux il se reforme. Formée par la lecture de Paracelse qui préconise une science assise non sur des principes mais sur la pratique au chevet du malade, Nine s'effare d'apprendre qu'un médecin digne de ce nom évite de dévêtir, palper et explorer son patient. Pour établir le diagnostic puis la thérapeutique, il doit se contenter de poser des questions sur le siège du mal et ses manifestations, puis d'observer le faciès, la langue, les yeux, le pouls, les urines, les selles et le sang. Le pouls, qui se prend en posant trois doigts sur la saignée du bras, peut être égal, et, dans ce cas, véhément ou languide. Il peut au contraire être inégal, et, dans ce cas, réciproque, intermittent ou défaillant. Ou encore être petit, tendu, élancé, convulsif, rare, tardif, ondoyant, vermiculant, fourmillant, tremblant, ondeux, large ou mol. Le sang s'examine après la saignée, dans son état liquide ou figé. Un aspect noir et aqueux est la marque de la fièvre quarte. Une coloration jaunâtre indique que le mal est à la rate, un sang vert bleuâtre qu'il est au foie, celui qui est roussâtre, dur et coagulé témoigne d'une paralysie. L'urine s'analyse en agitant un récipient transparent afin d'apprécier l'odeur plus ou moins morbide, la couleur blanche, orangée, safranée, rouge, vineuse, verte ou bleue, enfin la subtilité ou la grossièreté de l'hypostase, qui est le dépôt formé au fond de l'urinal. Préventive ou curative, la saignée se pratique à la lueur de la bougie, dans une chambre aux volets clos. On perce les veines du front, des tempes, du bout du nez et des angles internes des yeux pour les migraines, les maux des yeux et les infirmités de la face. Celles de la lèvre inférieure et de la langue pour les ulcères de la bouche et les maux de dents. La veine médiane du bras, pour les maux du cœur et des poumons. La veine basilique du bras droit, pour le foie, et du bras gauche, pour la rate. Les veines des genoux, pour les douleurs aux reins, aux cuisses, à la vessie. Celles qui gonflent au-dessus du pied, pour la gravelle et la stérilité, enfin celles des pieds, pour les hémorroïdes, les dysfonctionnements de la matrice et l'aménorrhée. Après la diète et la saignée, la purgation est le remède le plus en vogue. Elle se fait par le haut, à l'aide d'un vomitif, ou par le bas, au moyen d'un clystère. Le clystère est une injection liquide introduite dans les intestins pour les rafraîchir, lâcher le ventre, irriter la faculté expulsive, dissiper les vents et faciliter l'accouchement. Ambroise Paré dit qu'il a été inventé par les Égyptiens imitant les cigognes qui utilisent couramment leur bec comme une seringue. Cette médecine est très commode. Pourvu que l'« escopette d'Hippocrate » soit habilement maniée, le lavement au son, au lait, aux herbes, de type remollitif, carminatif, astringent, lénitif ou laxatif peut s'administrer au milieu d'un salon, sans cesser de parler à ses proches, et se rendre au gré des visites que l'on fait, en demandant simplement à utiliser la garde-robe de son hôte. On peut purger sans modération, mais de préférence le matin, et si possible à la lune descendante. Les médecins du roi en donnent l'exemple avec un bel enthousiasme, et Sa

Majesté se trouve fort aise d'être ainsi nettoyée deux ou trois fois par semaine.

Nine est affreusement déçue. Ses maîtres sont certes savants, mais aussi dogmatiques et obtus que les philosophes dont elle écoutait en cachette les leçons quand elle avait douze ans. Parce que Galien ne connaissait pas cette plante, ils méprisent l'écorce de quinquina dont la découverte récente permet de soigner les fièvres intermittentes qu'on prend dans les marais. Parce que Hippocrate ne s'est pas penché sur assez d'animaux décapités ou d'hommes amputés, ils rejettent en bloc les théories circulationnistes que l'Anglais Harvey a publiées voilà plus de quarante ans et qu'ils s'obstinent à trouver paradoxales, inutiles, impossibles, absurdes et nuisibles. Leurs enseignements ne sont accompagnés d'aucune démonstration en hôpital, d'aucune expérience en laboratoire, d'aucune dissection. La brève fréquentation des blessés de la guerre des Flandres a plus appris à Nine sur la façon dont le corps humain s'articule et se désarticule, respire et expire, que les interminables leçons de ces doctes messieurs. Il faut trois ans pour devenir bachelier, puis deux pour obtenir une licence, et encore deux pour accéder au doctorat. Le tout, à Paris, coûte entre cinq et six mille livres. Cette caste médicale qui protège jalousement ses acquis, qui malgré les avancées faites à l'étranger refuse d'évoluer, qui réserve ses lumières aux malades capables de payer la consultation une livre, soit cinq fois le salaire quotidien d'un journalier, incarne tout ce que Nine déteste. L'exercice arbitraire d'un pouvoir égoïste, la certitude de détenir la vérité, le refus de se remettre en question, le droit de vie et de mort sur autrui, le mépris des femmes et des humbles. Elle sait un gré infini au duc d'Orléans de financer sa scolarité et de cautionner son travestissement, mais elle préfère passer pour une capricieuse et une ingrate que de s'enferrer dans un mensonge où elle craint de perdre le meilleur d'elle-même. On peut apprendre la chirurgie sans passer par la médecine. Les chirurgiens cousinent avec les barbiers perruquiers, leur métier est considéré comme un artisanat et il s'acquiert essentiellement sur le terrain. Nine demandera au duc d'Orléans son appui pour trouver un maître chirurgien qui l'acceptera sous sa véritable identité et à temps partiel. Elle a plus à offrir qu'un apprenti ordinaire. Elle a pratiqué la barberie puis la perruquerie, elle connaît la pharmacopée de Nicolas Lemery par cœur, elle a rempli dix cahiers de recettes personnelles à base de senteurs, et du haut de ses dix-huit ans, elle a suturé plus de plaies et curé plus d'abcès que le doyen de la Faculté. Elle suivra les cours d'anatomie et les démonstrations sur la grande et la petite circulation du sang qui sont dispensés publiquement et gratuitement dans l'amphithéâtre du Jardin du roi. Cet établissement créé en marge de la Faculté de Paris par un médecin de Louis XIII offre également des leçons de botanique, de pharmacie galénique et chimique, et son jardin de plantes médicinales est ouvert à tous. Nine mènera ses recherches personnelles et son apprentissage de front. S'il lui faut sacrifier sa position au Palais-Royal, elle le fera. Elle a survécu à dix-huit mois de barbarie conjugale et à une chute qui l'a émiettée, ce n'est pas pour renoncer en chemin. Batiste ne l'appellera plus « demoiselle Ninon » mais « maître Ninon ». Elle sera le premier chirurgien en robe du règne de Louis XIV, elle obtiendra la dissolution de son mariage, et sitôt libérée elle partira en Angleterre ou sur la lune avec l'homme qu'elle aime. Elle aime Batiste Le Jongleur, oui. Elle ne le lui a pas dit, mais elle espère qu'il l'a compris. Elle espère aussi qu'en dépit des ombres et des creux qui endeuillent son visage, il se prépare pour elle comme elle se prépare pour lui.

Le comte de Cholay ne voit pas du tout le paysage de la même façon. Dans l'exaspérante solitude de son château normand, il a amplement le temps de penser au passé, au présent et à l'avenir. Le leveur de sorts n'a pas réussi à le débarrasser d'une épouse dont le souvenir donne des démangeaisons à son épée. Après lui avoir échappé en se réfugiant dans la maison de Dieu, la sorcière continue de le narguer en s'abritant dans la maison de Monsieur. Il la hait. Mais elle demeure sa femme, et les femmes servent à faire des fils. De gré ou de force, dans quelques semaines ou dans quelques mois, cette vermine lui en donnera un. Si le fruit n'est pas mâle, il s'obstinera jusqu'à obtenir son dû. Après quoi il gardera l'enfant et il éliminera la mère. Définitivement. Le comte affûte ses armes et entretient une correspondance fournie avec ses amis Effiat et Beuvron qui ont chacun un pied au Palais-Royal et l'autre à Versailles. Le roi veut la guerre avec la Hollande pour étendre sa gloire, Monsieur Colbert pour élargir le commerce, et l'Angleterre notre alliée pour anéantir la marine hollandaise qui lui fait concurrence. Un souverain en campagne a besoin de toute sa noblesse auprès de lui. Emmanuel de Cholay ronge son frein dans l'espoir que Sa Majesté rendra bientôt au fils unique d'Amédée de Cholay, fidèle compagnon de Louis XIII, la place qui lui est due.

Le 6 avril 1672, en rentrant au Palais-Royal après un entretien avec le doyen du collège Saint-Côme qui offre une formation théorique aux apprentis chirurgiens, Nine trouve Madame aux quatre cents coups. La France vient de déclarer la guerre aux Provinces-Unies. Et le comte de Cholay n'est plus à Almenêches mais à Paris. Plus précisément dans une piscine de l'hôtel des Bains, en train de se divertir avec Monsieur qui après l'avoir querellé un moment sur la façon dont il traitait son épouse s'est laissé mener par lui comme un agneau, ou plutôt une brebis.

Mathilde la dindonnière a toujours la peau douce. Lorsque Batiste lui rend visite aux cuisines, elle l'emmène en cachette dans le fruitier et elle lui bande les yeux avec un torchon pour qu'il puisse la toucher sans la voir. C'est comme cela qu'il la désire maintenant, du bout des doigts et à l'aveugle. Elle fait comme il veut. Elle prend ce qu'il lui donne, elle ne demande rien de plus, rien d'autre, et quand elle lui parle d'amour, c'est avec le corps, pas avec des paroles. Il apprécie son silence autant que sa peau de soie, c'est pour cela qu'il revient. Il lui dit qu'il a de l'amitié pour elle, de la reconnaissance aussi, mais qu'il ne peut pas aimer, qu'il n'aimera jamais. Elle devine qu'il ment, et qu'en l'embrassant, c'est à Nine La Vienne qu'il pense. La souris brune qui voulait acheter les cheveux de Blanche, qui a opéré Pierre et qui a sauvé Batiste en allé-chant Monsieur Francine avec une promesse de machine à laquelle elle, Mathilde, n'a rien compris. La comtesse de Cholay. Celle que le roi a mariée la nuit du réveillon avec un ancien galant de Monsieur qui vit en Normandie où il cogne à mort ses épouses parce qu'elles ne lui donnent pas d'enfant. Après avoir retrouvé la trace de Nine La Vienne comme Batiste le lui avait commandé, Mathilde s'est renseignée. Le comte de Cholay est un monstre de la même famille qu'Anselme Boniface, un qui jouit de piétiner les femmes. Mathilde n'est pas jalouse, elle aime Batiste de tout son cœur, et tout son cœur voudrait le voir heureux. Si elle l'osait, elle lui conseillerait d'ôter la souris brune à ce dangereux mari et de vivre avec elle ce qu'il n'arrive avec vivre avec aucune autre. Mathilde n'ose pas. Elle n'a pas l'habitude des mots. Elle craint de ne pas exprimer les choses comme il faudrait. Elle laisse le fontainier rêver à son amour perdu tout en la caressant contre les claies où les pommes récoltées à l'automne achèvent de mûrir, ensuite elle remet son tablier et elle retourne à ses rôts. Elle est montée en grade quand le régiment de son mari est reparti se battre en Hollande. Benoît est resté simple soldat, mais elle est passée aide volaillère et elle dépend maintenant de la Cuisine-bouche du roi. La Cuisine-bouche est le service qui a charge de préparer les repas servis à Sa Majesté et aux hôtes qui ont bouche à Versailles. À sa tête se trouvent quatre écuyers qui reçoivent les provisions livrées par les fournisseurs, les répartissent et contrôlent la qualité des plats. En dessous de ces officiers qui ont acheté leur charge la somme inconcevable de quatre-vingt-dix mille livres, on trouve quatre maîtres-queux, quatre hâteurs, quatre potagers et quatre pâtissiers qui achètent leur charge trente-six mille livres et servent aussi trois mois l'an. Le maître-queux prépare les entrées, les hors-d'œuvre, les viandes et volailles à la broche. Les petites entrées comptent généralement six poulets en fricassée, plus deux perdrix en hachis ; les hors-d'œuvre, trois perdrix au jus, plus six tortues à la braise, deux dindons grillés et trois poulets gras aux truffes ; les grandes entrées, un quartier de veau plus douze pigeons en tourte. Les hâteurs cuisinent les viandes rôties au four, qu'on appelle simplement le rôti. Les jours gras, sont proposés à Sa Majesté deux chapons gras, neuf poulets, neuf pigeons, deux hétoureaux qui sont de jeunes chapons, six perdrix et quatre tourtes. Les jours maigres, le rôti se compose de la moitié d'un saumon long d'au moins vingt-quatre pouces, soit soixante-cinq centimètres, et d'une grande carpe. Les potagers ont charge des soupes, potages, fonds de sauce, et bouillons de santé ordonnés par le premier médecin, et les pâtissiers font les desserts sucrés, les assiettes de biscuits et les gâteaux. Les uns et les autres sont aidés par les galopins et enfants de cuisine qui ont acheté douze mille livres le droit de piquer les viandes et de dormir à côté des pots où mijotent les bouillons. Mathilde n'a pas de statut, le maître-queux la paie quinze sols par jour, elle doit se plier à tout ce qu'il lui commande, elle plume et larde souvent de quatre heures du matin à minuit, mais elle est fière de contribuer à nourrir le roi, sa famille et ses invités. Mathilde est une âme simple et bonne, se sentir utile lui suffit, quand elle voit ses poulardes tourner sur la broche, elle se sent aussi comblée qu'une femme de sa condition peut l'être.

Batiste est loin de partager ce contentement béat. Travailler de l'aube jusqu'à la nuit noire pour l'homme qui a supplicié sa mère et qui l'a marqué au fer rouge lui donne des envies de meurtre. Il devrait remercier Dieu d'avoir échappé à un sort mérité, il devrait se repentir de ses fautes, bénir la vie qui lui a été rendue et trouver dans un labeur acharné une forme de rédemption. Au lieu de cela, il rumine une rage que le sentiment de consacrer chacun de ses souffles à Louis le Quatorzième ne fait qu'attiser. Les courtisans et le petit peuple croient que Sa Majesté choisit d'engloutir des fortunes à Versailles par fidélité à la mémoire de son père et parce qu'elle aime chasser ici plus qu'à Fontainebleau ou à Saint-Germain. Le roi avait cinq ans lorsque son père est mort, et d'après sa vieille nourrice, feu Louis XIII lui inspirait plus de frayeur que d'affection. S'il a choisi Versailles, ce n'est ni par piété filiale ni par goût du grand air. C'est à cause de la folie de grandeur qui lui tient lieu de raison. Il veut imiter Dieu donnant forme et vie à l'univers, plier la nature et lui imposer sa propre loi. Depuis dix ans il s'acharne à domestiquer l'eau, le vent, la terre et les forêts en sorte de recomposer un paysage entier à l'image qu'il souhaite imprimer de son règne. La victoire de la lumière d'Apollon sur les ténèbres des siècles passés, de l'ordre jupitérien sur le chaos de la Fronde. Ses buis taillés peuvent créer l'illusion d'une broderie sur un immense tapis, ses fontaines gicler jusqu'au ciel et la flotte du Grand Canal tirer au canon devant la foule éblouie, Batiste n'est pas dupe de la poudre jetée aux yeux des crédules. Il n'a plus le sentiment de participer à une grande œuvre mais d'être un galérien au service d'un despote. Les Hollandais pensent comme lui, qui voient en Louis XIV un nouveau César, affamé de conquêtes, rêvant de mettre à genoux ceux qui lui portent ombrage. Sa Majesté est partie au combat avec des forces trois fois supérieures à celles de sa première campagne, et pendant que Monsieur Van der Meulen peint la traversée du Rhin impétueux à cheval, Monsieur Colbert rédige d'alléchantes *Propositions sur les avantages que l'on pourrait bien tirer des États de Hollande pour l'augmentation du commerce du royaume.* Les Provinces-Unies ont dix fois moins de soldats, mais leur capitaine général, le prince Guillaume d'Orange, prétend à seulement vingt-deux ans rivaliser avec le Grand Condé et voue à la France une haine mortelle. Résolus à résister par tous les moyens, les Hollandais ouvrent leurs écluses et rompent leurs digues. L'inondation bloque l'avancée des troupes, Amsterdam transformée en île échappe au pillage et des escadrons de barques harcèlent les Français coupés de leurs arrières. Sûr de sa supériorité, Louis XIV ne voit pas qu'en fait de soumettre des «pêcheurs de hareng», des «marchands de fromage», il vient d'essuyer son premier échec guerrier. Sous les flatteries de Monsieur Boileau qui se pâme en criant : «Grand roi, cesse de vaincre ou je cesse d'écrire!», il reprend le chemin de Saint-Germain en laissant sur place vingt mille hommes. En attendant que Sa Majesté vienne prendre ses quartiers d'août à Versailles, Batiste jette des petites grenouilles vivantes à la carpe impériale qui nage au milieu des tritons du bassin de Latone. En quatre ans le poisson a doublé de volume et ses écailles luisent d'un bel éclat doré. Louis le Grand! Le soleil de ce siècle! Batiste serre les poings. Un roi est juste un homme. Même ce roi-là qui se prend pour un dieu. S'il le tenait tout seul au bord de ce bassin, Batiste ferait fi de son épée cloutée de diamants, de son cordon du Saint-Esprit, il lui arracherait sa grande perruque marron, il l'empoignerait par la nuque, il le basculerait sur la margelle, il lui plongerait la tête dans l'eau et il le maintiendrait ainsi jusqu'à ce qu'il étouffe. Les dieux sont immortels. Un roi se noie comme n'importe quel manant.

Nine ne rêve pas de tuer Louis XIV mais le comte de Cholay. Parti au front sous les ordres de Monsieur, son mari est rentré de Hollande avec lui. Philippe d'Orléans l'a menacé d'une disgrâce définitive s'il recommençait ses violences, il s'abstient donc de la frapper. Il n'exige pas non plus de partager sa couche et la laisse dormir sur un lit pliant dans le petit cabinet de Madame. Mais chaque fois qu'il la croise, il l'entraîne dans un recoin et il la force. Il n'attend pas que les environs soient déserts, il la pousse face au mur, se dégrafe, la trousse et en vingt coups de reins conclut son affaire. Pas un mot. Pas un regard. Il se reboutonne aussi lestement qu'il s'est déboutonné, crache par terre et s'en va. Quand Nine se retourne, le feu aux joues et la haine au cœur, il est à quelques pas de là, en train de deviser avec un de ses pareils. Elle se plaint à Monsieur de ces façons abjectes, mais le duc d'Orléans refuse de s'en mêler. Travailler à faire un enfant à sa femme n'est pas répréhensible, les maris s'acquittent de cette tâche de la façon qui leur convient, Nine doit prendre son mal en patience et coopérer, d'ailleurs le comte ne lui promet-il pas que dès qu'elle sera grosse, il la laissera en paix?

À l'automne 1672, Madame est enceinte, mais Nine toujours pas.

Ces messieurs repartent à la guerre qui s'enlise dans les plaines inondées.

Ils reviennent passer l'hiver au chaud tandis que les soldats demeurés sur les différents fronts mettent des crampons sous leurs bottes pour cheminer sur les étendues d'eaux gelées.

Le ventre de Madame s'arrondit et Monsieur chante ses louanges sur tous les tons. Celui de Nine reste plat et le comte de Cholay la viole deux fois par jour.

Au printemps, le roi reprend sa cuirasse et met avec le gros de l'armée le siège devant Maëstricht. Les rumeurs rapportées au Palais-Royal par Jean Quentin, maître ragoteur autant que maître perruquier, sont peu flatteuses. On chuchote que malgré les négociations entamées avec le prince d'Orange, Louis XIV prolonge la campagne par plaisir de chasseur, et que la souffrance des populations lui importe moins que les trophées à accrocher dans sa nouvelle galerie des Batailles. Qu'il a envoyé le prince de Condé à Utrecht et le maréchal de Turenne sur le Rhin afin de récolter seul des lauriers qu'à trente-cinq ans il ne veut plus partager. Que les troupes du maréchal de Luxembourg rançonnent cruellement les bourgs flamands et grillent les gens tout vifs dans leurs maisons. Que l'empereur d'Allemagne, la reine régente d'Espagne, le duc de Lorraine et même l'électeur palatin, beau-père de Monsieur, commencent à critiquer les prétentions et les façons du roi de France. On ne parle plus de Mars ni d'astre illuminant le monde, mais d'Attila et d'ogre assoiffé de sang. Le souverain de Versailles n'en a cure, il demande à Monsieur Colbert de lui envoyer un peintre au motif que le siège en cours fera quelque chose de beau à voir.

Le terme de Madame est prévu vers la mi-juin, et comme les médecins lui défendent de se promener, Nine lui apprend à composer des parfums à partir de l'essence de muguet dont raffole son époux. Son intimité avec la princesse s'est encore accrue après le renvoi en Allemagne de la fidèle Kolb, trop rustique et trop allemande au goût de Monsieur et du roi. Nine met l'absence de son mari à profit pour étudier le *Traité des maladies des femmes grosses et de celles qui sont nouvellement accouchées* du chirurgien Mauriceau, et pour suivre une dizaine d'accouchements auprès d'une sage-femme assermentée. La délivrance se fait à Saint-Cloud et dure seize heures pleines, dont cinq de douleurs atroces. Nine ne quitte pas le chevet de Madame. Quand l'enfant paraît, elle aide la matrone à le laver avec du beurre frais et de l'eau chaude mélangée d'eau-de-vie, puis à lui pétrir et façonner le crâne afin de rendre la tête bien ronde. C'est un garçon, grand et robuste comme un Allemand. Madame en a un bonheur et une fierté extrêmes, elle commande qu'on ouvre les fenêtres et les portes de sa chambre, la France entière est conviée à partager sa joie, on rit, on danse, on joue au hoca au pied de son lit.

François Francine vient de Versailles pour féliciter l'épouse de Monsieur. Batiste Le Jongleur l'accompagne. Quand il entre derrière son maître, la mine sérieuse et le chapeau à la main, Nine devient aussi pâle que les langes brodés du nouveau-né. Madame se redresse sur ses oreillers, tâchant à deviner qui, dans la foule des visiteurs, cause à sa chère Cholay une telle émotion. Francine a des yeux intelligents, mais il est trop vieux. Le garçon qui le suit, par contre... Madame tire Nine par le bras.

— C'est celui-là que vous avez sauvé des galères?

La gorge serrée, Nine opine. Madame fait sa moue de poisson-chat.

— Il faudra qu'un jour vous m'expliquiez ce qu'ont les garnements pour plaire tant aux dames...

Le désir prend parfois pour s'exprimer des détours incongrus. Cet après-midi d'été dans la chambre de Madame, la comtesse de Cholay et le fontainier Le Jongleur se disent quantité de choses, mais rien de ce qu'ils ont réellement à se dire. Nine retient que François Francine fait un maître acceptable, que l'allée d'Eau est achevée, que le dragon géant dans le bassin du même nom terrifie les promeneurs, que le Théâtre d'eau est une prouesse sans pareille, que la carpe impériale pèse maintenant douze livres, que Jeanne Jolly est enceinte d'Anselme Boniface, que Blanche prononcera ses vœux au début de l'an prochain, que la rousse Mathilde est toujours obligeante, que Batiste fréquente depuis quelques mois une sorte de pension où l'on enseigne gratuitement les langues et la philosophie, et que non, il ne compte pas se marier dans un avenir proche. Lui retient que Nine est striée de cicatrices parce qu'elle est tombée sur une charmille, qu'elle sait disséquer un cadavre, que la poudre des Jésuites décriée par la Faculté est du «quina-quina» ou «écorce des écorces», que le comte de Cholay a assiégé Zutphen avec Monsieur, que Madame est devenue une amie véritable, qu'être née femme est le pire des sorts, enfin qu'elle donnerait tout ce qu'elle possède en échange d'un instrument hollandais très nouveau et extraordinaire qui permet d'observer les animalcules contenus dans la semence mâle. Batiste n'a jamais entendu parler du microscope ni du savant Van Leeuwenhoek qui l'a inventé, mais il dispose de contacts à Amsterdam qui malgré la guerre pourraient acheminer le mystérieux instrument. Il voudrait juste savoir pourquoi Nine en a tant besoin. Sans ciller, les yeux limpides plantés dans les siens, Nine répond qu'elle n'adhère pas plus aux postulats ovistes qu'aux théories animalculistes, et qu'elle espère comprendre grâce au microscope comment l'homme féconde la femme. Le fontainier ouvre une bouche aussi ronde que sa carpe au moment de gober la grenouille. Sous le blanc et la poudre qui font à la comtesse de Cholay un teint de vase de nuit, il vient de retrouver l'inimitable Ninon. Le mur qu'il avait dressé pour masquer son souvenir s'effrite en un sourire, le laissant aussi nu que le jour de leur premier baiser. Il murmure :

— Vous m'avez tant manqué.

Comme elle ne peut l'embrasser avec les lèvres, elle le fait avec les yeux. Elle embrasse ses boucles qui en repoussant lui font un casque fauve. Elle embrasse ses pommettes. Elle embrasse l'angle net de sa mâchoire. Elle embrasse sa bouche tendre. Il lit le trouble dans son regard et se rapproche autant que la décence le permet. Profitant des gens qui les bousculent, elle cherche sa main. Et parce qu'il faut continuer de deviser d'un air dégagé pour que personne ne soupçonne qu'elle brûle de s'enfuir, là, tout de suite, avec ce jeune homme en habit d'artisan, elle demande :

— Est-ce pour converser au coin du feu de choses élevées que vous apprenez le latin et la philosophie ?

Batiste noue discrètement ses doigts à ceux qui s'offrent. Il veut cette femme. Il veut la mélanger à lui, la rendre sienne de toutes les manières et ne plus la quitter. Il se penche et lui souffle à l'oreille :

— Non, ma très douce. C'est pour changer le monde et nous y faire une place, à toi et moi.

Dans la pension du faubourg Picpus où Batiste passe ses dimanches et ses jours chômés, on discute Terence,

Hobbes et Descartes, on réfute les dogmes religieux, on récite de la poésie, on épluche les controverses médicales, on enseigne le droit civil et canon, l'hébreu, le latin et le grec. Le maître de céans est un prodige de soixante-quatorze ans, récemment émigré d'Anvers où il tenait une libre académie prisée des beaux esprits, au nombre desquel un certain Baruch Spinoza qui s'est fait chasser de la communauté juive parce qu'il remettait en cause l'existence du Dieu créateur. François Van den Enden, que ses disciples appellent maître Affinius, professe le doute et la critique comme expression du libre arbitre, il dénonce l'autocratie de l'Église et rêve d'installer dans les terres d'Amérique une colonie où les races et les religions cohabiteraient, où les hommes seraient égaux, œuvreraient en commun et partageraient équitablement les biens produits. À son contact Batiste découvre que les idées donnent des ailes et que ces ailes, pourvu qu'on les affûte, permettent de voler loin au-dessus du quotidien, vers un pays de rêves qui ne demandent qu'à devenir réalité. À la Conciergerie il a appris à lire et à écrire, et depuis sa sortie de prison il dévore avec le même appétit les publications de l'Académie des sciences prêtées par François Francine, les pamphlets qui s'échangent dans les rues et les exemplaires du *Mercure Galant* que le sieur Donneau de Visé fait paraître tous les trois mois. C'est Parrain qui l'a envoyé à maître Affinius. Toujours à court d'argent, le vieux savant essayait pour améliorer son quotidien de diffuser une méthode permettant d'écrire à la vitesse de la parole. Irréductiblement analphabète, Parrain lui a dépêché Batiste avec consigne d'apprécier si cette invention farfelue pouvait s'avérer lucrative. Van den Enden a vite compris que le jeune visiteur n'avait pas seulement des muscles, mais un cerveau. Sa vocation pédagogique trouvant là un terreau idéal, il s'est ingénié à désherber, bêcher, semer et arroser jusqu'à faire du fontainier aux mains calleuses le plus zélé de ses élèves. Batiste a rencontré à sa table des gens de toute condition qui partageaient un même goût des spéculations intellectuelles et de la rhétorique. À leur contact sa réflexion a gagné en agilité, en hauteur et en profondeur, réclamant à mesure qu'elle s'étoffait plus de nourriture et des horizons élargis. Van den Enden jubile. Ce garçon venu du plus bas de l'échelle sociale est la vivante preuve que l'éducation rend le peuple apte à comprendre les mécanismes qui régissent les sociétés humaines, et à façonner son destin au lieu de le subir. Brûlant de mettre ces théories à l'épreuve, il présente sa jeune recrue à Gilles du Hamel, sieur de La Tréaumont, un mestre de camp de cavalerie exclu de l'armée française pour indiscipline, compagnon de débauche du comte de Guiche, ancien amant de Monsieur, et du chevalier de Rohan, ancien grand veneur du roi. Fervent ennemi de l'absolutisme, frondeur par idéalisme autant que par goût de l'aventure, ce chevalier normand a trempé voilà quinze ans dans la révolte des Sabotiers, en Sologne. Le marquis de Bonnesson qu'il appuyait a été décapité, et La Tréaumont s'est juré de prendre sa revanche sur cette monarchie qui saigne les paysans et prétend mettre la vieille noblesse à genoux. À l'automne 1673, alors que Sa Majesté n'aspire qu'à se reposer des soucis de la politique sur le sein de Madame de Montespan, ce bouillant seigneur nourrit avec la complicité de maître Affinius l'ambition de détrôner le roi de France.

En attendant l'issue des négocations d'une paix que les exigences françaises rendent impossible, la cour se presse autour du vainqueur de Nimègue, Wesel et Maëstricht. Monsieur, qui a pris à l'ennemi vingt-deux drapeaux et deux étendards, reçoit sa part de louanges avec un orgueil mérité. Madame est si fière qu'il se soit comporté mâlement qu'elle lui saute au cou devant tout le monde. Le roi taquine son frère sur les transports d'affection qu'il inspire avec d'autant plus de gaieté qu'il apprécie les franches qualités de sa nouvelle belle-sœur au point d'avoir oublié jusqu'au nom de la première Madame. Emmanuel de Cholay s'est battu sous les ordres de Monsieur, il a reçu plusieurs coups d'épée et il espère que la balafre qui lui barre la joue plaidera en sa faveur. Il a dépensé deux mois de ses rentes pour se faire tailler un habit avec des dentelles et des rubans partout où on en peut accrocher. Dans ce pompeux appareil il joue des coudes pour se ranger sur le devant de la foule qui guette le roi au sortir de la chapelle. Louis XIV passe devant le comte sans lui faire l'aumône d'un regard et s'arrête cinq pas plus loin, devant son épouse qu'il salue d'un hochement de tête.

— L'ingénieuse comtesse de Cholay...

Le sang de Nine lui descend dans les pieds. Les yeux baissés, elle retient son souffle.

— La duchesse d'Orléans nous chante vos louanges sur tous les tons, Madame. À l'en croire, ce n'est ni à Dieu ni à la diplomatie qu'elle doit d'être heureusement mariée, mais à vous.

Nine voudrait répondre que Sa Majesté lui fait trop d'honneur, mais déjà le roi s'est détourné et continue son chemin entre la double haie des courtisans. « L'ingénieuse comtesse de Cholay. » On se pousse pour reluquer la tournure de sa robe, la hauteur de sa perruque, et comme personne ne la reconnaît, elle entend chuchoter sur son compte dix fausses vérités. Consumé de jalousie, le comte de Cholay prend son coude et le serre à en broyer les os. Nine retient un gémissement et murmure :

— Votre pouvoir ne durera qu'un temps, Monsieur.

Il serre encore plus fort et répond sur le même ton :

— Peut-être, mais tant qu'il durera, je l'exercerai à ma mode. Vous n'êtes rien qu'une femme, gardez-vous de l'oublier.

Rien qu'une femme.
Les jours de la comtesse de Cholay sont comptés.
Un an pour apprendre à aimer, à haïr, à mourir.
Cette année-là qui vous a donné vie, Charles.

Debout au milieu d'une cellule du Grand Carmel, une religieuse regarde la miniature de la Vierge qu'elle vient de trouver sous l'oreiller de Blanche Le Jongleur. La chambre mesure quatre pas sur deux, les murs en sont nus, le sol aussi. La couche est une paillasse posée sur trois planches, une étagère porte des cahiers de musique et un broc d'eau, une partition est ouverte sur un lutrin en bois et un habit neuf posé sur l'unique chaise. Une petite fenêtre sans volet donne sur une cour agrémentée d'un bassin. Au-dessus du lit, une grande croix espagnole. Sur un tabouret, une chandelle dans un bougeoir de cuivre. La religieuse se penche vers le tableau. Elle n'est pas très âgée, trente-cinq ou trente-six ans, mais sa vue ces derniers temps a beaucoup baissé, et elle ressent par moments au fond des orbites des élancements déchirants. On la nomme sœur Anne de la Trinité, elle est responsable des novices. À force de silence et d'abnégation elle croyait avoir atteint la paix de l'âme, mais quand elle retourne la miniature et lit l'inscription qui figure au dos, elle comprend qu'elle en est encore loin. La porte s'ouvre en coup de vent sur la postulante Le Jongleur qui revient de sa veillée de prière. La jeune fille va prononcer son premier engagement dans deux heures, pendant la grand-messe, et poursuivre son noviciat sous le nom de sœur Blanche de la Rédemption. Elle a les joues roses et ses yeux pétillent.

— Ma sœur, j'ai chanté dans ma tête toute la nuit et les étoiles ont chanté avec moi !

Sœur Anne de la Trinité met un doigt sur ses lèvres mais renonce à gronder. Elle aime cette enfant-là plus que les autres, elle admire la pureté de son cœur autant que la beauté de sa voix, et elle triche avec la règle pour l'aider à supporter la vie monacale. Blanche referme en hâte la porte, jette sur le matelas son livre d'heures et chuchote avec feu :

— Dieu est content, je crois. J'espère que sur son nuage ma mère l'est aussi.

La maîtresse des novices lui fait signe de s'asseoir près d'elle et lui montre le cadre de vermeil incrusté de pierres fines.

— Je ne suis pas sûre que Dieu soit si content de vous. Une religieuse ne doit rien posséder, et vous cachez un bijou dans votre lit. D'où vous vient cette Vierge ?

— Ma marraine me l'a offerte quand je suis entrée ici, et parce qu'elle est la protégée de Monsieur, la mère abbesse m'a permis de garder son cadeau. Je vous le promets ! Je vous le jure !

— La protégée de Monsieur ? Qui est cette marraine ?

— Demoiselle Nine La Vienne. Mon frère et moi, nous l'appelons Ninon. Elle fait des perruques. Et des pommades.

— La Vienne comme les bains qui sont au faubourg Montmartre ?

— Demoiselle Ninon est la fille du maître baigneur. Elle est aussi la filleule du seigneur Bontemps qui gouverne le château de Versailles. Sa mère s'appelait Louise de Courtin, elle est morte en la mettant au monde. Elle venait de Touraine. Elle a légué à Nine ce tableau et des pendants d'oreilles.

La sœur Anne de la Trinité a de larges yeux bleus aux pupilles dilatées et, présentement, le teint de quelqu'un qui vient de déterrer un cadavre. Dans un souffle, elle demande :

— Des perles roses ? Très grosses ? Très belles ?

— Comment le savez-vous ?

La maîtresse des novices semble sur le point de pleurer. Elle mumure :

— J'ai eu quelques amitiés avant d'entrer ici...

Les exercices de méditation n'ont pas encore lassé la pétulance de Blanche. La petite bat des mains.

— Nine sera à l'église tantôt, elle m'a écrit qu'elle viendrait ! Parlez-lui de sa mère, vous lui ferez tellement plaisir !

Sœur Anne de la Trinité replace la miniature sous l'oreiller et se redresse. Elle sent une main de feu broyer son cœur, elle se demande s'il bat encore ou s'il est déjà consumé.

— Vous savez bien que cela m'est interdit. Vous non plus, vous ne devrez pas parler. Il faut vous taire, mon petit, il faut vous taire maintenant et toujours, et penser seulement à la grâce qui vous attend.

La grâce ? Pendant la cérémonie, Blanche s'efforce de ne pas penser à tout ce qui, ici, lui paraît absurde ou odieux. L'interdiction de bavarder avec ses compagnes. Le réveil à quatre heures du matin en hiver. Les quarante jours de jeûne par an. Le cilice garni de pointes de fer qu'il faut porter autour de la taille ou de la cuisse pour communier avec les souffrances du Christ. Les flagellations que s'imposent les religieuses, seules dans leur cellule ou ensemble, chacune fouettant sa voisine jusqu'à ce que le sang gicle. La curieuse pratique qui consiste à se coucher devant la porte du réfectoire, face contre terre, pour qu'après le repas les sœurs l'une après l'autre marchent sur le corps étendu. Sans le secours de la musique, Blanche se sauverait. Ou alors elle se pendrait.

Non, elle ne se pendrait pas, elle aime trop la vie. Elle aime jouer à cache-cache sous les arches du cloître. Elle aime le rouge-gorge qui lui conte les nouvelles du dehors. Elle aime le vin de messe. Elle aime que la mère supérieure pleure quand elle entonne le *Veni creator*. Elle aime s'endormir sans crainte d'Anselme Boniface. Elle aime ne plus aller en guenilles et pieds nus. Ce matin, sœur Anne de la Trinité l'a aidée à passer son habit de novice. Elle aime l'ample robe de bure brune, la guimpe blanche, le bandeau blanc et surtout les sandales de corde à semelles de chanvre qu'on appelle alpargates. Quand elle verra son père, tout à l'heure, elle lui montrera ses sandales.

Un cierge allumé à la main, les moniales se sont rangées dans la partie du chœur qui leur est réservée. Blanche est à genoux près de la grille de séparation dont la double porte est ouverte. L'évêque qui officie fait le signe de croix sur un voile et un manteau blancs posés sur l'autel. Blanche se relève. Sœur Anne de la Trinité pose le voile sur sa tête, le manteau sur ses épaules, puis la conduit jusqu'au milieu du chœur afin qu'elle se prosterne sur le tapis de grosse serge qui est étalé là. Les bras en croix, la bouche contre le tissu qui gratte, Blanche sourit à Madeleine qui, du haut de son nuage, lui rend son sourire. Tout est bien.

À travers la grille du chœur, sœur Anne de la Trinité cherche dans l'assistance la marraine dont la petite a parlé. Celle qui lui a donné la miniature. Celle qui fait des pommades. La filleule d'Alexandre Bontemps. La chapelle est presque pleine, comme à chaque grand-messe. Au premier rang se tiennent serrés un vieillard chenu coiffé d'un échafaudage de boucles presque aussi haut que lui, une femme au visage rond criblé de taches de son, un homme avec une ceinture rouge, et une jeune personne brune qui regarde Blanche avec des yeux émus. Des yeux d'une taille, d'une coupe et d'une teinte très inhabituelles. Les jambes de sœur Anne de la Trinité se dérobent sous elle. Elle attrape un barreau, s'y accroche, et pour se donner une contenance fait semblant de combattre une quinte de toux.

Anne a accouché en seulement deux heures et la reli-gieuse qui lui bande le ventre en paraît très fâchée, car la protégée de Monsieur Bontemps aurait dû souffrir bien davantage pour racheter la faute qui l'a conduite ici.

Anne pense que malgré le chagrin qui lui donne envie de mourir, elle a beaucoup de chance. Bien ou mal, elle a été aimée comme dans les contes, un prince et un roi se sont battus pour elle, et ce que la sœur appelle le fruit de son péché est né de cet amour.

Le fruit a de longs yeux de la couleur d'un lac sous la lune. Il a les cheveux foncés et de toutes petites mains. Anne scrute les traits minuscules. Sa fille ne res-semble ni à Philippe, ni à Louis. Juste à un nouveau-né. Elle sait que le seigneur Bontemps attend dans le parloir. Au lieu de l'enfermer dans la prison d'où partent les femmes que l'on envoie aux Indes, il l'a menée ici, au Grand Carmel qui est une prison beau-coup plus douce, même si l'on n'en sort jamais. Il a désobéi au roi. Le seigneur Bontemps est un homme charitable. Dans sa peine et sa honte, Anne veut bien lui confier son enfant.

Elle emmaillote sa fille comme on lui a appris à l'or-phelinat, celui où le seigneur Bontemps l'a choisie quand elle avait cinq ans pour faire d'elle une poupée.

Dans les langes, en guise de viatique, elle glisse la miniature que Philippe lui a offerte et les pendants d'oreilles que Louis lui a donnés. C'est le beau chevalier de Rohan qui lui a apporté le portrait, et c'est le sei-gneur Bontemps qui lui a remis le bijou. Sur la minia-

ture elle est peinte en Vierge Marie, mais le visage est le sien, on la reconnaît bien. Les perles ont la même taille, mais pas tout à fait le même poids. La plus lourde se dévisse par le milieu. Dedans elle cache un mot d'amour du roi, écrit de sa main et roulé très fin, un mot pour dire qu'il la désire et qu'il l'attend.

Anne pense que le roi savait désirer mais qu'il ne savait pas aimer. Philippe, lui, savait. C'est pour cela qu'elle l'a préféré.

Elle va essayer d'oublier cette nuit-là, à cause de la souillure dont parle la religieuse et de son cœur qui pleure quand elle y pense.

Elle va aussi oublier le petit portrait, le mot caché dans la perle et les longs yeux de l'enfant qu'elle ne reverra jamais.

Elle va prier pour que le seigneur Bontemps prenne soin du fruit de son péché et de son amour. Prier jusqu'à son dernier souffle pour que sa fille vive libre, et qu'elle soit aussi heureuse qu'une femme en ce temps et sur cette terre peut l'être.

Le garçon à la ceinture rouge est Batiste, le frère de la petite Le Jongleur. Traits anguleux, beaucoup de cils. Le vieil homme est maître Binet, le célèbre perruquier. La rouquine est une voisine de Versailles, une experte en dindons. Statufiée à quelques pas de Blanche qui exhibe avec fierté ses alpargates, la responsable des novices attend que la nouvelle carmélite finisse de distribuer des baisers. *Nine. Ninon.* Elle se demande si c'est Bontemps ou le baigneur La Vienne qui a choisi ce prénom.

La jeune femme brune s'approche, tirée par Blanche. Quand son regard se pose enfin sur la sœur Anne, il passe de la politesse à la stupéfaction, puis à l'incrédulité, puis à la fascination. Nine ne connaît pas cette moniale, mais elle connaît ce visage. Ces sourcils arqués, ces iris couleur de bluet, cette bouche gourmande, cet ovale délicat. Elle les connaît et elle les reconnaît. Bouleversée, elle balbutie :

— Vous ressemblez à la Sainte Vierge...

Elle ne réfléchit pas, elle plie le genou et prend la main de la religieuse.

— Bénissez-moi, s'il vous plaît. Je vous en prie.

Le souffle muet, l'âme au bout des doigts, sœur Anne trace lentement le signe de la croix sur le front haut, griffé en plusieurs endroits. Et comme une fois ne suffit pas pour mettre dans son geste tout l'amour qui gémit dans son cœur, elle le trace une seconde, puis une troisième fois. Ce moment-là, qui dure une éternité suspendue, est le plus poignant et le plus doux de sa vie.

Nine La Vienne se relève. Elle rayonne.

— Merci, ma mère. Votre bénédiction ne me quittera jamais.

Devant les grilles du Palais-Royal, le fontainier Le Jongleur regarde la comtesse de Cholay. Ils ont raccompagné le vieux Binet à l'atelier, ils ont mis Mathilde dans le coche de Versailles, Nine doit maintenant reprendre sa place auprès de Madame et Batiste retourner à ses fontaines. Habités encore par l'émotion du Carmel, ils se retiennent par la main, ils ne peuvent se quitter. À l'instant de l'adieu, Blanche les a pris tous les deux dans ses bras et leur a soufflé à l'oreille : «Vivez pour moi, soyez heureux pour moi.» Batiste se penche vers Nine, si près qu'il se voit en raccourci dans ses prunelles. L'enfant dressé à la férocité. L'incendiaire, le trafiquant, le meurtrier. Le condamné aux galères. Et là, maintenant, l'homme qui aspire à renaître et à donner naissance. Il pose les lèvres sur la tempe de son aimée et demande :

— Veux-tu ?

À Paris, les garnis ne manquent pas. On peut y louer pour un an, un mois, une nuit, une heure. Nine ne montre aucun embarras. Elle entre à visage découvert dans l'auberge, dans la chambre, dans le lit. Il lui semble qu'elle entre dans sa vie. Il est des émotions d'amour qui dilatent l'être, le dénouent, le lavent des scories de l'existence et l'engendrent à nouveau. Les cicatrices sur leur corps racontent les épines et les pierres du chemin parcouru, mais le pays qu'ils découvrent ensemble est absolument vierge. Arrimés l'un à l'autre, ils sont neufs.

Sur l'oreiller, parce qu'il ne veut plus rien lui cacher, Batiste parle à Nine du complot.

On ne peut faire la guerre sans argent et l'argent ne fleurit pas comme les courgettes géantes du potager du Roy. Malgré les cierges allumés dans les églises et les efforts de nos soldats, la seconde guerre de Hollande a pris une tournure très différente de celle que Louis XIV et Monsieur de Louvois escomptaient. Guillaume d'Orange est un gamin teigneux et effroyablement combatif, les Hollandais des suicidaires pourris d'orgueil, la régente d'Espagne et l'empereur Léopold se sont rangés de leur côté, Charles II d'Angleterre, reniant le traité négocié par feu la première Madame, vient de signer une paix séparée avec les Provinces-Unies, et les principules allemands, électeur palatin compris, rallient l'un après l'autre la cause flamande. La France se trouve seule face à une coalition sans précédent, et les dépenses s'enflant à mesure que les fronts se multiplient, Monsieur Colbert doit sans cesse inventer de nouveaux impôts.

Vous m'avez souvent demandé, Charles, pourquoi votre père peinait à payer ses saisonniers, et pourquoi il crachait chaque fois qu'il entendait prononcer le nom de Jean-Baptiste Colbert. La raison en est la taxe dite du « Tiers et Danger » que le contrôleur général des finances a imposée en Normandie au temps dont je vous parle. Jusqu'alors les propriétaires de France qui cédaient une parcelle forestière devaient verser au Trésor soit un tiers, soit un dixième du prix de la vente. Selon les régions ils s'acquittaient du «Tiers» *ou* du «Danger». Invoquant l'effort de guerre, Sa Majesté les prie de faire un trou de plus dans leur ceinture et de régler dorénavant le «Tiers» *et* le «Danger». Les seigneurs qui vivaient sur l'exploitation de leurs bois se voient ruinés. Ils se moquent que Monsieur Colbert rêve d'annexer le commerce hollandais et que Louis XIV veuille faire manger la boue de ses polders à l'arrogant prince d'Orange. Leur ceinture est déjà au dernier cran, les plus modestes vivent à peine mieux que des gueux, les plus riches mangent les œufs de leur poulailler et le gibier qu'ils chassent sur leurs terres. Hurlant à l'injustice, brandissant piques et faux, ils se mettent à rêver d'une nouvelle Fronde.

Un coup d'État. Batiste Le Jongleur va participer à un coup d'État.

L'objectif? Renverser Louis XIV avec l'aide de l'Espagne et proclamer une République inspirée du modèle hollandais. Le penseur? Le philosophe flamand Van den Enden. Avec l'allant et la confiance dans l'avenir d'un jeune homme, le vieux savant a rédigé la constitution du futur État républicain et pris les premiers contacts avec le comte de Monterey, gouverneur des Pays-Bas espagnols. Le négociateur? Le bretteur normand Gilles de La Tréaumont. Ce bouillant personnage a la sédition dans le sang. Né à Rouen d'une famille de parlementaires alliée à tous les pommiers de la région, il connaît la Normandie comme le fond de son gousset et s'est fait un jeu de rassembler les opposants au régime. Les troupes? Pour commencer, vingt mille paysans et seigneurs normands, plus six mille soldats fournis par l'Espagne. La Tréaumont ne doute pas de rallier ensuite la Guyenne, le Languedoc, la Provence et le Dauphiné qui sous la houlette de Jean-

François de Paule, seigneur de Serdan, négocient de leur côté l'appui financier et militaire du prince d'Orange. Les armes et les outils de siège? Espagnols. La flotte? Espagnole. Le trésor de guerre? Deux millions de livres versées par l'Espagne. Les modalités? Les vaisseaux de guerre hollandais transporteront les troupes alliées jusqu'aux côtes normandes où les attendront six gentils-hommes en armure. Quatre monteront à bord où ils resteront en otage, tandis que les deux autres mèneront avec les Espagnols le siège de la forteresse de Quillebeuf, dans l'estuaire de la Seine. Quillebeuf est la clef du pays normand. Une fois prise, les soldats marcheront d'une traite jusqu'à Versailles. Le chef? Le chevalier de Rohan, à qui l'Espagne s'engage à verser trente mille écus de pension annuelle, en échange de quoi il doit livrer Le Havre, Abbeville et Dieppe. Il orchestrera aussi l'enlèvement du Dauphin. Le jeune Louis, qui a presque douze ans, chasse le loup avec passion et ses chevauchées l'amènent souvent jusqu'aux portes de la Normandie. Il suffira de déguiser quelques spadassins en gardes du corps, le prince se laissera cueillir sans se douter de rien.

Nine ne peut y croire. Le chevalier de Rohan, l'homme de France le plus proche du roi, se retournerait contre le maître qu'il aime et sert depuis l'enfance?

C'est le roi qui a trahi leurs vingt ans de compagnon-nage et leur fraternité de cœur. Le chevalier ne s'est pas ménagé en Hollande, il a été blessé deux fois. En considération de ses dettes pressantes et en récompense de sa bravoure, il pensait que Sa Majesté lui offrirait la charge de grand maître de la garde-robe ou le gouvernement de Guyenne. Sans prendre la peine de lui répondre en personne, le roi lui a fait mander par Monsieur de Louvois qu'il était las de ses extravagances et de ses exigences, que le chevalier devait songer à vivre raisonnablement, qu'en un mot il ne lui accorderait rien, rien de rien, pas même une pension. Vivre raisonnablement? Il est beau, l'exemple de vertu et d'économie donné par le donneur de leçons qui baise à couilles rabattues la femme de son prochain, légitime à la barbe de l'Église les fruits du double adultère, dépense pour son plaisir le bien de ses sujets et orne ses plafonds de ses glorieux faits d'armes afin que sa légende éclipse celle de l'Olympe! Le chevalier est fidèle à qui lui est fidèle, et il a une trop haute idée de lui-même pour aimer sans être payé de retour. Le roi le traite comme un valet que l'on congédie quand il a cessé de plaire? Honte à lui. Il s'en mordra les doigts.

Nine applaudit. Elle a vingt ans, et autant que le fontainier Le Jongleur ou le chevalier de Rohan, elle a faim de justice et de liberté. Elle demande à lire le projet de Constitution. Elle demande à assister aux réunions qui se tiennent chez maître Affinius et dans la maison de la place Royale où le chevalier de Rohan héberge son ami La Tréaumont. Elle propose d'espionner le roi par l'intermédiaire de Bontemps afin de déterminer le meilleur moment pour frapper. Elle veut apprendre à manier l'épée, à tirer au pistolet...

L'amour et la nature en décident autrement.

Vous, Monsieur, en décidez autrement.

Au milieu d'avril, alors que maître Affinius est parti signer à Bruxelles l'accord négocié avec le gouverneur des Pays-Bas espagnols, la comtesse de Cholay se découvre enceinte.

Le fruit a été conçu le matin que Batiste appelle celui de leurs noces, au retour du Carmel.

Oui, Charles, oui.

À la fin de ce même mois, le comte de Cholay revient d'Allemagne, défiguré par une seconde balafre et plus teigneux que jamais. Apprenant que sa femme s'y trouve seule, il se fait annoncer chez Madame où il entre d'un pas martial.

Il trouve Nine penchée sur une sorte de lorgnette inclinable vissée sur un pied où brûle une mèche à huile. Sans même lui donner le bonjour, le comte commence de défaire son ceinturon. Tous les pores de Nine se hérissent. Rassemblant son courage, elle l'arrête du geste :

— Assez, Monsieur. Vous ne me traiterez plus comme une de vos putains.

Emmanuel de Cholay jette son baudrier sur le lit.

— Je vous traiterai comme vous le méritez. Venez ici.

Nine se lève et met la table entre eux.

— Je ne vous donnerai pas le fils que vous voulez.

Il tend le bras pour l'attraper.

— C'est ce que nous allons voir. Ici !

La peur fait claquer les dents de Nine, mais pour vous, Charles, elle est résolue à aller jusqu'au bout.

— La faute n'est pas mienne, Monsieur, mais vôtre. Vous êtes incapable d'engendrer.

— Un Cholay, incapable d'engendrer ! La plaisante fable !

— Une fable que vous n'aimeriez pas voir répandre.

— Idiote ! C'est vous qui seriez mortifiée.

Nine montre l'instrument posé sur la table.

— Voulez-vous vous prêter à une expérience ?

Le comte de Cholay recule d'un pas et se signe.

— Magie de sorcière !

— Magie de la science. Le microscope que j'ai ici permet par le jeu de ses loupes d'observer l'infiniment petit. La dernière fois que vous m'avez forcée, j'ai prélevé un peu de votre semence. En l'auscultant sous cet appareil, j'ai compris pourquoi vous n'aviez jamais fait d'enfant à vos épouses, non plus qu'à vos maîtresses ou aux pucelles que vous violez. Votre vigueur est un leurre, Monsieur. Vos bourses sont avantageuses et vous tirez plus souvent qu'à votre tour. Mais il n'y a pas d'animalcule dans votre spermat. Aucun.

Emmanuel de Cholay crache par terre.

— C'est vous qui êtes stérile, saleté !

— Non, Monsieur.

Nine serre ses poings sur son ventre.

— Il se trouve que je suis grosse.

Son époux la regarde comme si elle venait de le gifler. Avec la sensation de basculer dans un puits, elle précise :

— La conception date du temps où vous étiez à l'armée.

Sur les traits du comte passe un train de pensées qui dépècent la jeune personne campée de l'autre côté de la table.

— Qui est le père ?

— Vous n'avez pas besoin de le savoir. Mais l'enfant le saura.

Le comte Emmanuel attrape le microscope et le lance à la tête de sa femme. Nine n'a pas le temps d'esquiver, elle reçoit l'instrument au-dessus du front. Le cuir chevelu fendu, elle chancelle. Son mari lui saute dessus, la plaque au sol et cogne à tour de bras. Elle hurle à pleins poumons. Il la bâillonne et la frappe au visage, aux épaules, aux seins. Elle mord sa main et hurle de plus belle. Un coup sous l'oreille l'assomme net. Le comte achève alors de se déboutonner, puis il lui fait vigoureusement et très complètement ce qui est nécessaire pour que, lorsque le fruit naîtra, il puisse sans ridicule prétendre l'avoir engendré.

Madame dès le lendemain s'en va trouver le roi. Il n'est pas bon pour l'image de la Cour et du souverain de laisser un gentilhomme démolir sa moitié sous prétexte de l'engrosser. Surtout quand un fœtus est déjà dans la place et que les brutalités de l'époux le mettent lui aussi en péril.

Le roi semble extrêmement contrarié. Il dicte incontinent la lettre relevant Monsieur de Cholay de son service armé et le renvoyant à ses vaches avec défense d'importuner son épouse jusqu'à la naissance de l'enfant attendu par icelle.

Le comte avant de partir vient saluer la comtesse. Il la trouve allongée sur un sofa, le crâne bandé et le visage couvert d'hématomes. Il lui sourit. Il est vicieux mais pas sot, et il sait retourner les situations les plus scabreuses à son avantage. Dans le cas présent, il suffit de se tenir coi et de laisser passer un peu de temps. Six ou sept mois. Cassant sa haute taille, il prend la main de Nine et la baise avec une parfaite galanterie.

— Adieu, Madame. Je m'en vais, mais je ne vous oublie pas. Le jeu commence à peine. La fin vous surprendra.

Charles. Enfant.

Je vous vois tourner en rond dans votre chambre.

Vous avez chaud, vous avez froid, vous refusez de croire ce que que vous venez de lire, vous voudriez ne l'avoir jamais lu.

Revenez à vous.

Revenez à moi.

Nous ne sommes pas encore au bout, c'est au dernier tournant seulement que vous verrez le paysage entier.

Le matin du 14 septembre, à huit heures précises, Alexandre Bontemps s'approche de la couche royale et annonce : «Sire, c'est l'heure.» Le roi s'étire, il promène un doigt sur ses gencives enflammées puis il se gratte le fondement qui le démange constamment à cause du ténia logé dans ses boyaux. Après quoi il se redresse sur ses oreillers, respire et, poumons gonflés, compose son visage de roi. Comme chaque matin Bontemps compte jusqu'à vingt pour laisser Louis redevenir Apollo Palatinus – le Soleil jouant de la lyre tandis que ses oracles éclairent le monde – et Victoria Retellensis – la Victoire écrasant sous ses pieds la Discorde –, comme sur les médailles que sa carpe dorée porte autour des branchies. À vingt et un, le premier valet ouvre les rideaux du lit, passe à Sa Majesté une chemise propre et s'accroupit pour lui enfiler ses mules. Le roi regarde son valet préféré et une bouffée de tristesse lui monte à l'âme. Il devrait être en colère et il ne l'est pas. Il devrait aspirer à la vengeance et il ne ressent qu'une lassitude amère. Il pose la main sur l'épaule de Bontemps :

— Monsieur l'intendant, vous manderez à la comtesse de Cholay que je souhaite l'entretenir après la messe.

Bontemps ne se doute de rien. Sans relever le nez, il demande :

— De quoi donc, Sire ?

— De ceci.

Louis XIV ouvre la main qu'il tenait posée sur son genou. Dans sa paume brille une grosse perle rose montée en boucle d'oreille. Bontemps verdit. Il souffle à voix très basse :

— Votre Majesté, je vous jure que ma filleule ne sait rien.

Le roi répond sur le même ton :

— Vous m'avez menti, Bontemps. Depuis vingt ans vous me mentez.

— J'implore votre pardon, Sire. Je vous supplie de comprendre. Je n'ai pas pu suivre votre ordre. La personne que nous savons serait morte aux colonies, et j'aurais porté ce poids-là jusqu'à mon dernier jour. Je l'ai menée dans la maison où Madame de La Vallière souhaite se retirer. Un fort inexpugnable, vous le savez. On m'a averti de sa grossesse dès qu'elle s'est déclarée. Le moment venu, j'étais là. J'ai pris le fruit, et pour lui assurer un sort convenable, je l'ai mis à la place d'un autre, qui venait de trépasser.

Le roi murmure :

— La fille du baigneur La Vienne.

— La Vienne est mon plus cher ami. Un homme de valeur, fidèle à votre trône.

— Que lui avez-vous dit ?

— Rien. Il était parti enterrer sa femme. Il a béni le Ciel de lui avoir laissé pour le moins son enfant.

— Vous avez trop de cœur, monsieur l'intendant.

Tout en parlant, le roi a dévissé la perle. Il l'ouvre et en tire un papier finement roulé dont il fait une petite boulette. Bontemps lui ôte prestement la boulette des doigts, la pose sur sa langue et l'avale.

— Pourquoi mettre au jour des vérités dérangeantes, Sire ? Ma filleule n'a pas besoin de savoir.

Le roi lui fait signe de se relever et répond à voix haute :

— Mais ce n'est pas cela, mon bon, que je vais lui apprendre.

Il salue de la tête le premier médecin et le premier chirurgien qui viennent tâter son pouls et inspecter son vase de nuit, puis il sourit à Pierrette Dufour, sa vieille nourrice, qui s'approche pour l'embrasser sur les deux joues. Bontemps se redresse, les genoux tremblants. Le roi a refermé la main sur la perle. Il commande :

— Que Madame de Cholay m'attende dans mon cabinet. Faites en sorte qu'elle vienne en confiance et restez devant la porte afin qu'on ne nous dérange pas.

L'intendant de Versailles a une armée de valets bleus sous ses ordres. Il a des Suisses dressés à glaner ragots et confidences dans les antichambres, les salles de garde, les couloirs, les escaliers, les bosquets. Il a un service de censure qui épluche les correspondances de tous les occupants du château. Il sait qu'un cadet de Gascogne du nom de Cauzé de Nazelle a écrit à Monsieur Colbert pour lui rapporter des propos séditieux échangés dans la salle basse de l'hôtel des Muses, au faubourg Picpus, entre le sieur de La Tréaumont et le chevalier de Rohan. Il sait que des mains scélérates ont placardé sur les portes des églises et des édifices publics de la bonne ville de Rouen quantité de libelles et placards appelant le peuple à se soulever contre Louis XIV. Il sait qu'un riche inconnu a commandé cinq cents habits de gardes du corps à un tailleur du faubourg Saint-Antoine. Il sait que le président du parlement de Normandie Claude Pellot est arrivé par chaise de poste en demandant à être reçu d'urgence, et qu'il est resté enfermé une grande heure avec Sa Majesté. Il sait enfin qu'hier au soir, avant de passer chez Madame de Montespan, le roi a dicté un ordre à porter au lieutenant général de police du royaume, et un autre au prévôt de Versailles. Alexandre Bontemps sait tout cela. Mais il ne voit dans cette agitation aucun rapport avec sa petite Ninon.

À midi le juste, ce même 14 septembre, la comtesse de Cholay attend le roi dans son cabinet. Supposant qu'il va la consulter sur sa mélancolie ou ses flux de ventre, ce qu'il fait de temps à autre en cachette de ses docteurs attitrés, elle passe en revue les questions de santé dont Bontemps lui tient l'almanach minutieux.

Louis XIV entre. Il a des cernes et des taches sur les pommettes. Un nouvel abcès dentaire sans doute. Nine arrondit une révérence aussi basse que son ventre le permet.

— Relevez-vous, Madame. Comment vous portez-vous ?

La voix est neutre, égale.

— Bien, Sire, merci.

— Votre mari vous laisse-t-il en paix ?

— Oui, Sire. Pour le moment.

— J'ai vu le chevalier de Rohan à la chapelle ce matin. Il a oublié de saluer la reine et je lui ai trouvé l'air agité. Il a de l'amitié pour vous, je crois. Le voyez-vous souvent ?

Inquiète du tour que semble prendre la conversation, Nine répond prudemment :

— Il vient peu chez Monsieur, j'ai donc peu d'occasions de le voir.

Le roi va à la fenêtre dont il tapote le carreau.

— On me dit que vous vous rendez souvent chez lui la nuit.

— Sire, je suis grosse de six mois, et jamais le chevalier...

Le roi se retourne.

— Vous le voyez aussi chez un professeur de philosophie nommé maître Affinius. Plusieurs pensionnaires vous y ont remarquée.

Nine a un éblouissement.

— Au lieu-dit hôtel des Muses, où les muses n'inspirent pas des vers mais une constitution républicaine.

Nine chancelle. Le roi s'approche et lui tend une fiole.

— Respirez ceci. Vous reconnaîtrez l'odeur, c'est vous qui avez composé ce cordial au temps où vous vous mêliez de faire des remèdes plutôt que la révolution.

Nine se mord les lèvres. Sans la quitter des yeux, le roi poursuit :

— En ce moment, le major de mes gardes Monsieur de Brissac est en train d'arrêter le chevalier de Rohan. Les séides de Monsieur de La Reynie font de même avec le sieur de La Tréaumont qui se trouve à Rouen, et avec le sieur Van den Enden qui doit être sur le retour de Bruxelles, où il a conclu une alliance avec nos ennemis. Que dites-vous de ce coup de filet, Madame ?

Le souffle court, Nine répond :

— Puis-je demander à Votre Majesté pourquoi elle m'en informe ?

— Parce que vous étiez au courant de ce complot et que vous ne l'avez pas dénoncé. Parce que ce silence suffit pour vous envoyer au cachot avec ceux qui, de près ou de loin, sont associés à cette conspiration et qui tous, entendez-moi, tous, seront arrêtés avant la fin de la semaine. Pourquoi m'avez-vous trahi, vous aussi ?

Nine n'a plus rien à perdre. Elle se redresse et regarde Louis XIV en face.

— Parce qu'il ne suffit pas de bâtir des châteaux, d'édicter des lois et de soumettre des ennemis pour faire un grand roi, Sire. Il faut aussi être juste et bon, et cela, vous ne l'êtes pas. Vous avez voulu prendre mon pucelage, et pour me punir de vous avoir repoussé, vous m'avez mariée de force. À un monstre qui m'a fait subir toutes les tortures imaginables.

— J'ignorais que le comte de Cholay avait ces sortes de vices.

— Je crois que vous m'auriez donnée à lui même si vous l'aviez su.

— C'est ainsi que vous me voyez? Un monstre, moi aussi?

— Permettez-moi de ne pas répondre à cette question.

Louis XIV se détourne et laisse passer quelques secondes. Ses cernes ont pris une teinte grisâtre, et sa paupière gauche palpite sous l'effet d'un tic nerveux.

— Je vais vous montrer, Madame, que certains monstres ont du cœur, qu'ils savent reconnaître leurs fautes et pardonner celles des autres.

— Vous, Majesté? Vous sauriez pardonner? Vous pardonneriez au chevalier et à ceux qui le suivent?

— Non, comtesse. À vous seule. À cause de ceci.

Le roi lui tend un petit sachet de soie.

— Lorsque je suis monté dans votre chambre, il y a quatre ans, vous avez cru que j'en voulais à vos charmes. Un roi ne force pas les femmes, Madame. S'il le fait, c'est qu'il n'est pas digne d'être roi, et tôt ou tard il doit en rendre compte. En l'occurrence je ne venais pas pour vos appas, mais pour un bijou que j'avais été extrêmement surpris de voir à vos oreilles.

Nine ouvre le sachet. Sa perle.

Le roi poursuit d'une voix plus lente, plus basse.

— J'ai offert ces pendants à votre mère il y a très longtemps, dans des circonstances que vous n'avez pas à connaître.

Louis a répété ces mots plusieurs fois, mais au moment de les dire, sa gorge se serre. *Anne.*

— Ces circonstances m'ont laissé débiteur à son égard.

Il regarde la petite comtesse. *Nine Philippa Louise.* Son cou d'oisillon. Ses clavicules saillantes. Ses yeux étirés vers les tempes. Son gros ventre.

— Un roi se doit de payer ses dettes, même les plus

anciennes. Comme je ne peux rendre à votre mère la vie qu'elle a perdue, c'est à vous que je la rends.

Nine le fixe sans comprendre. Le roi tousse pour s'éclaircir la gorge.

— Écoutez-moi attentivement. Vous n'avez jamais eu la moindre part au complot du chevalier de Rohan. Vous ne saviez rien de cette conspiration, et ce que les conjurés diront sous la torture ne sera pas retenu contre vous. Vous allez rentrer chez Madame et poursuivre votre service auprès d'elle. Vous ne lui direz pas un mot de cette conversation, non plus qu'à votre parrain, votre père ou quiconque, et vous ne chercherez à entrer en contact avec aucun des conjurés. Aucun, m'entendez-vous? Vous oublierez cette sinistre affaire et vous prendrez soin de votre fruit. Le nom de Cholay est estimable, le transmettre vaut quelques sacrifices. Vous élèverez cet enfant dignement, sans faire de vagues. Lorsqu'il sera en âge, nous l'accueillerons à la Cour et lui procurerons un état. M'avez-vous bien compris?

Nine reste statufiée. Les yeux élargis, incrédules, elle hoche lentement la tête. Louis XIV murmure :

— Vous ne ressemblez pas du tout à votre mère.

Elle lui répond sur le même ton :

— Je tiens de mon père, sans doute.

Sur le visage du roi, rien ne bouge. Il dit seulement :

— Qui sait?

Les semaines qui suivent appartiennent déjà à la légende de ce siècle. Vous trouverez à la cour cent personnes pour vous les conter de cent façons inédites, et si vous enquêtez en Normandie, vous en trouverez cent autres qui toutes vous donneront des détails différents.

Je ne vous dirai pour ma part que les faits, et comment, après tant d'artifices, ces faits nous lient vous et moi.

Oui, vous et moi.

Comme le roi l'a promis, la police de Monsieur de La Reynie agit avec une rapidité et une efficacité admirables. La Tréaumont est saisi à l'étage d'une auberge de Rouen. Il se bat farouchement, saute par une fenêtre et succombe à ses blessures. Van den Enden se laisse prendre sans résister dans un hôtel du Bourget. Il est emmené incontinent à la Bastille où il retrouve la marquise d'O, amante du chevalier de Rohan, le chevalier de Préault, écuyer du même, la marquise de Villars, maîtresse du précédent, le comte de Mouchy qui est gouverneur de Honfleur, Monsieur d'Herbeville qui est conseiller au parlement de Rouen, plus une cinquantaine de complices vrais ou supposés raflés en Normandie, à Paris et à Versailles.

Et Batiste?

Les gendarmes le débuchent au fond de la galerie où son frère s'est cassé les jambes. Quand il s'entend appeler, il lâche ses outils et file dans le labyrinthe qui serpente sous les verdures de Monsieur Le Nôtre. Le prévôt et ses hommes sont harnachés comme des haquenées, aucun ne pourra le pister à quatre pattes dans les étroits boyaux. Le pister, certes non. Mais l'assistant du prévôt Anselme Boniface était contremaître au temps du premier Versailles, il a suivi les phases successives des travaux de terrassement et il connaît les issues des souterrains. Quand Batiste remonte par la trappe qui s'ouvre derrière un taillis au sud de Latone, il l'attrape au col et le tire du trou comme un lapin. Deux gendarmes lient les bras du fontainier et lui fourrent un bâillon dans la bouche. Pour se délasser de l'attente, Boniface lui envoie son poing dans le foie et son pied dans les parties, puis d'un coup de bâton le fait tomber à genoux devant le bassin aux grenouilles.

— Regarde qui est venu te dire adieu.

L'assistant du prévôt pose sur la margelle un petit rôti de fourrure rousse ficelé façon gigot. En reconnaissant son maître, Jésus pousse des glapissements déchirants.

Boniface tire son couteau et d'un coup de lame précis ouvre le ventre du furet.

— Ça, c'est pour la cicatrice que cette saloperie m'a laissée.

Il plonge les doigts dans l'abdomen de Jésus et en sort les intestins qu'il jette dans l'eau verte.

— Ça, c'est pour ta sœur que je n'ai pas pu baiser.

Toujours vivant, Jésus se tord comme une anguille. Boniface le prend par la queue et l'envoie rejoindre les entrailles que la carpe dorée, attirée par le sang, gobe avec appétit.

— Et ça, c'est pour Sa Majesté.

Il empoigne les cheveux de Batiste, lui tire la tête en arrière et, se penchant, lèche les larmes qui coulent sur ses joues.

— Avec toi, pouilleux, je prendrai plus de temps. Je prendrai tout le temps que le bourreau me laissera. Je le prendrai si bien que les garces qui salivent après toi ne te reconnaîtront pas. Et quand on te montera sur l'estrade, devant tout le beau monde, c'est moi qui te passerai la corde au cou.

Nine après son entrevue chez le roi a été saisie de contractions qui l'ont forcée à s'aliter. Le premier médecin de Monsieur lui a commandé de garder la chambre, sans quoi elle accoucherait d'un fruit qui ne vivrait pas. Aussi ne quitte-t-elle pas le cabinet où elle passe ses journées à préparer des pommades maladorantes. Son père la visite régulièrement. Monsieur Lully aussi. Ils la croient enceinte de son mari, et souffrante à cause du chagrin que lui cause le sort du chevalier de Rohan. Ils comprennent son affliction d'autant mieux que la Cour entière est dans l'effroi et les larmes. On dit que le roi s'est fâché avec son grand veneur il y a longtemps déjà à cause de Madame de Montespan. Non content de coucher avec Madame de Thianges, sœur aînée de la marquise, le chevalier aurait proposé la botte à la maîtresse royale. On dit encore que la liberté de ton et de gestes du chevalier amusait le roi quand il était plus jeune, mais qu'aujourd'hui elle semble à Louis le Grand une familiarité outrageante. On dit enfin que la princesse de Guéméné est venue se plaindre de ce que son fils a forcé sa garde-robe et volé ses bijoux afin de payer son train de cour et ses dépenses de jeu. On dit surtout que le roi veut asseoir son pouvoir en éradiquant l'esprit de fronde, et qu'il va saisir l'occasion pour faire un exemple et dégoûter définitivement la noblesse de France de comploter contre sa couronne.

Le procès des conjurés s'ouvre le 6 novembre à l'Arsenal devant une juridiction d'exception. En considération de sa naissance, Louis de Rohan échappe à la question. Les autres sont torturés. Le 26 du même mois, estimant avoir rassemblé assez de preuves, la chambre condamne le chevalier de Rohan, le chevalier de Préault, la marquise de Villars, François Van den Enden et Batiste Le Jongleur. Les trois premiers périront par la hache, les deux autres seront pendus jusqu'à ce que mort s'ensuive. Les comparses sont relaxés et encouragés à se faire oublier.

À l'annonce de la sentence qu'un commissaire vient lire dans le salon jaune de Monsieur, la plupart des dames s'évanouissent. La comtesse de Cholay fait circuler des sels de sa composition sous une trentaine de nez et passe une grande heure à essayer de consoler Monsieur. Après quoi, avec une maîtrise de soi remarquable, elle persuade Madame de la laisser se rendre chez le bourreau. La pendaison à la française positionne le nœud coulant sous la mâchoire et l'os occipital. Par une ancienne fille d'honneur de feu Henriette d'Angleterre, Nine a entendu vanter la méthode anglaise qui, pour briser plus sûrement la colonne vertébrale, place la corde sur le côté gauche de la mâchoire inférieure. Elle veut exposer cette technique au bourreau et le convaincre de l'employer pour abréger les souffrances de Batiste Le Jongleur.

Elle emporte tout l'argent qu'elle possède, réparti en deux bourses, plus un sac plein de pots de pommade.

Le bourreau commis à l'exécution est Nicolas Levasseur, que Nine connaît depuis l'enfance. Elle se rend chez lui voilée et se fait annoncer sous son nom de naissance. Levasseur ne semble pas étonné. Il l'aide à ôter son manteau, lui avance un siège et la baise au front comme lorsqu'elle avait onze ans et qu'elle venait lui poser d'effarantes questions sur le corps humain. Nine lui tend l'argent et le sac. Le bourreau soupèse les bourses qui doivent contenir chacune au moins dix mille livres, puis ouvre un pot dont il renifle le contenu. Il soupire.

— À combien de mois en es-tu ?

— Huit.

— Je me doutais que tu viendrais. Le Jongleur est le père de l'enfant que tu portes, n'est-ce pas ?

Les yeux de Nine se remplissent de larmes. Levasseur lui verse un verre de vin de Bourgogne qui est recommandé aux femmes enceintes.

— Je l'ai abîmé le moins que j'ai pu. Je me fous de ce qu'il a fait. Il t'aime, cela me suffit.

— Il a parlé de moi ?

— Pour me supplier de t'épargner la question. Il croyait qu'on t'avait arrêtée avec les autres.

— On aurait dû.

— C'est La Reynie qui te protège ? Louvois ?

— Le roi.

Le bourreau siffle entre ses dents.

— Tu ne fais jamais rien à moitié, toi.

— Maître Nicolas, l'argent que j'ai apporté...

Levasseur lui fait signe de se taire.

— Je te connais. Je sais ce que tu veux. Je ne te promets pas de réussir, mais je ferai ce que je pourrai.

Il cache les bourses et le sac dans un coffre.

— Va-t'en maintenant. Et demain, ne bouge pas de chez toi. Le supplice est fixé à trois heures. Quand tout sera fini, je te ferai prévenir.

Cet après-midi-là, le duc d'Orléans se rend chez Sa Majesté qu'il trouve en pleine querelle médicale. Monsieur Daquin, son premier médecin, veut le purger, et Monsieur Félix, son premier chirurgien, veut le saigner. Le roi est naturellement gourmand, mais depuis que la chambre de l'Arsenal a commencé de siéger son appétit s'est tourné en gloutonnerie, et l'excès de mangeaille lui cause de grands désordres intestinaux. À Bontemps qui tâche à le raisonner, il répond qu'un roi se doit tout entier à son public. Si chagrin soit-il, il lui faut se divertir et manger le plus vigoureusement du monde, en prenant soin de donner toujours une image de force et de santé. Profitant de ce que les docteurs s'écartent pour se disputer, Monsieur tire un siège près de celui où Sa Majesté, à moitié dévêtue, attend le verdict de la Faculté. Il se penche vers son frère et dit à mi-voix :

— Sire, vous êtes triste, je le suis aussi, nous le sommes tous. Le chevalier de Rohan a écrit à la princesse de Guéméné pour la supplier de vous demander sa grâce. La lui accorderez-vous ?

— Je suppose qu'elle aussi est lasse de lui, car elle ne m'a rien demandé. Mais l'aurait-elle fait que j'aurais refusé.

— Et à moi ? En souvenir de nos joyeux moments tous les trois, m'accorderez-vous la vie du chevalier ?

— Non, Monsieur. Si cela ne dépendait que de moi, je le gracierais volontiers. Mais les faits sont trop graves. Personne ne comprendrait ma clémence et mon autorité en pâtirait.

— Vous avez bien pardonné à nos cousins Condé et Conti d'avoir combattu contre vous.

— Je n'ai plus quinze ans. Et avoir grandi avec nous ne fait pas du chevalier notre cousin.

— Rohan a le tempérament fougueux. Il veut toujours étonner la galerie, il a mal mesuré les conséquences de cette affaire. Vous le connaissez mieux que personne, c'est une tête folle...

— Ces têtes-là sont faites pour tomber.

— La mienne est folle aussi, Louis, vous me le reprochez assez !

— Sans doute. Mais je ne puis l'abattre.

Le mot a claqué comme un couperet. Saisi, Philippe se recule son siège.

— Je savais que vous ne m'estimiez pas. Mais je croyais que vous m'aimiez un peu.

Le roi a un geste d'agacement.

— Je vous aime, Monsieur. Je vous donne des maisons, des pensions, l'an dernier je vous ai même redonné votre précieux Lorraine.

— Pour que je vous aime en retour et vous reste fidèle jusqu'à mon dernier souffle.

— Qu'importe ? N'avez-vous pas tout ce que vous désirez ?

Philippe plisse les yeux.

— Dites-moi la vérité, pour une fois. Est-ce parce que notre mère me trouvait plus intelligent plus que vous ?

Le roi se carre dans son fauteuil.

— Est-ce parce que, quand nous étions enfants, j'ai pissé sur votre lit après que vous aviez pissé sur le mien et que lorsque vous m'avez giflé, je vous ai rendu votre gifle ?

De la main droite, Louis caresse son cordon du Saint-Esprit.

— Est-ce parce que lorsque vous agonisiez de la fièvre typhoïde, les gens se sont pressés chez moi pensant qu'au bout de la nuit, je serais le nouveau roi ?

Le visage marmoréen, les jambes allongées, Sa Majesté ressemble à un gisant. Philippe regarde la cicatrice en croissant que la royale moustache ne cache qu'à moitié.

— Est-ce à cause d'Anne, Sire ? De cette nuit-là ?

Un éclair rouge traverse le front de Louis.

> *Du sang plein la bouche. À califourchon sur lui, Philippe le frappe au visage. À demi nue, Anne Trouvé sanglote et appelle au secours. Bontemps surgit en robe de nuit, un bougeoir à la main. Il saute sur Philippe, l'arrache à son frère et l'envoie rouler au pied du lit. Louis gît sur le dos, le visage tuméfié, la lèvre supérieure éclatée. Bontemps l'aide à se redresser. Louis le repousse et pointe le doigt vers la fille recroquevillée derrière le coffre.*
>
> *— Aux colonies. Qu'elle ne revienne jamais.*

Philippe murmure :

— Vous saviez que je l'aimais.

Le roi se tourne vers lui. Il a les yeux brûlants.

— Croyiez-vous en avoir seul le droit ?

Philippe se redresse.

— C'est moi qu'elle avait choisi.

Louis serre les dents.

— C'est moi qu'elle aurait dû choisir. Je lui avais fait porter un bijou, un très beau bijou. Et c'est à vous qu'elle s'est donnée.

— Fallait-il nous en punir tous les trois ?

— Hier comme aujourd'hui un roi doit faire justice.

— Est-ce une si grande faute que de n'être pas à vos genoux ?

Louis se penche vers son frère.

— C'en est une, Philippe. C'est même la seule faute que je ne puisse pardonner parce que au-delà de moi, elle atteint ce que j'incarne.

— Et c'est pour cette faute-là que Rohan mourra demain, n'est-ce pas?

Le roi se rejette en arrière.

— À me défier, on perd toujours.

— Vous n'avez donc pas de pitié? Pas de cœur?

Sa Majesté fait signe à ses docteurs d'approcher.

— J'ai le cœur d'un roi, Monsieur. Et personne au monde ne l'a plus que moi.

Le cœur d'un roi.

Le 27 novembre 1674, le duc de La Feuillade, colonel des gardes-françaises, prie sa Majesté de le dispenser de la surveillance de l'échafaud dressé rue Saint-Antoine devant les baraques accolées à la muraille de la Bastille. Le roi s'exclame : «Tu es bien tendre, La Feuillade!» et commande à ce fidèle ami de Louis de Rohan de faire battre tambour pour rameuter la foule. Les condamnés arrivent en charrette au milieu des huées. Appuyé sur le bras des pères Bourdaloue et Talon qui l'ont confessé, le chevalier de Rohan a la figure pâle et les lèvres bleues d'un trépassé. Il est si faible qu'il faut le porter jusqu'en haut de l'estrade. Les assistants du bourreau hissent aussi Van den Enden et Le Jongleur, que la torture a laissés à demi morts et qui se laissent passer la corde au cou sans se débattre. Le vieux Van den Enden gigote quelques secondes quand on ouvre la trappe, donnant ainsi au peuple les frissons attendus. Le Jongleur, que le bourreau a assujetti avec plus de soin, choit d'un bloc et ne branle pas plus qu'un sac de son. Au premier rang de l'assistance, une femme rousse pousse un grand cri et s'évanouit. L'assistant du prévôt de Versailles, qui pour avoir arrêté l'un des condamnés a obtenu d'assister les gardes-françaises, la fait transporter dans une guérite voisine. Elle se prénomme Mathilde, elle sent le poulailler mais elle est plaisamment charnue et pantelante. Anselme Boniface s'en pourlèche par avance.

Le roi n'assiste pas au supplice.

La comtesse de Cholay non plus.

Le dimanche suivant, le bourreau vient rendre compte à Nine de la façon dont les choses se sont conclues. Le jugement stipulait que le chevalier de Rohan devait être décapité en dernier. Devant son état pitoyable, le père Bourdaloue a demandé aux commissaires de le faire passer en premier, ce qui a été accordé. Jusqu'à l'instant où on lui a mis le bandeau, le chevalier a obstinément fixé le duc de La Feuillade dans l'espoir qu'il lui annoncerait sa grâce. La grâce n'est pas venue et la belle tête du chevalier est tombée, suivie par celle du chevalier de Préault, puis par celle de la marquise de Villars qui après qu'on lui eut lu son arrêt a crié qu'elle mourait innocente. Le corps de Monsieur de Rohan a été réclamé par l'écuyer de la princesse de Guéméné, et celui de Madame de Villars emporté par un gentilhomme aux ordres de son frère. Afin d'éviter que la populace ne traîne le cadavre de Batiste Le Jongleur par les rues, l'exécuteur l'a fait enrouler dans un drap et inhumer dans la fosse de la prison.

Nine raccompagne Nicolas Levasseur jusqu'aux grilles des jardins et l'embrasse sur les deux joues devant les promeneurs ébahis. Les douleurs la prennent alors qu'elle remonte dans les appartements de Madame. Elle a trois semaines d'avance et les fractures de son bassin n'augurent rien qui vaille. La duchesse d'Orléans fait mander la sage-femme qui l'a heureusement délivrée du gros duc de Valois puis, récemment, de l'énorme duc de Chartres. Malgré l'insistance de la matrone, Nine refuse de prendre place sur le traditionnel « lit de misère » installé devant la cheminée où les domestiques attisent un feu d'enfer. En Angleterre, les femmes s'allongent sur le bord de leur lit, couchées sur le flanc, les genoux ramenés sur la poitrine. Dans les provinces germaniques, la parturiente s'installe sur une chaise percée ou s'assied sur une autre femme qui lui maintient les cuisses écartées. Les paysannes se mettent souvent à quatre pattes par terre, et les bourgeoises glissent des coussins sous leurs reins. Nine ne pouvant plier complètement ses genoux ni ouvrir ses jambes en équerre préfère rester debout, les bras levés et accrochés à une barre de bois. Elle tient cette position tout l'après-midi, toute la soirée, toute la nuit. Peu avant l'aube, alors que la sage-femme l'enlace par-derrière, un flot de sang lui gicle du corps. Elle s'écroule et perd conscience.

Quand elle revient à la vie, elle se sent aussi faible qu'après sa chute d'Almenêches et le berceau est vide. La femme placée à son chevet se tord les mains. Le comte de Cholay est venu réclamer son dû et il a emmené le poupon avec lui.

Un fils, oui. Le fils tant attendu.

Vous, Charles.

Vous.

La duchesse d'Orléans entre en fureur et traite ses gens d'incapables, mais ni son autorité ni celle de Monsieur ne peuvent forcer un père à restituer l'enfant sur lequel la loi lui donne plein pouvoir. Madame a vu les cicatrices sur le corps de sa chère Cholay. Si, pour élever son fils, Nine rejoint le comte en Normandie, aussi sûr que le chevalier de Rohan et Batiste Le Jongleur sont morts par la main du bourreau, elle mourra par celle de son mari.

Madame a autant d'esprit que de cœur, je vous l'ai dit. Elle réfléchit. Et c'est elle qui a l'idée.

Le jour des relevailles de votre mère, elle arrive dans sa chambre et pose sur le lit un habit qui peut convenir à un commerçant modeste ou à un notaire de campagne. Gris souris, le pourpoint; gris foncé, les chausses et les bas; gris moyen, la perruque courte. La chemise est sobre, de toile solide ; les souliers noirs, solides aussi. À ces vêtements discrets, la princesse rajoute le coffret dans lequel Nine renferme les pâtes et poudres avec lesquelles elle a maintes fois travesti le duc d'Orléans, puis la trousse de chirurgie achetée sept ans plus tôt en vendant le rubis de Son Altesse. La peine de la princesse est profonde à l'idée de perdre celle qu'elle aime comme une sœur, mais elle se force à sourire :

— Je dirai à Monsieur que vous avez succombé à une fièvre puerpérale si violente que personne n'a eu le temps de vous secourir. Vous aurez un bel enterrement, je vous le promets. Et j'écrirai au comte de Cholay pour l'informer qu'en souvenir de vous, je veux être la marraine de son fils, dont Monsieur lui fera l'honneur d'être le parrain. Embrassez-moi. Quand vous serez prête à mourir et à ressusciter, venez m'en avertir.

Voilà, nous y sommes, Charles.

La comtesse de Cholay avait usé les culottes du fringant Ninon La Vienne sur les bancs de la Faculté de médecine. Elle n'eut pas beaucoup mal à devenir le patient Ange Lacarpe.

Ange, afin de vous garder et protéger, mon enfant.

Lacarpe, pour me rappeler que jamais, tant que le comte Emmanuel vivrait et quel qu'en soit mon désir, je ne devais dévoiler l'imposture qui me permettait de veiller sur vous.

J'ai quitté le Palais-Royal à la nuit noire, par les escaliers dérobés, avec pour bagage une seule malle. À l'aube j'ai pris la chaise de poste qui m'a déposée sur la place d'Argentan. Je suis allée trouver le rebouteux aux grosses mains, et je l'ai prié de m'indiquer le chemin d'Almenêches où je souhaitais m'établir. J'avais pendant le voyage travaillé ma diction en sorte de bégayer juste assez pour que mon interlocuteur prêtât davantage attention à ma prononciation qu'au timbre de ma voix. Je venais de Loches. Ma famille cousinait avec celle de Monsieur Bontemps, intendant de Versailles. Je pratiquais la médecine des simples. Je soignais les maladies de la peau, des yeux, les maux d'entrailles, de dents, les fièvres, la goutte et la gangrène. En cas de besoin, je pouvais aussi émasculer, couper bras et jambes, opérer hernies, anthrax et fistules. Sans soupçonner que sous l'habit gris se cachait la femme dont il avait trois ans plus tôt réparé le squelette, le rebouteux s'est déclaré enchanté d'avoir un nouveau collègue. Il m'a félicitée de choisir cette partie de la Normandie que la sédition n'avait pas touchée, et il m'a mise en garde contre le comte de Cholay, seigneur du lieu, qui avait tué ses deux premières épouses et torturé la troisième. Rassurée sur la crédibilité de mon déguisement, j'ai hissé mon bagage dans sa charrette et l'ai accompagné dans ses visites. Il m'a laissée chez Michel Plivar, le père du jeune Mathieu qui m'avait sauvé la vie. Cet homme doux, d'une bonté inépuisable, avait dans les mains le pouvoir d'ôter le feu. Du temps que je me nommais Marie de Cholay, j'étais venue lui confier les brûlures dont le comte me tatouait la poitrine et les flancs, et chaque fois, sans rien faire d'autre que poser sa paume sur ma plaie, il m'avait soulagée. Il élevait des moutons dont il vendait la laine et la viande au marché. En attendant de gagner par mon art de quoi subvenir à mes besoins, je lui ai proposé mon aide pour la tonte en échange du toit et de la soupe. Louisette, sa femme, souffrait d'un hoquet persistant. Je lui ai massé le dessous des omoplates avec une huile mélangée de basilic, d'aneth, de carvi, d'estragon et de mélisse. Elle s'en est si bien trouvée que le lendemain, tout le bourg voulait connaître Ange Lacarpe. Le père Michel, comme on l'appelait, me souriait gentiment. Je ne crois pas qu'il m'ait reconnue dès l'abord. Mais quand le voisin Ragot, celui qui cultive si bien son potager, a parlé d'un nourrisson ramené de Paris par le maître, je n'ai pu m'empêcher de poser des questions. Le père Michel a d'autres yeux et d'autres oreilles que les humains ordinaires, et malgré mon effort pour maîtriser les expressions de mon visage et le ton de ma voix, il m'a devinée. Nous ne nous en sommes rien dit, ni à ce moment, ni jamais. Il m'a installée dans sa soupente, où il m'a monté en cachette de sa femme une paire de draps. Il m'a ensuite conduite chez Bonne Fermat, pour examiner les oreilles de ses jumeaux, et il a pressé Bonne de me mener au château, pour ce jeune maître qui était né sans mère et qui ne cessait de hurler.

C'est ainsi, Charles, que je suis entré dans votre vie.

Me voyez-vous, maintenant?

Quand le jour se lèvera, rassemblez vos forces et venez à Saint-Hippolyte. J'ai loué ce presbytère l'année de vos sept ans, afin de vous héberger commodément quand le comte s'en allait chasser à l'autre bout de la province. Sous la fenêtre de ma chambre vous trouverez la malle avec laquelle je suis arrivée à Almenêches. Vous m'avez demandé un nombre infini de fois ce que ce coffre contenait, et un même nombre de fois je vous ai répondu qu'un jour, je vous laisserais l'ouvrir. Secouez mes vieux souliers qui sont devant la cheminée. Ces galoches rapiécées sont celles de mon oncle Jean Quentin, qu'à Versailles je bourrais de paille pour me garder du rhume. Je les portais quand le roi est venu me visiter.

La clef est au fond du pied droit.

Dans ma malle vous reconnaîtrez le gant écarlate du roi de France, la robe de noces offerte par la duchesse de La

Vallière à la comtesse de Cholay, la cape à col fourré du valet Claude Roger, les souliers à talons verts de Nine La Vienne, la ceinture rouge de Batiste Le Jongleur, et les perles que Louis le Quatorzième a fait porter par Alexandre Bontemps à la jeune Anne Trouvé, une nuit de l'automne 1652, pour persuader la poupée aux yeux bleus de l'aimer plutôt que son frère Philippe.

Cette nuit-là, dont le brûlant secret a été confié sur son lit d'agonie par la sœur Anne de La Trinité, responsable des novices, à la sœur Blanche de la Rédemption, soliste dans la maîtrise du Carmel de la rue d'Enfer, à Paris.

Blanche et moi n'avons jamais cessé de nous écrire.

Dès qu'elle a appris que le bourreau chargé d'exécuter son frère ne l'avait pas pendu mais envoyé en Angleterre, elle me l'a fait savoir. Elle ignorait le nom du moribond que maître Levasseur avait accroché au gibet à la place de Batiste, elle savait seulement que mon argent et mes pommades avaient rempli leur office. Le condamné sauvé *in extremis* avait traversé l'océan sans que la gangrène se mît à ses plaies, et il s'était installé à Londres, où il m'attendait.

Il m'y attend depuis treize ans.

Et depuis treize ans, chaque semaine, je lui envoie une longue lettre pour lui parler de vous afin que le jour où il vous rencontrera, il reconnaisse son fils.

Il sait vos cils, que vous tenez de lui. Il sait votre boulimie de vivre, votre goût du beau, du vrai, et la hauteur de votre âme. Il sait que vous tirez à l'épée de la main droite, mais dessinez de la main gauche. Il sait que vous apprivoisez les souris et que vous nagez hiver comme été dans le ru où vous pêchez les écrevisses. Il sait que je vous ai appris presque tout ce que je sais, et que c'est à lui de vous apprendre le reste.

Il sait que suis fière de vous.

Il sait aussi l'abnégation de mes jours et de mes nuits à vous seul consacrés, les plaintes que vous n'avez jamais entendues et les larmes que je vous ai cachées. Il sait combien j'ai eu peur, sans cesse, pendant toutes ces années. Peur du regard du comte chaque fois qu'il se posait sur moi. Et plus encore chaque fois qu'il se posait sur vous. J'avais connu Emmanuel de Cholay d'assez près pour savoir ce que tôt ou tard il vous infligerait. Quand j'ai vu dans son œil la lueur de vice que je redoutais, je n'ai pas hésité.

La farine de seigle ergoté ne se distingue pas d'une farine ordinaire. On peut en faire du gruau, des galettes, du pain.

Une personne prise par le mal des Ardents ressent d'abord des fourmillements aux pieds, aux mains, à la tête. Ces fourmillements tournent en brûlures, puis en feu dévorant. La deuxième semaine viennent les convulsions. La troisième, les hallucinations. Au bout d'un mois la gangrène se met aux extrémités. Après dix semaines à manger le pain maudit préparé par mes soins, votre père s'est trouvé sans doigts, sans orteils, sans nez, sans verge. J'ai préparé un bain de tilleul dans la chambre verte où pendant notre mariage il m'avait engeôlée. Quentin et Geoffroy l'ont porté dans le baquet. Je les ai priés de vous mener avec Gervaise et Marraine au couvent, et de commander des messes, car la fin approchait. Quand nous avons été seuls, j'ai ôté ma perruque et j'ai dit au comte que j'étais revenue d'entre les morts pour l'emmener en enfer. Il a cru voir le diable. Je l'ai laissé hurler et je suis rentrée chez moi. Au matin, vous êtes venu m'annoncer qu'il avait rendu l'âme.

Je vous demande pardon pour tout, Charles, sauf pour cette mort.

Vous êtes sauf, vous êtes libre. Je ne regrette rien.

Demain je serai à Londres, et vous à la Cour. Regardez Versailles comme la sirène qu'elle est. Souriez-lui, admirez-la, dansez avec elle au son des violons de mon ami Lully, mais ne vous penchez pas sur les bassins où elle vous noierait volontiers. Quand vos yeux caresseront les colonnes de marbre et les corniches ouvragées, pensez aux maçons écrasés sous les blocs. Quand vous monterez sur les goélettes qui passent d'une rive à l'autre du Grand Canal, pensez aux terrassiers noyés dans la boue et décimés par les fièvres. Quand les fontaines lanceront vers le ciel leurs jets de perles, pensez à Batiste, à Pierre, à Madeleine Le Jongleur.

Le roi qui vous accueillera me croit morte et le secret d'Anne Trouvé enterré avec moi. Ne le détrompez pas. Ne lui laissez jamais deviner ce que je vous ai confié.

Lorsque le flot de vos émotions sera endigué, lorsque vous cesserez de voir en moi un monstre à peine moins détestable que le comte Emmanuel, écrivez-moi. Adressez vos lettres au Carmel de la rue d'Enfer, à l'attention de sœur Blanche de la Rédemption. Elle me les fera parvenir.

Je vous laisse ce que j'ai été et ce que je suis. La fougue de Nine La Vienne, le calvaire de la comtesse de Cholay, les silences d'Ange Lacarpe. Mon amour pour l'homme que je vais rejoindre. Mon inébranlable foi en vous.

Le jour où vous voudrez reprendre le fil de cette histoire afin qu'ensemble nous la continuions, vous me trouverez le cœur et les bras tendus, à vous attendre.

Après tant d'années sous le masque et de patients détours, de mensonges nécessaires et de vérités assassines, je ne veux plus être désormais que

Votre mère

Remerciements

Grand merci à Daniella Malnard, au service des Eaux de Versailles, et à Mathieu Da Vinha, au centre de recherches du château Versailles, pour leur aide précieuse et pour le temps qu'ils m'ont consacré.

Un très grand merci également à François Lebrun, auteur de *Se soigner autrefois*, et Frédéric Tiberghien, *Le Chantier de Versailles*, dont les passionnants ouvrages ont nourri mon travail.

evedecastro@hotmail.fr

La photocomposition de cet ouvrage
a été réalisée par
GRAPHIC HAINAUT
59163 Condé-sur-l'Escaut

Impression réalisée par

La Flèche

*pour le compte des Éditions Robert Laffont
24, avenue Marceau, 75008 Paris
en octobre 2012*

Dépôt légal : octobre 2012
N° d'édition : 52633/01 – N° d'impression : 69848
Imprimé en France